2026
年度版

大卒警察官 教養試験 過去問350

【試験ガイド】

【令和６年度試験出題例】

【大卒警察官〈教養試験〉過去問＆解説No.1～No.350】

◆本書は、平成16年度から令和6年度の過去問を収録しています。
◆各科目の問題数は、基本的に令和6年度試験の出題比率に基づいて配分していますが、試験制度の変更により、出題科目・出題数等が変更になる場合があります。
◆法改正、制度変更などがあった分野の問題、またはデータが古くなった事情問題のうち、問題文を最新情報に基づいた記述に改めたものは、〈改題〉表示をしています。
◆本書に掲載した過去問のうち、問題が公開されていないものは、受験者情報をもとに小社が独自に復元したものです。したがって、実際の試験問題と完全に同一であるとは限りません。
◆本書では、人事院が作成・公開した試験問題文に合わせて、令和5年度の問題・解説から、読点については「、」を使用しています。それ以前の問題・解説等では、人事院の問題文に合わせて「,」を使用していたため、両者が混在している場合があります。ご了承ください。

資格試験研究会編
実務教育出版

過去問集の決定版！

先輩合格者も使った信頼のシリーズ！

2026年度版

公務員試験

合格の500シリーズ

- ●試験別の構成で、まるごと１冊すべて受験先の問題。500問収録の圧倒的ボリューム（一部350問）
- ●地方上級、市役所、警察官などの非公開問題も、受験者情報から復元して、詳しい解説とともに掲載
- ●時間を計って取り組めば、模擬試験代わりにも使える！　わかりやすい解説で徹底的に実力強化！
- ●公務員試験では、過去問の類似問題が頻出！　なるべく早く取り掛かり、何周も回して合格をつかめ！

合格の500/350シリーズは、全14冊のラインナップで、主要な公務員試験を網羅しています。受験先によって対応する書籍が異なります。職種・勤務先と受験先・対応する書籍については、下表を参考にしてください（刊行スケジュール、価格等は小社ホームページをご参照ください）。

第一志望だけでなく、併願先の過去問も解いておこう！

	なりたい職種・やりたい仕事	対応する書籍
大卒程度 上級	国家公務員（中央官庁）	国家総合職　教養試験　**過去問500**
		国家総合職　専門試験　**過去問500**
	国家公務員（中央官庁、地方機関）	国家一般職［大卒］教養試験　**過去問500**
		国家一般職［大卒］専門試験　**過去問500**
	国税専門官	国税専門官　教養・専門試験　**過去問500**
	道府県、政令指定都市の職員	地方上級　教養試験　**過去問500**
		地方上級　専門試験　**過去問500**
	東京都、特別区の職員	東京都・特別区［Ⅰ類］教養・専門　**過去問500**
	市役所の職員（政令指定都市を除く）	市役所上・中級 教養・専門試験　**過去問500**
	警察官（大卒程度）	大卒警察官　教養試験　**過去問350**
	消防官	大卒・高卒消防官　教養試験　**過去問350**
高卒程度 初級	国家公務員（中央官庁、税務職員、地方機関）	国家一般職［高卒・社会人］教養試験　**過去問350**
	地方公務員（高卒程度）	地方初級　教養試験　**過去問350**
	警察官（高卒程度）	高卒警察官　教養試験　**過去問350**

財務専門官、労働基準監督官など、国家専門職の基礎能力試験は共通

消防官は大卒・高卒が一冊に

大卒警察官
試験ガイド

① 試験概要

近年ますますその人気が高まっている大卒警察官採用試験。まず最初に警察官の仕事内容などとともに、複雑な採用試験の概要を紹介しておこう。

■組織と仕事内容

現在の我が国の警察組織は、２つに大別される。すなわち、国家警察である警察庁と、自治体警察である都道府県警察である。警察庁へは国家総合職・一般職からの採用が主流であるため、本書では都道府県警察に絞って解説する。

都道府県警察は、それぞれの都道府県の県庁所在地に置かれており、採用試験は、基本的に都道府県警察ごとに行われる。

警察官として採用されると巡査に任命されるが、いきなり交番に立ったり、刑事として犯罪捜査に当たったりするわけではない。採用されるとまず警察学校で一人前の警察官になるために勉強をする。その後、各地域の警察署に配属され、交番勤務を体験する。そして、交番勤務を体験していく中で、本人の希望や適性などが考慮され、刑事・交通・生活安全・警備などの専門分野の仕事に就くことになるというのが一般的である。

■試験ガイド

警察官採用試験は、男性警察官・女性警察官とも、ほとんどの自治体で大学卒程度（「警察官Ａ」など）と高校卒程度（「警察官Ｂ」など）の２つの区分に分けて実施されているが、なかには短大卒程度の試験を実施している自治体もある。

●受験資格

大学卒程度（警察官Ａ）の受験資格（学歴要件）は、基本的に、大学を卒業した者または翌年３月までに卒業見込みの者、となっている（学歴ではなく、大学卒業程度の学力を有する者、とする場合もある）。年齢は、たとえば警視庁の場合、試験日現在において21歳（翌年４月１日までに22歳になる者）以上35歳未満の者となっている。年齢上限は、30～35歳程度の場合が多いが、自治体によって異なるので、事前に必ず確認しよう。

また、警察官試験においては、かつては、身長や体重、胸囲などの身体基準が定められていることが多かったが、近年はほとんどの自治体で撤廃されている。ただし、多くの場合、二次試験で、視力、色覚、聴力などの身体検査が行われる。

●受験手続

受験の手続は、「警察官採用試験申込書」を入手することから始まる。それには、直接入手するか、郵送で入手する方法がある。受験案内や申込書は、各都道府県の人事委員会、警察本部警務課（または採用センター）、各警察署、交番、派出所などで入手できる。このほか、ほとんどの自治体でインターネットによる受験申込みを受け付けており、この場合は、各都道府県警察のホームページにアクセスし、所定の事項を入力して申込みをすることができる。

●試験内容

試験は、一次試験と二次試験以降に分けられる。その内容は、各都道府県によって若干異なるが、教養試験、論（作）文試験、面接（口述）試験、適性検査、身体検査などは、ほとんどの自治体で実施されている。このうち、教養試験は一次試験で、面接試験は二次試験以降で行われることはほぼ全国共通である。その他の試験や検査は、一次試験と二次試験のどちらで行われるのか自治体によってまちまちである。

・教養試験

出題数および試験時間は、「50問・120分」あるいは「50問・150分」という自治体が大半である。問題の内容は、「一般知識分野」と「一般知能分野」からなる五肢択一式の教養試験のみというところが多い。過去問から判断すると、問題の難易度は、国家一般職［大卒］や地方上級よりも易しめのものが多い。

例年、５月中旬および７月中旬の日曜日に一次試験を実施する自治体が多く、教養試験では共通問題の出題が確認されている。本書では、この出題タイプを、それぞれ５月型、７月型と呼んでいる。このほかにも、９月、10月などにも一次試験が実施されている。これらの教養試験の問題は公開されていないため、本書では、受験者からの情報をもとに復元し、解説とともに掲載している。警視庁、大阪府は、一次試験日にかかわらず、独自の出題となっている。また、警視庁の試験問題は公開されている。

なお、近年は、教養試験の代わりにSPI 3で受験できる区分を設ける自治体も増えている。

・論（作）文試験

論（作）文試験は、思考力、表現力、見識、文章構成力、適応性等を見るための課題式の筆記試験である。試験時間は60～90分程度で、字数は600～1,200字程度である。課されるテーマは、警察官の職務や使命に関するもの、社会や時事に関するもの、自分自身の体験に関するもの、志望動機に関するものなど、多方面にわたっている。

・面接試験

面接試験では、教養試験や論文試験では見ることのできない人物像や人柄を評価する。形式は「個別面接」で、時間は20分前後のところが多い。自治体によっては、個別面接に加えて「集団面接」や「集団討論」を実施するところもある。

・適性検査

適性検査は、警察官として職務執行上必要な適性などを見るもので、基本的に対策は不要である。検査方式としては、クレペリン検査、Y-G式、MMPIなどがある。

・身体検査・体力検査

身体検査の内容は、視力、色覚、聴力などがある。体力検査の内容は、握力、上体起こし（腹筋）、腕立て伏せ、立ち幅跳び、反復横跳び、20mシャトルランなどがある。

●第1回試験と第2回試験

都道府県によっては、1年間に2回以上採用試験を実施するところがある。受験資格や試験種目はほとんど同じものなので、志望者は採用試験を複数回受験することもできる。

●共同試験

共同試験とは、各都道府県が協力して採用試験を実施し、受験者がその中から志望都道府県を選択して併願できる制度で、例年、半数以上の自治体で実施されている。

その仕組みを下図に即して説明すると、たとえば、B県、C県、D県、E県と共同試験を実施するA県の試験を受けるとする。その際に、B県も志望することを申込書に記入すれば、A・B両県を同時に受験するものとして扱われ、仮にA県の一次試験で不合格となっても、B県に合格するということがあり、合格のチャンスが広がる。もっとも、共同試験では「志望できるのは第二志望までで、かつ受験地を第二志望にはできない」という条件がつくところがほとんどである。また、受験資格がそれぞれの都道府県で異なり、受験資格を満たす都道府県しか志望できないことにも注意が必要である。

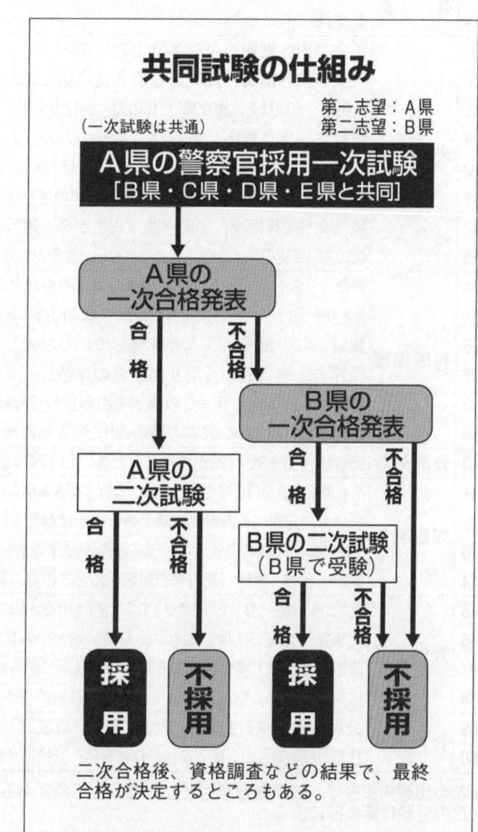

② 出題分析

6年度出題内訳 警視庁警察官 4月13日実施 第1回

No.	科目	出題内容
1	政治	憲法における人権（思想・良心の自由、表現の自由、検閲等）
2		地方自治法（二元代表制、不信任決議、法定受託事務等）
3		国際組織（ASEAN、BRICS、EU、G20、NATO）
4		中国の政治（香港、マカオ、一国二制度等）（空欄補充）
5	社会	消費者問題（消費生活センター、消費者契約法等）
6		農業問題（食料自給率、関税化、トレーサビリティ等）
7	経済	日本のGDP（2023年の増加率、世界での順位等）（空欄補充）
8	社会	GX経済移行債
9		大麻の規制（検挙人員、改正大麻取締法、使用罪等）
10	日本史	承久の乱（後鳥羽上皇、北条政子、土御門上皇等）
11		第二次世界大戦後の占領政策（財閥解体、農地改革等）
12	世界史	中国の古典文明（農耕文化、邑、周、秦王等）
13		ヨーロッパ世界の形成（マジャール人、ノルマン朝等）
14	地理	世界の農業（混合農業、プランテーション農業等）
15		交通や情報通信（時間距離、ハブ空港、LCC、運河等）
16	思想	日本の仏教（空海、源信、法然、日蓮、栄西等）
17	文学・芸術	軍記物語と歴史物語（『将門記』『陸奥話記』等）
18	国語	ことわざ・慣用句（対岸の火事）
19		外来語とその言い換え語（サマリー――要約）
20	数学	関数とグラフ（模型自動車の位置の軌跡を表す式）
21	化学	硫酸銅水溶液の電気分解（陰極に析出する銅の質量）
22	生物	生物の進化の仕組み（痕跡器官、共進化、遺伝的浮動等）
23	地学	天気の変化（山を越えて吹き下りた空気塊の温度）
24	英語	英文の空欄補充
25		英文法
26	文章理解	英文（内容把握、キング博士の生涯）
27		英文（内容把握、良い聞き手と良い話し手）
28		現代文（空欄補充、齋藤繁『「体の力」が登山を変える』）
29		現代文（文章整序、更科功『絶滅の人類史』）
30		現代文（要旨把握、今泉忠明『猫脳がわかる！』）
31		現代文（要旨把握、中畑正志『はじめてのプラトン』）
32		現代文（要旨把握、印南一路『人生が輝く選択力』）
33		現代文（要旨把握、森弘之『2つの粒子で世界がわかる』）
34	判断推理	集合（テストで3科目とも平均点以上の学生の最少人数）
35		位置関係（丸テーブルに座る3人の職業、年齢、出身地、居住地）
36		発言からの推理（3人の所属している学部）
37		操作の手順（袋から取り出す箸の本数）
38		暗号（東西南北と0～2の数字を組み合わせた暗号）
39		順序関係（6人の駅での待合せに到着した順序）
40	数的処理	記数法（45＋34＝123が成り立つときの45×34の値）
41	図形判断	平面構成（5つの合同な正方形をつなげてできる図形の数）
42		三平方の定理（正方形の内部を動く点がはね返る回数）
43		正多面体（すべての辺を一度ずつ通る経路が存在する正多面体）
44		移動・回転・軌跡（正方形が回転するときの点の軌跡）
45	数的処理	数の計算（105～207までの整数のうち7で割り切れないものの和）
46		仕事算（2人で仕事を始めてから終わるまでの日数）
47		確率（3つの工場で製造する製品が不良品である確率）
48		三角形（円錐の側面に引いた1周線の最短の長さ）
49	資料解釈	公民館数、職員数および利用者数（数表）
50		白菜の収穫量主要5県と全国の作付面積、収穫量（数表）

※この出題内訳表は、公開問題をもとに作成したものである。科目の分類は編集部による。

6年度出題内訳 警察官 5月型 5月12日実施

No.	科目	出題内容
1	政治	選挙制度（戸別訪問の禁止、被選挙権年齢、リコール等）
2		裁判員制度（目的、対象となる事件、任期、評決等）
3		法解釈とその事例（文理解釈、縮小解釈、類推解釈等）
4		行政国家（夜警国家、官僚制、公務員数、内閣立法）
5	経済	資本主義市場と独占市場
6		株式会社（株主、自己資本比率、持ち株会社等）
7		地方自治の財源（地方税、地方交付税交付金、国庫支出金等）
8	社会	青年期（アイデンティティ、モラトリアム、マージナルマン）
9		日本の人口と世帯（総人口、高齢化率、単独世帯数等）
10		一次エネルギー（化石燃料、国別消費量、一人当たり消費量等）
11	地理	プレートテクトニクス（海嶺、ホットスポット等）
12		キリスト教徒が多数を占める国（東南アジア、アフリカ等）
13		中国（少数民族、人口、改革開放政策、穀物輸出等）
14	日本史	室町時代（守護大名、日明貿易、将軍の支配、禅と文化等）
15		第二次世界大戦後の日本（A級戦犯、教育改革、農地改革等）
16	世界史	中国の王朝（春秋・戦国時代、隋・唐、元等）
17		19世紀のヨーロッパ（ロシア、ドイツ、イギリス、フランス）
18		第二次世界大戦後のアメリカ（NATO、キューバ危機等）
19	数学	2次関数のグラフ（グラフの頂点、x軸との交点の座標）
20	物理	力のつり合い（風船の浮力、重力、ひもを引く力等）
21	化学	硝酸カリウムの溶解度（空欄補充）
22		二酸化炭素の性質（大気中の割合、重さ、石灰水、炭酸等）
23	生物	ヒトの消化管（唾液、胃液、絨毛、大腸・小腸の吸収等）
24		被子植物（ひげ根、イネ、道管と師管、網状脈等）
25	地学	太陽（大きさ、構成する物質、黒点等）（空欄補充）
26	文章理解	英文（要旨把握、イギリスの学校教育事情）
27		英文（要旨把握、信頼できる人）
28		英文（要旨把握、途上国と先進国）
29		英文（要旨把握、ステーキの調理法）
30		英文（要旨把握、フィリップスのスペル）
31		現代文（要旨把握、国家と経済の関係）
32		現代文（内容把握、マルクスの宗教批判）
33		現代文（内容把握、翻訳について）
34	判断推理	命題（生徒が持っているものと持っていないもの）
35		順序関係（5人の横並び順と帽子の色）
36		位置関係（6人がテーブルに座る位置）
37		対応関係（6人のアルバイトの勤務日）
38		操作の手順（5枚のカードの並べ替え）
39		平面構成（三重の円を完成させるパーツ）
40		移動・回転・軌跡（二等辺三角形を回転させたときの軌跡）
41		立体構成（4つの面が接する立方体の個数）
42		投影図（4つの立体を左側面から見た図）
43	数的推理	覆面算（割り算の虫食い算）
44		数の計算（5つの偶数を並べたときの数の大きさ）
45		数量問題（ロープウェーで上る人と下る人の人数）
46		仕事算（2種類の機械による菓子の製造）
47		年齢算
48		確率（3つの袋から赤玉と白玉を1つずつ取り出すときの確率）
49	資料解釈	実数、表
50		熱中症による救急搬送の年代別構成割合の推移（実数、グラフ）

※この出題内訳表は、受験者からの情報をもとに作成したものである。したがって、No.や出題内容が実際とは異なっている場合がある。

令和 6年度試験
出題例

大卒警察官

令和6年度　警視庁

政治　地方自治法

地方自治法に関する記述として、最も妥当なのはどれか。

1　地方公共団体では二元代表制が採用されており、首長と議会の議員の任期はいずれも４年、都道府県知事、市町村長と議会の議員の被選挙権はいずれも25歳以上である。

2　議会は、議員の３分の２以上が出席し、その４分の３以上が賛成すると首長に対して不信任決議をすることができるが、不信任決議がなされた場合、首長は議会に対して解散権を行使することができる。

3　地方公共団体の事務は自治事務と法定受託事務の２つであり、このうち法定受託事務は国の地方に対する是正の指示は認められるが、国による代執行は認められていない。

4　条例の制定や改廃の請求は住民発案（イニシアチブ）といわれ、有権者の３分の１以上の連署をもって議会に請求する。

5　首長や議員のほか、副知事や副市町村長も住民解職（リコール）をすることができ、請求先はいずれも選挙管理委員会である。

解説

1．都道府県知事の被選挙権付与年齢は30歳である。なお、議員の被選挙権付与年齢は、都道府県議会議員と市町村議会議員のいずれも25歳である。

2．妥当である。内閣が内閣不信任決議の有無に関係なく、いつでも衆議院の解散を決定できる。これに対し、地方公共団体の長は不信任決議の通知を受けてから10日以内に限定して、議会を解散する権限が認められている。また、地方公共団体の議会には、住民による議会の解散請求による解散や、自主解散もある。

3．法定受託事務については是正の指示や代執行など、自治事務よりもより強い国の関与が認められている。

4．条例の制定・改廃の請求は、有権者の50分の１以上の連署があれば可能。また、請求先は長である。

5．請求先は長である。選挙管理委員会が請求先になるのは、長・議員の解職請求や議会の解散請求である。

正答　2

大卒警察官

令和 6 年度

警視庁

政治　国際組織

国際組織に関する記述として、最も妥当なのはどれか。

1　ASEANとは、東南アジア諸国連合のことであり、「ASEAN＋3」とは、ASEAN加盟国に日本・中国・韓国を加えた地域金融協力のことである。

2　BRICSとは、もともとブラジル・ロシア・イラン・中国・南アフリカの頭文字をとったものであり、本年1月、インドなど6か国が加盟し、経済、外交面で結びつきを強めている。

3　EUとは、欧州連合のことであり、1993年に発足した経済通貨同盟であるが、加盟国すべての国でユーロを単一通貨として導入することが義務付けられている。

4　G7による主要国首脳会議（サミット）のほか、新興国の重要性が増してきたことから、20の国・地域による首脳会議（G20）も開催されているが、中国・ロシアは参加していない。

5　NATOとは、北大西洋条約機構の略称で、地域的集団安全保障の1つであるが、ロシアを中心としたワルシャワ条約機構が現在NATOに対抗する組織である。

解説

1. 妥当である。1997年のアジア通貨危機を契機として、ASEAN＋3が設立された。

2. BRICSとはブラジル、ロシア、インド、中国、南アフリカの頭文字をとった言葉である。また、2024年1月にはイラン、エチオピア、エジプト、アラブ首長国連邦（UAE）が加わり、9か国体制となった。

3. デンマークは、ユーロの導入義務が免除されている。EU離脱前のイギリスもユーロ導入を免除されていた。なお、ユーロ導入の義務はあっても、経済状態が悪いために、いまだユーロ導入を実現できていないEU加盟国もある。

4. G20には中国やロシアも参加している。なお、サミットには一時期ロシアも参加し、G8サミットと呼ばれていた。だが、2014年にロシアはウクライナ問題を受けて参加資格を停止されており、現在ではG7サミットとなっている。

5. ワルシャワ条約機構は、米ソ冷戦の終結に伴い、1991年のソ連解体前に解散した。NATOは現在も存続中であり、東欧諸国にも勢力を拡大している。

正答　1

大卒警察官

令和6年度　警視庁

経済　日本のGDP

次の記述中の空所Ａ～Ｃに当てはまる語句の組合せとして、最も妥当なのはどれか。

内閣府の発表によると、2023年の日本の名目国内総生産（GDP）は、前年より5.7％（　Ａ　）であった。米ドル換算では1.1％減で、（　Ｂ　）に抜かれて世界４位となった。その大きな理由は、日本経済の長期低迷に加えて、歴史的な（　Ｃ　）である。

	Ａ	Ｂ	Ｃ
1	増え、過去最高額	ドイツ	円安
2	増え、過去最高額	フランス	円安
3	減り、２年連続マイナス	中国	円高
4	減り、３年連続マイナス	イギリス	円高
5	減り、３年連続マイナス	インド	円安

解説

Ａ：「増え、過去最高額」が当てはまる。2023年の名目GDPは約591.9兆円となり、過去最高額に達した。また、ある年の物価を基準とすることによって名目GDPから物価の変動による影響を取り除いた実質GDPも約558.9兆円で、前年比で1.9％増加し、過去最高額に達した。いずれも３年連続での増加となった。

Ｂ：「ドイツ」が当てはまる。2022年まで、米ドル換算での名目GDPランキングは、１位：アメリカ、２位：中国、３位：日本、４位：ドイツ、５位：インドの順だったが、2023年の名目GDPは日本が約4.2兆ドルでドイツが約4.5兆ドルとなり、日本とドイツの順位が入れ替わった。

Ｃ：「円安」が当てはまる。円安とは外貨（特に米ドル）に対する円の価値が低下することをいう。たとえば、円安が進んで通貨の交換レートが１ドル＝120円から１ドル＝150円になれば、600兆円を米ドルに換算すると５兆ドルから４兆ドルに目減りしてしまう。各年のGDPはその年の平均的な交換レートによって米ドルに換算されるから、2023年の名目GDPは円換算では過去最高額に達しても、円安によって米ドル換算では前年よりも減少した。

以上より、正答は**1**である。

正答　1

大卒警察官 令和6年度 警視庁

社会　消費者問題

消費者問題に関する記述として、最も妥当なのはどれか。

1　消費者は、宣伝を見て買いたくなるようなデモンストレーション効果や、友人が買ったのを見て自分も買いたくなるような依存効果などによって、自律的な消費行動が阻害されている。

2　消費者問題に対応するため、国レベルで消費生活センターが設けられているほか、消費者行政を一元化するために2009年に公正取引委員会が設置されている。

3　訪問販売や電話勧誘販売の場合に、一定期間内であれば違約金や取消料を払うことなく契約を解除できる制度のことを、リコール制度という。

4　クーリング・オフ制度により、被害にあった消費者に代わって、都道府県知事の認定を受けた適格消費者団体が、被害を発生させた事業者に対して、不当な行為を差し止めるための訴訟を起こすことができる。

5　18歳や19歳の者が行った契約は、民法の未成年者取消権を行使することはできないが、消費者契約法により、不当な契約を取り消すことができる場合がある。

解説

1. 宣伝を見て買いたくなるのが依存効果で、友人が買ったのを見て自分も買いたくなるのがデモンストレーション効果である。

2. 消費生活センターは地方公共団体に設けられており、国レベルでは国民生活センターが設けられている。また、消費者行政の一元化のために2009年に設置されたのは、消費者庁である。公正取引委員会は独占禁止法を実施するために、1947年に設置されている。

3. リコール制度ではなく、クーリング・オフ制度という。リコールとは、製品に欠陥があった場合に、製造者や販売者が無償で修理や回収、交換、返金などを行うことをいう。

4. クーリング・オフ制度ではなく、消費者団体訴訟制度に関する記述である。また、適格消費者団体を認定するのは内閣総理大臣である。

5. 妥当である。民法改正によって成年年齢が18歳に引き下げられたために、18・19歳の者は成年者として親らの同意なく単独で契約を結ぶことができるようになった反面、親らの同意なく契約を結んだ場合に行使できる未成年者取消権を行使できなくなった。また、消費者契約法は、未成年者だけに限らない消費者を保護するための法律であるから、同法に基づき、虚偽説明や不適切勧誘などによる契約を取り消すことができる。

正答　5

大卒警察官

令和 6 年度　警視庁

社会　農業問題

農業問題に関する記述として、最も妥当なのはどれか。

1　食糧管理制度は1995年に制定され、食糧の需給が安定するように、国が食糧の生産や流通・販売の管理をおこなっている。

2　我が国の食料自給率は、2000年以降、カロリーベースで50パーセントを上回っているものの、食料の多くを海外に依存していることが、食料安全保障上の問題となっている。

3　関税化とは、輸入品にかける税金である関税を払えば誰でも輸入できるようにすることをいうが、我が国においてコメは関税化されていない。

4　農作物の生産に加えて、加工・流通・販売といった第２次・第３次産業と一体化して事業を行うことを農業の４次産業化という。

5　トレーサビリティとは、流通履歴を管理して、生産から小売りまでの食品の移動の経路を把握できるようにする制度である。

解説

1. 食糧管理制度は第二次世界大戦中の1942年に始まり、1995年に廃止されている。現在では、農家はコメなどを自由に販売することが可能となっている。

2. 2000年のカロリーベースでの食料自給率は約40％で、近年は、40％をやや下回る水準で推移している。なお、生産額ベースの食料自給率は、低下傾向にあるものの、近年も50％を上回って推移している。

3. 「例外なき関税化」をめざしたGATTウルグアイラウンドでの合意により、猶予期間は設けられたものの、1999年にコメの関税化が実現している。ただし、コメの関税は現在も高く設定されている。

4. ４次産業化ではなく、６次産業化という。１次産業である農業が２次・３次産業に進出するから１＋２＋３、あるいは１×２×３で６次産業化と呼ばれる。

5. 妥当である。トレーサビリティは「追跡可能性」と訳される。産地偽装や食品事故に対応するためには、トレーサビリティを確保する必要がある。

正答　5

社会　青年期

青年期に関する次の記述中の空欄ア〜ウに当てはまる語句の組合せとして、妥当なものはどれか。

E.H. エリクソンは、自分が自分であるという自我一体性の感覚を（　ア　）とし、青年期から成人期に向け（　ア　）を決定する手前の猶予期間を（　イ　）と呼んだ。K. レヴィンは、子どもと大人の境界にあって、どちらにもしっかり属していない状態の青年期の特徴を（　ウ　）という言葉を用いて説明した。

	ア	イ	ウ
1	アイデンティティ	モラトリアム	マージナルマン
2	アイデンティティ	パラサイトシングル	ニート
3	パーソナリティ	モラトリアム	ニート
4	パーソナリティ	パラサイトシングル	ニート
5	パーソナリティ	モラトリアム	マージナルマン

解説

ア：アイデンティティが当てはまる。パーソナリティは、人間の行動や判断のもとになる考え方や傾向のことをさす。

イ：モラトリアムが当てはまる。パラサイトシングルは、親の生活圏から自立できない独身の若者のことをさす。

ウ：マージナルマンが当てはまる。ニートは、学校に通わず、働きもせず、職業訓練も受けていない若者のことをさす。

以上より、正答は**1**である。

正答　1

大卒警察官 令和6年度 5月型

日本史 第二次世界大戦後の日本

第二次世界大戦後の占領下の日本に関する次の記述のうち、妥当なものはどれか。

1 戦争指導者として「平和に対する罪」に問われたA級戦犯に対する連合国の極東国際軍事裁判（東京裁判）が行われたが、死刑に処された者はいなかった。

2 GHQ（連合国軍最高司令官総司令部）に憲法改正を指示された幣原内閣が改正草案を作成し、その草案がGHQの修正を経ずにそのまま帝国議会で審議のうえ可決され、日本国憲法として公布された。

3 教育制度の自由主義的改革が行われ教育基本法が制定されたが、義務教育9年制については規定されなかった。

4 第二次世界大戦後に三井や三菱などの財閥が多く形成され、戦後の日本経済を動かす推進力となった。

5 不在地主の全小作地と在村地主の小作地のうち一定面積を超えるぶんを国が強制的に買収して小作人に安く売却する農地改革が行われ、多くの自作農が生まれた。

解説

1. 極東国際軍事裁判（東京裁判）が連合国によるA級戦犯に対する裁判であることは正しい。28人が起訴され、審理の結果、全員（病死など3人を除く）に有罪判決が下され、東条英機以下7人に死刑が執行された。

2. GHQが幣原内閣に憲法改正を指示したことは正しい。しかし、松本烝治国務大臣を中心に作成された政府草案は旧憲法を部分的に修正したにすぎない保守的なものとしてGHQに拒否された。GHQは自ら象徴天皇制、戦争放棄、封建制度の廃止を原則（マッカーサー三原則）とする改正草案を作成して日本政府に提示し、政府がこれにやや手を加えて作成した憲法草案が、第一次吉田内閣のもと、帝国議会で修正可決された後、日本国憲法として公布された。

3. 教育制度の自由主義的改革の中で教育基本法が制定された（1947年）ことは正しい。教育基本法は教育の機会・均等や男女共学などとともに義務教育9年制も規定しており、同時に制定された学校教育法により、六・三・三・四制の新学制も発足した。

4. 日本の財閥は、明治維新後の官営事業の払い下げなどで政商から進出したものが多く、そのほかには、満州事変以後に軍部と結びついて急成長した新興財閥などがある。GHQは、それらの財閥を、寄生地主制とともに軍国主義の温床とみなし、1945年に財閥の解体指令を出した。

5. 妥当である。

正答 5

大卒警察官

令和 6 年度　警視庁

世界史　ヨーロッパ世界の形成

ヨーロッパ世界の形成に関する記述として、最も妥当なのはどれか。

1　9～10世紀にかけて、東方からマジャール人が西ヨーロッパに侵入を繰り返した。マジャール人は10世紀半ばにユーグ＝カペーに敗れたのちに定着し、ブルガリア帝国をたて、10世紀末にはカトリック信仰を受け入れた。

2　北方のアイスランドやグリーンランドに居住していたゲルマン人の一派に属するデーン人の一部は、6世紀後半から商業や海賊・略奪行為を目的として、ヨーロッパ各地に本格的に海上遠征を行うようになり、ヴァイキングとしておそれられた。

3　10世紀初め、ロロが率いるノルマン人の一派は北フランスに上陸してブルゴーニュ公国をたてた。彼らが河川をさかのぼって内陸深くまで侵入できたのは、水面から船体の最下部までの距離が浅く細長いガレー船を用いたからである。

4　グレートブリテン島では、1016年にデンマーク地方出身のクヌート（カヌート）がイングランド王となった。その後アングロ＝サクソン系の王家が復活したが、1066年にノルマンディー公ウィリアムが王位を主張して侵攻し、ウィリアム1世としてノルマン朝をたてた。

5　9世紀にはリューリクを首領とするノルマン人の一派（ルーシ）がノヴゴロド国とモスクワ大公国をたて、ロシアの国家形成の基礎を築いた。10世紀末にはモスクワ大公国のウラディミル1世がギリシア正教に改宗した。

解説

1. ブルガリア帝国を建てたのはトルコ系のブルガール人である。ウラル語系のマジャール人は、10世紀にザクセン朝第2代の王オットー1世に撃退された後ドナウ川中流域に定着し、カトリックを受容してハンガリー王国をつくった。ユーグ＝カペーはカペー朝初代のフランス国王である。

2. ヴァイキングとは、ヨーロッパ各地でしばしば海賊行為を働いた北方系ゲルマン人の一派であるノルマン人のことである。そのうちユトランド半島一帯に住むノルマン人のことをデーン人という。

3. 10世紀初めにロロが率いるノルマン人の一派が北フランスへ侵入したことは正しい。しかし、西フランク王と封建関係を結んで立てた国はノルマンディー公国である。また、ノルマン人が河川をさかのぼって内陸深くまで侵入することを可能にした細長く底の浅い船は、ヴァイキング船といわれる。ガレー船は、13～15世紀に地中海交易の覇権を握ったヴェネツィアなどが地中海航海に使用した船である。

4. 妥当である。

5. ロシアの起源は、9世紀、リューリクが率いるノルマン人の一派ルーシが建国したノヴゴロド国と、リューリクの後継者が建国したキエフ公国である。ウラディミル1世は10～11世紀にキエフ公国の最盛期を実現したキエフ大公で、ビザンツ皇女を后妃に迎えてギリシア正教を国教化した。モスクワ大公国はモンゴル人の支配下で有力となり、15世紀にその支配から自立してロシア帝国の土台を築いた国である。

正答　4

大卒警察官 令和6年度 5月型

世界史　第二次世界大戦後のアメリカ

第二次世界大戦以後のアメリカ合衆国の対外関係に関する次の記述のうち、妥当なものはどれか。

1　第二次世界大戦後まもなく、資本主義国であるアメリカ合衆国と共産主義国であるソ連の間の対立が深まり、アメリカ合衆国を含む西側12か国は、北大西洋条約機構（NATO）を結成した。

2　1960年代には、アメリカ合衆国とソ連との間でキューバのミサイル基地を巡る対立が起こった。ケネディ米大統領がキューバを海上封鎖し、両国はキューバで交戦した。

3　インドシナ戦争終結後南北に分断されていたベトナムでは、1960年代に内戦が本格化した。アメリカ合衆国は60年代半ばに仲介に入り、70年代に南北ベトナムを統一させた。

4　1990年代にイラクがクウェートに侵攻すると、アメリカ合衆国はイラク制裁の国連決議を経て多国籍軍を組織し、イラク軍を攻撃した。しかし、多国籍軍はイラク軍を撤退させることができなかった。

5　2001年９月11日に同時多発テロ事件が起きた。アメリカ合衆国は、そのテロを、アフガニスタンのターリバーン政権によるものとし、アフガニスタンを空爆した。

解説

1. 妥当である。

2. 米ソ間でキューバのミサイル基地を巡るキューバ危機（1962年）が起こり、ケネディ米大統領がソ連の建設したミサイル基地の撤去を求めてキューバを海上封鎖したことは正しい。核戦争勃発の緊張が高まったが、最終的にソ連のフルシチョフ第一書記が譲歩してミサイル基地を撤去し、米ソ間の戦争は回避された。

3. 前半は正しい。1960年代に入ると、インドシナ戦争後南北に分断されていたベトナムでの内戦が本格化した。しかし、アメリカが1960年代半ばに行ったのは仲介ではなく、北爆による本格介入である。中ソは北側を支援したため戦争は長期化・泥沼化し、アメリカは財政に深刻な打撃を受け、世界的なベトナム反戦運動が高揚した。ニクソン米大統領がベトナム和平協定を結んで米軍は撤退し、その後北ベトナム軍が南ベトナム全土を制圧し、南北ベトナムはベトナム社会主義共和国として統一された。

4. 多国籍軍の攻撃を受けたイラク軍はクウェートから撤退し、戦争は約６週間で終結した。それ以外の記述は正しい。

5. 同時多発テロ事件は、アフガニスタンのターリバーン政権の保護下にあるイスラーム急進派組織アル・カーイダの指導者ビン・ラーディンの指示によるものとされた。ブッシュ米大統領はターリバーン政権にビン・ラーディンの引渡しを要求したが、ターリバーン政権がそれを拒んだため、アフガニスタン空爆を行った。

正答　1

5月型

地理　プレートテクトニクス

プレートテクトニクスに関する次の記述中の下線部ア～エについて、内容が妥当なものの組合せはどれか。

プレートの境界には「広がる境界」「狭まる境界」「ずれる境界」の3つがある。「広がる境界」は、隣り合うプレートが互いに遠ざかる境界で、海底に<u>ア海嶺</u>を形づくっている。「狭まる境界」は、隣り合うプレートが互いに近づき、押し合う力がはたらく境界で、衝突帯と沈み込み帯に分けられる。<u>イ日本列島は衝突帯に形成された弧状列島，ヒマラヤ山脈は沈み込み帯に形成された褶曲山脈である</u>。「ずれる境界」は隣り合うプレートが互いにすれ違い、水平方向にずれ動くような力がはたらく境界で、<u>ウアフリカ大陸の大地溝帯が有名である</u>。マントル深部の固定された熱源から、プレートを貫いてマグマが沸き上がり、火山活動が起こる地点をホットスポットといい、<u>エハワイ諸島</u>が好例である。

1　ア、イ
2　ア、ウ
3　ア、エ
4　イ、エ
5　ウ、エ

解説

ア：妥当である。
イ：日本列島は沈み込み帯に位置する弧状列島であり、ヒマラヤ山脈は衝突帯に形成された大規模な褶曲山脈である。
ウ：アフリカ大地溝帯は、「広がる境界」が陸地で見られる場所として有名である。「ずれる境界」の代表例には、アメリカのサンアンドレアス断層などがある。
エ：妥当である。

以上より、正答は**3**である。

正答　3

大卒警察官

令和6年度

警視庁

地理　世界の農業

世界の農業に関する記述として、最も妥当なのはどれか。

1　中国の農業は、ホワイ川とチンリン山脈を結ぶ線を境にして、北の地域では豊富な降水を生かした稲作がさかんである。

2　作物の生育が自然条件の制約を強く受ける一例として、降水がきわめて少ない乾燥帯では、農業は困難であるが、イランではカレーズというカスピ海を水源とした地下水路を利用した農業も見られる。

3　中部ヨーロッパなどで見られる混合農業は、中世ヨーロッパの三圃式農業から発達した農業形態であり、地力の消耗を抑える輪作や牧畜を組み合わせる農業である。

4　地中海式農業は、夏の高温と乾燥に耐えられるオリーブ・コルクがし・ぶどう・かんきつ類の栽培が行われ、地中海沿岸にのみ見られる農業形態である。

5　東南アジアなどで見られるプランテーション農業は、単一耕作（モノカルチャー）を特色とし、商品作物を栽培するが、植民地支配からの独立後には見られなくなった。

解説

1．ホワイ川とチンリン山脈を結ぶ線は年降水量800～1,000mmの等降雨量線とほぼ一致するため、その線が中国における畑作と稲作のおおよその境界線となっていることは正しい。しかし、降水量が豊富で稲作が盛んなのはその線より南側の地域であり、その北側は畑作地域となっている。また、近年ではこの線の北部まで稲作の進出が見られる。

2．イランの乾燥地域に見られる地下用水路はカナートと呼ばれ、水源は山麓の扇状地の地下水である。末端には耕地が開け、集落が立地する。カレーズはアフガニスタンやパキスタンでの地下水路の呼称で、カナートと同様の構造を持ち、水源はやはり地下水である。

3．妥当である。

4．地中海式農業は地中海性気候を利用した農業なので、地中海沿岸だけでなく、カリフォルニアやチリ中央部など地中海性気候の地域に見られる農業形態である。それ以外の記述は正しい。

5．プランテーション農業は植民地体制の下で形成された農業形態ではあるが、現在でも熱帯・亜熱帯の地域で行われ、生産物は世界の市場へ輸出されている。それ以外の記述は正しい。

正答　3

大卒警察官
令和6年度
警視庁

思想　日本の仏教

日本の仏教に関する記述として、最も妥当なのはどれか。

1　天台宗をつくり上げた空海は後に比叡山に延暦寺を建立し、すべて生あるものは仏となる可能性を秘めているとする「一切衆生悉有仏性（いっさいしゅじょうしつうぶっしょう）」という考えを主張した。

2　天台宗の僧侶であった源信（恵心僧都）は、『往生要集（おうじょうようしゅう）』を著して「厭離穢土（おんりえど）、欣求浄土（ごんぐじょうど）」を説き、人々に穢（けが）れたこの世を離れ阿弥陀仏のいる西方極楽浄土への往生を切望することを勧めた。

3　浄土信仰をまとめて浄土真宗を開いた法然は、仏教の衰えた末法の世では、誰でも「南無妙法蓮華経」を唱えることによって極楽浄土に往生することができると説いた。

4　日蓮宗を開いた日蓮は『立正安国論』を著したほか、仏教の衰えた末法の世では、ただひたすら「南無阿弥陀仏」を唱えることによって救われると説いた。

5　坐禅による修行を積み、悟りを開くことを説いた禅の教えの代表的な思想家は、日本に曹洞宗を伝えた栄西や、臨済宗を伝えた道元であり、特に日常生活すべてを修行ととらえた道元の思想は、当時の武士に深い影響を与えた。

解説

1. 天台宗は平安時代に最澄が唐から持ち帰り広めた。空海が開いたのは真言宗で、高野山の金剛峯寺を建立した。

2. 妥当である。源信は浄土教の基礎を作り、法然や親鸞に影響を与えた。

3. 法然が開いたのは浄土宗である。浄土真宗は弟子の親鸞が開いた。また、「南無妙法蓮華経」は日蓮宗や法華宗が唱えるもので、浄土宗や浄土真宗は「南無阿弥陀仏」を唱える。

4. 前述のとおり、「南無阿弥陀仏」は浄土宗や浄土真宗が唱えるもので、日蓮宗は「南無妙法蓮華経」を唱える。

5. 曹洞宗を伝えたのは道元で、臨済宗を伝えたのは栄西である。

正答　2

大卒警察官

令和6年度 警視庁

文学・芸術　軍記物語と歴史物語

軍記物語または歴史物語に関する記述として、最も妥当なのはどれか。

1　『保元物語』は、源義経の生涯を描いた軍記物語であり、後世の芸能や文学に大きな影響を及ぼす「判官物」と呼ばれるジャンルを築いた。

2　軍記物語の最高傑作である『平家物語』の文体は、漢語・和語などを豊富に取り込んだ漢文訓読調であり、語り物らしく話題によって文体の使い分けがみられる。

3　『曽我物語』は、藤原道長一家を中心とする平安貴族の生活を、宮廷や後宮の文化に焦点を当てて描いた物語で、仮名文の歴史叙述である歴史物語の最初の作品である。

4　平安時代の軍記物語には、平将門がおこした乱の様子を記した『将門記』や、前九年の役の顚末を記した『陸奥話記』などがあり、中世の軍記物語の先駆となった。

5　「四鏡」最後の作品である『大鏡』は、『増鏡』が創始した対話による物語の形式を受け継いで、2人の老人の対話を若い侍が聞くという形式をとった作品である。

解説

1.『保元物語』は崇徳上皇と後白河天皇の皇位継承を巡る争いである保元の乱について書かれている。源義経について書かれたものは『義経記』である。「判官物（ほうがんもの）」は歌舞伎などで義経伝説について書かれた作品のこと。

2. 漢語や和語などを豊富に取り込んだものは和漢混交文である。漢文訓読調とは、漢文に訓点を付したものを日本語の文章として読むことである。

3.『曽我物語』は曽我兄弟の仇討の軍記物語である。藤原道長の栄華について描かれた歴史物語の最初の作品は『栄花物語』である。

4. 妥当である。

5.『増鏡』は「四鏡」最後の作品であり、老尼が昔話を語る形式をとっている。最初に成立した『大鏡』の形式をほかの3つが受け継いでいる。

正答　4

大卒警察官

令和6年度

警視庁

国語　ことわざ・慣用句

次のことわざ・慣用句とその意味の組合せとして、最も妥当なのはどれか。

1　鵜の目鷹の目　——　突然のことに驚いて目を丸くする
2　紺屋の白袴　——　どんなに優れた人でも時には誤りをおかす
3　虫がいい　——　はっきりしないが何かが起こりそうな予感がする
4　情けは人の為ならず　——　情けをかけるのは相手のためにならない
5　対岸の火事　——　他人には重要なことでも自分には何の関係もない

解説

1.「鵜の目鷹の目」は鵜や鷹が狩りをするときのように熱心にものを探すという意味。突然のことに驚いて目を丸くするのは「鳩が豆鉄砲を食ったよう」である。

2.「紺屋の白袴」は他人のことに忙しくて、自分自身のことには手が回らないさまをいう。優れた人でも誤りをおかすのは「弘法も筆の誤り」。

3.「虫がいい」は自分の都合ばかりで、あつかましいさまをいう。何か起こりそうな予感は「虫の知らせ」である。

4.「情けは人の為ならず」は人に親切にしていれば、それが巡り巡って自分のもとに良い報いとなって返ってくるという意味。

5.妥当である。

正答　5

大卒警察官

令和 6 年度

5月型

数学　2次関数のグラフ

下図は、2次関数$y=x^2-2x-3$のグラフである。ここで、aはグラフの頂点のy座標、b、cはグラフとx軸との交点のx座標である。このとき、aと$c-b$の値の組合せとして、妥当なものはどれか。

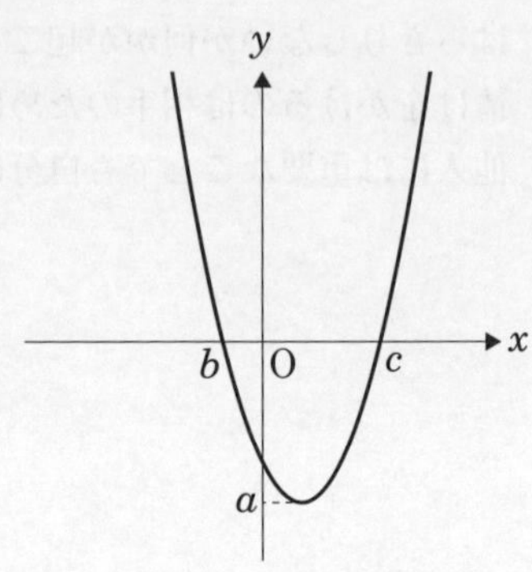

	a	$c-b$
1	−4	4
2	−5	5
3	−6	5
4	−4	6
5	−6	6

解説

与えられた式を変形すると、$y=x^2-2x-3=(x-1)^2+(-4)$となるので、頂点の座標は$(1, -4)$であることがわかる。したがって、$a=-4$となる。また、x軸との交点の座標を求めるには、$y=0$のときのxの値を求めればよいから、2次方程式$x^2-2x-3=0$を解いてxの値を求めると、$x^2-2x-3=(x+1)(x-3)=0$より、$x=-1$、3を得るので、$b=-1$、$c=3$となることがわかる。このとき、$c-b=3-(-1)=4$となる。

以上より、正答は**1**である。

〔注意〕

$y=a(x-p)^2+q\ (a\neq0)$のグラフは、$y=ax^2$のグラフをx軸方向にp、y軸方向にqだけ平行移動した放物線であり、頂点：(p, q)、軸：$x=p$となっている。

正答　1

大卒警察官 令和6年度 5月型

物理　力のつり合い

次の記述中の空欄ア、イに当てはまる式の組合せとして、妥当なものはどれか。

ヘリウムガスを入れてひもで結んだ風船があり、図のように手でひもをつかんでいる。このとき、風船にはたらく重力をW、浮力をF、ひもを引く力をTとすると、図の状態のときは、(　ア　)である。今、ひもから手を離すと、風船は空気中を上昇するが、これは(　イ　)だからである。ただし、風船の素材とひもの重さは無視できるものとする。

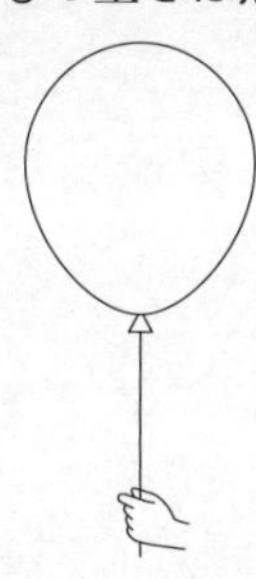

	ア	イ
1	$W+T=F$	$W<F$
2	$W+T<F$	$W>F$
3	$W+T>F$	$W<F$
4	$W+T=F$	$W>F$
5	$W+T<F$	$W<F$

解説

図において、風船にはたらいている力は、鉛直下向きに重力W、ひもを引く力T、鉛直上向きに浮力Fである。同体積では、空気のほうがヘリウムガスよりも重いので、アルキメデスの原理により、風船はその重さよりも大きい浮力を受ける。すなわち、$W<F$である(イ)。このとき、風船が空気中を上昇しないためには、鉛直下向きの力と上向きの力がつり合っている必要があり、$W+T=F$が成り立っている(ア)。

以上より、正答は**1**である。

〔注意〕

アルキメデスの原理：

流体中の物体は、それが排除している流体の重さに等しい大きさの浮力を受ける。

正答　1

大卒警察官

令和 6 年度 5月型

化学　二酸化炭素の性質

二酸化炭素の性質に関する次のア～エの記述のうち、妥当なものの組合せはどれか。

ア　二酸化炭素は、室温では無色無臭の気体であり、大気中には１％程度含まれている。

イ　二酸化炭素は空気より重く、石灰水を白く濁らせる。

ウ　二酸化炭素を水に溶かしたものは炭酸と呼ばれ、弱酸性を示す。

エ　火のついたロウソクを二酸化炭素が入ったビンの中に入れると、青白い炎を出して燃える。

1　ア、イ
2　ア、ウ
3　イ、ウ
4　イ、エ
5　ウ、エ

解説

ア：大気中に含まれる二酸化炭素の割合は、約0.03％である。前半の記述は正しい。

イ：妥当である。石灰水は水酸化カルシウム $Ca(OH)_2$ の水溶液で、二酸化炭素 CO_2 を加えると炭酸カルシウム $CaCO_3$ の沈殿を生じて白濁するので、二酸化炭素の検出に用いられる。

ウ：妥当である。

エ：火のついたロウソクを二酸化炭素の入ったビンの中に入れると、酸素を絶たれるので火が消える。二酸化炭素の入ったビンの中では空気は追い出されてしまい、無酸素状態になっている。

以上より、正答は**3**である。

正答　3

大卒警察官

令和 6 年度

5月型

生物　被子植物

被子植物に関する次の記述中の空欄ア～エに当てはまる語句の組合せとして、妥当なものはどれか。

被子植物は、子葉の枚数によって、双子葉類と単子葉類に分けられる。このうち、下の右図のようなひげ根を持つのは（　ア　）であり、その例としては（　イ　）が挙げられる。被子植物の根や茎の内部には師管と道管からなる維管束があるが、葉で光合成によってつくられた栄養分は（　ウ　）を通って運ばれる。葉の維管束は葉脈と呼ばれ、双子葉類である（　エ　）などの葉脈は、網目のように広がっているため、網状脈と呼ばれる。

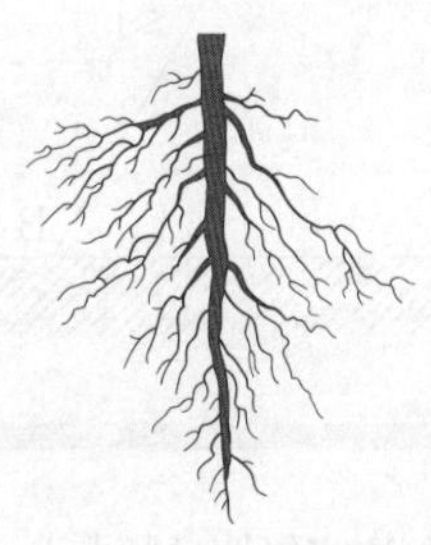

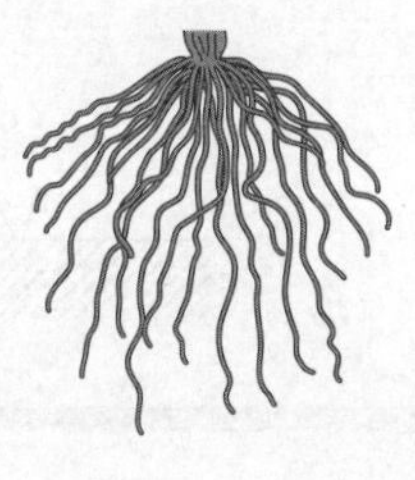

	ア	イ	ウ	エ
1	双子葉類	タンポポ	師管	ヒマワリ
2	双子葉類	イネ	道管	トウモロコシ
3	単子葉類	タンポポ	師管	トウモロコシ
4	単子葉類	イネ	師管	ヒマワリ
5	単子葉類	イネ	道管	ヒマワリ

解説

右図のようなひげ根を持つのは単子葉類である（ア）。タンポポは、キク科に属し、双子葉類である。イネは、イネ科に属し、単子葉類である（イ）。葉で光合成によってつくられた栄養分は師管を通って運ばれる（ウ）。双子葉類の根は、左図のように太い１本の主根と、そこから伸びる細い側根からなる。ヒマワリは双子葉類のキク科に属し、このような根を持っている。トウモロコシはイネ科に属し、単子葉類である（エ）。

以上より、正答は**4**である。

正答　4

大卒警察官 令和6年度 警視庁

地学　天気の変化

下図のようにA地点での気温が25℃の空気塊が、高さ3000mの山を越えてB地点へ吹き下りたとき、この空気塊の温度として、最も妥当なのはどれか。ただし、この空気塊の露点を15℃とし、山を越えて吹き下りるとき雲は消えているものとする。また、乾燥断熱減率を1℃/100m、湿潤断熱減率を0.5℃/100mとする。

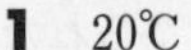

1　20℃
2　25℃
3　30℃
4　35℃
5　40℃

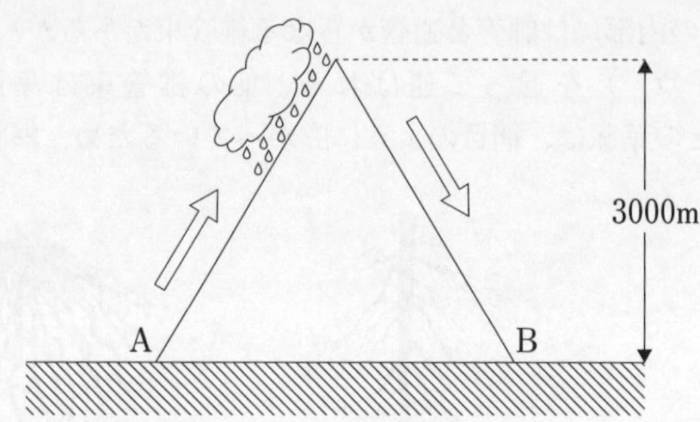

解説

空気塊が上昇するときは、周りの気圧が低くなるため空気塊は膨張し、気温が低下する（断熱膨張）。一方、空気塊が下降するときは、周りの気圧が高くなるため空気塊は圧縮され、気温が上昇する（断熱圧縮）。A地点の標高を0m、雲が発生し雨が降り始めた地点の標高を x mとすると、この地点の気温は露点に等しい15℃と考えられ、A地点からこの地点までは乾燥断熱減率で気温が下がるので、

$$(x-0)\times\frac{1}{100}=25-15 \quad \therefore x=1000〔\mathrm{m}〕$$

この地点から山頂までは湿潤断熱減率で気温が下がるので、山頂での気温は、

$$15-(3000-1000)\times\frac{0.5}{100}=5〔℃〕$$

となる。この空気塊が山を越えて吹き降りるときは、乾燥断熱減率で気温が上昇する。したがって、B地点（標高0m）での温度は、

$$5+(3000-0)\times\frac{1}{100}=35〔℃〕$$

よって、正答は**4**である。

〔注意1〕断熱減率とは、周囲と熱の出入りがなく気温が下がる割合で、乾燥断熱減率と湿潤断熱減率がある。

①乾燥断熱減率：飽和していない空気塊（湿度100％未満）が上昇するときは、100m上昇するごとに約1.0℃気温が下がる。→1℃／100m

②湿潤断熱減率：飽和した空気塊（湿度100％）が上昇するときは、100m上昇するごとに約0.5℃気温が下がる。→0.5℃／100m

〔注意2〕本問に見られるように、水蒸気を多く含んだ風が高い山を越えるときには、風下側で高温の乾燥した大気に変質することがある。この現象をフェーン現象という。

正答　4

大卒警察官

令和 **6** 年度

警視庁

英語　英文の空欄補充

次の英文の（　　　）に当てはまるものとして、最も妥当なのはどれか。

There（　）no vacant seat on the bus, I had to keep standing.

1 was
2 being
3 to be
4 having
5 had been

解説

〈全訳〉バスに空いている席がなかったので、私はずっと立っていなければならなかった。

「I had to keep standing」を主節と考えると、前半のThere～の文は接続詞を含んだ従属節となることがわかる。したがって、「Since there was no vacant seat on the bus, ～」となるはずだが、空欄の位置から判断して、接続詞を省略した分詞構文が入ると考えられる。There is構文なので、be 動詞の分詞（～ing、～ed）の形となる beingが入る。

よって、正答は**2**である。

正答　2

警視庁

文章理解　英文（内容把握）

次の英文の内容と合致するものとして、最も妥当なのはどれか。

Dr. Martin Luther King, Jr. is one of America's most well loved and deeply respected public figures. He was an African American Baptist minister and an inspirational leader of the civil rights movement of the 1950s and 1960s. Dr. King believed with his whole heart in human equality, and he fought for the rights of African Americans — and for all oppressed people in the United States — through peaceful protests. As a great admirer of Mahatma Gandhi, Dr. King only practiced non-violent activism.

Martin Luther King, Jr. was also a very inspiring speaker. When he gave a speech, he could bring people to tears, move them to action, and even change the attitude of an entire nation. His most famous speech was the "I Have a Dream" speech, which he gave at the Lincoln Memorial in Washington, D.C., in 1963. He spoke to a gathering of more than 250,000 people of all races — not just black and white.

It was perhaps one of America's saddest moments when Dr. King was assassinated in 1968. However, he became a martyr[*1] for the civil rights movement, and his life became an even more powerful symbol of the fight and struggle for equality. Soon after his death, his supporters began working toward establishing a holiday in his honor. The holiday would fall every year on Dr. King's birthday, and this would serve as an opportunity for the whole nation to commemorate[*2] the work of Dr. King and all the values and principles he fought for — ideas of equality, freedom, respect, hope, and community. The holiday was written into law in 1983, and it began to be observed in 1986.

Although Dr. King's actual birthday is January 15, Martin Luther King, Jr. Day is celebrated every year on the third Monday of January. The reason for this is to give workers across the nation a three-day weekend, rather than taking a day off in the middle of the week.

［語義］martyr[*1]　殉教者／commemorate[*2]　祝う

1　公民権運動の殉教者となったキング博士の生涯は、平等を求める闘いと努力のより力強い象徴となった。

2　1963年、キング博士はリンカーン記念堂で黒人と白人で構成される25万人の聴衆に演説した。

3　マハトマ・ガンディーはキング博士の熱烈な崇拝者として、非暴力的な行動主義を貫いた。

4　1968年にキング博士が暗殺された後、支持者たちは彼を称える祝日を翌年に制定した。

5　人々はキング博士の誕生日を「マーティン・ルーサー・キング・ジュニア・デー」として毎年祝っている。

出典は、ニーナ・ウェグナー、高橋早苗『アメリカ歳時記』。

英文の全訳は以下のとおり。

〈マーティン・ルーサー・キング・ジュニア博士はアメリカで最も愛され、深く尊敬されている著名人の一人である。彼はアフリカ系アメリカ人のバプティスト派の牧師であり、1950年代と1960年代の公民権運動における、精神的なリーダーであった。キング博士は心から人間の平等性を信じ、アフリカ系アメリカ人の権利、そしてアメリカで抑圧されているすべての人々のために、平和的な抗議を通じて戦った。マハトマ・ガンディーの熱烈な崇拝者として、キング博士は非暴力の活動しか行わなかった。

また、マーティン・ルーサー・キング・ジュニアはとても感動的な演説者で、彼が演説をするとき、彼は人々の涙を誘い、人々を行動に向かわせ、国民全体の態度をさえ変えさせるものであった。彼の最も有名なスピーチは「私には夢がある」で、1963年ワシントンDCのリンカーン記念堂で行われたものである。彼は、黒人や白人だけではなく、集まった25万人以上のあらゆる人種の人々に対して演説した。

1968年にキング博士が暗殺されたことは、おそらくアメリカ人にとって最も悲しい瞬間の一つであっただろう。しかしながら、彼は公民権運動の殉教者となり、彼の生涯は、平等を求める闘いと努力のより力強い象徴になった。彼の死後すぐに彼の支持者は彼をたたえる祝日の制定に向けて動き出した。祝日は毎年キング博士の誕生日に制定され、国全体でキング博士の業績と、彼が闘った価値と基本原理、つまり、平等、自由、尊敬、希望、そしてコミュニティの理念とを祝う機会として役立つであろう。祝日は1983年に法律に書き込まれ、そして、1986年に祝われ始めた。

キング博士の本当の誕生日は1月15日であるが、マーティン・ルーサー・キング・ジュニア・デーは、毎年1月の第3月曜日に祝われている。その理由は国中の労働者が週の真ん中に1日休みを取るより、週末に3連休を取れるようにするためである〉

1．妥当である。第3段落に書かれている内容である。

2．第2段落に「黒人や白人だけではなく、あらゆる人種の人々に対して」とある。

3．第1段落に、キング博士はマハトマ・ガンディーの熱烈な崇拝者だったとある。

4．第3段落に、「祝日は1983年に法律に書き込まれ」とあるので、翌年に制定されたのではない。

5．第4段階に「キング博士の本当の誕生日は1月15日であるが、マーティン・ルーサー・キング・ジュニア・デーは毎年1月の第3月曜日に祝われている」とある。

正答　1

大卒警察官

令和 6 年度

警視庁

文章理解　英文（内容把握）

次の英文の内容と合致するものとして、最も妥当なのはどれか。

When I relocated from Tokyo, Japan, to a small, U.S. town near Phoenix, Arizona, and started learning English with fellow non-native speakers of English at a nearby community college, I was surprised that everyone else was able to speak English, even if it was only broken English. The teacher liked me because I tried to speak with the correct grammar, but I envied other students.

Clearly, their problem (grammar) and my problem (not being able to use what I knew) were different. But every human being is equipped with language ability, and my classmates seemed able to apply their skills of speaking their native language to speaking English. Then, why couldn't I do the same thing? Why is speaking English so challenging for Japanese, when we have a strong foundation of grammar and vocabulary?

Most Japanese I have met in the U.S., both in business and outside of work, share the same observation. So, I've reached the conclusion that something beyond the innate language ability that we all possess, namely Japanese culture, is somehow holding us back. One big factor is our focus on listening. Japanese society encourages us to become adept listeners but not necessarily excellent speakers. Japanese listening culture is well expressed in the proverb "Listen to one and understand ten."

"The duck that quacks gets shot" means that you don't want to cause trouble for yourself by saying unnecessary things.

However, in my English class in Arizona, students from Mexico, Latin America, and other Asian countries spoke without hesitation and with ease. They seemed to be relaxed about speaking English. When I wanted to speak, however, I needed to summon*1 all of my courage and jump into the conversation, as if I were plunging off*2 a cliff into water far below. I wanted to acquire the same relaxed attitude toward speaking English, but of course, the more I tried to relax, the more tense I became. So, I assumed that my classmates' attitude toward English was based on their attitude toward their native language, and it was natural for them to speak up whenever they wanted to do so.

［語義］summon*1　奮い起こす／plunge off*2　飛び降りる

1　筆者はアメリカのコミュニティ・カレッジの先生に気に入られ、他の人にうらやましがられた。

2　英語を話せる他の生徒たちの文法は、筆者が知っている文法の知識と明らかに異なっていた。

3　筆者がアメリカで出会った日本人の多くは、人間はみな言語を学ぶ能力があると感じている。

4　日本の社会ではよい聞き手になることを勧められるが、よい話し手になることは必須ではない。

5　筆者は一緒に英語の授業を受けている他国から来た生徒と、勇気を振り絞り日本語で会話した。

出典は、しゅわぶ美智子『心が伝わる英語の話し方』。

英文の全訳は以下のとおり。

〈日本の東京からアリゾナのフェニックス近くの小さなアメリカの街に転勤になり、近くのコミュニティ・カレッジで、英語ネイティブではない仲間とともに英語学習を始めたとき、ほかの誰もが、それが不完全な英語にすぎないとしても、英語を話すことができていたことに驚いた。私は文法的に正しい英語を話そうとしていたので、先生は私のことを気に入ってくれてはいたが、私はほかの生徒がうらやましかった。

明らかに、彼らの問題点（文法）と私の問題点（知っていることを使いこなせないこと）は異なるものだった。しかし、人間はみな言語能力が備わっていて、私のクラスメイトは、彼らの母語に対するスピーキング技能を、英語を話すことに適用できていたようだ。それなら、どうして私は同じことができなかったのだろうか？　文法や語彙力の堅固な基礎力はあるのに、どうして英語を話すことは日本人にとってこんなに難しいことなのだろうか？

私が仕事や仕事以外で、アメリカで出会った日本人の多くは同様の所見を持っていた。そこで、われわれがみな持っている生まれながらの言語能力を超える何か、つまり日本文化が、われわれを引き留めているのだという結論に達した。一つの大きな要因は、われわれが聞くことに焦点を当てているということである。日本の社会では聞き名人になることを勧められるが、すばらしい話し手になることは必須ではない。日本の聞く文化は「一を聞いて十を知る」ということわざによく表れている。

「鳴くアヒルは撃たれる」（キジも鳴かずば撃たれまい）は、不必要なことを言ってトラブルを引き起こしたくないということを意味する。

しかしながら、私のアリゾナの英語のクラスでは、メキシコやラテンアメリカ、ほかのアジア地域出身の生徒は、ちゅうちょすることなく、簡単に英語を話していた。彼らはリラックスして英語を話しているように見えた。しかし、私が英語を話そうとするときは、あるだけの勇気を振り絞り、まるで崖からはるか下にある水に飛び降りるように、会話の中に飛び込む必要があった。英語を話すときに、（彼らと）同じようなリラックスした態度を身につけたかった。しかし、もちろん、リラックスしようとすればするほど、より緊張してしまったのだ。だから、私のクラスメイトの英語に対する態度は、母語に対する態度に基づいていて、そして、話したいと思うときはいつでも彼らは自然に話すことができるのだと推測したのである〉

1．第１段落に「先生に気に入られた」とあるが、それに対して「うらやましがられた」という記述はない。

2．ほかの生徒たちと「文法の知識」が異なっているのではなく、第２段落にあるように、英語学習における「問題点」が異なっているのである。

3．「筆者がアメリカで出会った日本人の多く」が感じているのは、第２～３段落にあるように、文法知識や語彙力があっても、日本人が英語を話すことは難しいということである。

4．妥当である。第３段落にある内容である。

5．第５段落に「勇気を振り絞り」会話したという記述はあるが、その会話は「日本語」ではなく「英語」である。

正答　4

大卒警察官

令和6年度

警視庁

文章理解　現代文（空欄補充）

次の文の空欄 A に当てはまる節として、最も妥当なのはどれか。

“普通の”登山者はどのように登山に取り組んでいるでしょう。「明日の仕事に疲れが残らないように」といったふうに、あまり辛くない楽しく運動できる程度のレベルに標準を合わせている人がほとんどと思われます。途中で景色を眺めたり、お湯を沸かしてスープを飲んだりという活動も登山の要素に含めることを考えると、いわゆる競技スポーツとはまったく異質で、むしろ“旅行”のカテゴリーに近いと言えるかもしれません。ですから、「登山愛好者には普段のトレーニングをしていない人が多い」とか、「準備体操や整理体操をしない場合が少なくない」などは、ある意味筋違いの指摘と言えるかもしれません。“旅行”に行くために週三回、一回三十分のランニングを三カ月やってから出かける人はそうそういないわけですから。

ところが、昨今問題となっているのは、こうした“旅行”的な取り組み方で登山に向かった人が“旅行”の領域から逸脱してしまい、ケガや遭難という顛末に陥るケースが後を絶たないことです。原因としては、本人の予想が甘く、向かったルートに必要な体力・技術をもともと持ち合わせていなかった場合、天候の急変などの環境要因で通常と大きく状況が変わってしまった場合、先導者（公募ツアーなどのガイド）の実力不足で参加者の健康状態や気象の変化に対して適切な対応がとれなかった場合、などが考えられます。いずれにしても、予想や通常状態と現実に大きな差異が生じることがあり、そうなると大きな事故が発生してしまいます。他のスポーツでも気温や湿度、風の有無などで記録や困難さに影響が出ることはありますが、生死に関わる甚大な被害が生じるのは「登山」というスポーツの特徴と言えます。

従って、「登山の実力」は、 A というところにあるのかもしれません。

1　短い時間で踏破することよりも、いかにペースを守って、予定通りのスケジュールで登りきることができるか

2　天候や体調悪化といった極限の状態に進んで挑みかかる精神力や、そうした逆境を乗り越える体力を持っているか

3　普通の登山者に邪魔をされないような、人里離れた厳しい環境でどうやって自然と闘い、打ち勝つことができるか

4　予想どおりに通常の環境で踏破したというところよりは、イザという時にどこまで耐えられるか、どんな環境までなら切り抜けられるか

5　事前の予想や準備によってあらゆるアクシデントを避け、肉体的にも精神的にも余裕をもった状態で最後まで登りきることができるかどうか

解説

出典は、齋藤繁『「体の力」が登山を変える』。

“普通”の登山は、スポーツより“旅行”のカテゴリーに近いが、“旅行”の領域から逸脱してしまい、予想外の事態が起きると甚大な被害を生じるのが、登山というスポーツの特徴であるという文章。したがって「登山の実力」について述べる空欄には、「予想外の事態を切り抜ける」という内容の文章が入る。

1.「予定通り」ではなく、通常と大きく状況が変わったときについての内容が入る。

2. 予想外の事態について述べられているが、「極限の状態に進んで挑みかかる」は主旨から外れている。

3.「人里離れた厳しい環境」ではなく、予想外の環境要因への対応についての内容が入る。

4. 妥当である。

5.「事前の予想や準備によって」ではなく、予想外の事態が発生した場合についての内容が入る。

正答 4

大卒警察官

令和 6 年度　警視庁

文章理解　現代文（文章整序）

次の文を先頭に置き、A～Fの文を並べ替えて意味の通った文章にするときの順番として、最も妥当なのはどれか。

直立二足歩行に並ぶ、人類のもっとも基本的な特徴は、犬歯の縮小である。

A：たとえば、余分にエサを食べなくてはならない。

B：そのため自然選択によって、人類の犬歯は小さくなったのだ。

C：使わないのに、わざわざ大きな犬歯を作ったら、余分なエネルギーが掛かる。

D：それではなぜ、人類の犬歯は小さくなったのだろうか。

E：それは無駄である。

F：それは、犬歯を使わなくなったからだ。

1　D—C—F—A—E—B
2　D—F—C—A—E—B
3　A—E—B—D—F—C
4　E—D—F—C—B—A
5　D—F—C—E—B—A

解説

出典は、更科功『絶滅の人類史』。

先頭の文章に続くのは、選択肢からA、D、Eのいずれかであるが、「人類の特徴は犬歯の縮小である」という内容の次に、AとEは明らかにつながらないため、先頭の文章に続くのはDである。先頭の文章での「犬歯の縮小」という提起を受け、Dで「それではなぜ」とその理由の解明へと文章が展開すると考えられ、ここで選択肢は**1**、**2**、**5**に絞られる。Dに続くのはCかFだが、Dは「それではなぜ、～だろうか」と疑問を述べる内容であり、「それは、犬歯を使わなくなったからだ」と理由を述べるFがこれに続き、さらに補足説明をするCが続くのが妥当である。ここで選択肢は**2**、**5**に絞られる。選択肢**5**を見ると、C「余分なエネルギーが掛かる」の次にE「それは無駄である」としても文意はつながるが、Eの後にB、Aは明らかにつながらない。一方、選択肢**2**では、C「余分なエネルギーが掛かる」と述べた後に、A「たとえば～」と具体例を挙げ、E「それは無駄である」、B「そのため自然選択によって、人類の犬歯は小さくなったのだ」と、まとめの文章まで問題なくつながる。

以上より、正答は**2**である。

正答　**2**

大卒警察官

令和6年度 警視庁

文章理解 現代文（要旨把握）

次の文章の要旨として、最も妥当なのはどれか。

猫は目に入る光の量を瞬時に調節できるため、動く物に対して驚くほど迅速に反応することが可能です。

人でもテニスや野球、卓球など、速いボールを目で追う競技のアスリートは、動体視力が優れていることはよく知られていますよね。しかし、猫の動体視力は世界中のトップアスリートをはるかに上回ります。なんと人類の約10倍ともいわれているのです。

この驚異的な動体視力は、すばしっこいネズミなどの小動物である獲物を捕らえるために発達したと考えられます。猫には50メートル先の獲物の動きがわかるという説もあるほどアメージングな能力なのです。

動いているモノはよく見える猫ですが、反面、静止しているモノはあまり見えていません。猫の視力は0.04～0.3程度で、人なら、強度の近視の部類でしょうか。カーブが大きく丸い眼球は、光を集めるのには有効でも、焦点は合いにくいため、近くのモノはぼやけて見えるのです。

近くのモノの焦点が合わないというと、人でいったら老眼が近いでしょうか。試しに、猫の目の前にドライフードの粒を置いても、一発で見つけることができません。そのくらい、「動かない、ごく近くのモノ」は見えないのです。それゆえ、見えないとわかると、モノを確かめようと前足でチョイチョイするわけなんですね。

ちなみにネズミも、猫と同じように動体視力は優れていますが、近くの止まっているモノは見えにくいようです。ネズミは、最初は動いている猫の存在に気付きますが、動きを止めた猫の姿は目には映らず、油断をした瞬間に捕まってしまうわけです。猫は狩りの名人なので、わざと動きを止めてネズミを仕留めているのかもしれません。

1　カーブが大きく丸い猫の目は、人類の10倍もの静止視力を誇り、そのおかげですばしっこいネズミでも捕まえることができる。

2　ネズミはすばしっこい上に動体視力も優れているが、小さいモノを見ることが得意な猫には、たやすく捕らえられてしまう。

3　猫は優れた動体視力だけでなく、驚異的な身体のバネを利用することによって、すばしっこいネズミを瞬時に捕らえることができる。

4　猫の動体視力は優れているが、カーブが大きく丸い目の構造から、遠くのモノは見えにくいため、実はネズミなどの小動物を捕まえるのは得意ではない。

5　猫の眼球は光の量を瞬時に調節できるため、動体視力に優れている反面、焦点は合いにくく、近くのモノや静止しているモノは見えにくい。

解説

出典は、今泉忠明『猫脳がわかる！』。

1. 猫が誇るのは、人類の10倍の「静止視力」ではなく、「動体視力」である。

2. 猫が「小さいモノを見ることが得意」という記述はない。

3. 猫の「驚異的な身体のバネ」についての記述はない。

4. 猫は、遠くのモノではなく、近くのモノや静止しているものが見えにくい。また「すばしっこいネズミなどの小動物である獲物を捕らえる」「狩りの名人」とあり、小動物を捕まえるのは得意である。

5. 妥当である。

正答　5

大卒警察官

令和 6 年度

警視庁

判断推理 位置関係

丸テーブルに職業も年齢も異なる３人の男性が座って話をしている。３人の出身地は、北海道、大阪府、新潟県のいずれか異なるところで、居住地も埼玉県、千葉県、神奈川県のいずれか異なるところである。３人が座っている位置関係について次のア～ウのことが分かっているとき、確実にいえることとして、最も妥当なのはどれか。

ア　24歳の男性の左隣の男性は埼玉県に住んでおり、右隣に座っている男性は教師である。

イ　銀行員の右隣の男性は千葉県に住んでおり、左隣に座っている男性は大阪府出身である。

ウ　北海道出身の男性の左隣には38歳の男性が座っており、右隣に座っている男性は弁護士である。

1　大阪府出身の男性は、24歳である。
2　北海道出身の男性は、千葉県に住んでいる。
3　弁護士は、千葉県に住んでいる。
4　北海道出身の男性は、24歳である。
5　新潟県出身の男性の右隣に、埼玉県に住んでいる男性が座っている。

解説

図のように、３人をA、B、Cとし、Aを24歳として考えてみる。そうすると、Bの職業は教師、Cの居住地は埼玉県である。次に、Aの職業を銀行員とすると、Bの居住地は千葉県、Cの出身地は大阪府となる（図Ⅰ）。しかし、これだとCの職業が弁護士、Bの出身地が北海道、Aの年齢は38歳となり、矛盾が生じる。したがって、Aの職業は弁護士で居住地は千葉県、Cの職業は銀行員で出身地は北海道、Bの年齢は38歳で出身地は大阪府である。これにより、Aの出身地は新潟県、Bの居住地は神奈川県と決まる。ただし、Cの年齢は不明である（図Ⅱ）。この図Ⅱより、正答は**3**である。

図Ⅰ

A	
年齢	24
職業	銀行員
出身地	
居住地	

B	
年齢	
職業	教師
出身地	
居住地	千葉県

C	
年齢	
職業	
出身地	大阪府
居住地	埼玉県

図Ⅱ

A	
年齢	24
職業	弁護士
出身地	新潟県
居住地	千葉県

B	
年齢	38
職業	教師
出身地	大阪府
居住地	神奈川県

C	
年齢	
職業	銀行員
出身地	北海道
居住地	埼玉県

正答　3

大卒警察官

令和6年度

警視庁

判断推理　発言からの推理

A～Cの３人は法学部、経済学部、理学部のいずれか異なる学部に所属している。次のア～オの発言のうち、正しいことを述べたものが１つだけだとするとき、３人の所属している学部について確実にいえることとして、最も妥当なのはどれか。

ア　Aは法学部ではない。
イ　Bは理学部ではない。
ウ　Bは経済学部ではない。
エ　Cは理学部である。
オ　Cは経済学部ではない。

1　Aは経済学部である。
2　Aは法学部である。
3　Bは経済学部である。
4　Cは法学部である。
5　Cは理学部である。

解説

まず、アは誤りである。アが正しいとすると、イ、ウは正しくないので、Bは理学部であり、かつ経済学部であるということになる。また、ウ、オは正しくないので、BとCが経済学部ということになる。イが正しいとすると、やはり、ウ、オは正しくないので、BとCが経済学部ということになる。ウが正しいとすると、アより、Aは法学部、イより、Bは理学部、オより、Cは経済学部となって、矛盾が生じない。エ、オのいずれかが正しいとした場合も、アが正しいとした場合と同様の矛盾が生じる。

以上より、正答は**2**である。

	法学部	経済学部	理学部
A	○	×	×
B	×	×	○
C	×	○	×

正答　**2**

ある暗号で「(西1，0)，(西2，0)，(東1，北1)」は「イヌ」を、「(西1，南1)，(0，0)，(東1，北2)」は「ネコ」を表している。この暗号で「(西2，南2)，(西2，0)，(東2，北2)，(0，北2)，(西1，北1)」で表されるものとして、最も妥当なのはどれか。

1　ネズミ
2　ウマ
3　ラクダ
4　ヒツジ
5　コアラ

解説

「イヌ」「ネコ」はいずれも2文字であるが、暗号はどちらも3項目ずつで成立している。したがって、英語の「DOG」「CAT」のアルファベットを暗号化したものと考えるのが合理的である。暗号は「東，西，南，北」および整数で構成されており、「CAT」の「A」が「0，0」となっている。そこで、「A」=「0，0」とする座標系を考えてみる（表Ⅰ）。これに「DOG」「CAT」を対応させると表Ⅱのようになり、矛盾しない。表Ⅰと表Ⅱから、アルファベットは表Ⅲのようになる。この表Ⅲより、「(西2，南2)，(西2，0)，(東2，北2)，(0，北2)，(西1，北1)」=「MOUSE」（ネズミ）となるので、正答は**1**である。

表Ⅰ

西2，北2	西1，北2	0，北2	東1，北2	東2，北2
西2，北1	西1，北1	0，北1	東1，北1	東2，北1
西2，0	西1，0	0，0	東1，0	東2，0
西2，南1	西1，南1	0，南1	東1，南1	東2，南1
西2，南2	西1，南2	0，南2	東1，南2	東2，南2

表Ⅱ

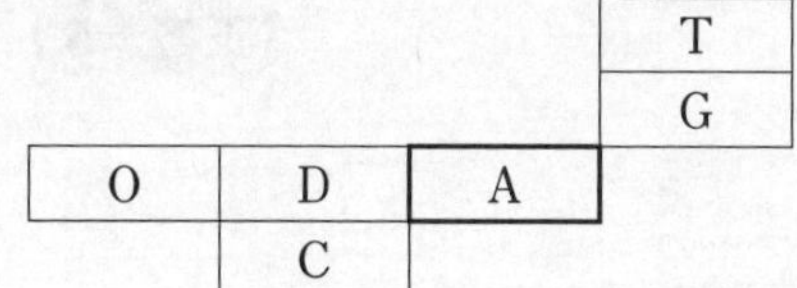

表Ⅲ

Q	R	S	T	U
P	E	F	G	V
O	D	A	H	W
N	C	B	I	X
M	L	K	J	Y
				Z

正答　1

判断推理　順序関係

A～Fの６人が駅で待ち合わせをした。そのときの状況について次のア～ウのことが分かっている。このとき、６人の到着した順序を１つに確定するために必要な条件として、最も妥当なのはどれか。ただし、同時に到着した者はいなかったものとする。

ア　AはE、Fよりも先に到着した。

イ　BはCより先に到着したが、Bより先に到着した者が１人だけいた。

ウ　DはE、Fよりも遅く到着した。

1　Aが一番早く到着した。
2　Bの次にEが到着した。
3　Cが一番遅く到着した。
4　Dは４番目に到着した。
5　EはFの次の次に到着した。

解説

まず、Bが到着したのは２番目である。C、D、E、Fが１番目に到着した可能性はないので、１番目に到着したのはAである（表Ⅰ）。C、D、E、Fの到着した順序を確定するためには、「EはFの次の次に到着した」が必要である。これにより、「F、C、E、D」の到着順と決定する（表Ⅱ）。**1**～**4**では６人の到着順を確定することはできない。

よって、正答は**5**である。

表Ⅰ

1	2	3	4	5	6
A	B				

表Ⅱ

1	2	3	4	5	6
A	B	F	C	E	D

正答　5

大卒警察官

令和 6 年度

警視庁

判断推理　平面構成

4つの合同な正方形の辺どうしをつなげると、下のように5つの図形ができる。同様に5つの合同な正方形の辺どうしをつなげてできる図形の数として、最も妥当なのはどれか。ただし、回転させたり裏返して同じになるものは同一の図形とする。

1　11
2　12
3　13
4　14
5　15

解説

複数の同じ大きさの正方形を、辺に沿ってつなげた多角形を「ポリオミノ」というが、その中で、5枚の同じ大きさの正方形を、辺に沿ってつなげた多角形を「ペントミノ」（位数5のポリオミノ）という。このペントミノは全部で12種類ある。考え方としては、4枚を1列につなげた後に1枚をつなげる（次図の1段目）、3枚を1列につなげた後に2枚をつなげる（2段目、3段目）、1列につなげる枚数を2枚とする（4段目）、という順に検討していけばよい。

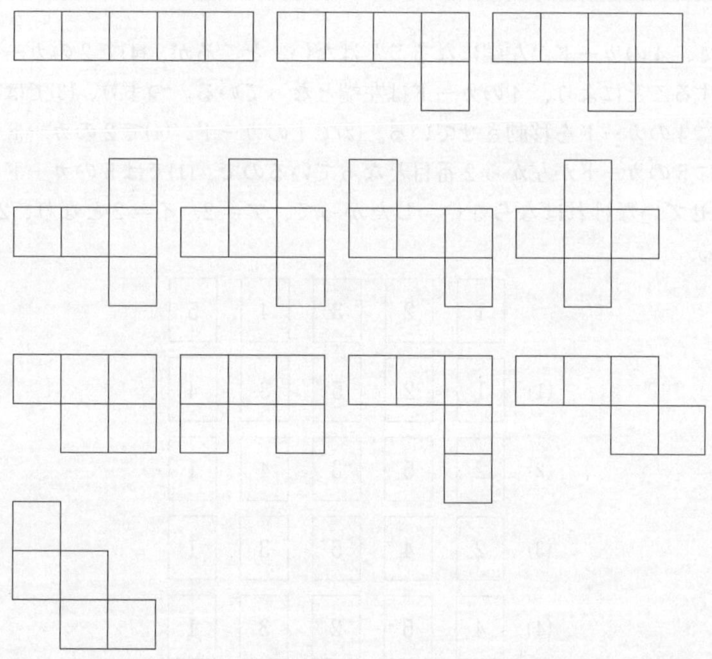

以上より、正答は**2**である。

正答　**2**

大卒警察官

令和6年度 5月型

判断推理　操作の手順

1～5の数字が書かれた5枚のカードがある。最初は数字順に並んでいたカードを、次のような手順で並べ替えたところ、図のようになった。このとき、次の空欄ア、イに入る数の和として正しいものはどれか。

(1)　5のカードを（　ア　）のカードの右に移動する。
(2)　1のカードを4のカードの右に移動する。
(3)　4のカードを（　イ　）のカードの右に移動する。
(4)　2のカードを5のカードの右に移動する。

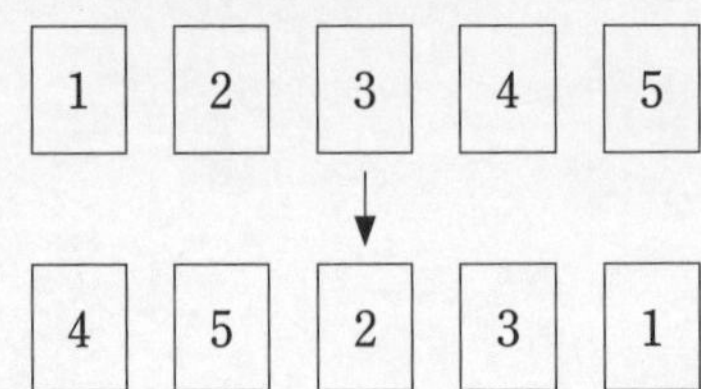

1　3
2　4
3　5
4　6
5　7

解説

(3)の結果として、4のカードが左端になることはない。ところが、(4)で2のカードを5のカードの右に移動することにより、4のカードは左端となっている。つまり、(3)では左端にある2のカードの右に4のカードを移動させている。(2)で1のカード、(4)で2のカードを移動させた結果、最終的に5のカードが左から2番目となっているので、(1)では5のカードを2のカードの右に移動させていなければならない。したがって、ア＝2、イ＝2となり、2+2=4より、正答は**2**である。

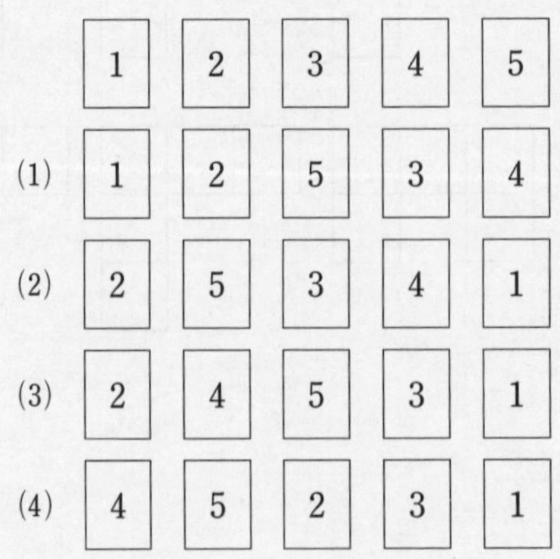

正答　2

判断推理　立体構成

同じ大きさの立方体を図のように積み上げた。このとき、ほかの立方体と4つの面が接している立方体の個数として妥当なものはどれか。

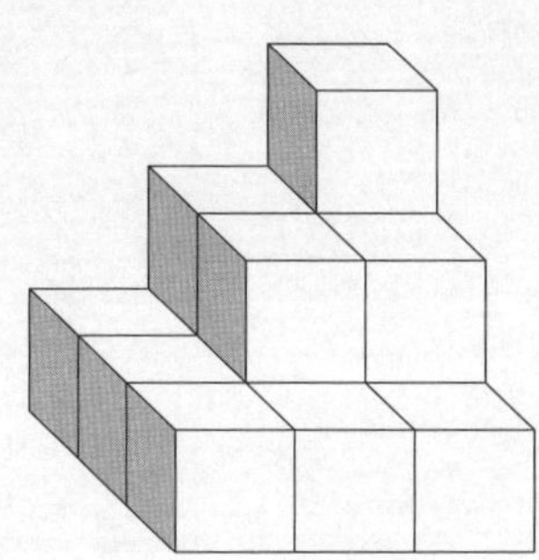

1　3
2　4
3　5
4　6
5　7

解説

各段に区切って考えればよい。図のように、ほかの立方体と4つの面が接している立方体は、下段で2個、中段で1個の計3個であり、正答は**1**である。

下段

2	4	3
3	5	4
2	3	2

中段

3	4
3	3

上段

1

正答　1

大卒警察官

令和6年度

警視庁

数的推理　数の計算

105から207までの整数のうち、7で割り切れないものの和として、最も妥当なのはどれか。

1　11232
2　11388
3　13758
4　13912
5　14491

解説

まず、105～207の整数和を考えると、(105＋207)×103÷2＝16068である。この中にある、7で割り切れる数（7の倍数）を考えると、7×15＝105、7×30＝210であるから、7の倍数は、7×15、7×16、……、7×29となる。その総和は、(15＋29)×15÷2×7＝2310となる。したがって、105から207までの整数のうち、7で割り切れないものの和は、16068－2310＝13758となり、正答は**3**である。

正答　3

大卒警察官

令和6年度

警視庁

数的推理　確　率

3つの工場A、B、Cで、ある製品を4：3：2の割合で製造している。工場A、B、Cの各工場が製造した製品に含まれる不良品の割合はそれぞれ、8％、5％、6％であった。これら3つの工場で製造された製品の中から無作為に取り出した製品が不良品であるとき、それがC工場の製品である確率として、最も妥当なのはどれか。

1 $\frac{10}{59}$

2 $\frac{11}{59}$

3 $\frac{12}{59}$

4 $\frac{13}{59}$

5 $\frac{14}{59}$

解説

3工場A、B、Cの製品製造割合は4：3：2なので、取り出した製品が工場Aで製造された確率は$\frac{4}{9}$、工場Bで製造された確率は$\frac{3}{9}$、工場Cで製造された確率は$\frac{2}{9}$である。A、B、Cの各工場が製造した製品に含まれる不良品の割合はそれぞれ、$\frac{8}{100}$、$\frac{5}{100}$、$\frac{6}{100}$であるから、3つの工場で製造された製品の中から無作為に取り出した製品が不良品である確率は、$\frac{4}{9}\times\frac{8}{100}+\frac{3}{9}\times\frac{5}{100}+\frac{2}{9}\times\frac{6}{100}=\frac{32}{900}+\frac{15}{900}+\frac{12}{900}=\frac{59}{900}$となる。その中で、C工場の製品である確率は$\frac{12}{900}$であるから、3つの工場で製造された製品の中から無作為に取り出した製品が不良品であるとき、それがC工場の製品である確率は、$\frac{12}{900}\div\frac{59}{900}=\frac{12}{59}$である。

よって、正答は**3**である。

正答　3

下図のような、底面の直径が10cm、高さが$10\sqrt{2}$cmの直円すいがある。底面の円周上の点Aから側面に1周線を引いたとき、その最短の長さとして、最も妥当なのはどれか。

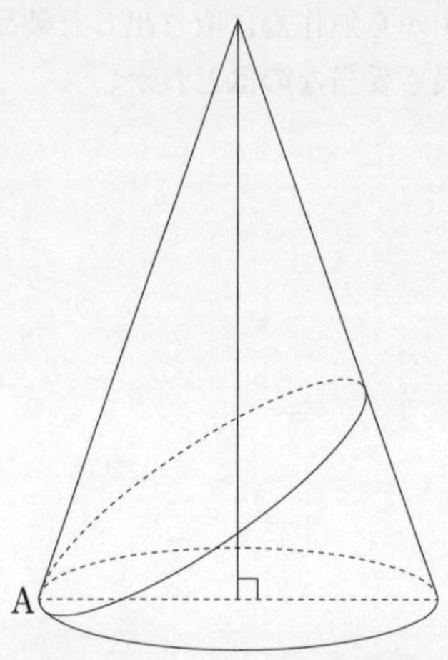

1　$10\sqrt{2}$cm
2　$10\sqrt{3}$cm
3　15cm
4　$15\sqrt{3}$cm
5　$15\sqrt{2}$cm

解説

円錐の底面半径が5cm、高さが$10\sqrt{2}$cmだから、底面半径：高さ：母線＝1：$2\sqrt{2}$：3である。これにより、この円錐の母線の長さは15cmである。立体表面上の最短距離は、展開図上での直線分の長さとなる。円錐の展開図で、側面は扇形となる。この扇形の中心角aは、360：a＝母線の長さ：底面半径＝3：1となるので、a＝120°である。図のように、円錐の頂点をOとすると、AA'が最短の長さである。△OAM≡△OA'Mで、いずれも「30、60、90」型直角三角形であるから、OA：AA'＝2：$2\sqrt{3}$＝1：$\sqrt{3}$であり、AA'＝$15\sqrt{3}$cmとなる。

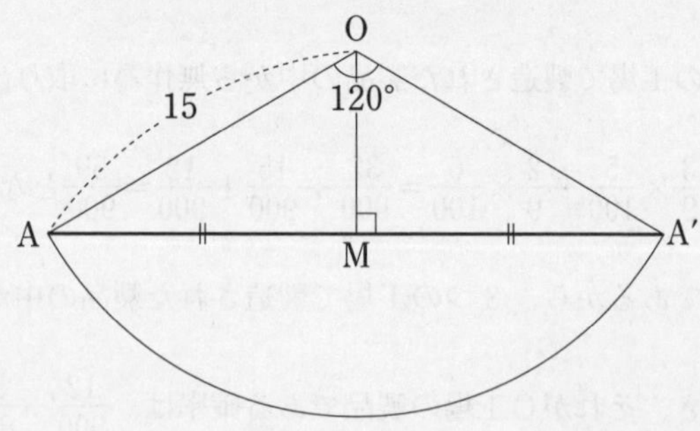

よって、正答は**4**である。

正答　4

大卒警察官

令和 **6** 年度

5月型

数的推理　仕事算

ある工場に、同じ菓子を製造する２種類の機械がある。機械Ａは全部で３台あり、３台を使うと60分で600個の菓子を製造できる。機械Ｂは全部で６台あり、６台を使うと60分で600個の菓子を製造できる。機械Ａと機械Ｂを３台ずつ使って1,800個の菓子を製造するとき、かかる時間は何分か。

1　60分
2　90分
3　120分
4　150分
5　180分

解説

機械Ｂを６台使うと60分で600個製造できるのだから、機械Ｂを３台使うと60分で300個製造できる。機械Ａを３台使うと60分で600個製造できるのだから、機械Ａ３台と機械Ｂ３台を使えば、60分で900個製造できることになる。したがって、1800÷900＝2であるから、60×2＝120より、機械Ａ３台と機械Ｂ３台を使って1,800個製造するには、120分必要である。

よって、正答は**3**である。

正答　3

大卒警察官

令和6年度

警視庁

資料解釈　白菜の収穫量主要5県と全国の作付面積、収穫量

次の表は我が国における白菜の収穫量主要５県と全国の作付面積、収穫量に関するものである。この表からいえるア～ウの記述の正誤の組合せとして、最も妥当なのはどれか。

白菜の収穫量主要５県と全国の作付面積、収穫量

都道府県	作付面積（ヘクタール）	収穫量（トン）	
		令和３年	平成28年
茨城県	3,380	250,300	242,400
長野県	2,850	228,000	229,300
群馬県	464	29,500	28,500
埼玉県	486	24,600	22,900
鹿児島県	401	23,900	22,000
全　国	16,500	899,900	888,700

ア　作付面積当たりの収穫量は、主要５県のすべてが、平成28年と令和３年の両年とも全国平均よりも多い。

イ　全国の収穫量における主要５県の合計収穫量の割合は、平成28年と令和３年の両年とも65％を超えている。

ウ　平成28年に対する令和３年の収穫量の増加率は、長野県以外の４県が全国の収穫量の増加率を上回っている。

	ア	イ	ウ
1	正	正	誤
2	正	誤	正
3	誤	正	正
4	誤	正	誤
5	誤	誤	正

ア：誤り。作付面積に関する資料が何年の数値であるか不明なので、厳密にいえば判断することができない。仮に、令和３年と平成28年で作付面積が変化していないとすると、平成28年の全国平均は、16500×50＝825000＜888700より、50を超えるが、埼玉県の場合は、486×50＝24300＞22900であるから、50を下回っている。

イ：誤り。平成28年の場合、主要５県の合計収穫量の合計は、約550,000である。555÷888＝5÷8＝0.625であるから、65％に達しない。

ウ：正しい。平成28年に対する令和３年の全国の収穫量の増加量は11,200であるから、その増加率は約1.3％である。これに対し、長野県以外の４県は、すべて３％以上増加しており、全国の増加率より大きい。

以上より、正答は**5**である。

正答　5

大卒警察官

令和6年度　警視庁

資料解釈　公民館数、職員数および利用者数

次の表は、我が国の公民館数、職員数、延べ利用者数を示したものである。この表からいえることとして、最も妥当なのはどれか。

公民館数、職員数及び利用者数

年次	公民館数(単位：館)	職員数（単位：人）				延べ利用者数（単位：人）	
		専任	兼任	非常勤	指定管理者	団体利用	個人利用
2011年	14,681	8,611	9,689	24,654	3,387	171,556,157	17,969,816
2015年	14,171	7,566	9,096	24,380	4,100	161,869,866	18,753,303
2018年	13,632	7,251	8,563	22,624	4,546	154,620,591	15,845,621

1　公民館１館あたりのすべての職員数は、2011年と2018年のいずれも３人を超えている。

2　2018年は、2011年より公民館数が10％以上減っている。

3　2011年に対する2015年の兼任職員数の減少率は、2011年に対する2015年の専任職員数の減少率より大きい。

4　2011年の非常勤職員数を100とした場合、2018年の非常勤職員数は90未満である。

5　2011年に対する2018年の団体利用者数の減少率は、2011年に対する2018年の個人利用者数の減少率より大きい。

解説

1．妥当である。2011年の場合、専任と指定管理者で約12,000人、兼任と非常勤で34,000人超であるから、職員数は約46,000人である。公民館数は15,000未満なので、１館当たりの職員数は３人を超えている。2018年は、専任と指定管理者で11,000人超、兼任と非常勤で31,000人超であるから、職員数は42,000人を超えている。公民館数は14,000未満であるから、１館当たりの職員数は３人を超えている。

2．14681×0.9≒14681－1468＝13213＜13632より、減少率は10％未満である。

3．2011年に対する2015年の兼任職員数の減少数は593人であるから、減少率は10％未満である。専任職員の減少数は1,045人で、減少率は10％を超えている。

4．24654×0.9≒24654－2465＝22189＜22624より、90を超えている。

5．2011年に対する2018年の団体利用者数の減少数は17,000,000人未満であるから、減少率は10％未満である。これに対し、2011年に対する2018年の個人利用者数の減少数は2,000,000人を超えているので、その減少率は10％を超えている。

正答　1

大卒警察官
教養試験

過去問&解説
No.1〜No.350

大卒警察官

No. 1 警視庁

政治　人物と学説　令和4年度

次の人物に関する記述のうち，最も妥当なのはどれか。

1　ドイツの社会学者マックス＝ウェーバーは，「非合法的支配・カリスマ的支配・社会的支配」という支配の形式の３類型を示した。

2　アメリカ大統領ワシントンは，国民主権を「人民の，人民による，人民のための政治」という言葉で簡潔かつ明確に表現した。

3　ドイツの社会主義者ラッサールは，当時の国家が最低限の治安維持しかしないとして，「夜警国家」という言葉を用いて批判した。

4　アメリカ大統領フランクリン＝ローズヴェルトは，「言論・表現の自由」「信仰の自由」「思想・良心の自由」「経済の自由」からなる「４つの自由」を提唱した。

5　アメリカ大統領トルーマンは，演説の中で「鉄のカーテン」という言葉を用いて，東西両陣営を隔てる対決の境界線があることを表明した。

解説

1. ウェーバーは，「伝統的支配・カリスマ的支配・合法的支配」を支配形式の３類型とした。伝統的支配は王政のような古い伝統的権威を根拠とする支配，カリスマ的支配は統治者のカリスマ性による支配をいう。また，合法的支配は合法性を根拠とする支配であり，近代官僚制がその典型とされている。

2. ワシントンではなく，リンカンに関する記述である。「人民の，人民による，人民のための政治」は，南北戦争中にリンカンが行ったゲティスバーグ演説（1863年）の一節である。なお，ワシントンはアメリカの初代大統領である。

3. 妥当である。ラッサールは，福祉には冷淡な19世紀の自由放任主義国家を，皮肉を込めて「夜警国家」と表現した。

4. ローズヴェルトは，1941年の一般教書演説において，「言論・表現の自由」「信仰の自由」「欠乏からの自由」「恐怖からの自由」を「４つの自由」として提唱した。この「４つの自由」は大西洋憲章や世界人権宣言などに多大な影響を与えた。

5. トルーマンではなく，第二次大戦期にイギリス首相を務めたチャーチルに関する記述である。イギリス首相退任後の1946年にアメリカで行った演説において，チャーチルは東西冷戦によるヨーロッパの分断，対立を「鉄のカーテン」と表現した。

正答　3

大卒警察官

No. 2　警視庁

政治　アメリカ合衆国の大統領制　平成27年度

アメリカ合衆国の大統領制に関する記述として，最も妥当なのはどれか。

1　大統領は，議会に対して法案及び予算案を提出する権限を有する。

2　議会が可決した法案に対し，大統領は拒否権を発動することができる。

3　行政府の主要人事は，大統領の専管事項に属し，議会はこれに関与できない。

4　条約を批准する権限は，国家元首としての大統領に属する。

5　大統領に仮に非行があっても，議会がこれを解任することはできない。

解説

1．大統領は，議会に対して法案および予算案を提出する権限を持たない。ただし，大統領は議会へ教書を送付し，具体的な法案や予算案の成立を勧告することができる。

2．正しい。大統領は法案拒否権を持つ。ただし，大統領が拒否権を行使した後，議会の両院がそれぞれ出席議員の3分の2以上の賛成で当該法案を再可決した場合には，拒否権は乗り越えられる。

3．行政府の主要人事については，議会の上院が同意権を持つ。したがって，大統領は上院の同意を得ずに，勝手に行政府の主要役職への任命を行ってはならない。

4．条約を批准する権限は，議会の上院にある。したがって，大統領が外国と条約を締結しても，上院の同意が得られなければ発効には至らない。

5．大統領に非行があった場合，議会はこれを解任することができる。具体的には，下院からの訴追を受けて上院で弾劾裁判が行われ，出席議員の3分の2以上の賛成があった場合，大統領は解任されることになる。

正答　2

警視庁

No. 3 政治 選挙制度 平成21年度

選挙制度について小選挙区制と比例代表制を比較したとき，小選挙区制のみの特徴と考えられているものは，次のどれか。

1　候補者間ではなく政党間の競争であること。
2　安定した多数派を作り出す傾向があること。
3　社会の多様な意見を議席に反映させること。
4　大政党にも小政党にも有利不利がないこと。
5　議席に結びつかない死票が少なくなること。

解説

1．比例代表制のみの特徴である。小選挙区制では，当選をめぐり候補者間で競争が展開される。比例代表制では，議席の配分をめぐり政党間で競争が展開される。

2．正しい。小選挙区制では，各選挙区における最多得票者のみが当選とされるため，小政党の候補者は当選が難しくなる。その結果，少数の大政党（一般には2つの大政党）が議席の大半を占めることとなり，安定した多数派が作り出される。比例代表制では，得票数に比例して各党に議席が配分されるため，小政党も議席を確保することが可能となる。その結果，多党制が定着し，安定した多数派が作り出されにくくなる。

3．比例代表制のみの特徴である。小選挙区制では，選挙区内の多数派の意見だけが当選者の決定に反映されるため，少数派の支持する候補者や政党は議席を確保できない。比例代表制では，得票数に比例して各党に議席が配分されるため，多数意見も少数意見もその支持者数に応じて各党の議席数に反映される。

4．比例代表制のみの特徴である。上記のとおり，小選挙区制では小政党の候補者が当選しにくく，大政党に有利な結果がもたらされる。比例代表制では，小政党にもその支持者数に応じて議席が配分されるため，いずれの政党にも公平な結果がもたらされる。

5．比例代表制のみの特徴である。小選挙区制では，各選挙区の第2位以下の候補者に投じられた票がすべて死票となるため，全国規模でみても死票は多くなる。比例代表制では，少数派の投じた票も小政党の議席獲得に生かされる可能性があるため，死票は少なくなる。

正答　2

No. 4 警視庁 政治 政党政治 令和3年度

我が国の政党政治に関する記述として，最も妥当なのはどれか。

1 55年体制は二大政党制の期待をもって出発したが，実際には自民党が政権を握り，「1と2分の1政党制」ともいわれるほど政権交代の可能性の極めて低い一党優位の体制であった。

2 帝国議会開設以前に多くの政党が結成・活動していたが，我が国で初めて本格的な政党内閣が成立したのは，第二次大戦後の吉田内閣である。

3 2000年代に入り自民党が打ち出した「構造改革」路線に対する批判が高まり，2009年の衆議院議員選挙の結果，維新の党を中心とした菅内閣が成立した。

4 1955年，左右に分裂していた自由民主党の統一に続き，保守合同で社会党が結成されたことにより，その二党を中心とする二大政党制が誕生した。

5 1993年，自由民主党が分裂し，衆議院の解散を経て総選挙が実施され，その結果，非自民7党1会派連立による村山内閣が誕生し，55年体制が崩壊した。

解説

1. 妥当である。55年体制では，自民党は一貫して与党の座にある一方で，国会内で社会党は自民党の半分程度の勢力の野党第一党にとどまった。この状態を揶揄して「1と2分の1政党制」といわれた。

2. 日本初の本格的政党内閣は，第一次憲政擁護運動後に成立した原敬内閣（1918～1921年）。なお，日本初の政党内閣は，板垣退助が内務大臣として入閣したため「隈板内閣」と呼ばれた第一次大隈重信内閣（1898年）である。

3. 2009年には民主党を中心とする鳩山由紀夫内閣が成立した。また，2009年の自民党から民主党への政権交代は，「構造改革」路線への批判というよりも，政治不信によるものだった。なお，鳩山内閣の退陣後に菅直人（かんなおと）が民主党の党首を引き継ぎ，菅内閣が成立した。

4. 1955年に左右に分裂していた社会党の統一に続き，保守合同で自民党が結成された。保守合同とは，自民党の前身である自由党と日本民主党の合流のことをいう。社会党は革新政党であるのに対し，自民党は保守政党と見なされている。

5. 「村山内閣」の部分が誤りで，正しくは「細川内閣」。非自民8党派の一つである日本新党の党首だった細川護熙を首班とする内閣が成立した。だが，非自民政権は社会党と新党さきがけの政権離脱によって1年足らずで崩壊し，社会党の党首だった村山富市を首班とする，社会党，自民党，新党さきがけによる連立政権が成立した。

正答 1

大卒警察官

No. 5 5月型

政治　行政委員会　平成26年度

行政委員会に関する次の記述のうち，妥当なものはどれか。

1　教育委員会は，文部科学大臣の命令を受けて国の文部行政の方針を各学校に伝達する目的で，地方自治体ごとに設置されている。

2　選挙管理委員会は，内閣総理大臣の指揮・命令を受けて公正な選挙を実施するため，公職選挙法の運用機関として都道府県・市町村に設置されている。

3　公正取引委員会は独占禁止法を運用するために設置された機関で，事件の調査で必要があるときには，裁判官の発する許可状により臨検，捜索または差押えができる。

4　国家公安委員会は破壊活動防止法の施行に伴って設置され，同法に規定する破壊的団体の違法行為に対し，裁判所に逮捕状を請求し執行する権限を有している。

5　労働委員会は各労働組合から選抜された者によって組織され，国内の労働組合に指導・助言・監督する目的で，市町村に設置されている。

解説

1．教育委員会が自治体ごとに設置されていることは正しい。しかし，教育行政を決するのは教育委員会であって，文部科学大臣の命令は受けない。2014年の地方教育行政法の改正では，首長が教育委員会と話し合う総合教育会議を設けるなど，教育委員会に対する首長権限を強化し，また教育委員会に対する文部科学大臣による是正指示のできる範囲を拡大することが盛り込まれた。改正地方教育行政法は2015年４月から施行されている。

2．選挙管理委員会は内閣総理大臣の指揮・命令は受けない。総務省に中央選挙管理会が，都道府県や市町村に選挙管理委員会が，それぞれ設けられている。

3．正しい。

4．破壊活動防止法の制定に伴って設置されたのは公安調査庁である。同庁は法務省の外局として設置されており，警察のように逮捕状を請求したり，それを執行する権限はない。公安委員会は，警察庁および各都道府県警察を管理するため，それぞれ国家公安委員会および都道府県公安委員会が設置されている。

5．労働委員会とは，労働者の団結権を擁護し，労働関係の公正な調整を図ることを目的として，労働組合法に基づき設置された機関で，中央労働委員会（国の機関），都道府県労働委員会（都道府県の機関）が置かれている。労働委員会は，労働者を代表する委員（労働者委員），公益を代表する委員（公益委員），使用者を代表する委員（使用者委員）のそれぞれ同数によって組織されている。

正答　3

大卒警察官

No. 6 警視庁

政治　行政委員会　平成23年度

内閣府に置かれており，委員長が国務大臣とされる行政委員会として，妥当なのはどれか。

1　運輸安全委員会
2　公安審査委員会
3　中央労働委員会
4　公害等調整委員会
5　国家公安委員会

解説

行政委員会とは，府省等に設置された外局の一種である。主任大臣から直接の指揮監督を受けずに，相当の独立性を持って活動する点を大きな特徴とする。政治的中立性が求められるため，原則として国務大臣が委員となることはないが，国家公安委員会はその唯一の例外とされている。

1．運輸安全委員会は，国土交通省に設置される行政委員会である。
2．公安審査委員会は，法務省に設置される行政委員会である。
3．中央労働委員会は，厚生労働省に設置される行政委員会である。
4．公害等調整委員会は，総務省に設けられた行政委員会である。
5．正しい。国家公安委員会は，内閣府に設けられる行政委員会である。国家公安委員会の委員長は国務大臣とされているが，これは公安問題については内閣も責任を負うべきだとの考えによるものである。なお，本問で掲げられている5つの委員会のほか，内閣府に設置された公正取引委員会も行政委員会に該当する。ただし，その委員長は国務大臣ではない。

正答　5

大卒警察官

警視庁

No. 7 政治 オンブズマン 平成25年度

オンブズマンに関する記述として，最も妥当なのはどれか。

1 オンブズマンという用語は，もとは「代表者」を意味する英語である。

2 オンブズマンは，市民の苦情などを受け付け行政活動を調査・公表するが，行政機関に対する是正勧告などは一切認められない。

3 わが国においては，オンブズマン制度が地方自治体において条例化されている例があるが，国政レベルでの法制度化は実現していない。

4 オンブズマン制度とは，行政機関に従属する立場の専門官が，住民の苦情を受け付け，行政の立場からそれを迅速に処理する制度である。

5 わが国において，オンブズマン制度が初めて実施されたのは横浜市である。

解説

1. オンブズマンという用語は，もとは「代理人」を意味するスウェーデン語である。オンブズマンが1809年にスウェーデンで初めて生まれたことに由来する。

2. オンブズマンは，行政監察官とも訳されることからわかるように，市民の苦情などを受け付け行政活動を調査・公表するとともに，必要に応じて行政機関に対する是正勧告や裁判所に対する訴追なども行う。

3. 妥当である。わが国においては，川崎市など一部の自治体においてオンブズマン制度が条例化されているのみである。

4. オンブズマン制度は，議会に設置される議会型と，首長の下に設置される行政府型に分類される。前者の場合であれば，議会から任命された専門官が住民（国民）の苦情を受け付け，中立的な立場からそれを迅速に処理する。行政府型も同様の機能を果たすものであり，わが国の自治体におけるオンブズマンは行政府型に分類される。

5. わが国において，オンブズマン制度が初めて実施されたのは川崎市（1990年）である。

正答　3

大卒警察官

No. 8 5月型

政治　地方自治　平成22年度

地方自治に関するア～エの記述のうち，妥当なもののみをすべて挙げているのはどれか。

ア　都道府県知事の被選挙権は，その都道府県の区域内に引き続き3か月以上の住所を有する年齢満25歳以上の日本国民に認められる。

イ　地方自治の本旨の観点から，地方自治法では，住民の直接請求権として，条例の制定・改廃の請求，議会の解散請求，議員・長の解職請求が認められている。

ウ　地方公共団体の長はその地方公共団体の住民が選挙するが，この選挙については，法律上は直接選挙で行うことが規定されているが，憲法上は間接選挙も許容される。

エ　普通地方公共団体の議会において，当該普通地方公共団体の長の不信任の議決をしたときは，直ちに議長からその旨を当該普通地方公共団体の長に通知しなければならず，この場合においては，普通地方公共団体の長は，その通知を受けた日から10日以内に議会を解散することができる。

1　ア，イ
2　ア，ウ
3　ア，エ
4　イ，エ
5　ウ，エ

解説

ア：都道府県知事の被選挙権は，年齢満30歳以上の日本国民に認められる（地方自治法19条2項，公職選挙法10条1項4号）。なお，都道府県知事の選挙権のように，区域内に住所を有することは要件とはされていない（地方自治法18条，公職選挙法9条2項・4項参照）。

イ：妥当である（地方自治法74条1項，76条1項，80条1項，81条1項）。

ウ：憲法上，地方公共団体の長はその地方公共団体の住民が，直接選挙で選出することが規定されている（憲法93条2項）。

エ：妥当である（地方自治法178条1項）。

よって，イ，エの組合せである**4**が正答である。

正答　4

No. 9 警視庁 政治 地方財政 令和5年度

我が国の地方財政に関する記述として、最も妥当なのはどれか。

1 「三位一体の改革」とは地方財政の立て直しと、地方分権の推進を目指して、地方交付税の見直し、国庫支出金の削減、機関委任事務の廃止の３つを同時に進めたものである。

2 地方債とは地方公共団体が財政上の理由で発行する公債で、地方債の発行は2006年度以降、国の許可制から国との事前協議制になった。

3 地方交付税とは、所得税・法人税・酒税等を財源にして国から地方公共団体に交付されるものである。地方交付税は使途が予め指定されて交付される。

4 国庫支出金とは国が補助率を定め交付するものである。国庫支出金は使途が定められておらず、地方公共団体が自主的に決定できる。

5 特定財源とは地方歳入のうち、地方税収など使途が定められている財源を指す。一方で地方債など使途が定められていない財源のことを一般財源と呼ぶ。

解説

1.「機関委任事務の廃止」の部分が誤りで、正しくは「国から地方への税源移譲」。機関委任事務とは、かつての地方公共団体が国の機関としての位置づけで処理していた事務のこと。1999年の地方分権一括法の制定により、地方公共団体の事務が法定受託事務と自治事務に再編されたことに伴い、廃止された。なお、地方財政の「三位一体の改革」は、地方分権一括法施行後の2000年代に実施された。

2. 妥当である。現在は、都道府県債の発行には総務大臣、市町村債の発行には都道府県知事との事前協議を要する。

3. 地方交付税は、地方公共団体間にある財政力の格差を是正するために交付されるものであるから、使途は指定されない。なお、使途が指定されない財源を一般財源、指定された財源を特定財源という。

4. 国庫支出金とは、国庫負担金や国庫補助金など、国から使途を定められて地方公共団体に支出される給付金の総称である。

5. 地方税収は一般財源である。また、地方債は特定財源に分類される。なお、先述のとおり、地方交付税は一般財源である。対して、国庫支出金は特定財源である。

正答 2

警視庁

No. 10 政治 住民の権利 令和2年度

我が国の住民の権利に関する記述中の空所A～Eに当てはまる語句の組合せとして，最も妥当なのはどれか。

日本国憲法第95条では，「一の地方公共団体のみに適用される特別法は，法律の定めるところにより，その地方公共団体の住民の投票においてその（　A　）の同意を得なければ，国会は，これを制定することができない」と規定されている。

さらに（　B　）では，直接民主制の理念に基づいて，直接請求権が定められている。このうちの1つである（　C　）は，有権者の50分の1以上の署名が必要であり，請求先は，監査委員である。また，議員の解職請求は，原則として有権者の3分の1以上の署名が必要であり，請求先は（　D　）である。そして，（　E　），過半数の同意があれば当該議員は職を失う。

	A	B	C	D	E
1	過半数	公職選挙法	事務の監査請求	首長	住民投票に付し
2	過半数	地方自治法	事務の監査請求	選挙管理委員会	住民投票に付し
3	過半数	地方自治法	住民監査請求	首長	議会にかけ
4	3分の2	公職選挙法	住民監査請求	選挙管理委員会	住民投票に付し
5	3分の2	地方自治法	住民監査請求	首長	議会にかけ

解説

A：「過半数」が当てはまる。原則として，法律は国会での議決があれば成立する。しかし，「一の地方公共団体にのみ適用される特別法」である地方自治特別法の制定には，国会の議決に加え，当該地方公共団体で実施される住民投票で有効投票の過半数の同意を要する。

B：「地方自治法」が当てはまる。直接請求など，地方自治に関する基本的な制度は，地方自治法によって定められている。ただし，地方公共団体の首長や議員の選挙に関する事項は，公職選挙法に定められている。

C：「事務の監査請求」が当てはまる。条例の制定・改廃の請求と同様，事務監査請求にも，有権者の50分の1以上による署名が必要である。なお，住民監査請求とは，違法・不当な公金支出などがあると認められる場合において，監査委員に監査や必要な措置の実施を請求するもの。請求に有権者による署名は要しない。

D：「選挙管理委員会」が当てはまる。首長や議員の解職請求と議会の解散請求は，選挙管理委員会に対して行う。首長に対して行われるのは，条例の制定・改廃の請求や主要公務員の解職請求である。

E：「住民投票に付し」が当てはまる。首長の解職請求や議会の解散においても，住民投票によってその可否が決まる。議会によってその可否が決まるのは，主要公務員の解職請求である。

よって，正答は**2**である。

正答　2

No. 11 5月型

政治 国際連合 平成22年度

国際連合に関する次の記述のうち，下線部が正しいものはどれか。

1 国際連合は，1945年に発効した国際連合憲章に基づき，スイスのジュネーブを本部として活動を開始した。

2 安全保障理事会は，常任理事国５か国と非常任理事国10か国で構成されており，そのうちアメリカ，ロシア，ドイツなどの常任理事国は拒否権を持つ。

3 国連事務総長は国連事務局の長であり，国際の平和と安全の維持にとって脅威となりかねない事項について，安全保障理事会の注意を促すことができる。

4 国連総会は，安全保障理事会よりも優越した地位に置かれており，PKO の派遣を決定するなど，国際の平和と安全の維持に関して一義的責任を負っている。

5 国連憲章に規定された正規の国連軍は，湾岸戦争に際して初めて派遣されたが，わが国も自衛隊の掃海艇を現地に送り込むことで，その活動に協力した。

解説

1．国際連合は，アメリカのニューヨークを本部として活動を開始した。スイスのジュネーブに本部を置いていたのは，国際連盟である。

2．第二次世界大戦の敗戦国であるドイツは，国際連合の原加盟国ではなく，安全保障理事会の常任理事国の地位も得ていない。常任理事国は，アメリカ，ロシア，イギリス，フランス，中国の５か国である。

3．正しい。国連事務総長は，地域紛争の勃発などに際して安全保障理事会に注意を喚起する。また，自ら現地に赴いて，調停に当たることもある。

4．国際の平和と安全の維持に関して一義的責任を負っているのは，安全保障理事会である。したがって，PKO（平和維持活動）の派遣を決定するのも，安全保障理事会の役割とされている。

5．国連憲章に規定された正規の国連軍は，これまで一度も派遣されたことがない。湾岸戦争に際して活動を展開したのは，アメリカを中心とする多国籍軍であった。

正答 3

警視庁

No. 12 政治 国際政治 平成28年度

国際政治に関する記述として，最も妥当なのはどれか。

1 国際法の父であるホッブズは，国際社会にも諸国家が従わなければならない国際法があるとした。

2 国際法とは，明文化された条約のことであり，大多数の国家の一般慣行である国際慣習法は国際法ではない。

3 国内法の立法機関は議会であるが，国際法の立法機関は国連事務局である。

4 国際社会における安全保障の形態である勢力均衡の方式とは，対立関係にある国家も含めて，関係国すべてがこの安全保障体制に参加し，相互に武力によって攻撃しないことを約束し，平和を乱す国家がある場合には関係国のすべてが協力して違反国に制裁を加えることをいう。

5 1945年に国際連合の主要機関の一つとして設立された国際司法裁判所は，国だけが当事者となることができ，現実の国際社会における最も中立的かつ公平な機関としての権威が認められているが，裁判は両当事国の合意を必要とする。

解説

1．ホッブズはグロティウスの誤り。ホッブズは社会契約論を展開し，自然状態を「万人の万人に対する闘争」としたことで有名な人物である（『リヴァイアサン』）。

2．国際法は，明文化された「条約」と，大多数の国家の一般慣行である「国際慣習法」とからなる。

3．国際法については，特定の立法機関は存在しない。条約は締約国の合意に基づいて成立し，国際慣習法は各国の慣行に基づいて成立する。

4．「勢力均衡の方式」は「集団安全保障の方式」の誤り。勢力均衡の方式とは，対立する2つの陣営の間で軍事力を均衡させれば，いずれの陣営も先制攻撃を行いにくくなり，平和が守られるとするものである。

5．正しい。国際司法裁判所は，国家間紛争の解決を目的として設立されたため，国だけが当事者となることができる。また，国際社会においては各国が主権をもって行動するため，国際司法裁判所といえども当事国の反対を押し切って裁判を行うことはできない。

正答 5

大卒警察官 No.13 5月型

政治 国際機関 平成25年度

国際機関について述べた次の記述のうち，妥当なものはどれか。

1 IAEAとは国際原子力機関のことであり，原子力の国際管理を進めるうえで中心的役割を担っているが，特に保障措置協定を結んだ国に核査察を実施することで，核拡散の防止を図るという重要な貢献をなしている。

2 IMFとは国際通貨基金のことであり，途上国を対象として開発のための長期的資金を供給する役割を担っているが，近年では資金不足によって融資がしばしば停滞しており，新興国による拠出金の増額が課題となっている。

3 UNESCOとは国連教育科学文化機関のことであり，国際連合の下部機関として設立されたが，多額の資金を供出しているアメリカの影響力が強いとされており，2011年にはパレスチナの加盟申請を却下したことで話題となった。

4 WIPOとは国際刑事警察機構のことであり，各国の警察の連携を図る役割を担っているが，国家主権を尊重する観点から，原則として自ら犯罪者の身柄拘束のために活動することはない。

5 WTOとは世界貿易機関のことであり，自由貿易を推進するために多角的貿易交渉を推進しているが，2012年にはドーハ・ラウンドで最終合意を達成し，関税の大幅引下げや知的所有権に関するルールの確立を実現したことで話題となった。

解説

1．妥当である。IAEA（International Atomic Energy Agency）は原子力の国際管理を通じて平和の維持に貢献しており，2005年度にはエルバラダイ事務局長（当時）とともにノーベル平和賞も受賞した。

2．IMFは，国際的な通貨の安定を実現する役割を担っている。これに対して，途上国を対象として開発のための長期的資金を供給しているのは，国際復興開発銀行（IBRD）である。

3．UNESCOは独立的な国際機関であり，国際連合の下部機関ではない。また，必ずしもアメリカの影響力が強いわけではなく，2011年にはアメリカの反対を押し切ってパレスチナの加盟を承認したことで話題となった。

4．WIPOは世界知的所有権機関のことであり，世界的な知的所有権の保護を促進する役割を担っている。これに対して，国際刑事警察機構はICPO（インターポール）と略されている。

5．ドーハ・ラウンドは交渉が難航しており，2012年に合意が得られたという事実はない。

正答 1

大卒警察官

No. 14 警視庁

政治　日米安全保障条約と自衛隊　平成26年度

日米安全保障条約と自衛隊に関する記述として，最も妥当なのはどれか。

1　日本は1951年に連合国とサンフランシスコ平和条約を結び，翌年，アメリカ合衆国と日米安全保障条約（旧条約）を締結した。

2　日米安全保障条約（旧条約）の締結によって米軍は駐留を継続し，米軍の日本防衛義務が明記され，日本は米軍に基地を提供することが決められた。

3　1950年に連合国軍最高司令官総司令部（GHQ）の指令によってつくられた保安隊は，1954年の自衛隊法の制定により自衛隊となった。

4　日米安全保障条約（旧条約）は1960年に改定され，日本は防衛力の増強とともにアメリカ合衆国との共同防衛義務を負うことになった。

5　日米安全保障条約（新条約）の締結により，アメリカ合衆国は，日本と世界の平和と安全を維持するために日本国内の基地を使用して軍事行動ができるようになった。

解説

1．日本は，1951年9月8日，アメリカをはじめとする諸国とサンフランシスコ平和条約を結び，同日にアメリカとの間に日米安全保障条約（旧条約）を結んだ。なお，サンフランシスコ平和条約は連合国のすべての国々と結んだわけではなく，旧ソ連は条約には署名せず，中国は招待されてもいない。

2．日米安全保障条約（旧条約）は，米軍の日本駐留継続を主たる内容とし，米軍の日本防衛義務は明記されていない。

3．問題文前半の記述は警察予備隊をさすものであり，これを1952年に改編して，保安隊が発足した。なお，自衛隊の発足は1954年である。

4．正しい。

5．本条約の趣旨は，日本防衛であり，世界の平和と安全ではない。

正答　4

大卒警察官

No. 15 警視庁

政治 国際紛争と国際裁判 平成30年度

国際紛争と国際裁判に関する記述中の空所A～Dに当てはまる語句の組合せとして，最も妥当なのはどれか。

19世紀末以後，国家間の紛争の平和的解決のために，国際法にもとづいた司法的解決の制度が発達した。1899年，（　A　）平和会議によって常設仲裁裁判所が創設され，第二次世界大戦後，（　B　）の下に国際司法裁判所がオランダの（　A　）に設置された。国際司法裁判所において国際裁判が成立するためには，当事国の合意は必要と（　C　）。2003年には，国際人道法に反する個人の重大な犯罪を裁くために，（　D　）が開設された。

	A	B	C	D
1	ハーグ	国際連盟	されている	国際民事裁判所
2	アムステルダム	国際連盟	されていない	国際民事裁判所
3	ハーグ	国際連合	されていない	国際民事裁判所
4	アムステルダム	国際連合	されている	国際刑事裁判所
5	ハーグ	国際連合	されている	国際刑事裁判所

解説

A：「ハーグ」が該当する。1899年のハーグ平和会議で国際紛争平和的処理条約が採択され，これに基づいて1901年に常設仲裁裁判所が設置された。常設仲裁裁判所に事件が付託されると，あらかじめ用意されている裁判官名簿の中から紛争当事国の合意によって裁判官が選ばれ，当該事件の裁判が行われる。

B：「国際連合」が該当する。第二次世界大戦後，国際連合の主要機関の一つとして，国際司法裁判所が設置された。国際司法裁判所は15人の裁判官によって構成されており，国家間紛争に裁定を下すなどの活動を行っている。

C：「されている」が該当する。国際社会においては，主権国家よりも常に上位に位置する国際機関は設けられていない。そのため，国際司法裁判所において国際裁判が成立するためには，原則として当事国双方の合意が必要とされている。

D：「国際刑事裁判所」が該当する。国際刑事裁判所は，国際司法裁判所とは異なり，国際連合から独立した国際司法機関である。また，国家間紛争ではなく，国際人道法に反する個人の重大な犯罪を裁くという役割を担っている。なお，わが国は国際刑事裁判所に加盟しているが，アメリカや中国は未加盟である。

以上より，正答は**5**である。

正答　**5**

No. 16 警視庁 政治 日本国憲法 令和5年度

日本国憲法に関する記述として、最も妥当なのはどれか。

1 憲法第10条は、日本国民たる要件は、法律でこれを定めると規定するが、ここにいう法律の一例として戸籍法がある。

2 憲法第17条は、何人も、公務員の不法行為により、損害を受けたときは、法律の定めるところにより、国又は公共団体にその賠償を求めることができると規定しているが、ここにいう法律の一例として刑事補償法がある。

3 憲法第26条第2項は、すべて国民は、法律の定めるところにより、その保護する子女に普通教育を受けさせる義務を負うとしているが、ここにいう法律の一例として、教育基本法がある。

4 憲法第27条第2項は、賃金、就業時間、休息、その他の勤労条件に関する基準は、法律でこれを定めると規定するが、ここにいう法律の一例として、生活保護法がある。

5 憲法第44条は、両議院の議員及びその選挙人の資格は、法律でこれを定めると規定するが、ここにいう法律の一例として、国会法がある。

解説

1. 憲法10条は、日本国民たる要件は、法律でこれを定めると規定するが、ここにいう法律の一例として国籍法がある。戸籍法が誤り。

2. 憲法17条は、何人も、公務員の不法行為により、損害を受けたときは、法律の定めるところにより、国または公共団体にその賠償を求めることができると規定しているが、ここにいう法律の一例として国家賠償法がある。刑事補償法が誤り。

3. 妥当である。

4. 憲法27条2項は、賃金、就業時間、休息その他の勤労条件に関する基準は、法律でこれを定めると規定するが、ここにいう法律の一例として労働基準法がある。生活保護法が誤り。

5. 憲法44条は、両議院の議員およびその選挙人の資格は、法律でこれを定めると規定するが、ここにいう法律の一例として公職選挙法がある。国会法が誤り。

正答 3

政治
経済
社会
日本史
世界史
地理
思想
文学・芸術
国語

大卒警察官

No. 17 警視庁

政治　基本的人権　平成30年度

我が国の基本的人権に関する記述として，最も妥当なのはどれか。

1　日本国憲法は，法の下の平等を定めているだけでなく，貴族制度の禁止，家族生活における両性の平等，選挙権の平等，教育の機会均等など，平等の原則を様々な面で保障している。

2　日本国憲法は表現の自由を制限する手段として検閲を禁止しているが，最高裁は，我が国で行われている教科書検定を検閲にあたるとして違憲の判断を下した。

3　通信の秘密は憲法の明文で規定されてはいないが表現の自由の一部として保障されると解されており，これにより犯罪捜査のための通信傍受も禁止されている。

4　本人の自白は最も信用できる証拠となることから，本人の自白のみでその者を有罪とし，処罰することができる。

5　公務員の違法な行為により損害が生じた場合，違法な行為を行った公務員本人が責任を負うべきであることから，国や地方公共団体に対し損害賠償を請求することはできない。

解説

1．妥当である（憲法14条１項・２項，24条，44条ただし書，26条１項）。

2．前半は正しい（憲法21条２項前段）。しかし，最高裁は，わが国で行われている教科書検定は検閲に当たらないとして合憲の判断を下した（最判平５・３・16）から，後半は誤り。

3．通信の秘密は憲法の明文で規定されている（憲法21条２項後段）から，前半は誤り。また，判例は，電話傍受を行うことは，一定の要件の下では，捜査の手段として憲法上全く許されないものではない（最決平11・12・16）とし，また，平成11年に制定された「犯罪捜査のための通信傍受に関する法律」（通信傍受法）では，法定の要件下で，裁判官の発する傍受令状により通信の傍受が認められているから，後半も誤り。

4．前半は正しい。しかし，「何人も，自己に不利益な唯一の証拠が本人の自白である場合には，有罪とされ，又は刑罰を科せられない」（憲法38条３項）から，後半は誤り。

5．公務員の違法な行為により損害が生じた場合には，国や地方公共団体に対し損害賠償を請求することはできる（憲法17条，国家賠償法１条１項）。なお，判例は，国家賠償の請求により国または公共団体の責任が成立する場合には，公務員個人は被害者に対して直接責任を負わないとしている（最判昭30・４・19）。

正答　1

大卒警察官

No. 18 警視庁

政治　表現の自由　令和4年度

日本国憲法の定める表現の自由に関する記述として，最も妥当なのはどれか。

1　表現の自由を支える価値として，言論活動によって国民が政治的意思決定に関与するという，民主政に資する社会的価値観を自己実現の価値という。

2　憲法第21条第１項は，集会，結社及び言論，出版その他一切の表現の自由を保障しているが，他人の名誉やプライバシーとの調整が必要であり，同条同項において公共の福祉による制約を明文で規定している。

3　最高裁判所は，教科書検定は憲法第21条第２項で禁止する検閲にあたるが，検定で合格しなくても一般図書として発売することはできるので，例外的に合憲であると判示した。

4　憲法第21条第２項は，通信の秘密は，これを侵してはならないと規定しているが，ここにいう通信とは，はがきや手紙といった郵便物に限定される。

5　最高裁判所は，報道機関の報道は国民の「知る権利」に奉仕するものであり，報道のための取材の自由も，憲法第21条の精神に照らし，十分尊重に値するとした。

解説

1．表現の自由を支える価値として，言論活動によって国民が政治的意思決定に関与するという，民主政に資する社会的価値を自己統治の価値という。自己実現の価値とは，個人が自己の人格を発展させる価値をいう。

2．憲法21条１項は，集会，結社および言論，出版その他一切の表現の自由を保障しているが，他人の名誉やプライバシーとの調整が必要である。しかし，同条同項において公共の福祉による制約を明文で規定していないので，誤り。

3．最高裁判所は，教科書検定は憲法21条２項で禁止する検閲に当たらないと判示した（最判平５・３・16）。

4．憲法21条２項は，通信の秘密は，これを侵してはならないと規定しているが，ここにいう通信とは，はがきや手紙といった郵便物に限定されず，電信電話などの秘密も含む。

5．妥当である。博多駅事件の判例である（最大決昭44・11・26）。

正答　5

政治　経済　社会　日本史　世界史　地理　思想　文学・芸術　国語

大卒警察官

No. 19 警視庁

政治　信教の自由と政教分離原則 令和元年度

日本国憲法が定める信教の自由及び政教分離原則に関する記述として，最も妥当なのはどれか。

1　信教の自由は，いかなる宗教を信じてもよい自由を意味するのであって，信じない自由を含むものではない。

2　信教の自由には宗教的結社の自由は含まれていないため，宗教法人に対して解散命令を下すことは信教の自由の問題となりえない。

3　本人の意思に反して宗教上の行為や儀式・行事への参加を強制することは望ましいことではないが，人権の侵害の程度が大きいとはいえないので，憲法ではこれを禁止していない。

4　三重県津市の体育館建設の際，市が神式の地鎮祭を行い，その費用を市から支出したことに対し，最高裁判所は，「地方自治体が宗教に関わり合いを持つことになるため，政教分離原則に違反する」との憲法違反の判断を下した。

5　愛媛県知事が靖国神社などへ玉串料などの名目で公金を支出したことに対し，最高裁判所は，「玉串料の宗教的意義は明白で，その県支出は政教分離原則に違反する」との憲法違反の判断を下した。

解説

1. 信教の自由（憲法20条）には，宗教を信じない自由も含まれると解されている。

2. 信教の自由には，宗教的結社の自由も含まれると解されているため，宗教法人に対して解散命令を下すことは信教の自由の問題となりうる（最決平８・１・30参照）。

3. 本人の意思に反して宗教上の行為や儀式・行事への参加を強制することは，人権侵害の程度が大きいので，憲法はこれを禁止している（憲法20条２項）。

4. 津地鎮祭事件において，最高裁判所は，目的効果基準を用いて合憲の判断を下した（最大判昭52・７・13）。

5. 妥当である。愛媛玉串料事件の判例である（最大判平９・４・２）。

正答　**5**

No. 20 警視庁

政治　自由権　平成28年度

自由権に関する記述として，最も妥当なのはどれか。

1　思想・良心の自由を定める憲法19条は，その思想・信条が内心にとどまる限り絶対的に保障するものであるが，これには沈黙の自由は含まれていないと解されている。

2　信教の自由を定める憲法20条１項は，人の内面における信仰の自由を保障するものであるから，宗教結社等の対外活動の自由にまで及ぶものではない。

3　報道は，事実を知らせるものであり，特定の思想を表明するものではないが，報道の自由は憲法21条１項が保障する表現の自由の保障に含まれる。

4　憲法21条１項は広く集会の自由を保障するものであるから，集会に対して公共の建物や土地の使用に制限を加えることは許されない。

5　憲法23条が定める学問の自由とは，研究の自由，教授の自由および大学の自治の３つを保障するものであり，研究結果発表の自由までを含むものではない。

解説

1. 沈黙の自由とは，公権力が国民に対してその思想を外部に表すことを強制してはならないとするものであり，思想・良心の自由を定める憲法19条には沈黙の自由の保障が含まれると解されている。

2. 信教の自由は，信仰および宗教活動の自由を保障することによって，人格的生存に必要な個人の心の安定を図るために保障されたものである。したがって，信教の自由には，信仰の自由だけでなく，宗教的結社の自由や宗教的行為の自由も含まれる。

3. 正しい。判例は，「思想の表明の自由とならんで，事実の報道の自由は，表現の自由を規定した憲法21条の保障のもとにあることはいうまでもない」として，報道の自由が表現の自由に含まれることを認めている（最大決昭44・11・26）。

4. 集会は外部的行為を伴うことから，他者の人権との調整のための公共の福祉による制約を受ける（公共の建物に関して泉佐野市民会館事件，最大判昭57・11・16，土地の使用に関して皇居前広場事件，最大判昭28・12・23）。

5. 学問研究の成果は，他者からの批判にさらされることによって，より高いレベルへと発展していくことが可能となるため，研究結果の発表の自由も学問の自由の保障に含まれる。

正答　3

No. 21 警視庁 政治 刑事手続き 令和2年度

日本国憲法の定める刑事手続きに関する記述として，最も妥当なのはどれか。

1　何人も，権限を有する司法官憲が発し，かつ理由となっている犯罪を明示する令状によらなければ，逮捕されることはない。

2　すべて刑事事件においては，被告人は，公平な裁判所の公開裁判を受ける権利を有するが，迅速な裁判までは保障されていない。

3　刑事事件の被疑者及び被告人は，資格を有する弁護人を依頼することができ，被疑者及び被告人が自らこれを依頼することができないときは，必ず国でこれを附する。

4　何人も，自己に不利益な供述を強要されず，自己に不利益な唯一の証拠が本人の自白である場合には，有罪とされることはなく，刑罰を科せられない。

5　犯罪と刑罰は法律で定めることを要するが，被告人の処罰については，ある時に適法であった行為を，事後に制定された法律によって処罰することは許される。

解説

1．何人も，現行犯として逮捕される場合を除いては，権限を有する司法官憲が発し，かつ理由となっている犯罪を明示する令状によらなければ，逮捕されない（憲法33条）。現行犯逮捕の場合には令状によらなくても逮捕される。

2．すべて刑事事件においては，被告人は，公平な裁判所の迅速な公開裁判を受ける権利を有する（憲法37条１項）。迅速な裁判まで保障されている。

3．刑事被告人は，いかなる場合にも，資格を有する弁護人を依頼することができ，被告人が自らこれを依頼することができないときは，国でこれを附する（憲法37条３項）。被疑者について誤り。

4．妥当である（憲法38条１項・３項）。

5．犯罪と刑罰は法律で定めることを要する。しかし，何人も，実行の時に適法であった行為については，刑事上の責任を問われない（憲法39条前段）。

正答　4

No. 22 警視庁

政治　日本国憲法における請求権　令和3年度

日本国憲法における請求権に関する記述として，最も妥当なのはどれか。

1　憲法第16条は，日本国民に限定して請願権を認めており，請願を受けた国又は地方公共団体には，請願の内容を審理・判定する法的拘束力が生じる。

2　憲法第17条は，公務員の不法行為により損害を受けたとき，公務員個人のみならず国又は公共団体に対して賠償を求めることを認めている。

3　憲法第29条第3項は，私有財産は，正当な補償の下に，これを公共のために用いることができる旨を定めているが，強制的に財産権を制限したり収用したりすることはできない。

4　憲法第32条は，裁判を受ける権利を定めているが，この権利は，民事事件，刑事事件だけでなく，行政事件についても保障される。

5　憲法第40条は，刑事補償請求権を定めているが，公務員による自由の拘束に故意・過失がある場合に限り刑事補償請求権が認められている。

解説

1．憲法16条は，「何人も」と規定しており，日本国民に限定して請願権を認めているわけではない。外国人にも請願権は認められる。また，請願を受けた国または地方公共団体に，請願を誠実に処理する義務を課するにとどまり（請願法5条），請願の内容を審理・判定する法的拘束力は生じない。

2．憲法17条は，公務員の不法行為により損害を受けたときは，国または公共団体に対して賠償を求めることを認めているが，公務員個人に対して賠償を求めることはできない（最判昭30・4・19）。

3．憲法29条3項は，私有財産は，正当な補償の下に，これを公共のために用いることができる旨を定めており，この規定によって強制的に財産権を制限したり収用したりすることができる。

4．妥当である。

5．憲法40条は，刑事補償請求権を定めており，同条は公務員の故意・過失を要件としていないことから公務員による自由の拘束に故意・過失がない場合であっても刑事補償請求権は認められる。

正答　4

大卒警察官

No. 23 警視庁

政治　両院協議会　平成27年度

必ず両院協議会を開かなければならない場合の組合せとして，最も妥当なのはどれか。

A　条約の締結について，両議院の議決が一致しないとき。

B　内閣総理大臣の指名について，両議院の議決が一致しないとき。

C　予算の議決について，両議院の議決が一致しないとき。

D　国会の会期延長について，両議院の議決が一致しないとき。

E　法律案の議決について，両議院の議決が一致しないとき。

1　A，B，C
2　A，C，D
3　B，E
4　B，D，E
5　C，D

解説

両院協議会は，両議院の意思に齟齬が生じた場合でも，できるだけ統一した意思を形成するのが望ましいとして，両議院の意見の調整のために開かれるものである。そして，予算（憲法60条２項），条約（同61条），内閣総理大臣の指名（同67条２項）の３つの場面では，必ず国家意思を形成しなければならないので両院協議会の開催が義務づけられている（必要的両院協議会）。

よって，正答は**1**である。

正答　1

5月型

No. 24 政治 国会議員の特権 平成26年度

国会議員の特権に関する次の記述のうち，妥当なものはどれか。

1 会期中に院外の現行犯で逮捕されても，議院が釈放を要求すれば，当該議員は釈放される。

2 免責特権は，国会議員のみならず地方議会議員にも保障される。

3 国会における議院活動であれば，たとえそれが野次や私語，暴力行為であっても免責特権の保障が及ぶ。

4 免責の対象に含まれるのは，議院で行った演説，討論，表決に限られず，広く国会議員の職務遂行に付随する行為についても含まれる。

5 不逮捕特権の保障は，会期中はもちろん閉会中にも及ぶ。

解説

1．議院の釈放要求権は，「会期前」に逮捕された議員を，その会期中に釈放するというものであり，会期中に逮捕された議員をその会期中に釈放するものではない（憲法50条）。

2．免責特権は地方議会議員には保障されない。条文上も「両議院の議員」の特権として規定されている（憲法51条）。

3．野次，私語，暴力行為は，正当な職務行為とはいえないので，免責特権の保障が及ばない。

4．正しい。演説，討論，表決は明文で列挙されている（憲法51条）。もっとも，これら３つは例示列挙にすぎないというのが一般的な考え方である。

5．不逮捕特権は，「会期中」に逮捕されないことを保障したものである（憲法50条）。よって，閉会中（会期外）には不逮捕特権が及ばない。

正答 4

警視庁

No. 25 政治 国会および両議院の審議 平成29年度

我が国の国会および両議院の審議に関する記述として，最も妥当なのはどれか。

1 両議院の委員会は，常任委員会のほかに，各院において特に必要があると認めた案件等を審査するために随時設けられる特別委員会がある。

2 委員会においては，すべての案件につき，利害関係者や学識経験者などの意見をきく公聴会を必ず開かなければならない。

3 両議院ともに常任委員会が設けられているが，衆議院の優越の観点から，衆議院のほうが多くの常任委員会が置かれている。

4 両議院は委員会制度を採用しているため，法律案はまず本会議で審議され，その後各委員会で徹底的に審議・議決して法律が成立する。

5 委員会の審議は，国会の審議の一部であることから，国民は常に委員会を傍聴することができる。

解説

1．正しい。特別委員会は，各院において特に必要があると認めた案件や，常任委員会の所管に属しない特定の案件を審査するために設けられる（国会法45条１項）。

2．総予算および重要な歳入法案については，必ず公聴会を開かなければならない（国会法51条２項本文）。しかし，それ以外の場合は，社会の一般的な関心や目的を有する重要な案件について公聴会を開くことができるというにとどまる（同条１項）。

3．法案や予算案の審議は両議院の議決を経て成立するので，衆参両院ともに同数の17の常任委員会が設けられている（国会法41条２・３項）。

4．議案が発議または提出されたときは，議長がこれを適当の委員会に付託し，その審査を経て本会議に付するのが原則である（国会法56条２項本文）。

5．委員会は，本会議とは異なり原則として非公開である（国会法52条１項本文）。委員のほかは報道関係者その他の者で委員長の許可を得た者だけが傍聴できることになっている（同52条１項但書）。

正答　1

大卒警察官

警視庁

No. 26 **政治** **内　閣** 平成21年度

我が国の内閣に関する次の記述のうち，憲法に照らして適切なものはどれか。

1 内閣総理大臣は，国会議員の中から両院協議会の選挙で指名される。
2 国務大臣の過半数は，衆議院議員の中から選ばれなければならない。
3 内閣は，不信任の決議があったときは，衆議院を解散しなければならない。
4 衆議院議員総選挙後の最初の国会が召集されたとき，内閣は総辞職する。
5 総辞職後，次の内閣が成立するまでの間は，衆議院にその職務を引き継ぐ。

解説

1．内閣総理大臣は，国会議員の中から国会の議決で，これを指名する（憲法67条１項）。両院協議会は，衆参両議院の指名の議決が異なった場合に両院の意思統一を図れないかを協議するために開催されるが，そこで成案を得られなければ衆議院の議決が国会の議決となる（同条２項）。

2．国務大臣は過半数が国会議員であればよく，衆議院議員か参議院議員かは問わない（憲法68条１項但書）。これは議院内閣制に基づくものであるが，そこでいう「議院」には参議院も含まれるからである。

3．解散を選択せず，総辞職することもできる（憲法69条）。

4．正しい（憲法70条）。

5．新たに内閣総理大臣が任命されるまでは，前内閣が引き続きその職務を行う（憲法71条）。衆議院がその職務を引き継ぐわけではない。

正答　4

政治
経済
社会
日本史
世界史
地理
思想
文学・芸術
国語

大卒警察官

No. 27 5月型

政治　内閣と内閣総理大臣　平成19年度

内閣および内閣総理大臣に関する次の記述のうち，妥当なものはどれか。

1　内閣は，衆参両議院のいずれか一方の議院で不信任決議が可決されるか，もしくは信任決議案が否決された場合には，衆議院を解散しなければならない。

2　予算の作成と国会への提出はいずれも内閣の権能であり，財務省ないしは内閣総理大臣の権能とされるものではない。

3　内閣総理大臣は，閣僚について，衆議院で不信任の決議が可決された場合には，当該閣僚を罷免するとともに，自らも任命の責任を負って退任しなければならない。

4　内閣総理大臣は衆議院によって指名され，衆議院議長によって任命される。

5　内閣総理大臣が閣僚を任命する場合には，国会の承認を経ることを要する。

解説

1．解散を伴う効果を有する決議は，衆議院でのみ行いうる（憲法69条）。参議院の場合，不信任決議案に相当するものは問責決議案であるが，これには内閣の政治的責任の追及の意味しかなく，解散という法的な効果を伴うものではない。

2．正しい（憲法73条５号）。

3．個別の閣僚（国務大臣）に対する不信任の決議は，政治的責任の追及という意味を有するにとどまり，法的効果を伴うものではない。したがって，内閣総理大臣には罷免の義務はないし，また自ら退任する必要もない。

4．内閣総理大臣は，衆議院ではなく，国会の議決で指名し，天皇が任命する（憲法67条，６条）。これは，国民代表機関たる国会が，国家の統一した意思として内閣総理大臣を選任するという趣旨である。なお，衆参両議院の議決が異なった場合には衆議院の議決が優先されるが（憲法67条２項），その優先された議決が，国会全体の統一意思とされることになる。

5．閣僚（国務大臣）の任命は内閣総理大臣の専権であって，国会の承認などは必要とされない（憲法68条１項本文）。なお，閣僚（国務大臣）の任命は，天皇によって認証されるが（憲法７条５号），これは内閣の助言と承認に基づくことが必要とされるので（憲法３条），任命の専権性がこれによって左右されることはない。

正答　2

大卒警察官

No. 28　5月型

政治　内閣総理大臣　平成23年度

内閣総理大臣に関する次の記述のうち，妥当なものはどれか。

1　内閣総理大臣は，衆議院議員の中から国会の議決で指名される。

2　内閣総理大臣は，国務大臣を任命することができるが，その過半数は，国会議員の中から選ばれなければならない。

3　内閣総理大臣に対する問責決議案が参議院で可決された場合には，内閣は総辞職しなければならない。

4　内閣総理大臣は，閣議にかけて決定した方針に反する場合にも，行政各部を指揮監督することができる。

5　内閣総理大臣は，憲法および法律の規定を実施するために，政令を制定することができる。

解説

1．内閣総理大臣は，国会議員の中から国会の議決で指名される（憲法67条１項前段）のであり，衆議院議員に限られない。

2．正しい（憲法68条１項）。

3．衆議院による内閣不信任決議とは異なり（憲法69条参照），参議院による内閣総理大臣の問責決議には法的効果は認められていないから，内閣は総辞職する必要はない。

4．内閣総理大臣は，閣議にかけて決定した方針に基づいて，行政各部を指揮監督することができる（内閣法６条）のであって，閣議にかけて決定した方針に反する場合には，行政各部を指揮監督することができない。

5．政令の制定は，内閣総理大臣の権能ではなく，内閣の権能である（憲法73条６号）。

正答　2

大卒警察官

No. 29 警視庁

政治　違憲審査権と最高裁判所　平成26年度

違憲審査権と最高裁判所に関する記述として，最も妥当なのはどれか。

1　違憲審査権は最高裁判所だけに認められた権限であり，最高裁判所は高等裁判所や地方裁判所が違憲審査権を行使することを認めていない。

2　最高裁判所は具体的な争訟事件ではない疑義論争に抽象的な判断を下す権限を持たず，違憲審査権は司法権の範囲内において行使されるものであるとしている。

3　最高裁判所は，憲法第81条に規定された違憲審査の対象である「処分」は行政庁による行政行為に限定し，裁判所の判決は「処分」に当たらないとしている。

4　最高裁判所は，憲法が条約に優位するという憲法優位説をとり，すべての条約が違憲審査の対象になるとしている。

5　最高裁判所は，森林法による共有林分割制限についての裁判において，森林法そのものは合憲であるが，当事者に適用される限度において違憲であるとした。

解説

1．違憲審査権は最高裁判所にだけ認められた権限ではなく，高等裁判所以下の下級裁判所にも認められている（最大判昭25・2・1）。

2．正しい。違憲審査権の法的性質につき，判例は付随的違憲審査制説を採用する。つまり，具体的な争訟事件を解決する過程で，その解決に必要な限りにおいてのみ違憲審査権を行使できると考えるのである（最大判昭27・10・8）。

3．裁判所の判決も憲法第81条に規定された「処分」に該当するので，違憲審査の対象になる（最大判昭23・7・8）。

4．通説は，憲法が条約に優位するという憲法優位説をとる。また，判例は，「一見極めて明白に違憲無効と認められない限りは」違憲審査の対象とならないとしている（最大判昭34・12・16〈砂川事件〉）。よって，すべての条約が違憲審査の対象になるとはしていない。

5．森林法は違憲と判断されている（最大判昭62・4・22〈森林法違憲判決〉）。つまり，最高裁判所は，森林法につき「法令違憲」の判決を下した。よって，本肢のように，「森林法そのものは合憲であるが，当事者に適用される限度において違憲である」とする「適用違憲」の判断を示したものではない。

正答　2

大卒警察官

No. 30 警視庁

政治　違憲審査権　平成20年度

わが国の裁判所の違憲審査権に関する記述として，妥当なものはどれか。

1　違憲審査制度は，立法府に対する牽制の制度であり，行政府が制定する政令，省令，規則は対象にはならない。

2　違憲審査権を有するのは終審裁判所としての最高裁判所であり，下級裁判所には認められない。

3　違憲とされた法律の規定は，国会における改正等の特段の手続きを必要とせず，自動的に効力を失う。

4　具体的な事件に対する裁判とは別に，違憲の疑いのある法律について抽象的に審査することはできない。

5　高度の政治判断にかかわる統治行為については，憲法で違憲審査権の範囲外であると規定されている。

解説

1．憲法は国の最高法規であり，すべての国家機関がその遵守を要求されるものであるが，必ずしも常にそれが守られているとは限らない。違憲審査制度は，国家機関による憲法違反行為のために国民の権利が侵害された場合に，裁判所が憲法の番人として国民の権利の救済を図るための制度である。したがって，その対象は法律のみならず，国家機関の行為である政令，省令，規則などもすべて含まれる。

2．憲法の番人として国民の権利救済の責務を負うのは，最高裁判所だけでなく，すべての裁判所に課せられた使命である。したがって，その使命を果たすために，下級裁判所にも違憲審査権が認められる（最大判昭25・2・1）。

3．違憲判決は，国民の代表機関たる国会が審議・議決して成立した法律を，国民の選出によらない数名の裁判官でその効力を否定するものである。そのような違憲判決の性格から，判断の慎重を期すために，その効力は当該事件限りのものとされる（個別的効力説）。

4．正しい。判例は，「現行の制度の下においては，特定の者の具体的な法律関係につき紛争の存する場合においてのみ裁判所にその判断を求めることができるのであり，裁判所がかような具体的事件を離れて抽象的に法律命令等の合憲性を判断する権限を有するとの見解には，憲法上及び法令上何等の根拠も存しない」として，裁判所による法令の抽象的審査権を否定する（最大判昭27・10・8）。

5．統治行為は理論的に導き出された概念であり，憲法には統治行為に関する明文の規定は存しない。

正答　4

大卒警察官

No. 31 警視庁

政治 裁判員裁判 平成25年度

次の刑法に定める罪名のうち，裁判員裁判の対象事件として，妥当でないのはどれか。ただし，裁判員法（裁判員の参加する刑事裁判に関する法律）第３条に定める除外事項については考慮しないものとする。

1 通貨偽造及び行使
2 過失致死
3 身の代金目的略取
4 強盗致死
5 現住建造物等放火

解説

裁判員裁判の対象事件は，「死刑又は無期の懲役若しくは禁錮に当たる罪に係る事件」（裁判員法２条１項１号）または「裁判所法第26条第２項第２号に掲げる事件であって，故意の犯罪行為により被害者を死亡させた罪に係るもの（前号に該当するものを除く。）」（同２号）である。そして，裁判所法第26条第２項第２号とは，「死刑又は無期若しくは短期１年以上の懲役若しくは禁錮にあたる罪（刑法第236条，第238条又は第239条の罪及びその未遂罪，暴力行為等処罰に関する法律第１条ノ２第１項若しくは第２項又は第１条ノ３の罪並びに盗犯等の防止及び処分に関する法律第２条又は第３条の罪を除く。）に係る事件」である。

1．通貨偽造及び行使の法定刑は「無期又は３年以上の懲役」（刑法148条１項）である。
2．過失致死の法定刑は「50万円以下の罰金」（同210条）であるから，裁判員裁判の対象ではない。
3．身の代金目的略取の法定刑は「無期又は３年以上の懲役」（同225条の２）である。
4．強盗致死の法定刑は「死刑又は無期懲役」（同240条後段）である。
5．現住建造物等放火の法定刑は「死刑又は無期若しくは５年以上の懲役」（同108条）である。

よって，正答は**2**である。

正答 **2**

大卒警察官

No. 32

警視庁

政治　日本の裁判員制度　平成29年度

我が国の裁判員制度に関する記述として，最も妥当なのはどれか。

1　第二次世界大戦後まもなく導入され，2000年代に入り今の制度に改正された。

2　裁判員制度の対象となるのは，殺人などの重大犯罪についての刑事裁判・控訴審・上告審，少年審判に限られる。

3　裁判員制度による裁判は，特別な事情がなければ原則として裁判員12名，裁判官６名の計18名で行われる。

4　有罪・無罪の決定及び量刑の評議は，裁判員および裁判官の全員で協同して行う。

5　有罪・無罪の決定及び量刑の評議に関して，裁判員と裁判官の意見が一致しないときは多数決となるが，裁判員２名の意見が裁判官１名の意見と同じ重みを持つ。

解説

1．裁判員制度は，刑事司法に国民の感覚を反映させることを目的に行われた司法制度改革の一環として，平成16年成立の裁判員法（正式名称は「裁判員の参加する刑事裁判に関する法律」）により初めて制度化された。同法は，５年の準備期間を経て平成21年５月21日に施行され，同年８月に最初の裁判員裁判が行われている。

2．対象事件は一定の重大犯罪で，地方裁判所が扱う第一審の事件に限られる（裁判員法２条１項）。すなわち，控訴審や上告審はその対象ではない。また，少年審判は地方裁判所ではなく家庭裁判所で行われるので，これも対象とはならない。

3．裁判員制度による裁判は，原則として裁判員６名，裁判官３名の計９名で行われる（裁判員法２条２項）。なお，被告人が事実関係を争わない事件では，決定をもって裁判員４名，裁判官１名で審理することもできる（同条３項）。

4．正しい（裁判員法６条１項）。

5．有罪・無罪の決定及び量刑の評議は，裁判官と裁判員の双方の意見を含む合議体の員数の過半数の意見による（裁判員法67条１項）。ここで「裁判官と裁判員の双方の意見を含む」とは，過半数の中に裁判員と裁判官のそれぞれ１名が賛成していることを要するという意味である。

正答　4

No. 33 警視庁

政治 行政法 平成19年度

行政法に関する記述として，妥当なものはどれか。

1 「行政上の即時強制」とは，国民が，国又は地方公共団体に対して負う公法上の金銭給付義務を履行しない場合に，その義務の履行を強制するためにする作用をいう。

2 「行政行為の撤回」とは，一応有効に成立した行政行為につき，その成立に瑕疵があることを理由として，遡及的にその法律上の効力を失わせるために行われる独立の行政行為である。

3 「特許」とは，法令による一般的禁止を特定の場合に解除し，適法に特定の行為をすることを得さしめる行為をいう。

4 「認可」とは，直接相手方のために，特定の権利・権利能力・行為能力，または法律関係をあらたに設定する行為をいう。

5 「行政行為の附款」とは，行政行為の効果を制限するために，主たる意思表示の内容に付加される従たる意思表示をいい，法律行為的行政行為のみに付加することができる。

解説

1. これは，行政上の強制徴収のことである。行政上の即時強制とは，目前急迫の障害を除く必要上，義務を命ずる暇のない場合や，性質上義務を命ずることによってはその目的を達し難い場合に，直接私人の身体や財産に実力を加えて行政上必要な状態を実現する作用をいう。たとえば，泥酔者を警察署に保護するような場合がその例である（警察官職務執行法3条1項)。

2. これは，行政行為の取消しのことである。行政行為の撤回とは，その成立に瑕疵のない行政行為について，公益上その効力を存続させることのできない新たな事由が発生したために，将来に向かって当該行為の効力を失わせる新たな行政行為をいう。自動車運転免許の取消しがその例である。

3. これは，許可のことである。特許とは，行政行為の相手方に権利能力や行為能力，特定の権利などを設定する行為をいう。新たに一定の能力や権利などを設定することから，設権行為とも呼ばれる。

4. これは，特許のことである。認可とは，第三者の行為を補充して，その法律上の効力を完成させる行為をいう。農地の所有権移転の許可（講学上の認可）はその例である。

5. 妥当である。通知や受理などの準法律行為的行政行為は，意思表示ではないので，その効果を制限する附款を付すことができない。

正答 5

大卒警察官

警視庁

No. 34 政治 刑法上の犯罪の分類 平成22年度

刑法における犯罪の分類に関する記述として，妥当なものはどれか。

1 即成犯とは，一定の法益侵害又は危険の発生によって，犯罪は直ちに完成し，かつ法益侵害状態も終了するものをいい，殺人罪がこれに当たる。

2 挙動犯とは，構成要件的行為のみならず，一定の結果の発生が必要とされるものをいい，窃盗罪がこれに当たる。

3 結果犯とは，構成要件上，一定の行為が行われれば足り，外部的結果の発生を必要としないものをいい，公然わいせつ罪がこれに当たる。

4 状態犯とは，犯罪が既遂に達した後も法益侵害の状態が継続している間は，犯罪が続いていると見られるものをいい，監禁罪がこれに当たる。

5 継続犯とは，法益侵害の発生により犯罪は終了し，その後の法益侵害の存続は犯罪事実とはみなされないものをいい，横領罪がこれに当たる。

解説

1．正しい。

2．挙動犯とは，構成要件上，一定の行為が行われれば足り，外部的結果の発生を必要としないものをいい，偽証罪や公然わいせつ罪などがこれに当たる。なお，本枝にあるのは結果犯についての説明と例である。

3．結果犯とは，構成要件的行為のみならず，一定の結果発生が必要とされるものをいい，殺人罪や窃盗罪など，刑法が規定する罪の大部分はこの結果犯である。なお，本枝にあるのは挙動犯についての説明と例である。

4．状態犯とは，法益侵害の発生により犯罪は終了し，その後の法益侵害の存続は犯罪事実とはみなされないものをいい，窃盗罪や横領罪などがこれに当たる。なお，本枝にあるのは継続犯についての説明と例である。

5．継続犯とは，犯罪が既遂に達した後も法益侵害の状態が継続している間は，犯罪が続いていると見られるものをいい，監禁罪や不退去罪などがこれに当たる。なお，本枝にあるのは状態犯についての説明と例である。

正答 1

大卒警察官

No. 35 警視庁 政治 刑法 平成16年度

刑法第36条「正当防衛」に関する記述として，妥当なものはどれか。

1　正当防衛にいう「侵害」とは，客観的な違法性では足りず，可罰的違法性や有責性を要する違法行為をいう。

2　正当防衛が成立するには，防衛の意思が必要であるが，相手の加害行為に対する憤激，憎悪が伴った場合においては，正当防衛は成立しない。

3　正当防衛の程度を超えた行為を過剰防衛といい，違法性は阻却され，必ずその刑は減軽又は免除される。

4　正当防衛において「やむを得ずにした行為」とは，急迫不正の侵害に対する行為が，自己又は他人の権利の防衛手段として必要かつ相当であることを要し，他にとるべき手段がなかったことは要しない。

5　正当防衛にいう「急迫」とは，法益の侵害が現に存在しているか，又は間近に押し迫っていることを意味しているが，その侵害があらかじめ予期されていた場合には，直ちに急迫性を失うことになる。

解説

1．正当防衛（刑法36条１項）にいう「侵害」とは，侵害の危険から権利を防衛しようとした者に正当防衛の成立を認めるための要件であるから，その侵害行為自体を行った者を処罰するために必要な可罰的違法性や有責性は，「侵害」には必ずしも必要ではない。

2．判例は，正当防衛が成立するには，防衛の意思が必要であるとするが，しかし，相手の加害行為に対し憤激または逆上して反撃を加えたからといって，直ちに防衛の意思を欠くものと解すべきではないともする（最判昭46・11・16）。

3．過剰防衛については，必ずではなく，情状により任意的にその刑が減軽または免除される（同36条２項）。よって，過剰防衛については違法性が阻却されるわけではなく，違法性が減少あるいは責任が減り，または双方が減少すると考えられている。

4．正しい（最判昭44・12・４，大判昭２・12・20）。

5．前半は正しいが，後半は誤っている。すなわち，判例は，正当防衛にいう「急迫」とは，法益の侵害が現に存在しているか，または間近に押し迫っていることを意味し，その侵害があらかじめ予期されていたとしても，そのことから，直ちに急迫性を失うものではないとする（最判昭46・11・16）。

正答　4

警視庁

No. 36 政治 公害防止・環境保全施策の原則 平成21年度

公害防止や環境保全の施策のための原則として，我が国の大気汚染防止法や水質汚濁防止法などに採用されているものはどれか。

1 負担分任の原則
2 社会的費用の原則
3 濃度規制の原則
4 第三者評価の原則
5 無過失責任の原則

解説

1・2．負担分任の原則は，汚染・汚濁の被害回復に要する経費の一部について住民に広く負担を求めるというものであり，また社会的費用の原則は，これらを社会全体で負担しようとするものである。汚染・汚濁による被害の賠償責任は事業者が負担すべきものとされており（大気汚染防止法25条，水質汚濁防止法19条），両原則は，いずれも大気汚染防止法や水質汚濁防止法には採用されていない。

3．規制方法としては，量規制，濃度規制，総量規制などがあり，これらを適宜組み合わせて汚染・汚濁の防止対策としている。したがって，濃度規制が原則とされているわけではない。

4．両法ともに，規制基準等について第三者が評価する制度は採用されていない。

5．正しい。事業者の損害賠償責任は無過失責任とされている（大気汚染防止法25条，水質汚濁防止法19条）。

正答 5

大卒警察官

警視庁

No. 37 政治 PL法の目的 平成22年度

いわゆるPL法の目的に関する記述として，妥当なものはどれか。

1 消費者と事業者との間の情報の質及び量並びに交渉力等の格差にかんがみ，消費者の利益の擁護及び増進に関し，消費者の権利の尊重及びその自立の支援その他の基本理念を定め，国民の消費生活の安定及び向上を確保すること。

2 消費者の消費生活における被害を防止し，その安全を確保するため，消費者被害の発生又は拡大の防止のための措置その他の措置を講ずることにより，消費者が安心して安全で豊かな消費生活を営むことができる社会の実現に寄与すること。

3 製造物の欠陥により人の生命，身体又は財産に係る被害が生じた場合における製造業者等の損害賠償の責任について定めることにより，被害者の保護を図り，もって国民生活の安定向上と国民経済の健全な発展に寄与すること。

4 私的独占，不当な取引制限及び不公正な取引方法を禁止し，事業支配力の過度の集中を防止して，結合，協定等の方法による生産，販売，技術等の不当な制限その他一切の事業活動の不当な拘束を排除すること。

5 特定商取引を公正にし，及び購入者等が受けることのある損害の防止を図ることにより，購入者等の利益を保護し，あわせて商品等の流通及び役務の提供を適正かつ円滑にし，もつて国民経済の健全な発展に寄与すること。

解説

1．本枝は「消費者基本法1条」に掲げられている同法の目的である。

2．本枝は「消費者安全法1条」に掲げられている同法の目的である。

3．正しい（製造物責任法〈PL法〉1条）。

4．本枝は「私的独占の禁止及び公正取引の確保に関する法律（独占禁止法）1条」に掲げられている同法の目的である。

5．本枝は「特定商取引に関する法律1条」に掲げられている同法の目的である。

正答 3

大卒警察官

No. 38 警視庁

政治　法律用語　平成28年度

法律用語に関する記述として，最も妥当なのはどれか。

1　被疑者とは，検察官により公訴を提起された人のことである。

2　緊急避難とは，急迫不正の侵害に対する防衛行為が正当防衛として許容される限度を超えた場合をいう。

3　公判前整理手続とは，裁判官，検察官，弁護人が初公判前に協議し，証拠や争点を絞り込んで審理計画を立てることをいい，全ての刑事裁判で実施される手続きである。

4　保釈とは，受刑者の改悛を理由として，刑期または留置期間の満了前に条件付きでこれを釈放する制度をいう。

5　親告罪とは，検察官が公訴を提起するに当たり，被害者などの告訴・告発・請求があることを必要とする犯罪をいう。

解説

1. 被疑者とは，捜査機関によって犯罪を犯したとの嫌疑を受けて捜査の対象となってはいるが，まだ検察官により公訴を提起されていない人のことである。これに対し，検察官により公訴を提起された人を，被告人という。

2. 緊急避難とは，自己または他人の生命，身体，自由または財産に対する現在の危難を避けるため，やむをえずにした行為で，これによって生じた害が避けようとした害の程度を超えなかった場合をいう（刑法37条１項本文）。急迫不正の侵害に対する防衛行為が正当防衛として許容される限度を超えた場合は，過剰防衛という（同36条２項）。

3. 公判前整理手続は，裁判員裁判が行われる事件や争点の多い否認事件など，裁判所が「充実した公判の審理を継続的，計画的かつ迅速に行うため必要があると認める」ときに行われる（刑事訴訟法316条の２）。すなわち，すべての刑事裁判で行われるわけではない。

4. 保釈とは，住所限定や保証金の納付を条件として，勾留されている被告人の身柄の拘束を解く制度をいう。受刑者の改悛を理由として，刑期または留置期間の満了前に条件つきでこれを釈放する制度を，仮釈放という（刑法28条以下）。

5. 正しい（刑法180条１項など参照）。

正答　5

大卒警察官

5月型

No. 39 経済 物価と失業率の関係 平成29年度

次の図は，物価と失業率の関係を描いたものである。点Aで示される国がスタグフレーションに陥るとき，点Aの動きとして妥当なのはどれか。

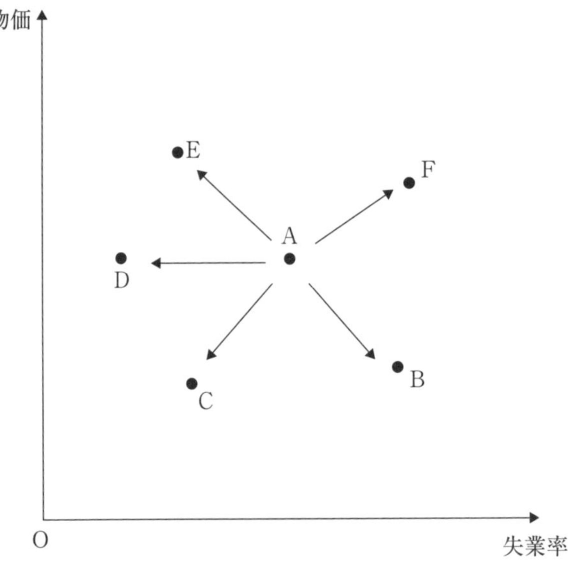

1 B
2 C
3 D
4 E
5 F

解説

スタグフレーションとは，経済活動の停滞（不況）と物価の持続的上昇（インフレーション）が併存する状態のことである。一般に，不況になると失業率が高まると考えられるので，点は右方向へ移動する。また，物価が上昇すると，点は上方向へ移動する。

したがって，当初の経済状態が点Aであるとき右上方向に位置するのは点Fであるから，**5**が正しい。

正答 5

大卒警察官

No. 40 5月型

経済 国内需要曲線と国内供給曲線 平成30年度

次の図はある国の財Aの国内需要曲線と国内供給曲線である。この国が自由貿易を開始する前の均衡価格をP，自由貿易開始後の均衡価格をP'とするとき，この図に関する次の文中の空欄ア～エに当てはまる語句の組合せとして妥当なものはどれか。

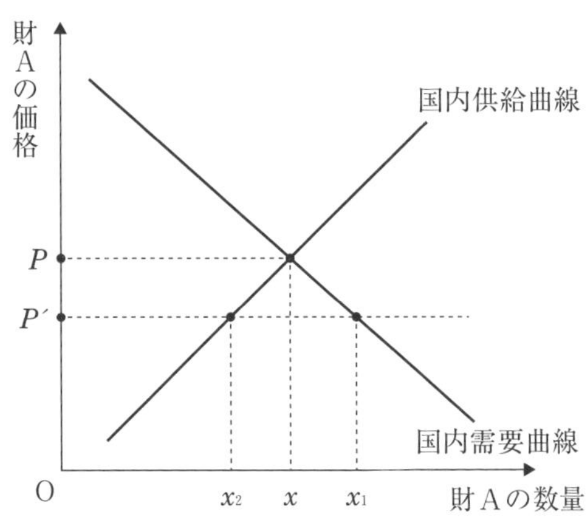

この国が自由貿易を開始すると，この国の輸入量は（　ア　）となる。自由貿易開始後の国内生産者の供給量は，自由貿易開始前の国内供給量に比べて（　イ　）し，自由貿易開始後の価格がP'からさらに低下すると，この国の輸入量は（　ウ　）し，国内生産者の供給量は（　エ　）する。

	ア	イ	ウ	エ
1	x_1-x_2	減少	増加	減少
2	x_1-x_2	減少	減少	増加
3	x_1-x_2	増加	増加	減少
4	$x-x_2$	減少	増加	減少
5	$x-x_2$	増加	減少	増加

解説

ア：自由貿易開始後の均衡価格P'の下では，国内生産者の生産量はx_2である。これに対して，自由貿易開始後の均衡価格P'の下ではx_1の国内需要が発生するので，x_1-x_2の輸入が行われる（**4**，**5**は誤り）。

イ：国内の生産者の生産量は，自由貿易開始前の均衡価格Pの下ではx，自由貿易開始後の均衡価格P'の下ではx_2である。したがって，自由貿易が開始されると国内生産者の供給量はxからx_2へ減少する（**3**，**5**は誤り）。

ウ：自由貿易開始後の価格がP'からさらに低下するとき，国内需要曲線が右下がりであるから国内需要は増加し，国内供給曲線は右上がりであるから国内生産者の供給量は減少する。よって，輸入量（＝国内需要量－国内生産者の供給量）は増加する（**2**，**5**は誤り）。

エ：ウの解説のとおり，国内生産者の供給量は減少する（**2**，**5**は誤り）。

以上より，正答は**1**である。

正答　1

大卒警察官

No. 41 5月型

経済　需要　平成19年度

需要に関する次の記述のうち，妥当なものはどれか。

1　需要とは，消費者が最低限必要とする量である。

2　需要は消費者の所得や価格によって決まるので，広告が需要に影響を与えることは一切ない。

3　需要の価格弾力性がゼロのとき，需要曲線は水平になる。

4　同一需要曲線上であれば，需要の価格弾力性は常に一定である。

5　利用可能な代替財が多ければ，需要の価格弾力性は大きくなる。

解説

1．需要とは，消費者が購入したいと思う量のことであり，消費者が最低限必要とする量ではない。

2．広告は消費者に財の性質等を伝え，消費ブームをもたらすことがあるように，需要に大きな影響を与えることがある。

3．需要の価格弾力性とは，価格が１％上昇したときの需要量の減少率を示す指標である。その値が０であるということは，価格が変化しても需要量が変化しないことを意味するので，需要曲線は垂直になる。

4．一般に，同一需要曲線上であっても，需要の価格弾力性は変化する。ただし，需要曲線が直角双曲線の場合，需要の価格弾力性は常に１である。

5．正しい。

正答　5

政治 経済 社会 日本史 世界史 地理 思想 文学・芸術 国語

大卒警察官

5月型

No. 42 経済 均衡価格 平成21年度

次のグラフの S は供給曲線，D は需要曲線である。E 点で均衡している状態において，購買力の低下と生産コストの上昇が同時に起きたときの均衡点の移動方向として，正しいのはどれか。

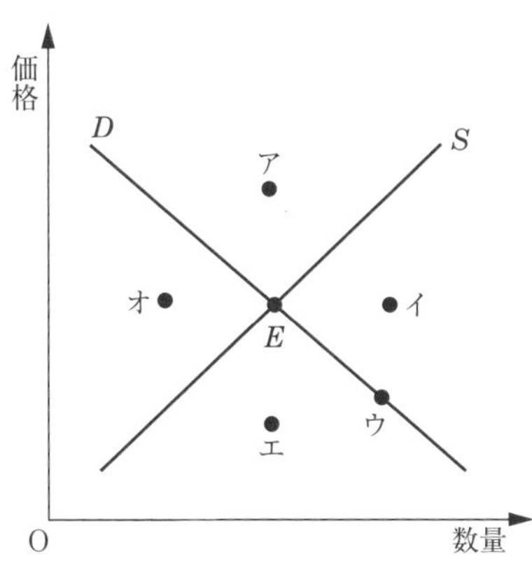

1　アの方向
2　イの方向
3　ウの方向
4　エの方向
5　オの方向

解説

購買力が低下すると，当初の均衡価格では需要が減少するので，需要曲線は下（左）へシフトする（ア，イ，ウは誤り）。生産コストが上昇すると，当初の均衡価格では供給量が減少するので，供給曲線は上（左）へシフトする（イ，ウ，エは誤り）。以上より，オが正しい。

よって，正答は**5**である。

正答　5

大卒警察官

No. 43 警視庁

経済　国民経済の指標　令和4年度

国民経済の指標に関する記述として，最も妥当なのはどれか。

1　一国の経済力を表す指標の概念として，国内総生産に代表される一定期間の経済活動を示すフローと，国富に代表される一時点での蓄積された資産を示すストックとがある。

2　GNI（国民総所得）は，国内の外国人が生産した付加価値を含むが，国外にいる自国民の生産は含まない。

3　GDP（国内総生産）は，一国内で新たに生産された付加価値の総計を意味する指標であり，これから海外からの純要素取得を控除するとGNI（国民総所得）になる。

4　GDPは，余暇や家事労働，自然環境などの豊かさや幸福の概念をはかる指標としても機能している。

5　生産されたものが誰かに需要された結果，必ず何らかの形となって供給されることから，国民所得は生産面，需要面，供給面において等しくなる。

解説

1．妥当である。

2．GNI（国民総所得）は，国内の外国人が生産した付加価値を含まず，国外にいる自国民が生産した付加価値を含む。

3．GDP（国内総生産）は，一定期間内に，一国内で新たに生産された付加価値の総計である。また，GDPに海外からの純要素所得を加算すると，GNI（国民総所得）になる。

4．GDPには，余暇や家事労働，自然環境などの豊かさや幸福の概念は計上されておらず，こうしたものをはかる指標として機能していない。ちなみに，GDPに自然環境などの豊かさなどを反映させる指標としてグリーンGNP，豊かさを問い直す概念としてGNH（国民総幸福）や，豊かさをはかる概念としてBLI（ベター・ライフ・インデックス）が主張されている。

5．国民所得は一国の経済活動の流れをフローで分析したものであり，「生産面，需要面，供給面」ではなく，「生産面，支出面，分配面」において等しくなる（三面等価の原則）。

正答　1

大卒警察官

No. 44 5月型

経済　国内総生産　平成22年度

GDPに関する次の記述のうち，妥当なものはどれか。

1　GDPとは，国内外を問わず，国民が一定期間内に生産したすべての財・サービスの総額である。

2　GDPとは，国内で一定期間内に生産されたすべての財・サービスの付加価値の総額である。

3　GDPは従来，経済指標として世界的に用いられていたが，近年ではGNPが用いられるようになっている。

4　GDPは，国民純生産に補助金を加え，間接税を差し引いた額に等しい。

5　GDPは，GNPから固定資本減耗を差し引いた額に等しい。

解説

1. 総生産額に関する記述である。この総生産額から中間生産額を差し引いたものをGNP（国民総生産）といい，GNPから海外からの純所得を差し引いたものをGDP（国内総生産）という。

2. 正しい。

3. GNPは従来，経済指標として世界的に用いられていたが，国民経済計算（SNA：System of National Accounts）の見直しにより，1994年からはGDPが用いられるようになっている。

4. NI（国民所得）に関する記述である。

5. NNP（国民純生産）に関する記述である。

正答　2

大卒警察官 5月型

No. 45 経済 自由貿易と課税賦課の効果 平成22年度

ある国の国内生産者の供給曲線 S，国外生産者の供給曲線 S_w，関税課税後の国外生産者の供給曲線 S' および需要曲線 D が次の図のように表されるとする。次の文中の空欄A～Dに当てはまる語句の組合せとして，妥当なものはどれか。

貿易を行っておらず，国内の農産物市場が均衡しているこの国が自由貿易を開始すると，国内の農産物価格は（　A　）し，国内生産者の供給量は（　B　）。この国が輸入農産物に対して関税を課税すると，自由貿易時に比べて，国内での農産物価格は（　C　）し，国内生産者の利益は（　D　）。

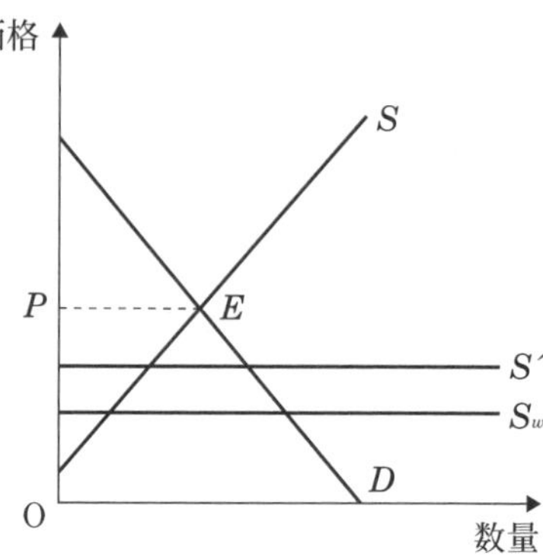

	A	B	C	D
1	上昇	増える	上昇	増える
2	上昇	減る	下落	増える
3	下落	増える	下落	減る
4	下落	減る	上昇	減る
5	下落	減る	上昇	増える

解説

初めに，貿易開始前，自由貿易時，そして関税課税時の農産物価格と国内生産者の供給量を考える（次図を参照）。

貿易開始前の均衡点は国内生産者の供給曲線 S と需要曲線 D の交点 E であるから，貿易開始前の農産物価格は P，国内生産者の供給量は PE の長さである。この国が自由貿易を行うと，国外生産者の供給曲線 S_w と需要曲線 D の交点 E_w が均衡点になるので，自由貿易時の農産物価格は P_w，国内生産者の供給量は P_wQ_w の長さになる。さらに，関税を課税したうえで貿易を認めると，課税後の国外生産者の供給曲線 S' と需要曲線 D の交点 E' が均衡点になるので，関税課税時の農産物価格は P'，国内生産者の供給量は $P'Q'$ の長さである。

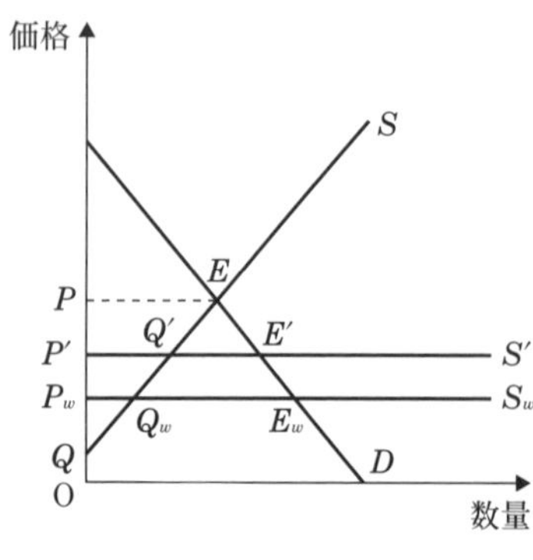

次に，価格と国内生産者の供給量等の変化を調べる。貿易を行っていないこの国が自由貿易を開始すると，農産物価格は P から P_w へ下落し（**1**，**2**は誤り），国内生産者の供給量は PEの長さから P_wQ_w の長さへ減少する（**1**，**3**は誤り）。この国が自由貿易の状態から関税を課税すると，農産物価格は P_wから P' へ上昇し（**2**，**3**は誤り），国内生産者の生産者余剰は△P_wQ_wQ から△$P'Q'Q$ に増えるので，国内生産者の利益は増える（**3**，**4**は誤り）。

よって，正答は**5**である。

正答　5

No. 46 警視庁

経済　外国為替と為替相場　平成24年度

外国為替と為替相場に関する記述として，妥当なものはどれか。

1　外貨を売買する市場である外国為替市場は，インターバンク市場と顧客市場から成り立ち，為替レートは取引量が多い顧客市場で決まる。

2　円相場が上昇すれば，輸出品の外貨での価格が上昇して輸出が減る一方，輸入品の円での価格は安くなって輸入が増える。その結果，国内物価には引き上げの作用が働く。

3　国際間で資金移動がおこなわれる場合，金利を上昇させると高金利の通貨の供給が高まって為替相場が下がり，金利を低下させると為替相場は上がる。

4　変動相場制の下での為替相場は，長期的には経常収支などの経済の基礎的な条件によって影響を受け，短期的には通貨当局の外国為替市場における介入などの影響を受けやすい。

5　金融市場のグローバル化が進み，為替相場の変動による差益を求めておこなわれる投資が巨額に及んでいることが，為替相場の安定をもたらしている。

解説

1. インターバンク市場で決まる為替レートと顧客市場で決まる為替レートは一般に異なる。通常いう「為替レート（外国為替相場）」とはインターバンク市場で決まる為替レートのことであり，このレートを参考にして顧客市場での為替レート（TTB レート，TTS レート）は決められている。

2. 前半の記述は正しいが，後半が誤り。一般に，自国通貨が増価すると，国内での自国財価格は変化せず，輸入財価格の低下が生じるため，国内物価には引下げ作用が働く。

3. 金利が上昇すると高い利回りを求めて資本が流入するので，高金利の通貨の需要が高まり，為替相場は上がる（増価する）。逆に，金利が低下すると，より高い利回りを求めて資本が流出するので，低金利の通貨の需要は低下し，為替相場は下がる（減価する）。

4. 正しい。

5. 為替相場の変動による差益を求めて行われる投資，いわゆる投機の行動は短期的な要因によって変化する。そのため，この投資が巨額に及ぶと，為替相場の安定性が損なわれることがある。

正答　4

No. 47 警視庁

経済　日本の財政　平成29年度

我が国の財政に関する以下の記述のうち，最も妥当なのはどれか。

1　1月1日から同年の12月31日までを一会計年度とし，その間の政府の収入と支出の活動のことを財政という。

2　会計には，収入と支出を総合的に管理する一般会計と，特定の事業を行うために一般会計の中から収入を割り当てる特別会計がある。

3　政府は毎年，一般会計予算，特別会計予算，政府関係機関予算を作成して国会に提出し，これらを一体として国会の承認を得て実行に移す。

4　年度途中で，本予算に追加や変更を行わざるを得ない場合に，国会の議決を経て修正された予算を暫定予算という。

5　政府が行う投融資活動を財政投融資といい，財務省資金運用部に預託された郵便貯金や年金積立金などを資金として運用している。

解説

1．日本の一会計年度は4月1日から翌年の3月31日までである。

2．一般会計とは一般の歳入歳出を経理する会計である。特別会計とは特定の事業を行う場合，あるいは特定の資金を保有してその運用を行う場合，あるいは特定の資金を保有してその運用を行う場合，その他特定の歳入をもって特定の歳出に充て一般の歳入歳出と区分して経理する必要がある場合に法律をもって設けられる会計のことである。したがって，特別会計は一般会計の中から収入を割り当てて設けられるものではない。

3．正しい。

4．暫定予算ではなく，補正予算に関する記述である。ちなみに，暫定予算とは，なんらかの理由で会計年度開始までに国会の議決が得られず本予算が成立しない場合に，本予算が成立するまでの間の必要な経費の支出のために編成される暫定的な予算のことである。

5．前半の記述は正しい。かつては郵便貯金や年金積立金から資金運用部資金に義務的に預託された資金が財政投融資の主要な資金であったが，平成13（2001）年度の抜本的な改革以降，郵便貯金・年金積立金の預託義務は廃止されて全額自主運用（原則市場運用）される仕組みとなり，財投債が主な資金調達手段となっている。

正答　3

大卒警察官

No. 48 5月型

経済 財政赤字 平成25年度

財政赤字について説明した次の図の空欄A～Dには，「インフレ等による国債の信認低下」「世代間の不公平」「失業率の増加等の社会問題」および「金利上昇によるクラウディングアウト」のいずれかが入る。A～Dに入る語句の組合せとして妥当なのはどれか。

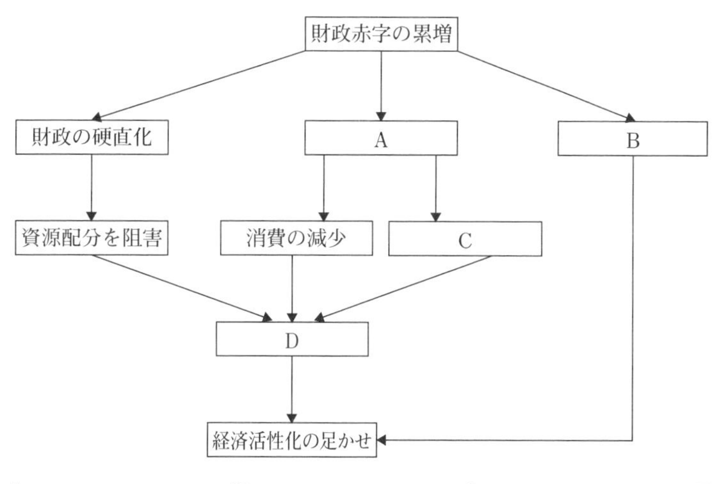

	A	B	C	D
1	インフレ等による国債の信認低下	世代間の不公平	金利上昇によるクラウディングアウト	失業率の増加等の社会問題
2	インフレ等による国債の信認低下	世代間の不公平	失業率の増加等の社会問題	金利上昇によるクラウディングアウト
3	インフレ等による国債の信認低下	失業率の増加等の社会問題	金利上昇によるクラウディングアウト	世代間の不公平
4	金利上昇によるクラウディングアウト	世代間の不公平	インフレ等による国債の信認低下	失業率の増加等の社会問題
5	金利上昇によるクラウディングアウト	失業率の増加等の社会問題	インフレ等による国債の信認低下	世代間の不公平

解説

財政赤字の累増は，財政の硬直化という直接的な影響に加えて，将来の政府債務の不履行やインフレによる国債の実質的な価値の低下等の懸念や，世代間の不公平といった影響を与える。世代間の不公平はそれ自体が経済活性化の足かせになる。よって，Bには「世代間の不公平」が入る。一方，国債の実質的な価値の低下等の懸念は消費の減少や利子率の上昇に伴うクラウディングアウトを生じさせ（Aは「インフレ等による国債の信認低下」，Cは「金利上昇によるクラウディングアウト」となる），財政の硬直化に伴う資源配分の阻害同様に失業率の増加等の社会問題を引き起こす（Dは「失業率の増加等の社会問題」となる）。

以上より，正答は**1**である。

正答 1

大卒警察官

No. 49 警視庁

経済 金融政策の利点 平成21年度

政府が景気の安定をはかるために経済政策として実施する金融政策と財政政策とを比較するとき，一般に金融政策の優れている点に当たるものは，次のどれか。

1 裁量的な性格がないので安定性がある。
2 政策実施までの時間的な遅れが少ない。
3 企業の投資意欲に対する影響が少ない。
4 マネーサプライに変動をもたらさない。
5 資産価格の変動に対する影響が少ない。

解説

1. マネーサプライの増減させる量など，金融政策にも裁量的な性格はある。
2. 正しい。財政政策は，その実施に議会等の承認を要するため，金融政策に比べて時間的な遅れが発生する。
3. 公定歩合操作やマネーサプライの操作は市場の利子率を変化させるため，企業の投資意欲に対して大きな影響を与える。
4. 公定歩合操作などで，マネーサプライの変動をもたらす。
5. マネーサプライが変化すると，家計などが貨幣と金融資産の保有比率を変更したりする結果，資産価格は大きく変動する。

正答 2

大卒警察官

No. 50　5月型

経済　金融政策　平成19年度

金融政策に関する次の記述のうち，妥当なものはどれか。

1　景気が過熱しているときは金融緩和政策をとり，不況のときは金融引締め政策をとるのが望ましい。

2　公債発行は，金融引締めの効果を持つ。

3　公定歩合の引上げは，貨幣供給量の減少につながる。

4　売りオペレーションは，貨幣供給量の増加につながる。

5　公債発行は，特定産業への資金の供給または規制のために行われる金融政策である。

解説

1. 金融緩和政策（貨幣供給量を増加させる政策）は一般に，利子率を低下させ，国民所得を増大させる。よって，景気が過熱している場合には金融引締め政策（貨幣供給量を減少させる政策）をとり，不況時には金融緩和政策をとるのが望ましい。

2. 公債発行によって民間部門から調達された貨幣は，政府支出として民間部門に支出されるので，金融引締めの効果を持たない。また，中央銀行（日本の場合，日本銀行）引受けによる公債発行は貨幣供給量を増やすので，金融緩和の効果を持つことになる。

3. 正しい。なお，2006年８月に，日本銀行は「公定歩合」を「基準割引率・基準貸付率」に名称変更した。

4. 売りオペレーションとは，中央銀行が保有する有価証券を市中に売却し，その代金を市中から受け取る金融政策である。したがって，売りオペレーションは貨幣供給量の減少につながる。

5. 公債発行は政府の財源不足を補うために行われるものであり，財政政策である。

正答　3

No. 51 警視庁

経済　金融　平成28年度

金融に関する記述として，最も妥当なのはどれか。

1　当座預金とは，小切手あるいは手形により，いつでも支払いが行われる預金のことをいう。

2　直接金融とは，企業や政府が必要な資金を，金融機関からの借入れで調達する方法をいう。

3　マネーサプライとは，中央銀行が市中銀行などの民間金融機関との間で手形や債券などの有価証券を売買することにより，通貨供給量を調節し，景気の調整や物価を安定させる政策をいう。

4　金融緩和とは，景気過熱時に通貨供給量を減らすことをいい，これにより在庫投資・設備投資や，消費需要は抑制され，景気が抑制される。

5　管理通貨制度とは，通貨の発行量を政府と中央銀行の管理下におく通貨制度をいい，金の価値によって通貨の価値を安定させる制度である。

解説

1. 正しい。

2. 資金を所有する者から直接に借り入れる株式による調達などを「直接金融」という。資金を所有する者から直接に借りておらず，金融機関から借り入れているのは「間接金融」である。

3. 記述は「マネーサプライ」ではなく，「公開市場操作」に関するものである。マネーサプライとは市中に出回っている貨幣（供給）量のことである。

4. 記述は「金融緩和」ではなく，「金融引締め」である。

5. 管理通貨制度は，金の保有量に直接関係なく，弾力的な通貨の発行量を決めることができる制度であり，金の価値によって通貨の価値を安定させる制度は，金本位制度である。

正答　1

大卒警察官

警視庁

No.52 経済 金融政策と金融行政 令和5年度

金融政策と金融行政に関する記述として、最も妥当なのはどれか。

1 日本銀行の行う金融政策として公開市場操作がある。日本銀行が市中金融機関との間で公債などを売買して政策金利を誘導し、景気の安定をはかるものである。現在は政策金利として、公定歩合が用いられている。

2 市中銀行が預金のうち日本銀行に預けなければならない一定の割合を預金準備率といい、現在は景況に応じて預金準備率操作が行われている。

3 金融機関が破綻した際に、預金者に対して預金の一定額のみを保証する制度をペイオフという。1990年代に金融不安からペイオフを凍結し、破綻した金融機関の預金は全額保護されるようになり、現在もペイオフは凍結されている。

4 近年の金融政策としては、政策金利を０％に誘導するゼロ金利政策や、誘導目標を金利ではなく日銀当座預金残高とする量的緩和政策が実施され、2016年には日銀当座預金の一部にマイナスの金利を適用するマイナス金利政策も導入された。

5 1990年代後半には、フリー・フェア・グローバルを掲げる日本版金融ビッグバンが行われた。また、1998年には大蔵省から金融機関への検査や監督を移管した金融庁が設置され、その後2000年に改組され金融監督庁となった。

解説

1．前半の記述は正しい。現在、公定歩合は基準貸付利率と呼ばれており、現在の政策金利はこの基準貸付利率でなく、無担保コールレート（オーバーナイト物）である。

2．前半の記述は正しい。短期金融市場が発達したことを背景に、現在、預金準備率操作は行われていない。

3．前半の記述は正しい。ペイオフは1996年に凍結されたが、2002年に定期預金について解禁、2005年には普通預金についても解禁された。

4．妥当である。

5．前半の記述は正しい。1998年に大蔵省の分割に伴い、総理府の外局として金融監督庁が設置され、2000年に金融監督庁は金融庁に改組された。

正答 4

大卒警察官

警視庁

No. 53 経済 景気変動 令和3年度

景気変動に関する記述として，最も妥当なのはどれか。

1 景気循環の過程を４つの局面に分けると，一般に好況，後退，不況，恐慌となる。

2 キチンの波は，設備投資の変動に起因する景気循環であり，周期は約40か月である。

3 コンドラチェフの波は，技術革新に起因する景気循環であり，周期は約50年である。

4 クズネッツの波は，在庫投資の変動に起因する景気循環であり，周期は約20年である。

5 ジュグラーの波は，建設需要に起因する景気循環であり，周期は約10年である。

解説

1. 景気循環は，好況，後退，不況，回復の４つの局面からなる。

2. キチンの波の要因は設備投資の変動ではなく，在庫投資の変動である。周期については正しい。

3. 妥当である。

4. クズネッツの波の要因は在庫投資の変動ではなく，建設投資の変動である。周期については正しい。

5. ジュグラーの波の要因は建設需要の変動ではなく，設備投資の変動である。また，周期は７～10年とされている。

正答 3

No.54 警視庁 経済 経済連携協定 〈改題〉 令和元年度

次の記述中の空所A～Dに当てはまる語句の組合せとして，最も妥当なのはどれか。

2019年２月，日本と欧州連合（EU）との経済連携協定（(　A　)）が発効し，世界GDPの約３割，世界貿易の約（　B　）割を占める自由な先進経済圏が誕生した。この協定の発効により，欧州から日本へ輸入される（　C　）の関税が即時撤廃され，また，日本から欧州に輸出される（　D　）の関税が即時撤廃されることとなった。

	A	B	C	D
1	EPA	4	ワイン	牛肉
2	EPA	4	ナチュラルチーズ	乗用車
3	EPA	6	ワイン	乗用車
4	TPP	6	ナチュラルチーズ	乗用車
5	TPP	4	ワイン	牛肉

解説

A：「EPA」が当てはまる。TPPは，環太平洋パートナーシップの略称である。

B：「4」が当てはまる。

C：「ワイン」が当てはまる。欧州から日本へ輸入されるナチュラルチーズについては16年目に関税撤廃される予定である。

D：「牛肉」が当てはまる。日本から欧州へ輸出される乗用車については８年目に関税撤廃される予定である。

よって，Aは「EPA」，Bは「4」，Cは「ワイン」，Dは「牛肉」が当てはまるので，正答は**1**である。

正答　1

政治
経済
社会
日本史
世界史
地理
思想
文学・芸術
国語

大卒警察官
5月型

No. 55 経済 アメリカ経済 平成27年度

アメリカ経済に関する次の記述の空欄A～Dに当てはまる語句の組合せとして，妥当なのはどれか。

アメリカの変動相場制への移行が確定したのは（　A　）であるが，その直前での為替レートは（　B　）となっていた。近年では，（　C　）などの問題で2007年には景気後退に入り，2008年に起きた（　D　）は大きな問題になった。

	A	B	C	D
1	キングストン合意	ドル高	サブプライム住宅ローン問題	大手証券会社の倒産
2	キングストン合意	ドル安	大手証券会社の倒産	サブプライム住宅ローン問題
3	キングストン合意	ドル安	サブプライム住宅ローン問題	大手証券会社の倒産
4	ルーブル合意	ドル高	大手証券会社の倒産	サブプライム住宅ローン問題
5	ルーブル合意	ドル安	サブプライム住宅ローン問題	大手証券会社の倒産

解説

第二次世界大戦後のIMF体制では，世界各国はアメリカ・ドルを基軸通貨とする固定為替相場制をとっていた。しかし，アメリカの国際収支の悪化等によりドル価値の不信が生じ，1971年にアメリカは金とドルの交換を停止する旨を発表した（ニクソンショック）。これを受けて，1973年から各国は変動為替相場制へ移行し，為替レートはドル安方向へ動いた（Bは「ドル安」なので，**1**，**4**は誤り）。この変動為替相場制への移行は，1978年に発効したIMF協定の改正によって再確認され，キングストン合意と呼ばれている（Aは「キングストン合意」なので，**4**，**5**は誤り）。

また近年のアメリカでは，不動産価格の上昇を背景に，信用度の低い個人に対して不動産を担保とする貸付（サブプライムローン）を行っていたが，不動産価格が下落してサブプライムローンを組み込んでいた金融商品が不良債権化して2007年には景気後退に入った（Cは「サブプライム住宅ローン問題」なので，**2**，**4**は誤り）。さらに，この金融商品が複雑になっていたために各証券のリスクを正確に判断できず，2008年に大手証券会社が倒産（リーマンショック）すると，世界規模で金融市場が混乱した（Dは「大手証券会社の倒産」なので，**2**，**4**は誤り）。

よって，正答は**3**である。

正答　3

大卒警察官

警視庁

No. 56 経済 1980年代の世界経済 平成28年度

次の記述中の空所A～Cに当てはまる語句の組合せとして，最も妥当なのはどれか。

1980年代前半，レーガン政権下のアメリカでは，財政赤字の増大によって国債が大量に発行され，アメリカ国内の金利が上昇した。金利の上昇はアメリカへの資本流入を増大させ，（ A ）となった。さらにその結果として経常収支が赤字となり，財政赤字とともに双子の赤字と呼ばれた。そのため，1985年にアメリカ，イギリス，ドイツ，（ B ），日本で組織されたG5（先進５か国財務相・中央銀行総裁会議）は，外国為替市場へ協調介入して（ A ）を是正することで合意した。これを（ C ）という。

	A	B	C
1	ドル高	フランス	プラザ合意
2	ドル安	フランス	ルーブル合意
3	ドル高	フランス	ルーブル合意
4	ドル安	中国	プラザ合意
5	ドル高	中国	プラザ合意

解説

A：「ドル高」が当てはまる。アメリカへの資本流入の増大とは，アメリカで運用する資本が増える状況をいう。アメリカで資本を運用するためにはドル（米ドル）が必要なので，アメリカへの資本流入の増大が生じると，為替市場ではドル需要が増えてドル高が生じる。

B：「フランス」が当てはまる。ちなみに，G5（先進５か国財務相・中央銀行総裁会議）は，先進５か国の財務大臣と中央銀行総裁が通貨の安定策や政策協調について話し合うために開催された会議であり，1986年からイタリアとカナダを加えたG7（先進７か国財務相・中央銀行総裁会議）に拡大した。

C：「プラザ合意」が当てはまる。記述中にある1985年の合意は，当時のG5の開催会場の名前（プラザホテル）にちなんで「プラザ合意」と呼ばれている。ちなみに，ルーブル合意は，1987年にパリのルーブル宮殿で開催されたG7によってなされた「急激なドル安を抑えて，為替相場の安定を図る」合意のことである。

よって，正答は**1**である。

正答 1

大卒警察官

No. 57 警視庁

経済　発展途上国の問題　平成29年度

発展途上国の問題に関する以下の記述のうち，最も妥当なのはどれか。

1　発展途上国とされる国家間において，新興工業国などの所得が急増し生活水準が上昇した地域と，飢餓に苦しむ後発発展途上国との経済格差の問題を南北問題という。

2　比較的工業化が進んだ発展途上国が，先進国から借り入れた多額の債務の返済が困難になり，債務の返済繰り延べや債務不履行を引き起こしている問題をタックス＝ヘイブンという。

3　1964年，発展途上国の開発，貿易，援助を国際的に討議する国連の常設機関として，国連貿易開発会議（UNCTAD）が設置された。

4　1960年代，いくつかの産油途上国は，国際石油資本（石油メジャー）を設立し，先進国の石油輸出国機構（OPEC）にかわって，原油の生産量や価格の決定を主導しようとした。

5　1974年の「新国際経済秩序（NIEO）樹立に関する宣言」では，プレビッシュ報告に基づいて，特恵関税制度の導入，GNP 比１％の援助目標の設定などの目標が立てられた。

解説

1．「南北問題」ではなく「南南問題」に関する記述である。ちなみに，南北問題とは，先進国と発展途上国との間での経済格差の問題のことである。

2．「タックス＝ヘイブン」ではなく「累積債務問題」に関する記述である。ちなみに，タックス＝ヘイブンとは，法人税などの税率を意図的に低くする国や地域の総称である。

3．正しい。

4．先進国の国際石油資本（石油メジャー）に対抗して，イラク，イラン，サウジアラビア，クウェート，ベネズエラは，1960年に石油輸出国機構（OPEC）を設立し，原油の生産量や価格の決定を主導しようとした。

5．「新国際経済秩序（NIEO）樹立に関する宣言」ではなく，1964年に開催された国連貿易開発会議（UNCTAD）に関する記述である。ちなみに，1974年の「新国際経済秩序（NIEO）樹立に関する宣言」の内容は，天然資源の保有国の権利や一次産品の価格保証などである。

正答　3

大卒警察官

No. 58 大阪府

経済 用語解説 平成18年度

「他社が敵対的な合併・買収（M＆A）を仕掛けてきた場合に備えて，既存の株主に市場価格よりも安価で株式を引き受ける権利を保障しておく仕組みが浸透しつつある」。この文章で説明されている事柄は，次のうちどれか。

1 ポイズンピル
2 ホワイトナイト
3 パックマンディフェンス
4 MBO
5 TOB

解説

1．正しい。ポイズンピル（毒薬条項）とは，敵対的な合併・買収に対抗するため，既存の株主に新株予約権を与えておく仕組みのことである。ポイズンピルは，買収側の議決権割合を引き下げるとともに，買収に必要とされる資金を大幅に引き上げるという効果を持つため，敵対的買収への対抗措置として有効であると考えられている。

2．ホワイトナイト（白馬の騎士）とは，敵対的な合併・買収を仕掛けてきた企業に対抗して，合併・買収されそうな企業の救済に乗り出す第三者のことである。

3．パックマンディフェンス（逆買収）とは，敵対的な合併・買収を仕掛けてきた企業に対して，逆にその合併・買収を試みることである。

4．MBO（マネジメント・バイアウト）とは，経営陣が株式を買い取ることで，経営権を自ら手に入れたり，株式を非公開化したりすることである。

5．TOB（株式公開買付け）とは，買取り価格を公表したうえで対象企業の株式を買い付け，これを合併・買収しようとすることである。友好的TOBと敵対的TOBがある。

正答 1

大卒警察官
No. 59 警視庁
経済　経済用語　平成20年度

次は，ある経済用語に関する説明であるが，該当するものはどれか。

国境をまたいだ買収で主に使われる株式交換を使ったM&A手法のことである。外国企業が日本企業を買収する際に日本に子会社を設立し，その子会社を存続会社として被買収会社と合併させる。被買収会社の株主に支払う合併対価は，親会社である外国企業の株となる仕組みである。2007年5月1日に解禁された。

1　投資信託
2　株式公開買い付け（TOB）
3　インサイダー取引
4　マネジメント・バイアウト（MBO）
5　三角合併

解説

1．投資信託とは，運用会社が投資家から資金を集めて運用し，その運用益を投資家に配分するものである。

2．株式公開買い付け（TOB）とは，買付側が買い付け期間，株式数，価格を公表して買い取りを宣言し，株式市場で不特定多数の株主から株式を買い取る手法である。

3．インサイダー取引とは，株価に重大な影響を与える未公開情報に基づく株式の取引である。

4．マネジメント・バイアウト（MBO）とは，経営陣による企業買収である。会社の経営陣が株主から自社株を譲り受けたり，執行責任者らが投資会社から資金を得たりして，本社企業や親会社から株式を買い取り，事業ごとに独立することである。

5．正しい。

正答　5

No. 60 5月型 社会 ウェーバーの支配の類型 平成24年度

M. ウェーバーの支配の類型に関する次の説明のうち，正しいものをすべて挙げているのはどれか。

ア　伝統的支配は，伝統や慣習を根拠として成立する前近代的な支配の形態であり，人々の熱狂的な支持を動員することなしには維持しえないとされている。

イ　カリスマ的支配は，超人的資質を持った支配者への帰依として成立する支配の形態であり，人々の合理性が発達した近代以降の社会においては消滅したとされている。

ウ　合法的支配は，近代以降の社会において典型的に成立している支配の形態であり，法規に基づいて行われる官僚制による支配などがこれに該当する。

1　ア
2　ア，イ
3　ア，ウ
4　イ，ウ
5　ウ

解説

ア：伝統的支配は，伝統や慣習を根拠として成立するため，人々の熱狂的な支持を動員する必要はない。むしろ人々を政治から遠ざけ，政治的無関心に追いやることもある。

イ：カリスマ的支配は，人々の合理性が発達した近代以降の社会においてもみられる。戦間期のドイツにおいてヒトラーが権力を掌握し，その超人的資質をアピールして支配を行ったことは，その一例である。

ウ：正しい。合法的支配は，合法性が重視されるようになった近代以降の社会において典型的に成立する。ウェーバーによれば，その主な担い手は官僚である。

よって，正答は**5**である。

正答　5

政治
経済
社会
日本史
世界史
地理
思想
文学・芸術
国語

大卒警察官

No. 61 警視庁

社会　日本の社会保障　令和4年度

我が国の社会保障に関する記述として，最も妥当なのはどれか。

1 我が国の社会保障制度は，租税と社会保険料の両方を財源にしており，社会保険，公的扶助，社会福祉の3つの種類にわけられる。

2 すべての国民が，何らかの健康保険と年金保険に加入していることを国民皆保険・皆年金というが，我が国では，いまだ実現できていない。

3 社会保険は，医療，年金，雇用，労災，介護の5種類からなり，費用は，被保険者と事業主のみが負担する。

4 公的扶助は，生活に困窮している国民に対し，国が責任をもって健康で文化的な最低限度の生活を保障するもので，費用は税金でまかなわれる。

5 社会福祉とは，国民の健康の維持・増進を図ることを目的に，感染症予防，母子保健，公害対策など幅広い範囲にわたり，保健所を中心に組織的な取組を行うものである。

解説

1．我が国の社会保障制度には，公衆衛生もある。

2．国民健康保険法の改正と国民年金法の制定により，国民皆保険・皆年金は1961年に実現している。ちなみに，先進国でありながら国民皆保険・皆年金が実現していない国としては，アメリカが知られている。

3．社会保険は，被保険者や事業主が納付する保険料だけでなく，公費も財源となっている。たとえば，国民年金は財源の半分が国庫負担となっている。

4．妥当である。公的扶助の制度として，生活保護が実施されている。社会保険とは異なり，生活保護の財源はすべて公費による。

5．社会福祉ではなく，公衆衛生に関する記述である。社会保障の一つとしての社会福祉は，障害者や児童，母子家庭，老人などの保護や自立，社会参加を支援する事業のことをいう。

正答　4

大卒警察官

No. 62 警視庁

社会　2022年4月に改正された法制等　令和4年度

本年4月に改正された法制等に関する記述として，最も妥当なのはどれか。

1　「改正育児・介護休業法」では，本人または配偶者が妊娠または出産した旨の申し出をした従業員に，育児休業制度等について提示することを企業に義務づけられたが，個別に休業取得についての意向確認を行うことまでは義務づけられていない。

2　「年金制度改正法」では，66歳から70歳までとなっていた老齢年金の繰下げ受給について，受給の上限年齢が75歳まで繰り下げられるようになった。

3　「賃上げ促進税制」では，中小企業において雇用者全体の給与支給増加額に対して最大25％の税額控除だったものが，最大30％に引き上げられた。

4　「改正女性活躍推進法」では，労働者301人以上の事業主に女性が活躍するための行動計画を策定・公表するように義務づけられたが，労働者101人以上300人以下の事業主には義務づけられていない。

5　「プラスチック資源循環法」では，指定された使い捨てプラスチック製品を無償で配布している小売店や飲食店などに提供する量の削減を求め，削減対策として指定された使い捨てプラスチック製品をすべて有償で提供することを義務づけられた。

解説

1．休業取得についての意向確認の措置も義務づけられた。つまり，本人または配偶者が妊娠・出産した旨の申し出をした従業員に対し，育児休業制度などに関して個別に説明し，育児休業を取得するつもりかどうか確認することが義務づけられたわけである。

2．妥当である。老齢年金の受給開始年齢は，原則として65歳だが，繰上げ・繰下げ受給が可能である。繰上げ受給は従前どおり60歳までだが，繰下げ受給は75歳まで可能となった。

3．賃上げだけならば最大で30％であるが，中小企業は教育訓練費も増加すれば最大40％の税額控除が受けられる仕組みとなっている。なお，教育訓練費の増加による税額控除は，大企業は対象外である。すなわち大企業が受けられる税額控除は最大30％となっている。

4．女性活躍推進に関する行動計画の策定は，従来は労働者101～300人の事業主には，努力義務にすぎなかった。だが，改正女性活躍推進法の施行により，義務づけられた。

5．コンビニエンスストアのスプーンやクリーニング店のハンガーなど，12品目の使い捨てプラスチック製品につき提供の削減が求められているが，代替素材への転換などでもよく，全面的に有償提供が義務づけられたわけではない。また，削減が義務化されたのは，年間5トン以上の使い捨てプラスチック製品を提供している業者に限られる。

正答　2

大卒警察官

No. 63 警視庁

社会 用語説明 令和5年度

次の記述に当てはまる語句として、最も妥当なのはどれか。

雇用の機会均等や、多様な働き方を指す言葉。人種や性別、年齢、学歴、障害の有無などを問わずに積極的に採用し、ライフスタイルに合った働き方を認めようという考え方をいう。

1 ワーク・ライフ・バランス
2 ワークシェアリング
3 ダイバーシティ
4 ワーケーション
5 コンプライアンス

解説

1. 仕事と生活の調和のこと。過重労働に陥らず、仕事と子育て、趣味、休暇、地域活動などを両立させていくことを意味する。

2. 労働者一人当たりの労働時間を減らして、雇用を分かちあうこと。不況による雇用縮小に伴う失業の発生を抑制するために実施される。

3. 妥当である。diversityとは、「多様性」の意味を持つ英単語である。ダイバーシティは、労働だけでなく、教育など、社会全体に求められている。

4. workとvacationの合成語で、観光地やリゾート地に滞在し、休暇を楽しみながら働くこと。政府もワーケーションの取組みを推進している。

5.「法令遵守」のこと。企業の社会的責任（CSR）の一環として、現代企業にはコンプライアンスの徹底が求められている。

正答 3

大卒警察官

No. 64 警視庁

社会　国際目標の略称　令和元年度

次の説明文に当てはまる欧文略語として，最も妥当なのはどれか。

2015年９月の国連サミットで採択された「持続可能な開発のための2030アジェンダ」に記載された2016年から2030年までの国際目標のこと。持続可能な世界を実現するための17のゴール・169のターゲットから構成され，地球上の誰一人として取り残さないことを誓っている。発展途上国のみならず，先進国自身が取り組む普遍的なものであり，我が国も積極的に取り組んでいる。

1　BRICS
2　NIES
3　NISA
4　SDGs
5　UNDP

解説

1．ブラジル，ロシア，インド，中国，南アフリカ共和国の総称。これらの国々は，近年著しい経済発展を遂げている。

2．新興工業経済地域の略称。工業化によって急速に経済成長を遂げた国・地域のことである。特に，シンガポール，香港，台湾，韓国が，アジアNIESとして知られている。

3．わが国の少額投資非課税制度の略称。個人投資家が毎年120万円の投資枠内で購入した金融商品から得られた利益につき，最長で５年間，非課税とする制度である。

4．妥当である。SDGsとは，「持続可能な開発目標」の略称。2000年に策定されたMDGs（ミレニアム開発目標）の後継として，策定された。

5．国連開発計画の略称。発展途上国に対する開発援助などを実施している国連機関であり，SDGsの達成に向けた取組みも実施している。

正答　4

大卒警察官

No.65 警視庁

社会 地域的経済統合 令和5年度

地域的経済統合等に関するA～Eの記述のうち、正しいものの組合せとして、最も妥当なのはどれか。

A　アジア太平洋経済協力（APEC）とは、域内貿易・投資の自由化、保護主義的な貿易ブロックの反対などを目的に発足した、西側資本主義国の集まりである。

B　経済協力開発機構（OECD）とは国連の専門機関の１つであり、発展途上国への経済援助を目的としている。

C　環太平洋パートナーシップ協定（TPP）は合計12か国による署名後、アメリカが離脱を表明したことから、アメリカを除く11か国によりTPP11協定が発効した。

D　地域的な包括的経済連携（RCEP）協定は、2022年に我が国を含めて12か国について発効していたところ、本年に入り、さらにインドが加わった。

E　我が国では、当初は地域間経済協力に向けた対応を慎重に進めていたが、シンガポールとの間で経済連携協定（EPA）を締結し、それ以降、さまざまな国・地域との交渉を続けている。

1　A、B
2　A、E
3　B、C
4　C、E
5　D、E

解説

A：APECは環太平地域の経済協力のための非公式的なフォーラムである。また、東西冷戦末期の1989年に発足しており、冷戦時代にはソ連として東側諸国の盟主の座にあったロシアや、現在も政治的には社会主義体制である中国やベトナムも参加している。

B：OECDは国連の専門機関ではなく、発展途上国への経済援助も行ってはいるが、それだけを目的とした機関ではない。OECDは、第二次世界大戦後のアメリカの欧州復興計画であるマーシャル・プランを受け入れるために設立された欧州経済協力機構（OEEC）を前身とする国際機関。「先進国クラブ」の異名を持ち、現在38か国が加盟している。

C：妥当である。なお、TPP11はCPTPPや単にTPPとも呼ばれるが、2023年にイギリスが加盟する見通しとなった。

D：「インド」の部分が誤りで、正しくは「インドネシア」。インドはRCEP協定の締結に向けた交渉に参加していたものの、2019年に交渉から離脱した。ゆえに、RCEP協定にはインド加入のために引き続き開放されている旨の規定がある。

E：妥当である。2002年に日本はシンガポールとEPAを締結しており、これが日本にとって初めて締結するEPAとなった。

以上より、正答は**4**である。

正答　**4**

大卒警察官

No. 66 5月型

社会　臓器移植法改正　平成25年度

政治 経済 社会 日本史 世界史 地理 思想 文学・芸術 国語

平成９年に初めて施行された臓器移植法は，その後一部改正を受け，平成22年からは改正法が施行されている。この改正内容に関する次の記述のうち，妥当なものはどれか。

1　本人が臓器移植の意思表示をしていない場合であっても，遺族が書面によってこれを受諾すれば，脳死者から移植のために臓器を摘出することができるようになった。

2　脳死状態にある15歳未満の少年・乳幼児から臓器移植を行うことことができるか否かについて，旧法では明確に触れられてはいなかったが，改正法ではこれを明確に禁止している。

3　旧法では脳死者から移植可能な臓器として心臓や肺などが挙げられる一方，眼球（角膜）がこれに含まれていなかったが，改正法では眼球も移植可能な臓器として明記された。

4　本人が書面により臓器移植の意思表示をしていたとしても，医師が脳死判定をしてもよいという明確な意思表示を欠いている場合には，脳死による臓器移植はできないと明記された。

5　肝臓の一部や片方の腎臓を親族などに移植する，いわゆる生体移植は，提供者の体を損傷する行為であり，健康を害するおそれが大きいため，原則として禁止されることとなった。

解説

1．妥当である。旧法の下では，「本人の書面による臓器提供の意思表示があった場合であって，遺族がこれを拒まないとき又は遺族がないとき」に限り，臓器移植が可能とされていた。しかし，改正法では，「本人の臓器提供の意思が不明の場合であって，遺族がこれを書面により承諾するとき」にも臓器移植を行うことが認められた。

2．旧法の下では，15歳未満の少年・乳幼児からの臓器移植は禁止されていたが，改正法ではこれが認められた。

3．移植可能とされている臓器は，心臓，肺，肝臓，腎臓，その他厚生労働省令で定める内臓（現在はすい臓と小腸）および眼球（角膜）とされており，これは旧法の時代から変わっていない。

4．本人が書面により臓器提供の意思表示をしている場合，本人が特に脳死判定の拒否の意思表示をしていない限り，脳死判定を行うことが可能となった。この際，脳死判定をしてもよいという本人の明確な意思表示は不要である。ただし，家族が脳死判定を拒まないか，家族がないという条件も満たす必要がある。

5．臓器移植法は，脳死状態にある者から臓器を摘出し，移植することを認めた法律である。したがって，生体移植は同法の対象とするところではない。また，他法においても，生体移植が禁止されているという事実はない。

正答　1

大卒警察官
警視庁

No.67 社会 新型インフルエンザ等対策特別措置法 令和3年度

次の記述中の空所A～Dに当てはまる語句の組合せとして，最も妥当なのはどれか。

本年2月,「新型インフルエンザ等対策特別措置法」の一部が改正された。改正法では，緊急事態宣言のもとで（ A ）が，施設の使用制限などを（ B ）できることに加え，正当な理由なく応じない事業者などに（ C ）ができるようになった。また，緊急事態宣言が出される前でも対策を講じられるよう「まん延防止等重点措置」が創設され，（ A ）は特定の事業者に対し営業時間の変更などを（ B ）し，正当な理由なく応じない場合は，まん延を防止するため特に必要があると認める時に限り（ C ）できる。（ C ）に従わない事業者に対しては，緊急事態宣言が出されている場合には30万円以下，緊急事態宣言が出されていない「重点措置」の場合は20万円以下の過料を（ D ）罰としてそれぞれ科すと規定されている。

	A	B	C	D
1	都道府県知事	要請	命令	行政
2	都道府県知事	命令	要請	刑事
3	都道府県知事	要請	命令	刑事
4	政府	命令	要請	行政
5	政府	要請	命令	刑事

解説

A：「都道府県知事」が当てはまる。なお，政府は新型インフルエンザ等（新型コロナウイルス感染症を含む）の緊急事態宣言の発令やまん延防止等重点措置の適用を都道府県を対象に行う。ただし，都道府県は特定地域に限定して集中的に措置を実施することが可能である。

B：「要請」が当てはまる。緊急事態宣言の下での施設の使用制限などや，まん延防止等重点措置における営業時間の変更などについては，いきなり命令が下されるわけではなく，まずは協力の要請が行われる。ちなみに，新型コロナ対策では，酒類の提供にも制約が課せられた。

C：「命令」が当てはまる。ただし，命令は，新型インフルエンザ等のまん延を防止するため特に必要があると認められる場合に限られる。なお，要請や命令に当たっては，あらかじめ，感染症に関する専門家らの意見を聴かなければならないことになっている。また，要請や命令については，その旨を公示できることとなった。

D：「行政」が当てはまる。過料とは，国や地方公共団体が行政上の軽微な禁令を犯した者に科す金銭罰のことをいう。いずれも「かりょう」と読むが，犯罪者に対する刑事罰である科料とは異なる。なお，新型コロナ対策で休業や営業時間短縮などの要請に応じた飲食店には，都道府県から協力金が支給された。

以上より，A：「都道府県知事」，B：「要請」，C：「命令」，D：「行政」であるので，正答は**1**である。

正答 1

大卒警察官

No. 68　5月型

社会　日本の社会状況　平成30年度

近年のわが国の社会状況に関する次の記述のうち，妥当なものはどれか。

1　わが国の国民負担率は，1970年度以降は減少傾向で推移している。

2　わが国の男性の育児休業取得率は，80％を超えて上昇傾向にある。

3　わが国の有効求人倍率は，すでに1倍を超えている。

4　わが国の女性管理職の割合は，スウェーデンやフランスと比べて高い。

5　わが国の空港における着陸料は，世界の主要空港の中でも安い水準にある。

解説

1．わが国の国民負担率（社会保障負担と税負担の合計額の対国民所得比）は，1970年度の24.3％から2024年度の45.1％（見通し）へと上昇している。（財務省「国民負担率〔対国民所得比〕の推移」）

2．わが国の男性の育児休業取得率（2023年度）は，30.1％にとどまっている。なお，女性の育児休業取得率は84.1％に達している（「令和5年度　雇用均等基本調査」）。

3．妥当である。わが国の有効求人倍率（2023年度平均）は1.31倍と1倍を超えている（『令和6年版　労働経済白書』）。

4．管理職に占める女性の割合は，日本が12.9％，スウェーデンが43.0％，フランスが37.8％である（『令和5年版　男女共同参画白書』）。日本の水準は，先進国の中でも低位にある。

5．わが国の空港における着陸料は，世界の主要空港の中でも高い水準にある。

正答　3

大卒警察官
警視庁 〈改題〉

No. 69 社会 改正道路交通法 令和2年度

次に記述中の空所A～Dに当てはまる語句の組合せとして，最も妥当なのはどれか。

2020年6月に公布された道路交通法の一部を改正する法律により，（　A　）運転（「あおり運転」）に対する罰則が創設された。これにより，他の車両等の通行を妨害する目的で，一定の違反（（　B　）類型の違反）を行うことは，厳正な取締りの対象となり，他の車両等に道路における交通の危険を生じさせるおそれのある方法によるものをした場合，最長で懲役（　C　）年の刑に処せられることとなった。また，（　A　）運転をした者は違反一回で運転免許の（　D　）処分を受けることとなった。

	A	B	C	D
1	迷惑	10	3	停止
2	迷惑	15	5	取消
3	妨害	10	5	取消
4	妨害	15	3	停止
5	妨害	10	3	取消

解説

A：「妨害」が当てはまる。「あおり運転」による事件や事故が社会問題化したのを受け，道路交通法が改正された。改正道路交通法では，「あおり運転」は妨害運転と定義され，妨害運転罪が創設された。

B：「10」が当てはまる。改正道路交通法では，通行区分違反，急ブレーキ禁止違反，車間距離不保持，進路変更禁止違反，追越し違反，減光等義務違反，警音器使用制限違反，安全運転義務違反，最低速度違反，高速自動車国道等駐停車違反の10種類に，妨害運転が類型化された。

C：「３」が当てはまる。妨害運転を行った者には懲役３年以下または50万円以下の罰金が科せられることになった。また，妨害運転によって著しい危険を生じさせた場合は，懲役５年以下または100万円以下の罰金が科せられることになった。

D：「取消」が当てはまる。妨害運転を行った者は，行政処分として，運転免許が即取消となる。妨害運転によって運転免許が取り消されると２年間，著しい危険を生じさせる行為だった場合には３年間，運転免許の再取得ができなくなる。

よって，正答は**5**である。

正答　5

No. 70 警視庁 〈改題〉

社会 日本の無形文化遺産 平成29年度

2016年末，国連教育科学文化機関（ユネスコ）により登録された我が国の無形文化遺産の名称として，最も妥当なのはどれか。

1 和食；日本人の伝統的な食文化
2 長崎と天草地方の潜伏キリシタン関連遺産
3 「神宿る島」宗像・沖ノ島と関連遺産群
4 山・鉾・屋台行事
5 来訪神：仮面・仮装の神々

解説

1.「和食；日本人の伝統的な食文化」は，2013年にユネスコの無形文化遺産に登録された。なお，その翌年には，「和紙：日本の手漉和紙技術」が同遺産に登録されている。

2.「長崎と天草地方の潜伏キリシタン関連遺産」は，2018年にユネスコの世界遺産に登録された。大浦天主堂など12件の関連遺産によって構成されているが，こうした有形の不動産は，無形文化遺産に登録されることはない。

3.「『神宿る島』宗像・沖ノ島と関連遺産群」は，2017年にユネスコの世界遺産に登録された。「島」のような有形の不動産は，無形文化遺産に登録されることはない。

4. 正しい。「山・鉾・屋台行事」は，2016年にユネスコの無形文化遺産に登録された。すでに登録されていた「京都祇園祭の山鉾行事」と「日立風流物」に，「秩父祭りの屋台行事と神楽」や「高山祭りの屋台行事」などを追加し，合計33件をもって拡張登録される形となった。

5.「来訪神：仮面・仮装の神々」は，2018年にユネスコの無形文化遺産に登録された。2016年末の時点では，日本政府が同遺産の登録をユネスコに提案していたものの，登録は行われていなかった。

正答 4

大卒警察官

5月型

No. 71 日本史 日本の主な遺跡 平成19年度

わが国の主な遺跡に関する次の記述のうち，妥当なものはどれか。

1 吉野ヶ里遺跡は弥生時代の内外二重の環濠を巡らした大集落遺跡であり，内濠の張り出し部には望楼と思われる掘立柱の建物などが見つかっている。

2 三内丸山遺跡は弥生時代の集落遺跡である。水田跡が発見され，わが国の稲作の伝播のしかたやその時期に関する従来の考え方が修正されることになった。

3 登呂遺跡はわが国に旧石器時代があったことが初めて明らかにされた遺跡であり，旧石器時代の地層から人工の石器が見つかっている。

4 岩宿遺跡は縄文時代後期から弥生時代にかけての遺跡である。水田跡が発見され，この頃から水稲耕作が始まっていたことがわかる。

5 高松塚古墳はわが国の古墳の中で最大の規模を持つ。前方後円墳の墳丘の長さは数百メートルもあり，石室に極彩色の絵が描かれていた。

解説

1．正しい。佐賀県の吉野ヶ里遺跡では1999年に九州で初めて銅鐸が出土した。

2．青森県の三内丸山遺跡は縄文時代の前期から中期にかけての集落遺跡で，多数の土偶は発見されたが，稲作の跡は見つかっていない。

3．静岡県の登呂遺跡は弥生後期の農耕集落遺跡で，畦で区画された広大な水田跡も確認されている。多数の木器と鼠返しなどの建築部材が出土し，高床式倉庫の構造などが明らかになった。

4．群馬県の岩宿遺跡は，更新世に属する土器を伴わない石器文化の存在がわが国で初めて確認された遺跡で，関東ローム層から内容の異なる２つの石器群が出土している。

5．奈良県の高松塚古墳は直径約20m，高さ約５mの円墳であり，わが国最大の古墳とされるのは大阪府の仁徳天皇陵古墳である。1972年の発掘で彩色壁画が発見されたが，保存がうまくいかず，2007年に壁画をすべて取り外して保存・修復する工事が始まった。

正答 1

大卒警察官

警視庁

No.72 日本史 聖武天皇が行った政策 平成28年度

聖武天皇が行った政策として，最も妥当なのはどれか。

1 平安遷都

2 国分寺建立の詔発出

3 健児の制実施

4 八色の姓制定

5 勘解由使の設置

解説

1．平安京遷都は桓武天皇が行った。桓武天皇は平安京遷都により政治の刷新を図り，律令制の再建をめざした。

2．正しい。

3．健児の制は桓武天皇の律令再建策の一つである。農民の疲弊によって軍団の維持が困難となったため，辺境を除いて軍団を廃止し，郡司の子弟を健児として集めて兵とする健児の制を実施した。公民負担の軽減を目的とした軍制改革である。

4．八色の姓を制定したのは天武天皇である。壬申の乱に勝利して皇位を獲得した天武天皇は，強力な中央集権的律令国家の確立をめざして皇親政治を展開し，公地公民制の徹底，飛鳥浄御原令の編修，八色の姓の制定などを行った。八色の「色」とは種類のことで，それまでの姓を改定して，真人・朝臣など８種類の姓を新設し，壬申の乱後の豪族の身分秩序を再編成した。

5．勘解由使の設置は桓武天皇の律令再建策の一つである。桓武天皇は，国司や郡司の監督を強化するため，巡察使を派遣し，勘解由使を新設した。勘解由使は令外官で，国司の不正を正すために置かれた，解由状（新任の国司が前任国司に不正がなかったことを証明する文書）を検査する監督官のことである。

正答 2

No. 73 警視庁

日本史　平安時代初期　平成29年度

次の平安時代初期に関する記述中の空所Ａ～Ｄに当てはまる語句の組合せとして，最も妥当なのはどれか。

光仁天皇の律令制再編政策を受けついだ［　Ａ　］は，都づくりと蝦夷支配を重点政策とした。784（延暦３）年に都を［　Ｂ　］に移したが政情不安が募り，794年に再度，都を移すこととした。これが平安京である。

また，蝦夷の抵抗に対して，坂上田村麻呂を征夷大将軍として軍を派遣し，［　Ｃ　］を築いてここに鎮守府を移した。

さらに，軍事力強化のために新たな軍事制度をつくり，また国司交替の事務ひきつぎをきびしく監督する［　Ｄ　］を新たに設けるなど，強い政治力で律令体制の立て直しをはかった。

	Ａ	Ｂ	Ｃ	Ｄ
1	桓武天皇	長岡京	胆沢城	勘解由使
2	桓武天皇	藤原京	多賀城	検非違使
3	聖武天皇	長岡京	胆沢城	検非違使
4	聖武天皇	藤原京	多賀城	勘解由使
5	天武天皇	長岡京	多賀城	勘解由使

解説

Ａ：「桓武天皇」が当てはまる。桓武天皇は奈良時代末～平安時代初期の天皇で，仏教勢力を避けて平城京から長岡京へ，次いで平安京への遷都を行った。聖武天皇は奈良時代の天皇，天武天皇は飛鳥時代の天皇である。

Ｂ：「長岡京」が当てはまる。桓武天皇は，政治の刷新のために，藤原種継を責任者として長岡京の造営を開始し，784年に新都に移った。しかし，藤原種継が遷都反対派に暗殺されるなどの政情不安のため長岡京造営は挫折し，その後794年に平安京に遷都した。藤原京は飛鳥時代の持統・文武・元明各天皇の宮都で，694年から710年の平城京遷都までの都である。

Ｃ：「胆沢城」が当てはまる。多賀城は，奈良時代の724年に宮城県に築かれ鎮守府が置かれた蝦夷平定支配の拠点である。その後強大化した蝦夷は８世紀後半から大規模な抵抗を展開し，桓武天皇は３回にわたって蝦夷征服軍を送った。第３回の征夷大将軍坂上田村麻呂は，反乱の拠点胆沢で中心人物の阿弖流為を降伏させ，802年に胆沢城（岩手県）を築き，多賀城から鎮守府を移して反乱を鎮圧した。

Ｄ：「勘解由使」が当てはまる。勘解由使も検非違使も令外官といわれる令に規定されていない官職で，律令の動揺に伴ってその円滑な運用のために新設された。桓武天皇は地方で人民統治に当たる国司や郡司の監督を強化し，国司交代の際に任期中に不正がなかったかを調べる勘解由使を新設した。検非違使は，嵯峨天皇が薬子の変の後に蔵人とともに設置した官職で，京都とその周辺の警察権・裁判権をつかさどった。

よって，正答は**1**である。

正答　1

大卒警察官

No. 74

警視庁

日本史　荘園の発達　平成26年度

荘園の発達に関する記述として，最も妥当なのはどれか。

1　開発領主とは，大規模な土地の開発を行い私領とした，大名田堵や地方豪族などのことである。

2　寄進地系荘園とは，領家とよばれる荘官が，本家とよばれる貴族や寺社などに寄進した土地のことである。

3　荘園のうち，太政官符や民部省符によって官物や臨時雑役の免除を認められた荘園を国免荘と呼んだ。

4　荘園領主のなかには，国衙から派遣される検田使の立ち入りを拒否する不輸の特権を得る者もあった。

5　醍醐天皇は1069年に延久の荘園整理令を出し，記録荘園券契所を設けて，基準に合わない荘園を停止した。

解説

1．正しい。

2．領家は開発領主から荘園の寄進を受けた中央の権力者をいい，本家は領家からさらにこの荘園の寄進を受けた摂関家などの上級貴族や皇族などをいう。寄進地系荘園とは，開発領主が税の負担などを逃れるために，自ら開発した所領を中央の権力者に寄進し，自らは荘園の荘官（下司，公文）となって成立した荘園をいう。11世紀半ば頃から各地で現れるようになった。なお，領家・本家のうち実質的な支配権を持つ者を本所といった。

3．国免荘ではなく官省符荘である。荘園が成立するための正式な手続き（立券荘号）は，太政官の発行する太政官符と民部省の発行する民部省符によった。このような荘園を官省符荘という。国免荘は，国司によって官物や臨時雑役が免除された荘園である。

4．不輸の特権ではなく不入の特権である。不輸の特権は，政府から官物や臨時雑役の免除（不輸）を認められること。

5．醍醐天皇ではなく後三条天皇である。後三条天皇はときの摂政・関白を外戚としない天皇で，摂関家の荘園でも基準に合わなければ停止していった。これにより，国司の支配する国衙領と貴族や寺社が支配する荘園がはっきりと分かれ，いわゆる荘園公領制と呼ばれる体制が成立した。なお，醍醐天皇は902年に最初の荘園整理令といわれる「延喜の荘園整理令」を出している。

正答　1

大卒警察官

No. 75 警視庁

日本史 9世紀～11世紀の武士 令和2年度

9世紀から11世紀における武士に関する記述として，最も妥当なのはどれか。

1 勢力を拡大しようとする地方豪族や有力農民による争乱の拡大に対して，政府は地方の有力者を受領や遙任に登用して滝口の武士として治安維持にあたらせた。

2 桓武平氏の平清盛は常陸・下野・上野の国府を攻め落とし，東国の大半を占領して新皇と自称したが，同じ東国の武士の平貞盛らによって討たれた。

3 伊予の藤原純友は，源経基との戦いに勝利した後に，瀬戸内海の有力な武士を率いて伊予の国府や大宰府を攻め落とした。

4 強力な武士団の統率者は棟梁と仰がれるようになり，その代表である源氏と平氏の両氏が地方武士団を広く組織した武家を形成し，大きな勢力を築くようになった。

5 承平・天慶の乱と呼ばれる南北で発生した朝廷への反乱は，その鎮圧に奮闘した地方武士の勢力を衰退させ，結果的に朝廷の軍事力が強化されることとなった。

解説

1．9世紀末には，律令制の動揺により法と政治機構の支配力が崩壊し，地方の治安が乱れた。それに対しては，国家の公的な軍事力として，源氏や平氏に代表される軍事貴族（武芸を家職とする中・下流貴族）たちが地方に派遣された。彼らはそのまま派遣地に定着し，周辺の兵を組織して武装集団を形成していった。それが武士団の発生である。武士の中には地方ではなく京で活躍する者もおり，滝口の武士は宮中警備に当たった武士たちである。彼らは武士の存在が中央に認められる端緒となった。受領とは，国司が徴税役人的になった摂関期以降に，徴税の責任者となった国司の最上席者のことをさす。遙任とは，国司任命後も任国に赴任せず，目代（代官）などを派遣して収入だけを得ること，またはそのような国司をいう。

2．本肢は平将門についての記述である。平清盛は平安末期に平氏政権を確立した人物である。

3．伊予の日振島を根拠地とし瀬戸内海の海賊を率いて乱（939～941年）を起こした藤原純友は，瀬戸内海をおさえ九州の大宰府を襲ったが，追捕使の小野好古や源経基らによって鎮圧された。

4．妥当である。

5．承平・天慶の乱とは平将門の乱と藤原純友の乱の総称である。これらは律令政治から摂関政治への移行期に発生し，律令制の解体をはっきり示すものとなった。乱を起こしたのも，その乱を鎮圧したのも武士であり，もはや朝廷には地方の反乱を自力で鎮める力はなく，鎮圧した武士の子孫たちが朝廷の武力の担い手となっていった。

正答 4

大卒警察官

警視庁

No.76 日本史 鎌倉時代の政治体制 平成27年度

鎌倉時代の政治体制に関する記述として，最も妥当なのはどれか。

1 源頼朝は，関東武士団と所領支配を通じて成立する封建関係と呼ばれる主従関係を結び，彼らを御家人として組織した。

2 鎌倉幕府は，支配機構として，中央に侍所，政所及び公文所を置き，地方には各国ごとに国司と群司を置いた。

3 将軍職は，三代将軍実朝が暗殺された後は置かれず，後継となった北条氏は将軍に変えて執権の名で幕府を統率した。

4 後醍醐天皇が惹き起こした承久の乱を契機に，鎌倉幕府の支配は全国に及び，朝廷に対する政治的優位が確立した。

5 北条泰時の時代に確立した執権政治とは，政治の決定や裁判の判決などの権限を執権一人に集権する幕府政治の体制をいう。

解説

1．正しい。

2．公文所は後に政所と改称された。中央の統治機構は，侍所・公文所（後の政所）・問注所の３つ。地方には国ごとに守護，国衙領・荘園ごとに地頭が置かれた。

3．実権は執権北条氏に移ったが，将軍職は形式的に存続した。

4．承久の乱を起こしたのは後鳥羽上皇。後半部分は正しい。

5．北条泰時は，執権の補佐役である連署を置き，重要政務の裁定や訴訟の採決のために評定衆を置いて有力御家人11人を任命するなど，合議体制による執権政治を確立した。

正答 1

政治 経済 社会 日本史 世界史 地理 思想 文学・芸術 国語

警視庁

No.77 日本史 室町時代 令和4年度

室町時代に関する記述として，最も妥当なのはどれか。

1 鎌倉幕府の管領にかわり，室町幕府では執権が将軍を補佐する中心的な職として，侍所や政所などの統轄や，諸国の守護に将軍の命令を伝達する役割などを担った。

2 幕府の財政は，将軍の直轄領である御料所からの収入のほかに，京都の土倉や酒屋に課した土倉役・酒屋役，関所を設けて徴収した関銭・津料などでまかなわれた。

3 源平の争乱以後の歴史を公家の立場から記した歴史書の『太平記』や，南北朝の動乱を描いた軍記物語の『増鏡』がつくられた。

4 1333年に鎌倉幕府が滅亡すると，光厳天皇は後醍醐天皇を退位させ，翌1334年に年号を建武と改め，天皇自らが政治を行う建武の新政を始めた。

5 日朝貿易は，朝鮮側が倭寇の本拠地とされる対馬を襲撃した元寇(げんこう)によって一時中断されたが，1510年の三浦の乱がおこるまでは活発に行われていた。

解説

1．管領と執権の記述が逆である。源氏の将軍が３代で絶え，北条時政が執権に就任して以降，鎌倉幕府の最高の職は執権となった。室町幕府で鎌倉幕府の執権にあたる幕府の最高責任者が管領である。ただし管領は執権に比べてその権限は弱く，室町幕府の将軍は独裁化を志向する傾向にあった。

2．妥当である。

3．どちらも南北朝文化の作品だが，『太平記』は南北朝の内乱を南朝側に同情的な立場で描いた軍記物語である。『増鏡』は後鳥羽天皇の誕生から後醍醐天皇の京都還幸までの公家側から見た歴史物語である。

4．鎌倉幕府を滅亡させ建武の新政を始めたのは後醍醐天皇である。光厳天皇は，鎌倉時代末期の1331年，倒幕を計画した後醍醐天皇が元弘の変に失敗して隠岐に流された際に，幕府が即位させた持明院統の天皇である。後醍醐天皇は，鎌倉幕府が滅亡すると光厳天皇を廃し，天皇親政である建武の新政を開始した。

5．元寇とは，鎌倉時代の二度にわたる元軍の日本襲来（文永・弘安の役）である。朝鮮が倭寇の本拠地とみなした対馬を軍船で襲ったのは応永の外寇で，対馬の宗氏はこれを撃退し，貿易は再び続けられた。三浦の乱を契機に日朝貿易が衰えたことは正しい。

正答 2

No.78 日本史 豊臣秀吉

警視庁 令和5年度

豊臣（羽柴）秀吉の治績に関する記述として、最も妥当なのはどれか。

1 1582年、本能寺の変を知った豊臣秀吉は、毛利氏と講和して軍を京都へ返し、長篠の戦いで明智光秀を討ちとった。

2 1585年、朝廷から関白に任じられ、翌年には太政大臣に就任し、後陽成天皇から豊臣姓を授けられた。1588年、京都に新築した大坂城に天皇を招いて、諸大名に自らへの忠誠を誓わせた。

3 豊臣秀吉は、全国の戦国大名に停戦を命じ、1587年に九州の北条氏政を降伏させ、1590年に小田原の島津義久を滅ぼした。さらに伊達政宗ら東北の諸大名を屈服させて全国統一を完成させた。

4 1582年以後、全国各地で検地をおこない、一地一作人を原則として土地一区画ごとに耕作者の氏名を検地帳にのせ、土地の生産力を米の量である石高で示した。

5 1588年、刀狩令を出して百姓から武力をうばい、1591年に、武家奉公人が町人・農民の身分になることや百姓が商業や賃仕事に従事することを禁止する惣無事令（そうぶじれい）を出した。

解説

1. 豊臣秀吉が直ちに毛利氏と和睦して軍を引き返したことは正しい。しかし、明智光秀を打ち破った戦いは山崎の戦い（1582年）である。長篠の戦い（1575年）は信長・家康の連合軍が武田勝頼の軍を破った戦いで、信長が鉄砲隊を有効に使って、当時最強の軍隊として知られた武田軍を破った戦いとして戦史上名高い。

2. 秀吉が関白・太政大臣となり、後陽成天皇から豊臣姓を賜ったことは正しい。しかし、秀吉が京都に造り、後陽成天皇を招いた邸宅は、大坂城ではなく聚楽第である。

3. 1587年に服属させたのが九州の島津義久で、1590年に小田原で滅ぼしたのが北条氏政である。小田原包囲の際に伊達政宗をはじめ奥羽地方の各大名を服属させて全国統一を完成した。

4. 妥当である。

5. 1588年に刀狩令を出したことは正しい。しかし、1591年に出した武士が町人・農民になること、農民が商人や日雇いになることを禁じる法令は身分統制令である。惣無事令は、1585年、秀吉が戦国大名に、戦闘の停止と領土紛争は秀吉が裁定することを命じた法令である。

正答 4

警視庁

No. 79 日本史 江戸幕府の政治 令和元年度

江戸幕府に関する記述として，最も妥当なのはどれか。

1 初代将軍家康は，大名を統制するために武家諸法度を制定し，これに従わなかった豊臣秀頼を滅ぼした。

2 3代将軍家光の時代には慶安の変が発生し，これを受けて家光は，末期養子の禁を緩和するなど，武断政治から文治政治への転換を図った。

3 5代将軍綱吉は，勘定吟味役荻原重秀を登用し，財政再建のため貨幣改鋳を行ったが，物価の騰貴を引き起こし，人々の生活を圧迫した。

4 8代将軍吉宗は，困窮した旗本や御家人を救済するために相対済し令を出し，札差などに借金を帳消しにさせた。

5 15代将軍慶喜は，大政奉還で将軍が廃止されたことにより政治の実権こそ失ったが，その後の小御所会議では内大臣に任命され，新政府の立ち上げに尽力した。

解説

1．家康は関ヶ原の戦いに勝って覇権を確立し，秀吉の子秀頼を摂津・河内・和泉3か国の一大名に落とした。しかし，江戸幕府開設後も，秀頼は大坂城によって，秀吉の遺産や遺臣の団結などで独自の勢力を保っていた。そこで，家康は方広寺鐘銘事件を口実に大坂の陣を仕掛け，豊臣氏を滅ぼした。武家諸法度の発布は大坂城の落城直後に行われたもので，秀頼は武家諸法度に従わなかったために滅ぼされたのではない。

2．慶安の変（由井正雪の乱，1651年）は，3代将軍家光が没し，家綱が4代将軍に就任する直前に起こった幕府転覆未遂事件であり，兵学者由井正雪が牢人らとともに幕府転覆を謀ったが未然に鎮圧されたものである。変後，幕府は牢人発生を防ぐ方向に転じ，末期養子が認められ，大名統制策が緩和された。家康～家光の3代は武断政治を行った。武断政治から文治政治への転換が図られるようになったのは，4代将軍徳川家綱の時代からである。

3．妥当である。

4．旗本・御家人の札差からの借金を帳消しにする法令は，松平定信が寛政の改革政策の一つとして行った棄捐令である。吉宗が相対済し令を出したのは正しいが，相対済し令は，裁判の迅速化を目的に，金公事（金銀貸借の訴訟）を受理せずに当時者間で解決させようとする法令である。

5．慶喜は大政奉還によって名を捨てて実を取り，幕府がなくなった後も自ら諸侯会議の核となって徳川家の権力を持続させようとした。しかし，その後の小御所会議で慶喜の辞官納地が決定され，王政復古の大号令が発せられた。これにより徳川家は排除され，実権を失い，天皇を中心とする新政府が樹立された。

正答 3

大卒警察官

No. 80

警視庁

日本史　江戸幕府　平成30年度

江戸幕府に関する記述として，最も妥当なのはどれか。

1　大名は将軍との親疎関係で親藩・譜代・外様に分けられ，これらの大名の配置にあたっては，有力な外様は監視の目的から要所に配置された。

2　幕府の職制は徳川家光の頃までに整備され，政務を統轄する老中，臨時の最高職である大老，老中を補佐し旗本を監督する若年寄などが置かれた。

3　幕府は大名を厳しく統制するため御成敗式目を制定し，大名に国元と江戸とを３年交代で往復させる参勤交代を義務付けた。

4　幕府は公事方御定書を制定して，朝廷統制の基準を明示し，さらに六波羅探題らに朝廷を監視させたほか，摂家に朝廷統制の主導権を持たせた。

5　幕府は寺請制度を設けて宗門改めを実施し，仏教への転宗を強制するなどして，仏教以外の宗教をすべて禁圧した。

解説

1．大名は，徳川家一門の大名を親藩，三河以来の徳川家の家臣であった大名を譜代，関ケ原の戦い以後に徳川家に従った大名を外様として３つに区分し，その配置に当たっては，全国の要地に親藩・譜代大名を置き，外様大名は九州・中国・東北に配置した。

2．妥当である。

3．江戸幕府が大名統制のために制定した法令は武家諸法度である。最初の武家諸法度（元和令）は徳川家康が南禅寺の崇伝に起草させ，２代将軍秀忠の名で公布（1615年）したもので，３代家光のときに改められ（寛永令），それ以後将軍の代替わりごとに少しずつ修正されて発せられた。御成敗式目は鎌倉時代の北条泰時が定めた武家社会のための初めての基本法である。参勤交代は３代将軍家光のときに制度化され，武家諸法度（寛永令）に追加された。大名を在江戸１年，在国１年として，１年ごとに江戸と国許とを往来させる制度である。参勤交代が３年に１回に緩和されるのは幕末になってからである（文久の幕政改革）。

4．江戸幕府が朝廷統制のために定めた法令は禁中並公家諸法度であり，朝廷や公家を監視するために置いた職は京都所司代である。公事方御定書は，享保の改革を行った８代将軍徳川吉宗が編纂させたもので，上巻に刑事・行政関係，下巻に刑法・刑事訴訟法関係の法令を収めた江戸幕府の法典である。六波羅探題は，鎌倉幕府が承久の乱の直後に朝廷の監視と西国御家人の統率のために置いた職で，摂家は藤原北家のうち摂政・関白に就任する５家の総称である。

5．江戸幕府が1612年の禁教令によって禁止したのはキリスト教である。宗門改めはキリシタン探索のために実施され，民衆すべてを寺院の檀家とする寺請制度が実施された。幕府は寺院だけでなく神社も統制と保護の対象とし，神社の神職は諸社禰宜神主法度で統制されるとともに，春日神社や伊勢神宮の神官には高い位が与えられた。

正答　2

大卒警察官

警視庁

No. 81

日本史　江戸時代の政治改革　令和3年度

江戸時代の政治改革に関する記述として，最も妥当なのはどれか。

1　徳川家宣は，生類憐みの令を廃止し，朱子学者の新井白石と側用人の柳沢吉保を信任して，政治の刷新をはかろうとした。

2　徳川吉宗は，側用人による側近政治をやめ，有能な人材を多く登用し，天保の改革と呼ばれる幕政改革を行った。

3　田沼意次は，幕府財政を再建するため，特定の商人に銅座や人参座をつくらせ独占を認め，商人や職人の同業者でつくる株仲間も積極的に公認して運上金や冥加金の増収をはかった。

4　松平定信は，寛政異学の禁を発し，朱子学を異学として，湯島聖堂の学問所で朱子学の講義や研究を禁じる措置を講じた。

5　水野忠邦は，人返しの法を発し江戸・大坂周辺の地を幕府直轄地にして，財政の安定や対外防備の強化をはかろうとしたが，大名や旗本の反対を受けて実現できなかった。

解説

1．5代将軍徳川綱吉の跡を継いだ6代将軍徳川家宣は，綱吉の側用人だった柳沢吉保を退け，新井白石を登用した。家宣の側用人は間部詮房である。新井白石は生類憐みの令を廃止するなど綱吉時代の弊政を改め，正徳の治と呼ばれる文治政治を展開した。

2．8代将軍徳川吉宗が行った改革は享保の改革と呼ばれる。側用人政治を排除したこと，大岡忠相など有能な人材を登用したことは正しい。

3．妥当である。

4．松平定信が寛政異学の禁を行ったのは正しい。しかし，正学としたのが朱子学で，異学としたのは他の儒学諸派である。

5．水野忠邦が人返しの法を発したことは正しいが，その内容は強制的帰農策である。また，江戸・大阪周辺の土地を幕府直轄領にしようとして大名・旗本に反対され失敗したことは正しいが，その法令は上知（地）令である。

正答　3

No. 82 警視庁 日本史 文明開化 平成25年度

文明開化に関する記述として，最も妥当なのはどれか。

1 西洋近代思想が流行し，福沢諭吉の『西国立志編』が新思想の啓蒙書として読まれた。

2 西洋諸国の例にならって暦法を改め，旧暦の太陰暦を廃止して太陰太陽暦を採用した。

3 王政復古による祭政一致の立場から神仏習合を認め，神道を国教とする方針を示した。

4 文部省は国民皆学を理念とし，イギリスの制度にならった統一的な学制が公布された。

5 1872年に東京ではじめて女学校ができ，ついで女子師範学校が設けられた。

解説

1．『西国立志編』（1871年）は中村正直によるサミュエル=スマイルズの『自助論』の全訳で，福沢諭吉の著作ではない。スマイルズの原書は，西洋史上の有名人の伝記を通じて「天ハ自ラ助クルモノヲ助ク」という自立・自助の精神を説いたもので，福沢の『学問のすゝめ』（1872―76年）と並んで当時のベストセラーであった。

2．明治政府は明治５年12月に太陰太陽暦を廃止して太陽暦を採用した。日本で旧暦といっているのは「太陰太陽暦」であり，月の公転周期に基づく太陰暦と，地球の公転周期に基づく太陽暦を併せた暦である。月の満ち欠けによる12朔望月（354日）を太陽暦１年（365日）とするため，太陽暦に比べて11日余り短い。このため，19年間に７回の閏（うるう）月をおいて両者のずれを調節したのが太陰太陽暦である。明治政府は太陰太陽暦の明治５年12月３日を太陽暦による明治６年１月１日とした。またこの時，１日を24時間とする定時法を採用した。

3．明治政府は神道を国教とする方針から「神仏分離令」と呼ばれる一連の法令を出したのであるが，それは神仏習合を認めたのではなく禁止したものである。

4．学制はイギリスではなくフランスの学校制度にならって出された。明治政府が功利主義的な教育観から，男女に等しく学ばせる国民皆学をめざしたことは学制の理念を示した「学事奨励に関する太政官布告」に見られるように事実であるが，学制による制度はあまりに現実とかけ離れていたため，1879（明治12）年，教育令に改められた。

5．妥当である。最初の女学校は1872（明治５）年に大学南校内に設けられた官立女学校で，同年のうちに東京女学校と改称された。女子師範学校の創設は1875（明治８）年である。

正答 5

大卒警察官

No. 83 警視庁

日本史　1880年代前半に実施された政策　平成20年度

次は，1880年代前半に実施された政策に関する記述である。空所（　　）に入る人物は誰か。

西南戦争のために発行された多額の不換紙幣によって激しいインフレが起こり，国家財政は圧迫され，政府は官営工場の払い下げを決めるなど財政整理に着手した。1881年に大蔵卿となった（　　　　）は，増税による歳入の増加と歳出の引き締めを図り，不換紙幣の回収と正貨の蓄積に努めた。翌年には中央銀行として日本銀行を創設し，1885年から兌換銀行券を発行して，銀本位の貨幣制度を整えた。しかし，厳しい財政の引き締めにより物価は著しく下落し，経済は深刻な不況に陥った。米，まゆなどの値下がりによって農村は大きな打撃を受け，増税も加わって多くの自作農が没落して小作農となり，一部は賃金労働者となっていった。没落した自作農の土地は地主に集中し，貧農と地主・高利貸しの対立が深刻化するなど，社会不安を増大させる結果となった。

1　高橋　是清
2　大久保　利通
3　松方　正義
4　渋沢　栄一
5　河野　広中

解説

1. 高橋是清（1854～1936年）は日銀総裁を務めた後，原内閣の大蔵大臣となった。原首相暗殺後の立憲政友会総裁と首相の座を引き継ぎ，第二次護憲運動を起こしたが，二・二六事件で暗殺された。

2. 大久保利通（1830～1878年）は幕末に活躍した元薩摩藩士で，明治維新後は藩閥政府で権力を振るい，暗殺された。

3. 正しい。松方正義（1835～1924年）を中心とする緊縮財政の推進で，資本の原始的蓄積が進行し，資本主義の発達に必要な労働力が農村部で生じた。

4. 渋沢栄一（1840～1931年）は大蔵省で税制や幣制の改革に当たった後，実業界で活躍し，第一国立銀行などを創設した。

5. 河野広中（1849～1923年）は自由党の政治家で，1882年に発生した福島事件の首謀者である。

正答　3

警視庁

No. 84 日本史 自由民権運動 平成21年度

自由民権運動の過程において，政府の弾圧や経済不況によって運動の支持者であった農民が政治的に急進化して蜂起し，その鎮圧のために軍隊まで出動した事件は次のどれか。

1 大津事件
2 松川事件
3 日比谷焼打ち事件
4 生麦事件
5 秩父事件

解説

1．大津事件は，1891年，訪日中のロシア皇太子が滋賀県大津で警備の巡査に斬りつけられ負傷した事件である。この事件で，外務大臣の青木周蔵は辞職し，イギリスと進めてきた条約改正交渉は中止された。

2．松川事件は，1949年，福島県松川駅付近で列車が転覆し，国鉄などの共産党員・組合活動家が逮捕された事件である。その後の裁判で全員無罪となった。ドッジ=ラインによる不況下で起こった事件であり，下山事件，三鷹事件とともに事件の真相はいまもなお不明である。

3．日比谷焼打ち事件は，1905年，ポーツマス条約の調印に反対する国民大会が暴動化し，「講和反対・戦争継続」を叫ぶ民衆が政府高官邸宅，警察署・交番，政府系新聞社などを襲撃した事件である。政府は戒厳令を敷いて，軍隊によって鎮圧した。

4．生麦事件は，1862年，神奈川宿近くの生麦で，江戸から帰る途中の島津久光の行列の前を横切ったイギリス人を薩摩藩士が斬った事件である。

5．正しい。秩父事件は，1884年，埼玉県秩父地方で起きた，自由民権運動における激化事件の一つである。秩父地方は，養蚕・生糸生産を主産業とする地域で，松方デフレの影響をもろに受けた。負債を抱えた農民は秩父困民党を結成して負債減免運動を展開したが，ついに，一部農民は武装蜂起に立ち上がった。政府は軍隊を派遣して暴動を鎮圧した。

正答 5

大卒警察官

No. 85 7月型

日本史 明治〜大正の出来事 平成17年度

次の a 〜 d の時期に当てはまるものの組合せとして，正しいものはどれか。

a	b	c	d
1881〜1900年	1901〜1920年	1921〜1940年	1941〜1960年
日清戦争	日露戦争	普通選挙法	日ソ共同宣言

A　治安維持法
B　下関条約
C　国際連合加盟
D　日比谷焼打ち事件

	a	b	c	d
1	A	D	B	C
2	B	C	A	D
3	B	D	A	C
4	D	B	C	A
5	D	C	B	A

解説

a：B の下関条約が当てはまる。下関条約は1895年に締結された日清戦争の講和条約である。
b：D の日比谷焼打ち事件が当てはまる。日比谷焼打ち事件は1905年，日露戦争の講和条約であるポーツマス条約で日本がロシアから賠償金を得られなかったことを不満とした民衆が東京・日比谷で暴徒化して起こした焼打ち事件である。
c：A の治安維持法が当てはまる。治安維持法は1925年に加藤高明内閣で成立した，社会運動取締法である。
d：C の国際連合加盟が当てはまる。1956年の日ソ共同宣言によって，日本の国際連合加盟が実現した。

以上より，正答は**3**である。

正答　3

5月型

No.86 日本史 二・二六事件以降の出来事 平成27年度

二・二六事件以降の出来事について述べた次の記述のうち，妥当なのはどれか。

1 盧溝橋事件を契機に始まった日中戦争は長期化し，第一次近衛内閣は国家総動員法を制定し戦時体制を確立した。

2 普通選挙を求める第二次護憲運動の結果成立した護憲三派内閣（加藤高明内閣）の下で，普通選挙法と治安維持法が成立した。

3 幣原喜重郎は，加藤高明，若槻礼次郎，浜口雄幸内閣の下で外相を務め，イギリス・アメリカとの協調，中国に対する内政不干渉と商業的進出を唱え，ワシントン体制に適応しつつ外交を進めたが，軍部・右翼などからは軟弱外交として非難された。

4 関東軍が柳条湖で満州鉄道の線路を爆破し，これを中国側のしわざであるとして軍事行動を起こし，満州事変が勃発した。

5 満州軍閥の張作霖が，関東軍参謀河本大佐らの陰謀により列車を爆破され殺害される張作霖爆殺事件が起きた。

解説

1．正しい。二・二六事件は1936年。日中戦争は1937年の盧溝橋事件を契機に始まり，翌年，国家総動員法が制定された。

2．普通選挙法と治安維持法の成立は1925年。普通選挙法によって，25歳以上の男子に納税額にかかわりなく選挙権が与えられた。20歳以上の男女全員に選挙権が与えられるのは1945年である。

3．幣原喜重郎の協調外交は，田中義一内閣の下での積極外交の２年間（1927〜29年）を除く大正末から昭和初期にかけて（1924〜27，29〜31年）行われた。二・二六事件以前のことである。

4．満州事変の勃発は1931年。以後，国際連盟脱退，日中戦争，太平洋戦争と続く15年戦争の端緒となった事件である。

5．張作霖爆殺事件は1928年。田中義一内閣はこの事件を満州某重大事件として真相を国民に隠そうとしたが，昭和天皇の信頼を失い退陣した。その後，浜口雄幸内閣の下で再び幣原が協調外交を行った。しかし，浜口内閣の経済政策が失敗し不況が深刻化すると，軍を中心に中国権益の拡大で恐慌を脱しようという声が高まり，幣原協調外交への批判も強まった。

正答 1

大卒警察官

No. 87 5月型

日本史 第二次大戦後の改革 平成24年度

第二次世界大戦後に行われた改革に関する次の記述のうち，妥当なものの組合せはどれか。

ア　学校教育法の制定により，小学校・中学校・高校の教科書は検定制となった。

イ　農地改革が行われ，小作地はすべて政府によって強制的に買い上げられた結果，寄生地主制は解体した。

ウ　神仏分離令が出され，政府による神社・神道への支援・監督が禁止され，国家神道は解体した。

エ　猛烈なインフレーションに対して，政府は金融緊急措置令によって貨幣流通量を減らして物価上昇を抑えようとした。

オ　政府は，資材と資金を日常生活物資の生産に優先的に割り当てる傾斜生産方式によって経済を安定させようとした。

1　ア，イ
2　ア，ウ
3　ア，エ
4　ウ，エ
5　エ，オ

解説

ア：正しい。

イ：小作地の政府による強制的買上げはすべての小作地に及ぶものではなく，不在地主の場合は全貸付地を，在村地主の場合は，貸付地のうち一定面積を超える分（都府県平均1町歩，北海道は4町歩）を政府が買い上げ，小作人に優先的に売り渡された。

ウ：神仏分離令ではなく神道指令（国家と神道との分離指令）である。神仏分離令は1868（明治元）年に出されたもので，神仏習合を禁じて神道を国教とする方針を打ち出した法令。

エ：正しい。

オ：傾斜生産方式は，資材と資金を石炭・鉄鋼などの重要産業部門に優先的に供給して経済を復興させようとする政策で，1947年，第一次吉田内閣で閣議決定された。

以上よりアとエが正しいので，正答は**3**である。

正答　3

大卒警察官

No.88 警視庁

日本史　GHQの対日占領政策　平成22年度

連合国軍最高司令官総司令部（GHQ）がマッカーサー最高司令官の下で行った第二次世界大戦終戦直後の日本に対する占領政策に関する記述として，妥当なものはどれか。

1　GHQ は，米英仏ソの 4 か国連合国軍の混成組織であり，内部の極東委員会で調整した占領政策を最高司令官が執行した。

2　GHQ は，日本政府に対する指令・勧告を行い，それに基づいて日本政府が政治を行うという間接統治の方法を採用した。

3　GHQ は，国内治安維持のために，戦前の警察組織を忌避して，新たに占領軍の指揮下で活動する警察予備隊を編成した。

4　GHQ は，戦争犯罪人，陸海軍軍人などの戦前の指導者を公職から追放するとともに，共産党員を排除する措置を採った。

5　GHQ は，ポツダム勅令によって天皇の神格を明示的に否定した上で，新憲法においてあらためて象徴天皇制を創設した。

解説

1．GHQ は，事実上アメリカの単独組織である。また，極東委員会は GHQ の内部組織ではなく，ワシントンに設けられた，連合国11か国（後に13か国）による対日占領政策を決定する最高機関である。

2．正しい。

3．警察予備隊は，1950年，朝鮮戦争の勃発をきっかけに，在日アメリカ軍が動員されて空白となった国内の治安維持を名目に GHQ の指令で設けられたものである。

4．1946年 1 月 4 日に GHQ が出した覚書（いわゆる公職追放令）では，追放の対象は，戦争犯罪人，職業軍人，超国家主義者など「好ましからざる」政治指導者・軍国主義者らである。当時，共産党員は GHQ によって獄中から解放され，日本共産党が合法政党として再建されたばかりであった（1945年10月）。共産党員が公職から排除されるのは，朝鮮戦争の勃発による「レッドパージ」である。

5．1946年 1 月 1 日のいわゆる「天皇の人間宣言」であるが，これはポツダム勅令ではなく，天皇の詔書として発表された。ポツダム勅令（ポツダム緊急勅令）とは，日本政府が GHQ の指令に基づいて，法律の制定を待たずに勅令として発する命令のことをいう。

正答　2

政治
経済
社会
日本史
世界史
地理
思想
文学・芸術
国語

大卒警察官

No. 89 5月型

日本史 第二次世界大戦後の日本 平成21年度

20世紀半ばのわが国に関する次のア～ウの記述について，正誤の組合せとして妥当なものはどれか。

ア　GHQ の寄生地主制解体の要求を受けて，日本政府は自主的に自作農創設特別措置法を制定して，すべての地主の貸付地を買い上げて小作人に安く売り渡す農地改革を実施した。

イ　1955年に，左・右社会党が合わせて改憲阻止に必要な３分の１の議席を確保したのを受けて，日本自由党と日本進歩党は合同して自由民主党を結成した。これにより，保革対立のもとでの保守一党優位の55年体制が成立した。

ウ　1955年から20年近くの間，日本経済は年平均10％を超える成長を続けたが，60年代後半になって公害問題が深刻になったので公害対策基本法を制定し，次いで環境庁を設置した。

	ア	イ	ウ
1	正	正	誤
2	誤	正	誤
3	誤	誤	正
4	誤	正	正
5	正	誤	正

解説

ア：誤り。日本政府は第一次農地改革を自主的に決定したが地主制の解体が不十分だったため，GHQ の勧告で自作農創設特別措置法に基づく第二次農地改革を実施した。特別措置法では，不在地主の貸付地はすべて買い上げられたが，在村地主の貸付地については一定面積を超えるぶん（都府県平均で１町歩，北海道は４町歩）が買い上げられ，小作人に優先して安く売り渡された。

イ：誤り。日本自由党と日本進歩党ではなく自由党と日本民主党である。1955年２月の総選挙で左派・右派社会党は，両派合わせて156議席（全議席は467）を獲得した。これは，保守政党が分裂している状態では，合同すれば政権獲得も可能な数字であった。同年10月，左・右両派が合同したのを受けて，財界では保守政党の分裂状態を回避して安定的な政治体制を構築しようとの動きが強まり，11月に自由党と日本民主党が合同（保守合同）して自由民主党が結成され，鳩山一郎が初代総裁となった。

ウ：正しい。

よって，正答は**3**である。

正答　3

大卒警察官

No. 90 警視庁

世界史 古代ギリシアのペリクレス 平成28年度

古代ギリシアのペリクレスに関する記述として，最も妥当なのはどれか。

1 貧富差の拡大を巡る抗争を調停するために，財産に応じて全市民を4級にわけ，各級の権利と義務を定めるなどの改革を行った。

2 民衆の支持を得て非合法に政権をにぎり，独裁政治を行う僭主となり，中小農民を保護し，悲喜劇の上演などの文化の発展に寄与した。

3 部族制度を改革して国政全般の仕組みをととのえ，さらに僭主の出現を防止するため陶片追放（オストラキスモス）の制度を創設した。

4 アケメネス朝ペルシアとの戦いにおいてギリシア艦隊を指揮し，サラミスの海戦でペルシア軍を撃破した。

5 デロス同盟の指導権をにぎって「アテネ帝国」とも言われる体制をつくりあげ，また市民が主導権をにぎって政治を行う民主政を完成させた。

解説

1．前6世紀初めのアテネで，アルコン（執政官）に選ばれたソロンが行ったソロンの改革についての記述である。

2．前6世紀中頃のアテネに現れて，典型的な僭主政を行ったとされるペイシストラトスについての記述である。

3．前6世紀末のアテネで，陶片（オストラコン）に危険人物の名を書いて投票させ，6,000票集まった時点での最多得票者を10年間国外追放する陶片追放の制度等，アテネの民主政の基礎を築いたクレイステネスについての記述である。

4．前5世紀の第3回ペルシア戦争で活躍したテミストクレスについての記述である。

5．正しい。

正答 5

大卒警察官

No. 91 警視庁

世界史 南北アメリカ文明 平成23年度

南北アメリカ文明に関する記述として，妥当なのはどれか。

1 テオティワカン文明は，「太陽のピラミッド」をはじめ，大小の神殿を建築して栄えたが，1521年にスペイン人のピサロによって征服された。

2 15世紀後半にエクアドルからチリにかけて成立したマヤ文明は，マチュ=ピチュの遺跡が示すように，石造建築にすぐれていた。

3 メキシコ高原に進出したアステカ人は，14世紀に王国を築いて神官を中心とする神権政治を行い，ピラミッド型の神殿を建築し，絵文字を使用した。

4 ユカタン半島では，4世紀ころから9世紀にかけてインカの都市国家が栄え，二十進法による数の表記法，精密な暦法，絵文字などを持つ独自の文明を発達させた。

5 アメリカ古文明に共通した特徴としては，独自の絵文字の使用，太陽神の信仰，鉄器や車輪を用いた運搬用具を利用した大規模な土木建築などがある。

解説

1. テオティワカン文明は，前2世紀から後6世紀にかけてメキシコ高原に栄えた都市文明で，「太陽のピラミッド」と呼ばれる神殿とその周りの石造建築物で知られているが，8世紀の半ば頃に突然衰退して，廃墟となった。その原因は不明である。したがって，1521年のピサロによる征服とは関係がない。なお，1521年は，コルテスがアステカ王国を滅ぼした年である。ピサロは1533年にインカ帝国を滅ぼした。いずれもスペイン人征服者（コンキスタドレス）である。

2. マヤ文明ではなくインカ文明（帝国）である。インカ帝国は，1200年頃からインカ族（インカとは「太陽の子」という意味）がアンデス高原一帯に建てた帝国であり，15世紀にはエクアドルからチリに至る広大な領域を支配した。マチュ=ピチュは首都クスコの北方，標高2,500mに建てられたインカ文明の高さを象徴する石造都市で，1911年，イェール大学のハイラム=ビンガム（1875～1956年）が組織したペルー探検隊によって発見された。なお，マヤ文明は，4世紀から9世紀にかけてユカタン半島に成立した文明である。

3. 正しい。

4. インカ文明ではなくマヤ文明についての記述である。ユカタン半島では4世紀から9世紀にかけて，半島各地に都市国家が成立し，二十進法や暦法，絵文字（マヤ文字）などを持つ文明を発達させた。10～13世紀が最盛期で，16世紀にスペイン人によって滅ぼされた。

5. 南北アメリカに発達したアメリカ古文明は，金，銀，青銅（南アメリカのみ）は持っていたが，鉄器はなく，運搬用具として車輪は使用されていなかった。

正答 3

大卒警察官

No. 92　5月型

世界史　十字軍の影響　平成18年度

十字軍の影響に関する次の記述のうち，妥当なものはどれか。

1　十字軍遠征当初はローマ教皇の権力は絶頂期を迎えていたが，その後，教皇の権力は衰退していった。

2　十字軍遠征に従軍した騎士階級が活躍し，この遠征によって騎士階級の勢力が拡大した。

3　十字軍遠征によってイスラームと戦うようになった結果，北イタリアの諸都市は東方貿易で打撃を受けることになった。

4　十字軍遠征を指揮した国王たちはイスラーム勢力を破ることができず，その権威が低下した。

5　十字軍遠征によってヨーロッパとビザンツ帝国やイスラーム世界との文化的な交流がとだえることになった。

解説

1．正しい。十字軍遠征を提唱したのはローマ教皇ウルバヌス２世であったが，最終的に遠征は失敗し，教皇の権力は衰退することになった。

2．十字軍の結果，封建諸侯・騎士は没落していった。

3．十字軍遠征で輸送を担った北イタリアの諸都市は地中海での貿易を拡大させ東方貿易も行い，繁栄するようになった。

4．十字軍遠征を指揮した国王たちは，ローマ教皇の権威が揺らいだのとは反対に，その権威を拡大させることとなった。

5．十字軍遠征によって，人と物の移動が活発になるにつれ，当時先進文化圏であったビザンツ帝国やイスラーム世界からの文物もヨーロッパに流入するようになった。

正答　1

大卒警察官

No. 93 警視庁

世界史　初期のイスラーム　令和4年度

初期のイスラームに関する記述として，最も妥当なのはどれか。

1　ムハンマドは神の啓示を受け預言者であることを自覚し，これまで崇拝されていた多神教にかわり，厳格な一神教で偶像を崇拝するイスラーム教を説いた。

2　当初ムハンマドはメディナで布教をしていたが，有力者たちがムハンマドを迫害したことから，622年にメッカに移住した。

3　イスラーム教の教義の中心は神への絶対的服従であり，正しい信仰は行為によって実践されるべきものと考えられ，六信五行が義務とされた。

4　正統カリフとは，ムハンマドの死後にウンマの合意を得て就任した，アブー＝バクルからムアーウィヤまでのカリフを指す。

5　ウマイヤ朝の国家財政の基礎は，征服地の先住民に課せられたジズヤと呼ばれる地租と，ハラージュと呼ばれる人頭税であった。

解説

1．ムハンマドが，神の啓示を受けた預言者であるとの信念から，アッラーを唯一神とする一神教のイスラーム教を創始し，多神教を排撃したことは正しい。しかし，偶像崇拝については禁止している。

2．ムハンマドはメッカの商人だったが，メッカの商業貴族の迫害を受け，622年にメディナに移住した。

3．妥当である。

4．正統カリフとは，ムハンマドの死後，ムスリムの選挙によって選ばれたアブー＝バクルからアリーまでの4代のカリフをさす。ムアーウィヤはメッカの商業貴族ウマイヤ家の出身のシリア総督で，敵対していたアリーが暗殺された後にウマイヤ朝を開き，カリフ位の世襲に道を開いたウマイヤ朝初代カリフである。

5．ウマイヤ朝が被征服民に課税したことは正しいが，ジズヤが人頭税で，ハラージュが地租である。

正答　3

大卒警察官

No. 94 警視庁

世界史 ヨーロッパの中世 令和2年度

ヨーロッパの中世に関する記述として，最も妥当なのはどれか。

1 セルジューク朝の支配下に置かれたイェルサレムに対して，ウルバヌス2世はクレルモン宗教会議の招集後の1096年に第4回十字軍を派遣し，聖地の奪還後にラテン帝国をたてた。

2 北イタリアの諸都市は，12世紀に神聖ローマ皇帝のイタリア政策に対抗するためにロンバルディア同盟を結び，北ドイツの諸都市はハンザ同盟を結成して，君侯と並ぶ政治勢力となった。

3 14世紀にヨーロッパ全域に流行した黒死病による人口激減と，寒冷化による凶作や飢饉が続いたため，その対策としてイギリスでは農奴制を強化して労働力の確保に努めた。

4 イタリアの王ヘンリ2世は戦争に敗れてフランスの領地の大半を失い，さらに財政難を理由に重税を課したため，貴族は結束して王に反抗し，1215年に大憲章を王に認めさせた。

5 ドイツでは優先されていたイタリア政策の方針を改めると，帝国の統一を最重要課題にするようになり，1273年にシュタウフェン朝が中心となって「大空位時代」を終結させた。

解説

1. 十字軍派遣の直接的契機は，11世紀後半にイスラーム系のセルジューク朝がキリスト教の聖地イェルサレムを占領してビザンツ帝国を脅かし，ビザンツ帝国がローマ教皇に援軍を求めたことによる。教皇ウルバヌス2世はクレルモン宗教会議で聖地回復のための十字軍派遣を提唱して1096年に第1回十字軍を派遣し，以後約200年の間に7回の十字軍が行われた。よって，ウルバヌス2世が1096年に派遣した十字軍は，第1回の初めての十字軍で，彼らはセルジューク朝のイスラーム軍を破り，イェルサレム王国などのキリスト教国を地中海東岸に建設した。第4回十字軍を呼びかけたのは教皇インノケンティウス3世で，第4回十字軍はヴェネチア商人に操られてイェルサレムではなくコンスタンティノープルを占領し，一時ビザンツ帝国を倒してラテン帝国を樹立した。

2. 妥当である。

3. イギリスでは，人口激減等の対策として，領主層が農民の待遇を改善し，経済的に向上した農民の多くが領主に解放金を支払い，農奴身分から解放されて独立自営農民となった。

4. ヘンリ2世は，プランタジネット朝を創始したイギリス国王（在位1154～89年）で，フランスの西半分も領有し，英仏にまたがる勢力を持った。フランスにある領地の大半を失い，不当な課税を要求するなどして大憲章（マグナ＝カルタ）を承認させられたのは，プランタジネット朝第3代のジョン王である。

5. ドイツは封建諸侯の勢力が強い国だったが，神聖ローマ皇帝（ドイツ国王）位を継承したシュタウフェン朝（1138～1208年，1215～54年）はイタリア政策（イタリアの経営）に傾注して本国の政治を軽視する王が多く，封建諸侯はますます独立性を強め，シュタウフェン朝滅亡後は，皇帝が実質的に存在しない大空位時代（1256～73年）となった。大空位時代は，ハプスブルク家のルドルフ1世が皇帝に選出されて終了した。

正答 2

大卒警察官

No. 95 5月型

世界史 ルネサンス期の西ヨーロッパ文化 平成24年度

次の文章は中世からルネサンス期の西ヨーロッパ文化について述べたものであるが，文中の空欄A～Eに入る用語の組合せとして正しいのはどれか。

西ヨーロッパ中世文化はキリスト教文化である。学問の中心は神学でありスコラ哲学として発展し，『神学大全』を書いた（　A　）によって集大成された。中世の教育機関も教会や修道院の付属施設であったが，しだいに各地に大学も生まれ，（　B　）大学やオックスフォード大学は神学で有名であった。14世紀になると，地中海交易で栄えたイタリアに，キリスト教以前のギリシャ・ローマの古典文化に学ぼうとする人文主義運動が始まり，詩人（　C　）はラテン語ではなくイタリアのトスカナ語で『神曲』を著した。また，美術でも写実的なルネサンス絵画が始まり，フィレンツェの（　D　）などのパトロンの援助を受けて，多くの芸術家が活躍した。なかでも（　E　）は，「万能人」として美術だけでなく建築，科学，医学などさまざまな分野で活躍した。

	A	B	C	D	E
1	トマス=アクィナス	パリ	ダンテ	メディチ家	レオナルド=ダ=ヴィンチ
2	アルクイン	サレルノ	ボッカチオ	フッガー家	ミケランジェロ
3	アルクイン	ボローニャ	チョーサー	メディチ家	ラファエロ
4	トマス=アクィナス	ボローニャ	ボッカチオ	ヴィスコンティ家	レオナルド=ダ=ヴィンチ
5	トマス=アクィナス	パリ	ダンテ	フッガー家	ミケランジェロ

解説

A：トマス=アクィナスである。トマス=アクィナス（1225?～74年）はドミニコ修道会士。スコラ哲学の完成者。『神学大全』はその主要著書。アルクイン（735頃～804年）はイングランド生まれ，カール大帝に招かれ，フランク王国の文化的発展に貢献した。

B：パリ大学である。12世紀半ばにパリの教師・学生の組合として設立された。1259年にソルボンヌに神学部が設置され，スコラ哲学の中心となった。ボローニャ大学はヨーロッパ最古の大学。法学で有名で，ローマ法復興の拠点となった。サレルノ大学はアラビア医学の影響を受けた医学校として有名。

C：ダンテである。ダンテ（1265～1321年）はフィレンツェの貴族の家に生まれ，1302年に政争に敗れて追放されラヴェンナで亡くなった。追放の間，各地の領主の保護を受けながら『神曲』などの著作を行った。『神曲』はトスカナ地方の口語で書かれており，イタリア国民文学の始まりとなった。ボッカチオ（1313～75年）はフィレンツェ商人の家に生まれた。『デカメロン』の作者であり，晩年はギリシャ語古典の研究に打ち込んだ。チョーサー（1340頃～1400年）はイギリスの詩人。『カンタベリー物語』の著者である。

D：メディチ家である。メディチ家はフィレンツェの大金融業者。ジョヴァンニ・ディ・ビッチ（1360～1429年）が教皇庁の金庫番として巨富を得，政界に進出した。その子コジモ（1389～1464年），曽孫のロレンツォ（1449～92年）の３代が最盛期で，フィレンツェの市政を支配し，学芸を保護するなど，同市をルネサンスの中心地たらしめた。フッガー家は南ドイツのアウグスブルクの金融資本家。ヴィスコンティ家はミラノの貴族。芸術や学芸の保護者（パトロン）である。

E：レオナルド=ダ=ヴィンチである。ダ=ヴィンチ（1452～1519年）は，フィレンツェ郊外のヴィンチ村に生まれ，絵画，彫刻，解剖学，建築など多方面の分野で活躍し，「万能の天才」とよばれた。絵画では，「モナ=リザ」「最後の晩餐」が代表作である。ミケランジェロ（1475～1564年）はメディチ家やローマ教皇に仕えた彫刻家・画家で，「ダヴィデ」像やシスティナ礼拝堂の天井画である「天地創造」で知られている。ラファエロ（1483～1520年）はダ=ヴィンチやミケランジェロの影響を受け，教皇庁の宮廷画家として活躍した。

よって，正答は**1**である。

正答　1

大卒警察官

No. 96 警視庁

世界史 ロゼッタ・ストーンに関連する言葉 平成29年度

ロゼッタ・ストーンに関連する言葉の組合せとして，最も妥当なのはどれか。

1 ナポレオン，エジプト，シャンポリオン，神聖文字
2 ナポレオン，エジプト，ヴェントリス，線文字B
3 ナポレオン，メソポタミア，シャンポリオン，神聖文字
4 カエサル，エジプト，シャンポリオン，線文字B
5 カエサル，メソポタミア，ヴェントリス，神聖文字

解説

1．正しい。ロゼッタ・ストーンは，18世紀末のナポレオンのエジプト遠征の際に発見され，神聖文字（ヒエログリフ）解読のカギとなった石碑である。神聖文字・民用文字・ギリシア文字の３書体で刻まれていたため，ギリシア文字から神聖文字を解読する重要な手掛かりとなり，後にフランスのシャンポリオンが神聖文字の解読に成功した。

2．ヴェントリスはミケーネ文明の線文字Bを解読した20世紀前期のイギリスの建築家である。

3．古代メソポタミアの楔形文字解読の功労者は，19世紀のイギリスのローリンソンである。

4，**5**．カエサルは古代ローマの政治家である。ガリア遠征の記録である『ガリア戦記』やユリウス暦の採用でも知られる。

正答 1

政治 経済 社会 日本史 世界史 地理 思想 文学・芸術 国語

大卒警察官

No. 97 警視庁

世界史　大航海時代　平成22年度

次の大航海時代の出来事を年代順に並べたとき，４番目に来るものはどれか。

1　マゼラン一行が世界周航に出発
2　バルトロメウ・ディアスが喜望峰に到達
3　ヴァスコ・ダ・ガマがカリカットに到達
4　エンリケ航海王子の北アフリカ探検
5　コロンブスがサンサルバドル島に到達

解説

1．1519年である。マゼランはスペイン王カルロス１世（神聖ローマ皇帝カール５世）の援助により，５隻の船と280人の乗組員でスペインを出発した。1521年にフィリピンに到達したが，マゼランはその地で殺された。しかし，残った１隻の船と18人の乗組員が1522年にスペインに帰着した。

2．1488年である。バルトロメウ=ディアスは，ポルトガル王ジョアン２世の命により西アフリカ探検の航海途中，暴風にあって，知らずにアフリカ南端を迂回して大陸の東側にまで流されてしまった。このアフリカ南端をジョアン２世は，インドへの航海路が開かれる兆しとして「喜望峰」と命名した。

3．1498年である。1497年，リスボンを出発して，アフリカ東海岸のマリンディに到達したガマは，そこでイスラム教徒の水先案内人を雇い入れ，インド洋を横断して，1498年，西インドのカリカットに到達した。

4．1415年である。1415年，エンリケ航海王子は父ジョアン１世とともに北アフリカのセウタを攻略し占領した。このことはポルトガルにとってはレコンキスタの延長であったが，同時に大航海時代の幕開けとなる出来事であった。ポルトガルの航海者は，1419年にマデイラ諸島，1427年にアゾレス諸島を発見し，1445年にヴェルディ岬にまで到達し，エンリケが亡くなる1460年にはシエラレオネにまで達した。

5．1492年である。コロンブスはスペイン女王イサベラの援助により，西回りによるインド航路の開発に向かったが，1492年，現在のサンサルバドル島に到達した。

よって，**4→2→5→3→1**の順となり，正答は**3**である。

正答　3

No. 98 警視庁 世界史 イギリス革命と立憲政治の成立過程 平成27年度

イギリス革命と立憲政治の成立過程に関する記述として，最も妥当なのはどれか。

1 王権神授説を唱えていたジェームズ１世に対し，議会は貴族と結んで，議会の同意なしに課税しないことなどを内容とする大憲章を認めさせた。

2 国王の専制政治を国民の歴史的な権利に基づいて批判した権利の請願によって，内閣が国民にではなく，議会に対して責任を負う責任内閣制度が成立した。

3 クロムウェルは，独立派を議会から追放し，ピューリタンを弾圧する一方で国王を処刑して共和政をうちたてたが，議会王党派によって追放された。

4 王政復古後の議会は，王権と国教徒を擁護するホイッグ党と，議会の権利を守ろうとするトーリー党という二大政党によって支配された。

5 議会に招かれたオランダ総督ウィレム夫妻は，議会のみが立法権を持つことを明記した権利の宣言を承認し，共同で王位に就き，権利の章典を発布した。

解説

1．ジェームズ１世が王権神授説を唱えていたことは正しい。しかし，大憲章は，13世紀に不当な課税を行うジョン王に対し封建貴族が一致して認めさせたマグナ=カルタのこと。ジェームズ１世に対しては，議会は1621年に大抗議を決議し，立法権などの国政権を主張した。

2．「権利の請願」は，1628年に議会がジェームズ１世の息子，チャールズ１世に提出したもので，国民の基本的権利と議会の権能を要求したもの。責任内閣制度は，名誉革命以降の18世紀前半に，ホイッグ党議員のウォルポールが政治の実権を握り，責任内閣制を明確にし，いわゆる「国王は君臨すれども統治せず」という政体が確立された。

3．クロムウェルは熱心なピューリタンで，また，議会内の独立派。彼は，王党軍撃破後，国王と妥協を図ろうとする長老派を議会から排除し，国王チャールズ１世を処刑して共和政を樹立した。これが清教徒革命である。クロムウェルは共和国内の過激派・王党派の左右からの抵抗を鎮圧し，航海法の発布，英蘭戦争での勝利を経て，議会を解散させ，1653年に終身の護国卿となって厳格なピューリタニズムを実施した。そして，軍事的独裁によって革命の成果を守るための秩序の回復に努めた。

4．ホイッグ党はブルジョワ的市民階級が支持していた。新教徒を擁護し議会主義を主張した。トーリー党は貴族を中心に保守的地主が支持していた。国教徒以外のピューリタンを排斥したが，カトリック教徒に対しては寛大だった。

5．正しい。夫妻を国王に迎えるときにジェームズ２世はフランスに亡命し，無血革命が成功した。これが名誉革命である。

正答 5

政治
経済
社会
日本史
世界史
地理
思想
文学・芸術
国語

大卒警察官
No. 99
警視庁

世界史　隋と唐　令和5年度

隋および唐に関する記述として、最も妥当なのはどれか。

1　隋が、煬帝の相次ぐ土木事業や外征に対する不満から民衆の反乱に倒れると、李淵が南匈奴と結んで618年に唐を建て、２代皇帝の太宗（李世民）の時代には中国国内を再統一した。

2　太宗は、チベットの吐蕃と和親して、中央ユーラシアへ勢力を伸ばし、続く高宗の時代には朝鮮半島へも進出したが、白村江の戦いで日本軍に敗れた。

3　唐の政治制度は、隋の制度を受け継ぎ、律・令・格・式からなる法制を完成させ、中央に内閣大学士と御史台からなる中央官制を整え、地方には州県制をしいた。

4　唐は、戸籍を整備して、成年男性に土地を均等に支給し（均田制）、租税・労役（租庸調制）と兵役（府兵制）を課すという、土地制度・税制・兵制が一体となった制度をしいた。

5　国際色豊かな政治・経済の中心となった唐の首都洛陽には、トルコ系やイラン系の人々が多数移住し、諸外国から訪れる外交使節や、ソグド商人・ウイグル商人が活発に往来した。

解説

1．李淵が唐を建国したことは正しいが、南匈奴と結んではいない。それ以外の記述は正しい。

2．白村江の戦いにおいて、唐と新羅の連合軍は百済復興軍と日本軍に大勝している。それ以外の記述は正しい。

3．唐の中央官制は三省・六部・一台・九寺・五監の体制がとられ、そのうち一台に当たるのが官吏観察機関である御史台である。内閣大学士は明の永楽帝の時代に設置された皇帝の顧問である。それ以外の記述は正しい。

4．妥当である。

5．唐の首都は長安である。それ以外の記述は正しい。

正答　4

No. 100 警視庁 世界史 明の社会と文化 平成25年度

明の社会と文化に関する記述中の，空所A～Cに当てはまる語句の組合せとして，最も妥当なのはどれか。

日本でキリスト教普及の基礎を築いたイエズス会宣教師の（　A　）は中国布教をめざしたが実現しなかった。その後（　B　）らが16世紀末に中国に入って布教をおこなった。（　B　）が作製した（　C　）は中国に新しい地理知識を広めた。

	A	B	C
1	フランシスコ=ザビエル	マテオ=リッチ	『坤輿万国全図』
2	フランシスコ=ザビエル	マルコ=ポーロ	『皇輿全覧図』
3	マテオ=リッチ	マルコ=ポーロ	『坤輿万国全図』
4	マテオ=リッチ	フランシスコ=ザビエル	『坤輿万国全図』
5	マルコ=ポーロ	フランシスコ=ザビエル	『皇輿全覧図』

解説

A：「フランシスコ=ザビエル」（1507～52年）が当てはまる。イエズス会創設者の一人で，1549年に日本に初めてキリスト教をもたらした。1551年，日本からインドへ戻ったうえ，再び中国へ赴いたが，1552年，広東付近の上川島（じょうせんとう）で中国入国を待つうちに熱病に倒れた。なお，マルコ=ポーロ（1254～1324年）はヴェネツィア生まれの商人で旅行家。父や叔父とともに陸路中国に入り，元に仕えた。その時の見聞録が『世界の記述（東方見聞録）』で，初めてアジアの事情をヨーロッパに伝えたといわれる。

B：「マテオ=リッチ」（1552～1610年）が当てはまる。イエズス会のイタリア人宣教師で，マカオを経由して1601年に北京に入り，翌年，中国で最初の教会を建立して布教を行った。リッチは中国の伝統文化を受け入れ，中国語を習得するだけでなく，服装も中国風に装って知識人の信用を獲得し，徐光啓などをキリスト教に改宗した。

C：「『坤輿（こんよ）万国全図』」が当てはまる。『坤輿万国全図』はマテオ=リッチが李之藻の協力を得て刊行した中国で最初の世界地図である。『皇輿（こうよ）全覧図』は，清の康熙帝の命により，フランス人のイエズス会宣教師ブーヴェ（1656～1730年）がレジス（1663～1738年）らとともに実地測量して1717年に完成した中国全土の地図である。

よって，正答は**1**である。

正答　1

大卒警察官

No. 101 5月型

世界史　19世紀に東アジアで起きた事件　平成24年度

19世紀に東アジアで起こった事件に関する次の記述のうち，妥当なものの組合せはどれか。

A　キリスト教の影響を受けた洪秀全が上帝会という秘密結社を組織して，「滅満興漢」をスローガンに蜂起した事件。

B　儒教・仏教・道教を融合した東学の地方幹部だった全琫準を指導者として農民が蜂起した事件。

C　中国で，反キリスト教をかかげる排外的な結社が「扶清滅洋」をスローガンに蜂起し，北京の外国公使館地域を占拠した事件。

	A	B	C
1	甲午農民戦争	義和団事件	太平天国の乱
2	義和団事件	甲午農民戦争	白蓮教徒の乱
3	白蓮教徒の乱	甲午農民戦争	太平天国の乱
4	太平天国の乱	白蓮教徒の乱	義和団事件
5	太平天国の乱	甲午農民戦争	義和団事件

解説

A：太平天国の乱（1851～64年）である。洪秀全（1813～64年）は広東省の出身。科挙に失敗した後，キリスト教の影響を受けて，自らをキリストの弟と称して上帝会を組織して多くの信者を集めた。1851年，「滅満興漢」をスローガンに蜂起し，太平天国と号として自らを天王と称した。1853年，南京を陥れて，ここを天京（てんけい）と定めて首都としたが，その後，内部分裂と，清朝官僚の曾国藩，李鴻章が組織した郷勇や外国人が指揮する中国人軍隊の常勝軍などによって鎮圧され，1864年滅亡した。

B：甲午農民戦争（東学党の乱，1894年）である。東学の地方指導者であった全琫準（1854～95年）らが，地方役人の不正を糾弾して蜂起し，全州を占領し，漢城に進撃しようとした。これに対して朝鮮政府は宗主国の清朝に救援を求めたことから日本の出兵を招き，日清戦争を引き起こすきっかけとなった。なお東学は，1860年頃に崔済愚（1824～64年）が創始した宗教。西学（キリスト教）に対して，儒教をもとに朝鮮伝来の民間信仰や仏教・道教などを融合した，排外的傾向をもった新宗教である。

C：義和団事件（1900～01年）である。列強の中国進出によって困窮化した中国山東省で，「扶清滅洋」をスローガンに義和団と呼ばれる宗教結社を中心に起こった蜂起である。義和団は，教会，鉄道，電信など西洋列強の進出を象徴する施設を破壊しながら，1900年，北京に入り外国の公使館地域を占領した。この時，西太后を始めとする清朝保守派は，この反乱を義挙として同調し，列強に宣戦した。これに対して列強は８か国連合軍を組織して戦い，北京を制圧した。白蓮教徒の乱は，1796年に四川・湖北・陝西の３省が境を接する山間部で起きた農民反乱で，平定されるまで９年間を要した。白蓮教は，南宋の初めに興った仏教系の宗教結社で，元末には紅巾の乱（1351～66年）を起こし元朝崩壊のきっかけとなった。明，清でも邪教として禁止されていた。

よって，正答は**5**である。

正答　5

大卒警察官

警視庁

No.102 世界史 19世紀のイギリス 令和元年度

19世紀のイギリスに関する記述として，最も妥当なのはどれか。

1 イギリスの貿易の分野では，これまでの自由貿易政策から経済活動など様々な活動に規制を加えていく重商主義政策へ転換した。この政策により穀物法や航海法が制定された。

2 第１回選挙法改正により，都市の中産市民層の成人男性を中心に選挙権が拡大された。しかし，労働者階級には選挙権が与えられなかったため，チャーティスト運動が起きた。

3 イギリスによるインド支配に対して，インド人傭兵による大反乱が発生した。イギリス軍による反乱鎮圧の結果，ムガル帝国が成立し，ヴィクトリア女王が皇帝に即位した。

4 アヘン戦争後，清との間で期待したほどの貿易利益が上がらなかったため，イギリスはドイツと共同出兵を行い，広州を占領した後，南京条約を締結した。

5 イギリスはアフリカ支配においてドイツと衝突し，ファショダ事件が起こった。その後，ドイツが譲歩し英独協商が成立した。

解説

1．それまでの重商主義政策に代わり，自由貿易政策が19世紀半ば以降のイギリス貿易政策の基調となった。その流れの中で，1846年に穀物法，1849年に航海法が廃止となり，自由貿易体制が実現した。

2．妥当である。

3．反乱鎮圧の結果，ムガル帝国は滅亡し，イギリスは東インド会社を廃止して，インドを間接統治から本国政府の直接統治とした。1877年にはヴィクトリア女王がインド皇帝を兼ね，インド帝国が成立した。前半は正しい。

4．イギリスは，ドイツではなくフランスと連合を組み，アロー号事件を口実に清を攻撃した。広州を占領し天津にせまり，ロシア，アメリカが加わって天津条約を締結した。南京条約はアヘン戦争の講和条約である。前半は正しい。

5．ファショダ事件は，アフリカにおいて縦断政策をとるイギリスと，横断政策をとるフランスが，スーダンのファショダで衝突した事件である。フランスが譲歩して武力衝突は避けられ，両国間に友好関係が成立して英仏協商が結ばれた。ドイツはモロッコ事件を起こしてフランスのモロッコ支配に抗議したが，フランス側に立ったイギリスに阻まれて孤立を深めた。

正答 2

大卒警察官

警視庁

No. 103 世界史 ウィーン体制以後の各国の状況 平成29年度

ウィーン体制以後の各国の状況に関する記述として，最も妥当なのはどれか。

1 1848年，フランスでは二月革命がおき，国王ルイ=ナポレオンが退位して臨時政府が樹立され，ナポレオン3世が即位した。

2 1853年，ロシアはオスマン帝国に対してクリミア戦争をおこし，オスマン帝国と敵対するイギリス，フランスを味方につけて，クリミア半島を占領した。

3 イタリア半島では，サルディニア王国がガリバルディを首相として改革をすすめ，カヴールが両シチリア王国を征服するなど，1861年にイタリア統一が宣言された。

4 1862年にプロイセンの首相となったビスマルクは，軍事力でドイツ地域の覇権を握ろうとオーストリア，次いでフランスと戦い，これらを破った。

5 1867年，オーストリア帝国は自治権を求めたハンガリーを武力で押さえ込み，のちにハンガリーを併合してオーストリア=ハンガリー帝国と称した。

解説

1．1848年の二月革命時の国王はルイ=フィリップである。国王ルイ=フィリップは亡命し，共和政の臨時政府が樹立され第二共和政が成立した。同年末の大統領選挙で大統領となったナポレオン1世の甥ルイ=ナポレオンは，1952年の国民投票で圧倒的な支持を受けて皇帝となり，ナポレオン3世と称した。この結果，第二共和政は終わり，第二帝政が始まった。ルイ=ナポレオンとナポレオン3世は同一人物である。

2．地中海進出をねらうロシアがオスマン帝国と開戦すると，イギリス，フランス，サルディニアはオスマン帝国と同盟を結び，ロシアに宣戦した。結果はロシアの敗北で，ロシアの南下は阻止された。

3．サルディニア王国で自由主義的改革を断行した首相はカヴールである。両シチリア王国を制圧したのは青年イタリアのガリバルディである。カヴールがガリバルディを説得し，ガリバルディは占領地をサルディニア国王に献上して，1861年，イタリア統一が宣言されイタリア王国が成立した。

4．正しい。

5．オーストリアでは1848年のウィーン3月革命でメッテルニヒが亡命し憲法が公布されたが，領内異民族の抵抗は活発化していた。1866年のプロイセン=オーストリア戦争に敗れてドイツ連邦から除外されたオーストリアは，翌1867年にハンガリーに自治を許し，マジャール人によるハンガリー王国の建設を認め，皇帝がハンガリー国王を兼ねてオーストリア=ハンガリー帝国が成立した。

正答 4

大卒警察官

5月型

No. 104 世界史 東西冷戦 平成26年度

冷戦に関する次の記述のうち，妥当なものはどれか。

1 イギリスの前首相チャーチルは，ソ連が「鉄のカーテン」を降ろしていると批判して，ソ連に対する封じ込め政策を宣言した。

2 朝鮮戦争で，国連軍が中国国境近くまでせまると，中国は人民義勇軍を派遣して北朝鮮を支援して戦線を北緯38度線まで押し戻した。

3 ドイツでは東ドイツから西側に脱出する人が急増したため，西ドイツ政府は東西ベルリンの境界に壁を作って入国を阻止した。

4 キューバでソ連によるミサイル基地建設が発覚すると，アメリカのアイゼンハウアー大統領は海上封鎖を断行してソ連と対立した。

5 ベトナム戦争で，ソ連・中国の援助を受ける北ベトナムの攻勢に対して，アメリカは南ベトナム政府を支援して北爆を開始し，南北を統一した。

解説

1. 封じ込め政策は，アメリカ大統領トルーマンが，1947年3月の議会演説で表明した対外政策（トルーマン=ドクトリン）で，これに基づきヨーロッパ経済復興援助計画（マーシャル=プラン）などが実行された。チャーチルの演説は1946年3月にアメリカのミズーリ州フルトン市で行った演説で，ソ連がバルト海からアドリア海まで「鉄のカーテン」を引いているとソ連の閉鎖的なやり方を非難したもので，冷戦の開始を告げる重要な演説である。

2. 正しい。

3. ベルリンの壁は，1961年，東ドイツ政府が東ベルリンから西側に脱出する人々を阻止するために設置した壁である。1989年11月に開放された。

4. 1962年に起こったキューバ危機であるが，アイゼンハワーでなくケネディ大統領である。1961年に社会主義宣言をしたキューバで，ソ連によるミサイル基地の建設が発覚すると，ケネディ政権は基地の撤去を求め，ミサイル基地建設用の資材をキューバに搬入しようとしたソ連の貨物船を公海上で阻止した。

5. ベトナム戦争でアメリカは南北を統一できなかった。ベトナム戦争（1965～73年）は，南ベトナム政府軍と南ベトナム解放民族戦線との内戦にアメリカが介入して始まった。ソ連と中国の支援を受けるベトナム民主共和国（北ベトナム）と南ベトナム解放民族戦線の攻勢に対して，アメリカは北ベトナムへの爆撃（北爆）や地上部隊の派遣で対抗したが，戦局は膠着し，アメリカは国内外からの批判を受けて，73年ベトナム和平協定を締結してベトナムから撤兵した。しかし，その後もアメリカは南ベトナム政府への支援を続けたが，75年，北ベトナム軍と解放戦線の攻勢を受けてサイゴンの南ベトナム政府は崩壊し，翌76年，南北が統一されてベトナム社会主義共和国が成立した。

正答 2

大卒警察官

No.105 警視庁 世界史 アメリカの歴史 平成30年度

アメリカの歴史に関する記述として，最も妥当なのはどれか。

1 1803年，第3代大統領に選ばれたジャクソン大統領は，スペインからミシシッピ川以西のルイジアナの買収とフランスからフロリダの買収にそれぞれ成功し，領土を倍増させた。

2 イギリスの海上封鎖により発展した1812年の米英戦争で，イギリスからの工業製品の輸入が途絶えたため，アメリカは国内北部の綿工業を中心に工業化が進むことになった。

3 1828年，西部出身者として初のアメリカ大統領になったジェファソンは，民主主義の発展に努め，ジェファソン＝デモクラシーと呼ばれる政治改革を行った。

4 1861年，奴隷制反対や自由貿易政策を求める北部と奴隷制存続や保護関税政策を求める南部の間で南北戦争が起こったが，リンカンが大統領に当選すると戦争は収束に向かった。

5 南北戦争終結後の1865年，リンカンは奴隷解放宣言を出し，さらに同年の米西戦争に勝利し，キューバを独立させて事実上の保護国とした。

解説

1．第3代大統領は，アメリカ独立宣言の起草者でもあるジェファソンである。ジェファソンは，スペインではなくフランスから，ミシシッピ川以西のルイジアナを買収した。フロリダについては，第5代大統領モンローが，フランスからではなくスペインから買収した。ジャクソンは独立13州ではない西部から初めて当選した第7代大統領で，先住民の強制移住法を制定した。

2．妥当である。

3．西部出身者として初のアメリカ大統領は第7代大統領ジャクソンである。彼が進展させた民主化と改革はジャクソニアン・デモクラシーと呼ばれる。ジェファソンはヴァージニア出身の第3代大統領である。

4．奴隷制反対や保護貿易政策を主張する北部と，奴隷制存続や自由貿易政策を主張する南部が対立する中，1860年に北部出身のリンカンが大統領に当選すると，南部11州は分離してアメリカ連合国を設立し，1861年南北戦争が勃発した。

5．奴隷解放宣言は南北戦争中の1863年に発表され，それによって北部の結束が強まり，内外世論の支持が集まった。米西戦争（アメリカ＝スペイン戦争，1898年）などの帝国主義政策は第25代大統領マッキンリーの下で開始された。米西戦争後，キューバが保護国化されたことは正しい。

正答 2

大卒警察官

No. 106 5月型

世界史　アメリカの現代政治史　平成27年度

アメリカの現代政治史に関する次の記述のうち，妥当なのはどれか。

1　第一次世界大戦後，ローズヴェルト大統領の提案による国際連盟が設立されると，アメリカも加盟して積極的に活動した。

2　世界恐慌が起きると，資本主義列国は深刻な危機に直面しそれぞれブロック経済の確立に努めた。アメリカは大規模公共事業などのニューディール政策を実施し，失業者の救済と需要の拡大を図った。

3　トルーマン=ドクトリンとマーシャル=プランは東側諸国への経済援助を目的に行われた。

4　ニクソンショックの2年後には，外国為替制度が変動相場制から固定相場制に移行して，ブレトン=ウッズ体制が崩壊し国際経済の不安定性が増大した。

5　1981年に大統領になったレーガンは，不況克服のためのレーガノミクスを実施し，増税による需要喚起を促したが，経済回復は成功せず「双子の赤字」が拡大した。

解説

1．国際連盟設立の提案は，米大統領ウィルソンが大戦中に出した「ウィルソンの14か条」の中で行われた。しかし，大戦後のアメリカでは「孤立主義」，つまり主にヨーロッパに対する不干渉外交主義が復活し，国際連盟への加盟はアメリカ議会が拒否したことにより行われなかった。セオドア=ローズヴェルト大統領はウィルソンの前の第26代大統領。フランクリン=ローズヴェルト大統領は，世界恐慌時にニューディール政策を実施し，また第二次世界大戦中は英首相チャーチルらとともに連合国を指導した第32代大統領。チャーチルと大西洋会談で発表した大西洋憲章には国際連合誕生の原点がある。

2．正しい。ブロック経済の典型はイギリスのポンド=ブロックの形成。ニューディール政策の特徴は，従来の自由放任主義から国家が経済活動に積極的に介入する有効需要政策への転換で，修正資本主義の先駆をなした。内容はTVAによる大規模公共事業や全国産業復興法による企業の生産制限，農業調整法による農産物価格の引上げなど。

3．トルーマン=ドクトリンは，1947年にトルーマン大統領によってギリシア・トルコへの社会主義勢力の浸透を防ぐために行われた経済援助。対ソ「封じ込め」政策の開始であり，「冷たい戦争」の宣戦布告であった。マーシャル=プランは，同じく1947年に米国務長官マーシャルが発表したヨーロッパ経済復興計画。西欧16か国は直ちにこれを受け入れたが，東側諸国は不参加だった。

4．固定相場制と変動相場制が逆。ベトナム戦争や経済援助などによってドルの流出が続いたアメリカは，ドル防衛対策として1971年に金とドルの交換を停止した（ニクソンショック）。ドルの価値が不安定になったことから，73年に外国為替制度は固定相場制から変動相場制に移行し，第二次世界大戦後の国際通貨体制だったブレトン=ウッズ体制（金・ドル本位制と固定相場制を柱とする国際通貨体制）は崩壊した。

5．レーガノミクスでは，増税ではなく大幅減税や経済の規制緩和が行われた。「双子の赤字」とは財政と貿易の両方の赤字のこと。レーガノミクス以降「双子の赤字」が拡大し，アメリカは世界最大の債務国に転落した。

正答　2

大卒警察官

No. 107 警視庁

地理　安定陸塊　平成26年度

安定陸塊（安定大陸）に関する記述として，最も妥当なのはどれか。

1　安定陸塊は，先カンブリア時代の造山運動のあとの長期間にわたる侵食によってできた地球上で最も古い陸地である。

2　安定陸塊は，プレート境界付近にありながら，長期間にわたって大きな地殻変動を受けていない地域である。

3　安定陸塊の，硬軟のある地層がゆるやかに傾いている地域では，急な崖とゆるやかな斜面が組み合わさったビュートと呼ばれる非対称な断面をもった丘陵地がみられる。

4　安定陸塊のうち，先カンブリア時代の岩石が地表に露出している平坦地を卓状地という。

5　安定陸塊のうち，中央シベリア高原や東ヨーロッパ平原などにみられ，かつて海面下にあった地域を楯状地という。

解説

1. 正しい。

2. 安定陸塊は，プレート付近には見られない。長期間にわたり大きな地殻変動が見られない地域である。

3. 硬軟のある地層が緩やかに傾いている地域で，急な崖と緩やかな斜面が組み合わさった非対称な断面を持つ丘陵地はケスタ地形である。ビュートは，テーブル状をしたメサと呼ばれる山地が，さらに侵食されて円形状になった地形である。

4. 卓状地とは，先カンブリア時代に形成したほぼ水平な地層が，広範囲にゆっくりと隆起して広大な平原や台地をなしている地域をいう。

5. 楯状地とは，先カンブリア時代の地層が広範囲に露出している平坦地である。ハドソン湾や，バルト海周辺が該当する。

正答　1

大卒警察官

No. 108 警視庁

地理　小地形　令和5年度

小地形に関する記述として、最も妥当なのはどれか。

1　河川が山地から平野に達すると流れが遅くなるため、運ばれてきた土砂が堆積し、扇状地を形成する。扇状地は水はけが良いため畑や果樹園として利用される。

2　炭酸カルシウムでできた石灰岩は、雨などによって溶かされカルスト地形と呼ばれる独特な地形を作る。地表にはワジと呼ばれるくぼ地があり、河川はみられない。

3　河口部では流れが減速し運搬力を失うため、砂や泥が堆積して三角州ができる。三角州は高湿で高潮などの被害を受けやすいため、農業には適していない。

4　乾燥地帯には、岩石が地表に現れた岩石砂漠や礫に覆われた礫砂漠、砂丘が発達した砂砂漠がみられる。アメリカ合衆国西部ではテーブル状の残丘のビュートやさらに侵食された柱状の残丘のメサがみられる。

5　土地の隆起や海面の低下によって離水海岸が形成され、土地の沈降や海面の上昇によって沈水海岸が形成される。一般に、離水海岸では三角江（エスチュアリー）がみられ、沈水海岸では海岸平野や海岸段丘がみられる。

解説

1．妥当である。

2．石灰岩が炭酸カルシウムを主成分としていること、その石灰岩などの水に溶けやすい岩石の層が雨水などに溶かされてカルスト地形が形成されることは正しい。しかし、ワジは大量の降水があったとき以外は流水のない砂漠地帯の水無川のことであり、カルスト地形ではない。石灰岩の溶食によってつくられた漏斗状のくぼ地はドリーネと呼ばれる。カルスト地形は岩石の層が雨水・河川・地下水などで溶食されてできた地形であるから、河川はないというのも誤りである。

3．三角州が河口部に形成されること、低湿で水はけが悪いため高潮などの被害を受けやすいことは正しい。しかし、堆積した土壌が肥沃であるため、農業には適している。

4．乾燥地形には、岩石砂漠・礫砂漠・砂砂漠などの砂漠があること、アメリカ合衆国西部ではビュート、メサなどの乾燥地形がみられることは正しいが、ビュートとメサの説明が逆である。平坦な頂面をもつテーブル状の地形がメサで、さらに侵食が進んで平坦な山頂をもつ孤立丘となったものがビュートである。

5．離水海岸と沈水海岸の説明については正しい。しかし、海岸平野や海岸段丘は離水海岸の例で、三角江（エスチュアリー）は沈水海岸の例である。

正答　1

大卒警察官

No. 109 警視庁

地理　土壌の種類と特色　平成27年度

土壌の種類とその特色の組合せとして，最も妥当なのはどれか。

1　レグール　…　玄武岩が風化して生成した黒色の成帯土壌
2　ラトソル　…　冷帯のタイガ地域に生成する酸性の成帯土壌
3　ポドゾル　…　熱帯・亜熱帯地方に分布する赤色の成帯土壌
4　テラロッサ　…　石灰岩が風化して生成した赤色の間帯土壌
5　テラローシャ　…　石灰岩が風化して生成した黒色の間帯土壌

解説

土壌は，その成因をもとに成帯土壌と間帯土壌に大別される。成帯土壌は気候や植生の影響を強く受けた土壌で，帯状に分布する。間帯土壌は，気候や植生よりも地形や母材などの影響を強く受けた土壌で，帯状ではなくスポット的に分布する。

1．レグールは，玄武岩やカンラン岩などが風化した黒色の土壌だが，間帯土壌である。
2．ラトソルは，熱帯雨林に分布する酸化鉄やアルミナを多量に含む赤色の成帯土壌である。
3．ポドゾルは，冷帯のタイガに分布するやせた酸性の成帯土壌である。
4．正しい。テラロッサは地中海沿岸に多く分布し，果樹栽培に適する土壌である。
5．間帯土壌であるのは正しいが，テラローシャは，輝緑岩や玄武岩が風化した赤紫色の土壌。ブラジル高原南部に分布し，肥沃でコーヒー栽培に適している。

正答　4

No. 110 警視庁 地理 ケッペンの気候区分 平成28年度

ケッペンの気候区分のうち，ステップ気候区に関する記述として，最も妥当なのはどれか。

1　草たけの高い草原の中に，バオバブなどの樹木が点在している。デカン高原ではレグール，ブラジル高原ではテラローシャとよばれる玄武岩が風化した肥沃な土壌が広がる。

2　砂漠気候区に隣接し，草たけの低い草原が一面に広がる。比較的降水量の多い地域では北アメリカ大陸のプレーリー土のような黒土が，降水量の少ない地域では栗色土が形成される。

3　おもに大陸西岸で緯度40～60度の高緯度に分布し，四季を通じて温和な気候である。森林では落葉広葉樹が生育し，土壌は農業に適した褐色森林土が分布している。

4　ユーラシア大陸北東部のみに分布し，冬は大陸性のシベリア高気圧により降水量が少なくきわめて寒い。農業はほとんど行われず，林業やトナカイの遊牧が盛んである。

5　一年中降水量が多く，気温が高い。多種類の常緑広葉樹からなる密林におおわれており，地面には直射日光がほとんど届かないため下草はあまり生えない。

解説

1．サバナ気候（Aw）に関する記述である。サバナ気候は熱帯の気候で，気温は年中高温で，降水量は雨季と乾季にはっきり分かれる。

2．正しい。ステップ気候（BS）は乾燥帯の気候で，気温は地域によってばらつきがあるが，降水量は年間250～500mm の地域が多く，短い雨季に集中して降る。

3．西岸海洋性気候（Cfb）に関する記述である。西岸海洋性気候は最暖月の平均気温が22℃未満と涼しく，高緯度のわりに冬も比較的温暖で年較差が小さい。降水量も年中平均した降水があり，やや少なめである。

4．亜寒帯冬季少雨気候（Dw）に関する記述である。亜寒帯冬季少雨気候は亜寒帯（冷帯）の気候で，気温は同じ亜寒帯の亜寒帯湿潤気候よりも，夏はより高温，冬はより寒冷になる典型的な大陸気候で，降水量は，夏季にはあるが冬季は極めて少ない。

5．熱帯雨林気候（Af）に関する記述である。熱帯雨林気候は熱帯の気候で，熱帯雨林は南米のアマゾン川流域ではセルバ，アフリカ・東南アジアではジャングルと呼ばれるところもある。

正答　2

大卒警察官

No. 111 警視庁

地理 自然的国境 平成30年度

海洋や山脈，河川などの自然障壁に沿って設定される国境を自然的国境というが，自然的国境とそれによって国境が設定されている国名が正しいものの組合せとして，最も妥当なのはどれか。

A：アンデス山脈――チリとアルゼンチン
B：ピレネー山脈――スペインとフランス
C：ヒマラヤ山脈――スイスとイタリア
D：リオグランデ川――メキシコとキューバ
E：メコン川――タイとベトナム

1 A，B
2 A，C
3 B，D
4 B，E
5 D，E

解説

A：正しい。
B：正しい。
C：ヒマラヤ山脈は中国とネパール，ブータン，インドの自然的国境である。スイスとイタリアの国境はアルプス山脈に沿って設定されている。
D：リオグランデ川はメキシコとアメリカ合衆国の自然的国境である。メキシコとキューバの国境は海洋国境（ユカタン海峡）となっている。
E：メコン川はタイとラオスの自然的国境である。タイとベトナムは接していない。
以上より，正答は**1**である。

正答 **1**

大卒警察官

警視庁

No. 112 地理 気象 平成23年度

気象等の用語に関する記述として，妥当なのはどれか。

1 ラニーニャ現象とは，南米ペルー沖から東太平洋赤道域の海面水温が平年よりも低くなる現象をいい，日本では，冷夏・暖冬傾向になる。

2 猛暑日，真夏日，夏日とは，１日の最高気温がそれぞれ摂氏35℃以上，30℃以上，25℃以上になる日のことである。

3 エルニーニョ現象とは，山岳を越えた風に伴って暖かく乾いた空気が吹き降り，風下側の平地で気温が上がる現象をいい，空気が１km 下降するごとに温度が約10℃上昇する。

4 スプロール現象とは，極域と中緯度地域の気圧差に見られる振動現象で，これが負の位相にあるときは，中緯度域に寒気が吹き込み，各地に大雪をもたらす。

5 フェーン現象とは，多量のエネルギー消費による人工熱の発生で，周辺より高温域となる現象をいい，都市気候の代表例である。

解説

1. ラニーニャ現象とは，太平洋東部の熱帯域で起こる海水温の低下現象をいう。これが発生すると南北アメリカの太平洋岸で低温，オーストラリアでは多雨になる傾向が強い。

2. 正しい。

3. エルニーニョ現象とは，太平洋東部の熱帯域の海水温が上昇する現象をいう。これが発生すると世界中の気候に影響を及ぼすが，特に北アメリカ西部で多雨，東南アジアで高温少雨になる傾向が強い。本肢はフェーン現象に関する記述である。

4. スプロール現象とは都市化に伴い，郊外において無秩序に開発が進む現象をいう。

5. フェーン現象は，問題文の**3**を参照。

正答 **2**

大卒警察官

No. 113 警視庁

地理 工業の立地 平成29年度

工業の立地に関する記述として，最も妥当なのはどれか。

1 自動車工業や各種機械工業のような加工組立型工業では，企業間の分業が発達しやすく，費用軽減のために関連する多数の工場が一定の場所に集積する傾向がある。

2 ビール工業や清涼飲料水工業は，水や空気が綺麗な土地で発達しやすいため，市場となる大都市圏よりも農村地域や発展途上国を指向した立地をみせる。

3 日本では，集積回路の生産は1960年代末から九州や東北で始まったが，1980年代以降は北海道に生産の中心が移っていった。

4 ウェーバーの工業立地論によると，製品重量が原料重量より大きい場合には工場は原料産地に立地し，反対に原料重量が製品重量より大きい場合には市場に立地する。

5 近年の国際的な交通網の構築と交通機関の発達は，輸送費の高騰をもたらし，労働費の安価な海外への工場移転に歯止めをかけている。

解説

1. 正しい。

2. ビール工業や清涼飲料水工業は，水や空気などどこでも得られる原料が製品の重量の大部分を占めているので，輸送費を抑えるために，市場＝大都市圏に立地する。

3. 日本で先端技術をもとにした知識集約型産業が伸びたのは1980年代からである。九州は臨空港型立地のIC工場が増えてシリコンアイランドと呼ばれ，東北地方も空港や東北自動車道の整備とともにIC工場が増えてシリコンロードと呼ばれている。

4. ウェーバーは，工業は生産費が最も安い場所に立地するとし，その中でも輸送費が最も重要な因子であり，輸送費が同じであれば労働費の安いほうに立地すると主張した。

5. 国際的な交通網の構築と交通機関の発達は輸送費の低下をもたらし，海外への工場移転が行いやすくなる。

正答 **1**

警視庁

No. 114 地理 農業の地域区分 平成22年度

園芸農業についての説明として，妥当なものはどれか。

1 乾燥地域で，地下水・湧水・外来河川などの水で灌漑し，穀物や綿花・果実などを集約的に栽培する農業のことである。

2 主穀と飼料作物を栽培し，牛・豚などの肉用家畜や家禽の飼育・販売を主目的とする農業で，ヨーロッパ式農牧業を代表する有畜農業の一つである。

3 飼料作物を栽培して乳牛を飼育し，酪製品の販売を目的としておこなわれる農業で，冷涼・湿潤な気候で消費地に近い地方に発達する。

4 熱帯・亜熱帯に見られる大規模な商業的農園農業で，主な作物は熱帯・亜熱帯特産の工業原料・嗜好作物で，世界市場への輸出を目的とする。

5 都市への出荷を目的として，野菜・果樹・花卉などを集約的に栽培する農業で，一般に経営面積は小さいが，資本・労働力・肥料を大量に投下するため土地生産性が高い。

解説

1. 乾燥帯のオアシス農業の説明である。

2. 混合農業の説明である。

3. 酪農の説明である。

4. プランテーションの説明である。

5. 正しい。なお，園芸農業には，都市近郊で行う近郊農業と，季節の差を利用して都市から離れた地域で行う遠郊農業がある。

正答 5

大卒警察官

警視庁

No. 115 地理 世界の都市 令和4年度

世界の都市に関する記述として，最も妥当なのはどれか。

1 ワシントンD. C. はアメリカ合衆国の首都であり，ワシントン州の州都でもあるが，同国で最大の人口を有する都市はニューヨークである。

2 オタワはカナダの首都で，かつ同国最大の人口を有する都市であり，五大湖の１つであるオンタリオ湖岸に位置する。

3 シドニーはオーストラリアで最大の人口を有する都市であるが，同国の首都はメルボルンである。

4 ブラジリアはブラジルの建国以来の首都であるが，同国で最大の人口を有する都市はサンパウロである。

5 ヤンゴンはミャンマーで最大の人口を有する都市であるが，同国の首都はネーピードーである。

解説

1. ワシントンD.C.がアメリカ合衆国の首都であることは正しいが，いずれの州にも属さない連邦政府直轄地であり，ワシントン州の州都はオリンピアである。ニューヨークがアメリカ合衆国で最大の人口を有する都市であることは正しい。

2. オタワがカナダの首都であることは正しい。オンタリオ湖岸の北西に位置している。しかし，カナダで人口が最も多い都市はトロントである。

3. オーストラリアの首都はキャンベラで，シドニーとメルボルンの首都を巡る対立のために計画的に建設された都市である。オーストラリアで最大の人口をもつ都市はシドニー，第２位はメルボルンである。

4. ブラジリアがブラジルの首都であることは正しいが，建国以来の首都ではない。かつてはリオデジャネイロが首都だったが，1960年に計画都市のブラジリアがブラジルの首都として完成し，首都機能が移転された。サンパウロが同国最大の人口を有する都市であることは正しく，第２位はリオデジャネイロで，ブラジリアは第３位である。

5. 妥当である。

正答 5

No. 116 警視庁 地理 世界の水上交通の要衝 平成28年度

次のA～Cが示す水上交通の要衝の組合せとして，最も妥当なのはどれか。

	A	B	C
1	スエズ運河	ホルムズ海峡	マラッカ海峡
2	スエズ運河	ジブラルタル海峡	マゼラン海峡
3	パナマ運河	ドーヴァー海峡	マゼラン海峡
4	パナマ運河	ホルムズ海峡	マンダブ海峡
5	キール運河	ドーヴァー海峡	マラッカ海峡

解説

A：地中海と紅海を結ぶ運河はスエズ運河である。パナマ運河は太平洋とカリブ海を結ぶ運河，キール運河は別称北海=バルト海運河である。

B：イランとアラビア半島の間にあり，ペルシア湾とオマーン湾を結ぶ海峡はホルムズ海峡である。ジブラルタル海峡はアフリカ大陸北西端とイベリア半島南端の間に位置する海峡である。ドーヴァー海峡はイギリスとフランスの間にあり，北海とイギリス海峡を結ぶ海峡である。

C：マレー半島とスマトラ島の間に位置する海峡はマラッカ海峡である。マゼラン海峡は南アメリカ南端部にある海峡である。マンダブ海峡は紅海とアデン湾を結ぶ海峡である。

よって，正答は**1**である。

正答 1

政治
経済
社会
日本史
世界史
地理
思想
文学・芸術
国語

大卒警察官

No. 117 5月型

地理 日本の国土の特徴 平成25年度

わが国の国土の特徴に関するA～Eの記述のうち，妥当なもののみをすべて挙げているものは，次のうちどれか。

A　日本は，４つのプレートがぶつかりあう上にあり，大陸側のプレートが海洋側のプレートの下に重なり合うようになっている。

B　河川は短く，流れが急なため，上流では険しい谷ができ，中下流では運ばれてきた土砂によって扇状地や平野が形成される。

C　沿岸には，北上する親潮と南下する黒潮が流れており，それらが会合する海域では，豊かな漁場が形成されている。

D　海岸線は，湾や半島が多いため，国土面積の割に長く，三陸海岸や九十九里浜はリアス式海岸と呼ばれる地形を形成している。

E　世界的に見ても火山が多く，現在でも活動している火山がある。

1　A，C
2　A，E
3　B，D
4　B，E
5　C，D

解説

A：誤り。日本列島の周辺には，２つの大陸プレート（ユーラシアプレート，北アメリカプレート）と２つの海洋プレート（太平洋プレート，フィリピン海プレート）があり，海洋プレートが大陸プレートの中に沈み込み，境界に海溝がつくられる。

B：妥当である。

C：誤り。北上する海流は暖流の黒潮で，南下するのは寒流の親潮である。この潮境はよい漁場になっている。

D：誤り。海岸線は，国土面積の割に長い点は正しいが，九十九里浜は海岸平野である。リアス式海岸は，三陸海岸のほか，若狭湾，英虞（あご）湾などが有名である。

E：妥当である。

よって，正答は**4**である。

正答　4

地理　日本の地理　平成18年度

次のア～オの記述のうち，茨城県，兵庫県，静岡県に関する記述の組合せとして，正しいものはどれか。

ア　最上川が流れ，西洋なし，ぶどう，おうとうなどの果樹栽培が盛んである。

イ　利根川が流れ，水郷地帯では稲作が行われ，鹿島臨海工業地帯がある。

ウ　県南東部に宝塚市があり，東には大阪府が位置している。日本を代表する貿易港がある。

エ　製紙・パルプ工業が盛んで，遠洋漁業が行われている。南部に政令指定都市がある。

オ　日本最大の砂丘があり，平野ではなし栽培が行われている。

	茨城県	兵庫県	静岡県
1	ア	イ	エ
2	ア	ウ	オ
3	イ	ウ	エ
4	イ	エ	オ
5	ウ	エ	オ

解説

ア：山形県が当てはまる。おうとう（桜桃）とはさくらんぼのことである。

イ：茨城県が当てはまる。県南部を利根川が流れ，茨城県東南部の鹿島灘を臨む位置には鹿島臨海工業地帯がある。

ウ：兵庫県が当てはまる。宝塚市は兵庫県南東部にあり，東には大阪府が位置している。神戸港は横浜港と並ぶ日本を代表する貿易港である。

エ：静岡県が当てはまる。製紙・パルプ工業が盛んで，静岡県中部の焼津（やいづ）は遠洋漁業の基地である。静岡県南部にある政令指定都市は，静岡市と浜松市である。

オ：鳥取県が当てはまる。日本最大の鳥取砂丘があり，鳥取平野では二十世紀なしが栽培されている。

よって，茨城県，兵庫県，静岡県に関する記述は，それぞれイ，ウ，エであり，**3**が正答となる。

正答　3

大卒警察官

No. 119 警視庁

地理　ラテンアメリカ　令和2年度

ラテンアメリカに関する記述として，最も妥当なのはどれか。

1　アルゼンチンのブエノスアイレスを中心として，ラプラタ川の河口付近に広がる平坦な平原のことをパンパといい，東部の乾燥パンパと西部の湿潤パンパに分けられる。

2　チリでは鉄鉱石の産出と輸出が経済を支えており，南東部のイタビラ鉄山や北部のカラジャス鉄山が有名である。

3　南米大陸の東側にはアンデス山脈が縦断し，ボリビアにあるインカ帝国の遺跡マチュピチュが所在するほか，周辺では鉱物資源も豊富に産出する。

4　ブラジルは現在，コーヒー豆の生産・輸出が世界最大であり，同国の輸出額の約70％をコーヒー豆が占めるというモノカルチャー経済（単一経済）の農業国である。

5　ヨーロッパからもち込まれた大土地所有制の大農園は，ブラジルではファゼンダ，メキシコやペルーではアシエンダとよばれている。

解説

1．前半は正しい。パンパはブエノスアイレスを中心に広がる温帯草原で，農牧業の中心地である。なお，年降水量550mm の線によって，東部が湿潤パンパ，西部が乾燥パンパに分かれている。

2．チリでは，銅の産出と輸出が経済を支えている。銅鉱の産出は世界の約27.8％（2020年）を占め，世界第１位である。また，銅と銅鉱の輸出は，合計で同国の輸出の約44.9％（2022年）を占めている。なお，イタビラおよびカラジャスはブラジルの鉄山である。

3．アンデス山脈は南米大陸の西側を縦断している。またインカ帝国の遺跡マチュピチュはペルーの南部にある。鉱物資源が豊富なのは正しい。

4．コーヒー豆の生産（2022年）と輸出（2022年）が世界最大であることは正しいが，コーヒーや天然ゴムのモノカルチャー経済だったのは過去の話である。1950年代には農業の多角化，1970年代には工業化が進行し，近年は鉱工業の発展が著しい。2022年現在で，コーヒー豆はブラジルの輸出品目10位内に入っていない。

5．妥当である。なお，アルゼンチンの大農牧場「エスタンシア」もこれに該当する。
データ出所：『世界国勢図会2024／25』

正答　5

No. 120 警視庁 地理 地図と地理情報 令和3年度

地図や地理情報などに関する記述として，最も妥当なのはどれか。

1 近世の大航海時代に，航海に適したホモロサイン図法（グード図法）が考案され，船の往来をより活発にさせた。

2 本初子午線は，イギリスのロンドン郊外の旧グリニッジ天文台を通る経線であり，日付変更線は，経度180度の経線と完全に一致する直線である。

3 複数の人工衛星の電波を受信し，地球上どこにいても正確に現在の位置を知ることができるしくみを全球測位衛星システム（GNSS）という。

4 リモートセンシング（遠隔探査）を用いた身近な例として日本の静止衛星「ひまわり」を使った天気予報があげられ，「ひまわり」による日本の観測は1日12時間だけ可能である。

5 対蹠点（たいせきてん）とは地球上のある地点から，地球の中心を通る直線が反対側の地球表面に出た地点のことをいい，東京の対蹠点はニュージーランドの西方海上にある。

解説

1．大航海時代（15～17世紀）には，トスカネリの世界地図（1474年作成）やメルカトルの世界地図（1569年作成）が作成され，利用された。メルカトル図法は現在でも航海図として利用される。ホモロサイン図法（グード図法）は海洋部分で断裂した図法なので，航路などを示すのには適さない。

2．日付変更線は，経度180度の経線にほぼ沿ってはいるが，南太平洋ポリネシアのキリバスは国土がその経線上にあるなどの理由から日付変更線を東にずらしており，多少の屈曲を伴っている。本初子午線についての記述は正しい。

3．妥当である。

4．リモートセンシングとは，人工衛星などから電磁波や音波を用いて地球を観測することで，鉱物資源などの資源探査，気象・植生・土壌・海洋の調査などに活用され，「ひまわり」を使った天気予報がその実用例であることは正しい。しかし，静止衛星が地上から静止して見えるのは，地球の周りを地球の自転速度と同じスピードで回っているためであり，「ひまわり」は，365日24時間常に地球の同一面を監視することができる。

5．対蹠点とは，地球上のある地点に対し，その正反対の位置にある地点のことなので，対蹠点についての説明は正しい。しかし，東京の対蹠点はブラジル南方，アルゼンチンの東沖辺りの海上にある。

正答 3

政治
経済
社会
日本史
世界史
地理
思想
文学・芸術
国語

大卒警察官

No. 121　5月型

思想　古代ギリシアの哲学者　平成24年度

古代ギリシアの哲学者に関する次の記述のうち，正しい組合せはどれか。

A　アテネで活躍したソフィストの代表者であり，「人間は万物の尺度である」とし，相対主義の立場に立った。

B　アテネの哲学者で，理性にのみとらえられることのできる完全な理想的な存在をイデアと名づけ，最高のイデアは善のイデアとした。

C　アテネの哲学者で，「汝自らを知れ」という言葉を「無知の知」ととらえ，真の知に到達する方法として弁証法を用いた。

D　自然哲学者で，「万物の根源は原子（アトム）」と考え，空間内にある原子の運動を重視し，原子論を展開した。

	A	B	C	D
1	ソクラテス	プラトン	デモクリトス	プロタゴラス
2	ソクラテス	プロタゴラス	デモクリトス	プラトン
3	プラトン	プロタゴラス	ソクラテス	デモクリトス
4	プロタゴラス	プラトン	ソクラテス	デモクリトス
5	プロタゴラス	デモクリトス	プラトン	ソクラテス

解説

A：プロタゴラスが当てはまる。プロタゴラス（紀元前485年頃～紀元前415年頃）は人間尺度論を展開したソフィストで，「人間は万物の尺度である」と述べた。

B：プラトンが当てはまる。プラトン（紀元前427年～紀元前347年）はソクラテスの弟子として，イデア論を展開した。

C：ソクラテスが当てはまる。ソクラテス（紀元前470年～紀元前399年）は衆愚政治に陥ったアテネで「善く生きること」を追求した。また，知と行為は一致する知徳合一の立場に立った。

D：デモクリトスが当てはまる。デモクリトス（紀元前460年頃～紀元前370年頃）は「万物の根源は原子」とし，原子論を展開した唯物論哲学者に位置づけられている。

よって，正答は**4**である。

正答　4

警視庁

No. 122 思想 ルネサンスの思想家 平成21年度

ヨーロッパの各地を遍歴して古典文芸を研究し，聖書研究と人文主義的教養のもとにキリスト教の本来の精神をとらえ，カトリック教会の堕落を痛烈に批判した。また，キリスト教的な精神世界にとどまりながら，その博愛の精神と教養に基づくコスモポリタンの立場から平和を訴えた人文主義者で，『愚神礼讃』や『平和の訴え』を著したのは，誰か。

1 D．エラスムス
2 J．カルバン
3 F．ベーコン
4 B．スピノザ
5 M．モンテーニュ

解説

1．正しい。エラスムスは15世紀末から16世紀前半を代表するネーデルランド出身の人文主義者である。

2．カルバンはフランス出身の宗教改革者で，スイスのジュネーヴで宗教改革を行い，予定説を唱えた。主著は『キリスト教綱要』。

3．ベーコンは16世紀後半から17世紀前半のイギリスの哲学者で，経験論の先駆者とされる。主著は『ノヴム=オルガヌム（新機関）』。

4．スピノザは17世紀のオランダの哲学者で，合理論の流れをくむが，一元論を展開し，汎神論を主張した。主著は『エチカ』。

5．モンテーニュは16世紀フランスのモラリストで懐疑論の立場で思索を行った。主著は『エセー』。

正答　1

大卒警察官

No. 123 警視庁

思想　17世紀のヨーロッパの思想　平成27年度

17世紀のヨーロッパにおける思想に関する記述中の空所A～Dに当てはまる語句の組合せとして，最も妥当なのはどれか。

近代ヨーロッパで進行した科学革命により，これまで教会で説かれていたスコラ哲学の世界観が揺らいでくると，近代人の理性や知性の力を重視する（　A　）と（　B　）が提唱された。フランシス=ベーコンは，（　A　）の立場から，観察を通して得られる個別的な経験的事実を数多く集め，それらを比較分類することで共通する一般法則を発見しようとする（　C　）を提唱した。デカルトは（　B　）の立場から，確実な根本原理を出発点とし，誰にでもはっきりとわかる論理的思考を進めることによって，個々の出来事や事物の存在を確実なものとして論証する（　D　）を提唱した。

	A	B	C	D
1	合理論	経験論	帰納法	弁証法
2	合理論	経験論	弁証法	演繹法
3	経験論	合理論	演繹法	帰納法
4	経験論	合理論	帰納法	演繹法
5	経験論	合理論	弁証法	帰納法

解説

A：「経験論」が当てはまる。ベーコンは，知識や物の見方の基本を感覚的経験に求める経験論の祖である。

B：「合理論」が当てはまる。デカルトは，認識の源泉を理性の働きに求める合理論の祖である。感覚的経験を軽視する傾向を持ち，経験論と対立する。

C：「帰納法」が当てはまる。帰納法は，特にベーコンが知識獲得のための科学的研究方法として主張したものである。

D：「演繹法」が当てはまる。演繹法は，経験によらず，ただ論理的に個々の結論を導き出す科学的研究の方法で，帰納法とは対照的。

よって，正答は**4**である。

なお，「弁証法」は，もともとはギリシア思想以来広く用いられる問答法とか対話法といった意味だが，近世では，ヘーゲルが思考の発展論理として法則化した。

正答　4

No. 124 警視庁 思想 西洋の思想家 令和元年度

西洋の思想家に関する記述として，最も妥当なのはどれか。

1　ベーコンは，知識獲得のために排除すべき偏見を4つのイドラ（幻影・偶像）に分類し，知識獲得のための積極的方法として演繹法を説いた。

2　デカルトは，「パンセ」の中で「人間はひとくきの葦（あし）にすぎない。自然の中で最も弱いものである。だが，それは考える葦である」という有名な言葉を残した。

3　カントは，知識欲に燃え，無学の人々を軽蔑していたが，ルソーの「エミール」に影響をうけ，「人間を尊敬すること」を学んだ。

4　ヘーゲルは，対立する「正」と「反」を止揚し，より高い次元で総合されるという帰納法によってものごとを説明しようとした。

5　グロティウスは，「永久平和のために」を執筆し，戦争のない永久平和を実現していくために，諸国家は結びついて一つの国際的な連盟を打ち立てるべきであるとした。

解説

1．イギリス経験論の祖であるベーコンが知識獲得の方法として主張したのは，演繹法ではなく帰納法である。帰納法は，実験や観察で得られた個々の経験的事実から一般的法則を導き出す思考法で，普遍的な真理を前提にたて，そこから経験によらず論理的に結論を導き出す演繹法と対をなす概念である。演繹法は，大陸合理論の祖といわれるデカルトが確立した思考法である。前半は正しい。

2．フランスの数学者，物理学者，モラリストであるパスカルについての記述である。デカルトの残した有名な言葉は「われ思う，ゆえにわれあり」である。

3．妥当である。

4．ドイツ観念論の大成者であるヘーゲルが提唱した，正・反・合の発展の論理としての思考方法は，弁証法である。

5．ドイツ観念論の祖，カントについての記述である。グロティウスは「国際法の父」といわれるオランダの法学者で，その主著『戦争と平和の法』の中で，国際法の必要性を示した。

正答　3

大卒警察官

警視庁

No. 125 思想 欧米の精神分析学者 令和4年度

次の記述に該当する人物として，最も妥当なのはどれか。

オーストリアの精神医学者で，第二次世界大戦の時にアウシュヴィッツ強制収容所に入れられ，その時の極限状況の体験をもとに『夜と霧』を出版し，人間が生きる意味を追究した。

1 アドラー
2 エリクソン
3 フランクル
4 フロイト
5 ユング

解説

1．アドラーは，フロイトの初期の同調者であったが，意見の相違から別派を樹立した。優越欲を重視し，その阻害からくる劣等感とそれに対する補償作用が人間の原動力であると考えた。

2．エリクソンは，人間の成長について，発達段階とそれに対応する課題を８段階のライフサイクルに分け，それぞれの段階で課題を達成し，次の段階へと発達していくとした。特に思春期から青年期にかけての「課題」である自我同一性の確立を重視した。

3．妥当である。フランクルはアドラー，フロイトに師事した。

4．フロイトは，精神分析療法と精神分析を創始した。人間の行動の根源をリビドー（性欲）とし，それは抑圧され無意識なものになっているとした。また，リビドーの抑圧や発散のしかたが発達段階によって変化するとして性愛説を提唱した。

5．ユングは，アドラー同様，フロイトの初期の同調者であったが，リビドーを性欲に限定せず，幅広く生命エネルギーとし，こころ（プシケ）はペルソナ層と無意識の層など多層的であると考えた。また，人間の精神生活は自己実現を求める努力だと考えた。

正答 3

大卒警察官

No. 126 警視庁

思想　マズローの欲求の構造　令和2年度

マズローの欲求の構造に関する記述中の空所A～Eに当てはまる語句の組合せとして，最も妥当なのはどれか。

アメリカの心理学者マズローは，人間の欲求が上下の階層をなしているとした。そして，（　A　）の欲求は誰もが生まれつき持っているとしながらも，この欲求が現れてくるためには，その前段階として，①生理的欲求，②安全の欲求，③（　B　）の欲求，④（　C　）の欲求が満たされていなければならないとした。なお，①～④のことを（　D　）欲求といい，（　A　）の欲求のことを（　E　）欲求という。

	A	B	C	D	E
1	所属と愛情	自己実現	承認	欠乏	成長
2	所属と愛情	自己実現	自由	成長	欠乏
3	自己実現	所属と愛情	承認	欠乏	成長
4	自己実現	所属と愛情	自由	成長	欠乏
5	自己実現	所属と愛情	自由	欠乏	成長

解説

マズローによれば，人間の欲求は低次から高次に向け，①生理的欲求（例：空腹を満たしたい），②安全欲求（例：安全な場所に住みたい），③親和欲求／所属と愛情の欲求（例：家族や友人と親しくありたい），④承認欲求（例：他人に自分の実力を認めてもらいたい），そして⑤自己実現欲求（例：自分の能力を活かしてさらに成長したい）の5つの階層からなり，低次の欲求が満たされると一段上の欲求が高まり，その欲求を満たすための行動を起こすようになる。①から④の欲求は，欠乏状況を充足させることが行動を起こす動機となるため「欠乏欲求」と呼ばれ，これが満たされると，「成長欲求」である⑤の自己実現欲求まで達するとされている。

この理論は，心理学だけでなく，経営学や教育学などにも影響を与えている。

A：この欲求の前段階に4つの欲求があることから，最も高次の欲求である「自己実現」が入る。

B：低次から3つ目の欲求は「所属と愛情」である。

C：低次から4つ目の欲求は「承認」である。

D：①から④の欲求は「欠乏」欲求である。

E：Aの「自己実現」欲求は，「欠乏」欲求が満たされた後に出てくる「成長」欲求と分類される。

よって，正答は**3**である。

正答　3

大卒警察官

No. 127 警視庁

思想　諸子百家　令和3年度

諸子百家に関する記述中の空所A～Eに当てはまる人名や語句の組合せとして，最も妥当なのはどれか。

諸子百家の流派のうち，儒家は（　A　）などを思想内容の特徴とし，主な思想家として孔子や（　B　）があげられる。

これに対して，道家は（　C　）などを思想内容の特徴とし，主な思想家として老子や（　D　）があげられる。

儒家と道家は，漢の時代にそれぞれ儒教と道教へと発展していく。このうち，（　E　）の流れをくむものとして朱子学や陽明学がある。

	A	B	C	D	E
1	兼愛	墨子	法治主義	韓非子	道教
2	兼愛	墨子	無為自然	荘子	儒教
3	仁と礼	孟子	法治主義	荘子	道教
4	仁と礼	荀子	無為自然	荘子	儒教
5	仁と礼	荀子	無為自然	韓非子	儒教

解説

A：仁とは人と人の間に自然に生まれる親愛の情をすべての人に推し広めたもの，礼とは他者を敬う態度や振る舞いのことである。兼愛は墨家の祖，墨子が説いたもので，墨子は，儒家の説く仁を，肉親の愛情を重んじる差別的な愛という意味で別愛と呼んで非難し，兼愛（すべての人間に対する無差別で平等な人間愛）を主張した。

B：孟子も荀子も儒家の思想家である。墨子は墨家の祖である。

C：道家は，儒家が人為的な道徳によって秩序を整えようとしたのに対して，無為自然（作為をなさず，万物をありのままに生み育てる道の働き）に従って生きることを主張した。法治主義は法家の主張である。

D：荘子は道家の思想家，韓非子は法家の思想の大成者である。

E：朱子学は，宋の時代に朱子によって大成された新しい儒教で，宋代以後，正統な儒学として国家に公認され，日本でも江戸幕府によって官学として採用された。陽明学は，明代の儒学者，王陽明によって創始された実践的な儒学であり，日本では，江戸時代の儒学者中江藤樹がその思想に賛同し，日本陽明学の祖ともいわれる。

よって，正答は**4**である。

正答　4

No. 128 警視庁

思想　江戸期の儒学者　令和5年度

江戸期の儒学者に関する記述として、最も妥当なのはどれか。

1　朱子学派の林羅山（はやしらざん）は、万物に上下の別があるように人間社会にも身分秩序があるとして、「上下定分の理」を説き、敬を持って心を保つ「経世済民（けいせいさいみん）」が道徳の根本であるとした。

2　朱子学派の熊沢蕃山（くまざわばんざん）は、臣下の君主に対する絶対的な忠誠を強調して厳格な「敬」を説き、儒学と神道を融合して垂加神道を創始した。

3　朱子学派の新井白石は幕府の政治顧問となって正徳の治を推進し、「西洋紀聞」では、キリスト教の世界創造説などを称賛した。

4　古学派の荻生徂徠（おぎゅうそらい）は、「孝」が万物を貫く原理であり道徳の根源として、時と処（場所）、位（身分）に応じ、武士だけでなく万人が「孝」を中心とした徳を実践すべきであると説いた。

5　古学派の山鹿素行（やまがそこう）は、『聖教要録』を著して朱子学の抽象的な理論を批判し、直接孔子や孟子の教えに戻ることを主張したが、朱子学を批判したとして赤穂に配流された。

解説

1. 林羅山の説く「敬を持って心を保つ」を意味するのは「存心持敬」（敬を持ち私利私欲を抑え、身分秩序にあった生き方をする）である。「経世済民」は世の中をよく治め、人々を苦しみから救うという意味である。

2. 熊沢蕃山は儒者で中江藤樹に陽明学を学び、岡山藩の池田光政に仕えた。権威や秩序を重んじ厳格な「敬」を説く朱子学とは異なり、「知行合一」つまり、思想と実際の行動を一致させることを説く陽明学者である。儒学と神道を融合させた「垂加神道」は山崎闇斎が説いた神道説。天照大神や猿田彦神を崇拝し、儒教の「敬」という考え方を重んじた。

3. 前半は正しいが、「西洋紀聞」はキリスト教布教のために日本に来たイタリア人宣教師のシドッチを尋問し、聞き取った諸外国の歴史、地理、キリスト教などの情報をまとめたもので、キリスト教の教義に対しては批判的である。

4. 柳沢吉保に仕えた古文辞学派（古学を徹底させたもの）の荻生徂徠は、孔子や孟子の教えを説いた書物を直接研究することで儒学の真の精神を知ろうとした。また、儒学は「経世済民」の学問であるとした。著書に8代将軍吉宗に献上した意見書『政談』がある。「孝」は人を愛し敬う心であり、陽明学の中江藤樹が重視したものである。

5. 妥当である。

正答　5

大卒警察官

No.129 警視庁

思想　日本の思想家　平成29年度

次の言葉と人物の組合せとして，最も妥当なのはどれか。

1　報徳思想　――　鈴木大拙

2　元始，女性は実に太陽であった　――　津田梅子

3　東洋道徳，西洋芸術　――　森鷗外

4　人間普通日用に近き実学　――　福沢諭吉

5　武士道に接木されたるキリスト教　――　新島襄

解説

1．報徳思想は二宮尊徳の思想で，自分の存在は天地・君・先祖・親などの徳のおかげであり，その恩に自らも徳をもって報いなければならないというものである。鈴木大拙は明治期から昭和期の仏教哲学者で，日本文化と禅の思想の海外紹介に努めた。

2．「元始，女性は実に太陽であった」は，大正・昭和期の婦人解放運動家，平塚らいてうがおこした青鞜社発行の雑誌『青鞜』創刊号の巻頭に掲げられた有名な宣言である。津田梅子は明治・大正時代の女子教育家で，８歳で日本最初の女子留学生として岩倉使節団に従って渡米し，1900年に女子英学塾を創設して津田塾大学の基礎をつくった。

3．「東洋道徳，西洋芸術」は，江戸末期の思想家・洋学者佐久間象山の言葉で，道徳は東洋の伝統的精神を守り，その上に西洋の科学技術を摂取しようという主張である。森鷗外は明治・大正時代の文学者で『舞姫』『阿部一族』などの作品がある。

4．正しい。

5．「武士道に接木されたるキリスト教」は明治・大正時代のキリスト教思想家内村鑑三の言葉である。彼は自らの信仰を，武士道精神に根ざしたキリスト教信仰であるとした。新島襄は明治時代の宗教家・教育者で，京都に同志社を創設してキリスト教教育を行った。

正答　4

No. 130 警視庁 思想 『善の研究』 平成28年度

1911年に発表した『善の研究』において，人間経験の最も根本的なものは主客未分の純粋経験であるとし，西洋の近代哲学の精神を学びつつ，禅などの東洋・日本の伝統思想に基づいて独創的な哲学を展開した人物として，最も妥当なのはどれか。

1 井上哲次郎
2 折口信夫
3 西田幾多郎
4 柳田国男
5 和辻哲郎

解説

1．井上哲次郎（いのうえてつじろう）は欧米哲学を多く日本に紹介し，東京帝国大学で日本人初の哲学教授となった。
2．折口信夫（おりくちしのぶ）は国文学者，民俗学者で，歌人としても独自の境地を開いた。
3．正しい。
4．柳田国男（やなぎだくにお）は，国内を旅して日本民俗学の確立に尽力し，『遠野物語』などを発表した。
5．和辻哲郎（わつじてつろう）は日本的な思想と西洋哲学の融合をめざした哲学者，倫理学者である。

正答 3

大卒警察官

No. 131 警視庁 文学・芸術

中世の日本文学

平成30年度

中世の日本文学に関する以下の記述のうち，最も妥当なのはどれか。

1　枕草子は鴨長明による随筆で，作者の体験したさまざまな天変地異と日野山における静かな暮らしについてつづっている。

2　徒然草は吉田兼好による随筆で，作品全体に仏教的無常観と，古き良き時代への懐旧の情が色濃く流れている。

3　源氏物語は源氏一門の興亡の過程を描いた軍記物語で，全編を通じて盛者必衰，諸行無常の思想が流れている。

4　太平記は室町時代末期から安土桃山時代にわたる戦国の騒乱を描いた軍記物語で，その優れた文章は近世に入って「太平記読み」により人々に親しまれた。

5　宇治拾遺物語は藤原道綱母が著したとされる説話集であり，仏教的色彩を強くとりいれながら，当時の人々の生活や人間性の真実が生き生きと描かれている。

解説

1.『枕草子』ではなく『方丈記』についての記述である。『枕草子』は清少納言による随筆で，四季の自然を観察したものや中宮定子に仕えた体験を振り返ったものなどが綴られている。

2. 妥当である。

3.『源氏物語』ではなく『平家物語』についての記述であり，『平家物語』には平家一門の興亡が描かれている。『源氏物語』は紫式部による長篇小説で，光源氏の栄華と苦悩の物語である。

4.『太平記』は，南北朝時代を舞台に1318～1368年を描いた軍記物で安土桃山時代については書かれていない。また，中世から物語僧の「太平記読み」によって人々に語られ，江戸時代では講談で語られていた。

5.『宇治拾遺物語』の作者は不明である。藤原道綱母が著したのは，夫兼家との結婚生活を綴った『蜻蛉日記』である。

正答　2

大卒警察官

No. 132 警視庁 文学・芸術 **日本の文学作品** 平成25年度

次のA～Dの日本の文学作品を，成立した時代が古い順から並べた場合の正しい順序として，最も妥当なのはどれか。

A 『新古今和歌集』

B 『雨月物語』

C 『土佐日記』

D 『太平記』

1 C→B→A→D

2 C→A→D→B

3 B→D→C→A

4 A→B→D→C

5 A→C→B→D

解説

A：『新古今和歌集』は，鎌倉時代初期（1205年），後鳥羽上皇の院宣を受けて編まれた勅撰和歌集である。古今集を引き継ぎ，その上に新たな様式の確立をめざした。

B：『雨月物語』は江戸時代中期（1776年）に刊行された，上田秋成作の読本である。中国の小説や日本の古典を翻案した怪異小説9編からなる，近世文学の代表作。

C：『土佐日記』は平安時代，紀貫之によって書かれた日本で最初の仮名文日記である。土佐から京に帰るまでの旅を，女性に仮託し仮名文字で書いたものである。

D：『太平記』は南北朝時代の約50年間の争乱を和漢混交文によって書いた軍記物語で，1370年頃に完成したと考えられている。

よって，正答は**2**である。

正答 **2**

大卒警察官

警視庁

No.133 文学・芸術　江戸時代の戯作者　令和4年度

次の作品を書いた江戸時代の戯作者として，最も妥当なのはどれか。

江戸時代の庶民の社交場ともいうべき銭湯を舞台に，そこに登場する様々な職業の老若男女の話や動きを生き生きと描いた，滑稽本の代表作である。

1　恋川春町
2　式亭三馬
3　十返舎一九
4　為永春水
5　柳亭種彦

解説

1．恋川春町は黄表紙『金々先生栄花夢』を書き，当世の風俗を写し出した。
2．妥当である。式亭三馬の滑稽本『浮世風呂』である。
3．十返舎一九は滑稽本『東海道中膝栗毛』を書いた。
4．為永春水は人情本『春色梅児誉美』で，町人社会の男女の愛情生活を写実的に描いた。
5．柳亭種彦の合巻『偐紫田舎源氏』は，源氏物語を室町幕府に置き換えて翻案したものである。

正答　**2**

No. 134 警視庁 文学・芸術 小説の作品名・作者 平成29年度

次の文章は，ある小説の一節である。この小説の作品名及び作者の組合せとして，最も妥当なのはどれか。

人間は誰でも猛獣使いであり，その猛獣に当たるのが，各人の性情だという。おれの場合，この尊大な羞恥心が猛獣だった。虎だったのだ。これがおれを損ない，妻子を苦しめ，友人を傷つけ，果ては，おれの外形をかくのごとく，内心にふさわしいものに変えてしまったのだ。

1 「山月記」 —— 中島敦
2 「檸檬（れもん）」 —— 梶井基次郎
3 「高野聖」 —— 泉鏡花
4 「遠野物語」 —— 柳田国男
5 「狂人日記」 —— 魯迅

解説

1. 正しい。『山月記』は，中国，唐代の伝奇物語『人虎伝』を題材とした中島敦の短編小説である。

2. 『檸檬』は，青春期の不安や退廃やいたずらな感情を詩的に描いた梶井基次郎の短編小説である。

3. 『高野聖』は，深山幽谷の山姫伝説を素材に，語り形式で著された泉鏡花の中編小説である。

4. 『遠野物語』は，岩手県遠野市に伝わるカッパ，姥捨て，神隠し，ザシキワラシなどの伝承を柳田国男が記録・編纂した説話集である。

5. 『狂人日記』は，周りの人間に食われるのではないかと妄想する患者の日記を通して，中国の家族制度や儒教思想の非人間性を批判した魯迅の短編小説で，中国近代文学の先駆的作品といわれる。

正答 1

No. 135 警視庁 文学・芸術 明治時代の詩人 令和2年度

次の記述に該当する詩人として，最も妥当なのはどれか。

第一歌集『一握の砂』（1910年）には，1908年からの東京生活での短歌551首を三行書きの形式で収める。没後，第二歌集『悲しき玩具』（1912年）が刊行された。『一握の砂』に掲載された一首に，「ふるさとの訛（なまり）なつかし停車場の人ごみの中にそを聴きにゆく」がある。

1 石川啄木
2 島崎藤村
3 高村光太郎
4 萩原朔太郎
5 室生犀星

解説

1．妥当である。
2．島崎藤村は，ロマン主義詩人として『若菜集』などを出版。のちに小説家としても活躍し，『破壊』『春』などを発表し，自然主義文学の支柱をなした。ほかに『千曲川のスケッチ』『新生』『夜明け前』などの作品がある。
3．高村光太郎は，彫刻家である高村光雲を父に持つ彫刻家，画家，詩人。『道程』『智恵子抄』などの詩集や彫刻作品『手』などが有名である。
4．萩原朔太郎（さくたろう）は，日本近代詩人の父と称される象徴主義の詩人で，代表作に『月に吠える』『青猫』などがある。
5．室生犀星（むろうさいせい）は，詩人，小説家で，詩集『抒情小曲集』『愛の詩集』や小説『性に眼覚める頃』『あにいもうと』などがある。

正答 1

大卒警察官

No. 136 警視庁

文学・芸術　近代の作家　令和3年度

近代の作家に関する記述として，最も妥当なのはどれか。

1　森鷗外は，陸軍軍医としてのドイツ留学からの帰国後，文学の活動をはじめ，訳詩集『若菜集』，小説『舞姫』などを著し，近代文学の源流を作った。

2　夏目漱石は，余裕派・高踏派などと呼ばれ，反自然主義的な立場で活躍し，超俗の世界，非人情なる独自の作風を『和解』において確立した。

3　島崎藤村は，自費で世に問うた『破戒』で文壇的地位を確立させ，その主題の持つ社会性は大きな反響を呼び，自然主義文学の基をなす作品となった。

4　志賀直哉は，「白樺」創刊号に『夜明け前』を発表し，以来，自伝風の心境小説的傾向の強い短編を多く書き，鋭い感受性と強靱な自我に支えられた健康的な作風を打ち立てた。

5　芥川龍之介は，新現実派の中心的作家であり，東大在学中，『羅生門』を発表して注目され，次いで「新思潮」に発表した『小僧の神様』が認められたことで，はなばなしく文壇に登場した。

解説

1．『若菜集』は島崎藤村の処女詩集で，日本におけるロマン主義文学の代表的詩集といわれる。それ以外の記述は正しい。

2．『和解』は志賀直哉の作品である。漱石は，超俗の世界や非人情の境地を『草枕』の中で説いている。

3．妥当である。

4．志賀直哉が「白樺」創刊号に発表したのは，短編小説の『網走まで』であり，『夜明け前』は島崎藤村の晩年の作品である。それ以外の記述は正しい。

5．芥川が『羅生門』の次に発表したのは『鼻』で，この作品が夏目漱石に絶賛されている。『小僧の神様』は志賀直哉の作品である。

正答　3

大卒警察官

No. 137 警視庁

文学・芸術　アメリカの小説家　令和5年度

次の記述に該当する人物として、最も妥当なのはどれか。

本格推理小説の祖であり、幻想的な短編の名手としても知られる。作品には、詩『大鴉』、小説『アッシャー家の崩壊』『モルグ街の殺人』、短編小説に『黄金虫』『黒猫』などがある。

1　マーク・トウェイン
2　エドガー・アラン・ポー
3　パール・バック
4　マーガレット・ミッチェル
5　オー・ヘンリー

解説

1. マーク・トウェインはアメリカの小説家である。ミシシッピ川のほとりのまちを舞台にした『トム・ソーヤの冒険』『ハックルベリー・フィンの冒険』などの小説やエッセイを残している。

2. 妥当である。アメリカの推理小説家。

3. パール・バックはノーベル文学賞を受賞したアメリカの小説家で、子ども時代を過ごした中国を舞台にした『大地』『息子たち』『分裂せる家』の3部作などを発表している。

4. マーガレット・ミッチェルはアメリカの小説家。南北戦争下、奴隷制が残るジョージア州アトランタを舞台に、気性の激しいスカーレット・オハラの半生を描いた『風と共に去りぬ』が有名である。

5. オー・ヘンリーはアメリカの短編小説家。夫婦のクリスマスプレゼントの行き違いを描いた『賢者の贈り物』や、病気で希望を失った少女を救うため命がけで外壁に一葉を描いた老画家の物語である『最後の一葉』などが代表作。

正答　2

大卒警察官

警視庁

No. 138 文学・芸術 ノーベル文学賞作家 令和元年度

次のノーベル文学賞作家とその作家が執筆した作品名の組合せとして，最も妥当なのはどれか。

1 カミュ 「異邦人」
2 スタインベック 「誰(た)がために鐘は鳴る」
3 ヘッセ 「ジャン・クリストフ」
4 ヘミングウェイ 「怒りの葡萄(ぶどう)」
5 ロマン・ロラン 「車輪の下」

解説

1. 妥当である。

2，**4**. スタインベックの代表作は『怒りの葡萄』。『誰がために鐘は鳴る』はヘミングウェイの作品である。

3，**5**. ヘッセの代表作は『車輪の下』。『ジャン・クリストフ』はロマン・ロランによる長編小説。

正答 1

政治 経済 社会 日本史 世界史 地理 思想 文学・芸術 国語

大卒警察官

No. 139 警視庁

文芸・芸術　フランス文学　平成23年度

フランス文学に関する記述として，妥当なのはどれか。

1　ジッドは実存主義の代表者で，「存在と無」などの思想を，小説「嘔吐」，戯曲「出口なし」などで表現した。ノーベル文学賞は辞退した。

2　カフカは自己の思想を「不条理」の哲学と称し，異常な状況における人間を追求したことで知られる。「異邦人」，「ペスト」などを著した。

3　ランボーはフランス近代詩，象徴主義の創始者で，詩集「悪の華」を出版直後，風俗壊乱で起訴された。他の著書に「パリの憂鬱」などがある。

4　スタンダールは近代小説の開祖の１人とみなされている。主な著作に「赤と黒」のほか，「パルムの僧院」，評論「恋愛論」がある。

5　バルザックはロマン詩人の中心的存在となったが，政治にも関心を持ち，ナポレオン３世のクーデタに反対して亡命生活を送った。主な著作に「レ・ミゼラブル」がある。

解説

世界文学は，19世紀～20世紀の有名作家のキーワードと代表作を押さえておきたい。国別では，フランス文学が最もねらわれるが，イギリス，ロシア，アメリカの作家も重要である。

1．サルトルについての記述である。ジッドは実存主義者ではなく，20世紀のモラリストとして分類される小説家で，『狭き門』『田園交響楽』『贋金（にせがね）つくり』などの代表作がある。

2．カミュについての記述である。カフカはチェコの作家で，死後，カミュやサルトルらがその作品を見いだし，「不条理」文学として世界的に知られるところとなった。カフカには『変身』『審判』『城』などの代表作がある。なお，文学における「不条理」とは，ものごとや人が調和せず，高度な滑稽さを呈している様相をさす。

3．ボードレールについての記述である。ランボーは，ボードレールの死後，華々しく登場し，20歳で筆を絶った早熟の天才詩人。19世紀末の象徴主義を代表する詩人で，『地獄の一季節』『イルミナシオン』などの代表作がある。

4．正しい。スタンダールは，フランス文学の出題で最も重要。『赤と黒』は，野心的な主人公ジュリアン=ソレルの名も覚える必要がある。『パルムの僧院』『恋愛論』も頻出。

5．ユゴーについての記述である。バルザックは，19世紀前半の社会を写実的に描いた多作の小説家で，作中人物をいくつもの作品に登場させて作品どうしを連関させ，全体で現代の歴史が浮かび上がるという「人間喜劇」の構想を練り出した。代表作に『谷間の百合』『ゴリオ爺さん』『従姉妹ベット』などがある。

正答　4

No. 140 5月型 文学・芸術 建造物等の成立順序 平成20年度

次の建造物や美術品が作られた時代を古い順に並べたとき，３番目にくるものはどれか。

1 風神雷神図屏風
2 平等院鳳凰堂
3 東大寺金剛力士像
4 慈照寺東求堂
5 薬師寺東塔

解説

1．風神雷神図屏風は17世紀に活躍した俵屋宗達が描いたもので，京都建仁寺にある。
2．平等院鳳凰堂は1053年に宇治にあった藤原頼通の別荘を阿弥陀堂にしたもの。
3．東大寺金剛力士像は鎌倉時代初期に運慶と快慶が合作した寄木造の彫刻である。
4．慈照寺東求堂は足利義政が15世紀後半に建てた別荘（東山山荘）に付随する持仏堂。別荘（その仏殿が銀閣）は義政が亡くなった後に，その遺言で禅宗寺院に改められ，慈照寺となった。
5．薬師寺東塔は白鳳文化（７世紀後半～８世紀初頭）の頃に建築された。
以上を作られた順に並べると，**5→2→3→4→1**となるので，正答は**3**である。

正答　3

政治
経済
社会
日本史
世界史
地理
思想
文学・芸術
国語

大卒警察官

No. 141 警視庁 文学・芸術 **歌劇の作曲家** 平成16年度

「歌劇の王」と呼ばれ，「アイーダ」，「リゴレット」，「椿姫」等の歌劇をつくり，イタリア歌劇の全盛期をなしたのは誰か。

1 ロッシーニ
2 ヴェルディ
3 ワーグナー
4 ビゼー
5 プッチーニ

解説

1．ロッシーニは19世紀のイタリア歌劇の創始者で，歌劇「セビリアの理髪師」，歌劇「ウィリアム=テル」を作曲した。

2．正しい。ヴェルディは19世紀のイタリア歌劇の全盛期の作曲家である。歌劇「アイーダ」はエチオピアの王女アイーダとエジプトの将軍ラダメスの悲恋物語。歌劇「リゴレット」はフランスの作家ユゴーの戯曲『逸楽の王』に基づく悲劇。歌劇「椿姫」はフランスの作家デュマ=フィスの小説に基づく主人公ヴィオレッタの悲劇である。

3．ワーグナーは19世紀のドイツの作曲家で，劇と管弦楽を結びつけた楽劇の創始者。歌劇「タンホイザー」，歌劇「ローエングリン」を作曲した。

4．ビゼーはフランスの作曲家で，歌劇「カルメン」や組曲「アルルの女」を作曲した。

5．プッチーニは19世紀後半から20世紀前半のイタリアの作曲家で，歌劇「ラ=ボエーム」，歌劇「トスカ」，歌劇「蝶々夫人」を作曲した。

正答 2

No. 142 警視庁

国語　品　詞　平成22年度

日本語の単語のうち，自立語で，活用がなく，主語になれず，主として連用修飾語として用いられる単語の品詞はどれか。

1　副詞
2　連体詞
3　接続詞
4　助動詞
5　助詞

解説

1．正しい。代表的な副詞は「たぶん」,「少し」,「必ず」,「まったく」など。

2．連体詞は自立語で，活用がなく，修飾語になり，体言や体言を含む文節を修飾する連体修飾語のことで,「この」,「小さな」,「あらゆる」など。

3．接続詞は語と語，文と文をつなぐ働きをする単語で,「だから」,「しかし」など。

4．助動詞は付属語で，活用があり，意味をつけ加えたり，話し手の判断を表したりする単語で,「れる」,「たい」,「そうだ」など。

5．助詞は付属語で，活用がなく，語と語の関係を示したり，意味をつけ加えたりする単語で,「が」,「は」,「さえ」など。

正答　1

大卒警察官

No. 143 警視庁

国語　動詞の活用形　平成23年度

口語文法の「動詞」と「活用の種類」の組合せとして，妥当なのはどれか。

	動詞		活用の種類
1	書く	—	カ行変格活用
2	受ける	—	上一段活用
3	恥じる	—	下一段活用
4	授ける	—	サ行変格活用
5	蹴る	—	五段活用

解説

1．「書く」は，「書かない」とア段になるので，五段活用。

2．「受ける」は，「受けない」とエ段なので，下一段活用。

3．「恥じる」は「恥じない」とイ段なので，上一段活用。

4．「授ける」は，「授けない」となり，下一段活用。

5．正しい。「蹴らナイ／蹴ろウ／蹴りマス／蹴る。／蹴るトキ／蹴れバ／蹴れ。」となり，五段活用である。

正答　5

No. 144 警視庁 国語 類義語 平成27年度

類義語の組合せとして，妥当でないのはどれか。

1 造詣 … 意匠
2 丁寧 … 慇懃
3 承認 … 是認
4 技量 … 手腕
5 思慮 … 分別

解説

1．造詣（ぞうけい）は，学問・芸術などのある分野について広い知識と深い理解があること，意匠（いしょう）は，作品を作るときの創意工夫なので，類義語の組合せではない。

2．丁寧（ていねい），慇懃（いんぎん）ともに礼儀正しいことなので，類義語の組合せである。

3．承認（しょうにん），是認（ぜにん）ともに，よいと認めることなので，類義語の組合せである。

4．技量（ぎりょう），手腕（しゅわん）ともに優れた腕前をさすので，類義語の組合せである。

5．思慮（しりょ）は，深く考えを巡らすこと，分別（ふんべつ）は，道理をわきまえていることだが，いずれも「よく考えて判断する」という共通の意味を含むため，類義語の組合せである。

よって，正答は**1**である。

正答 1

No. 145 警視庁

国語　対義語　平成26年度

次の熟語の組合せのうち対義語になっているものとして，最も妥当なのはどれか。

1　老練　―　幼稚
2　概略　―　些末
3　曖昧　―　潔白
4　促進　―　撤退
5　空虚　―　濃厚

解説

1．正しい。老練とは，多くの経験を積み，慣れて巧みなこと。幼稚とは，幼いこと，考えや技術が未熟なこと。
2．概略とは，あらましや大要のこと。些末とは，わずかなこと，取るに足りないこと。
3．曖昧とは，はっきりしないこと，紛らわしく確かでないこと。潔白とは，清潔で純白なこと，潔く心の汚れていないこと。
4．促進とは，ものごとがはかどるように，促し進めること。撤退とは，軍隊などが，陣地などを撤去して退くこと。
5．空虚とは，内容のないこと，ものごとの内容や心の内部が空っぽで空しいこと。濃厚とは，色や味などが濃いこと。こってりとしていること。その可能性が強く感じられること。

正答　1

No. 146 警視庁

国語　ことわざ　令和5年度

次のことわざとその意味の組合せとして、最も妥当なのはどれか。

1　庇(ひさし)を貸して母屋を取られる　―　恩を仇で返されること
2　釈迦(しゃか)に説法　―　つまらないことまで、いちいち干渉すること
3　船頭多くして船山に上る　―　権力のある者には従う方がよいこと
4　生兵法は大怪我のもと　―　2種類の仕事を1人で兼ねて失敗すること
5　蝸牛(かぎゅう)角上の争い　―　目立つ者はとかく他に憎まれること

解説

1. 妥当である。
2.「釈迦に説法」は、その道の専門家にその分野について得意げに説くことの愚かさをいう。
3.「船頭多くして船山に上る」は、指示する人が多すぎて方針がまとまらず、かえってものごとがうまく進まず、見当違いの方向に向かってしまうという意味。「権力のある者には従う方がよい」という意味の慣用句には、「長い物には巻かれろ」がある。
4.「生兵法は大怪我のもと」は、少しばかり知識があるからといって、それに頼ると大失敗をしてしまうという意味。「2種類の仕事を1人でする」という意味の慣用句には、「二足の草鞋(わらじ)を履く」がある。
5.「蝸牛角上の争い」は、つまらない理由で争うことを意味する。「目立つ者は憎まれる」という意味の慣用句には、「出る杭は打たれる」がある。

正答　1

国語　外来語　令和3年度

次の外来語とその言い換え語の組合せとして，最も妥当なのはどれか。

1　パトス　――　逆説
2　ドグマ　――　隠喩
3　アフォリズム　――　警句
4　パラドックス　――　独断
5　メタファー　――　情念

解説

哲学や思想などの文章に頻出の外来語を日本語の言い換えと正しく組み合わせる問題。

1．パトスは「情念」。受動，受苦，情熱の意。
2．ドグマは「独断」。独断的な説，宗教上の教義，教条などの意。
3．妥当である。アフォリズムは「警句」。簡潔な言葉で，人生や社会に対する見解を表現したもの。
4．パラドックスは「逆説」。一見，常識に反するように見えながら，真理を言い当てている表現。矛盾を含んだ表現。
5．メタファーは「隠喩」。たとえであることが明示されていない比喩。

正答　3

No. 148 警視庁

国語　慣用句　令和4年度

次の各慣用句とその意味の組合せとして，最も妥当なのはどれか。

1　虫も殺さぬ　―　非常に温厚であること
2　腰を据える　―　訪問して長居をすること
3　高をくくる　―　知らぬふりをして放っておくこと
4　しのぎを削る　―　相手の急所をおさえること
5　泡を食う　―　損な立場に立たされること

解説

1．妥当である。
2．「腰を据える」は「他に気を取られないで，落ち着いて物事に取り組むさま」。長居をするのは「尻が長い」である。
3．「高をくくる」は「たいしたことはないと最初から甘く見くびること」。知らぬふりをして放っておくのは「見て見ぬふり」である。
4．「しのぎを削る」は「激しく争うこと」。急所をおさえることは「急所をつく」である。
5．「泡を食う」は「ひどく驚き慌てること」。損な立場に立たされ，冷遇されることは「冷や飯を食う」である。

正答　1

大卒警察官

No. 149 警視庁

国語 慣用表現 令和3年度

次の文における下線部の慣用表現が正しいものとして，最も妥当なのはどれか。

1 社長の御眼鏡にかなう。
2 事業に心血を傾ける。
3 寸暇を惜しまず勉強する。
4 天地天命に誓って偽りはない。
5 議論の構成を整えて堂々と論を展開することを，論戦を張るという。

解説

1. 妥当である。目上の人に気に入られたり，実力を認められたりすることをさす。
2. 「心血を注ぐ」が正しい。全精神，全肉体を込めて物事を行うことをさす。
3. 「寸暇を惜しんで」が正しい。わずかな時間でも無駄にせず，物事に没頭することをさす。
4. 「天地神明に誓って」が正しい。自分の言うことに，嘘偽りがないことを固く約束するさまをさす。
5. 「論陣を張る」が正しい。論理を組み立てて議論を展開することをさす。

正答 1

警視庁

No. 150 国語 故事成語 令和元年度

次の故事成語とその意味の組合せとして，最も妥当なのはどれか。

1 殷鑑遠からず：殷という国の鑑（手本）とすべき戒めは遠い時代ではなくて，すぐ前代の滅亡にあるという意で，自分の戒めとなるものは，身近にあるということ。

2 鼎の軽重を問う：鼎とは器であり，器は重さによって物の良し悪しが決まることから，宝物（主に器）の良し悪しを鑑定するということ。

3 奇貨居くべし：奇貨とは偶然の利益のことであり，偶然の利益に頼るのは止めるべきであるということ。

4 木に縁りて魚を求む：木の上から魚を取るように，目的を達成するためには時には斬新な方法も試すべきであるということ。

5 水魚の交わり：水と魚は常に一緒だが，絶対に交わらないことから，互いに無関心な人間関係のこと。

解説

1．妥当である。

2．「鼎の軽重を問う」は，楚の荘王が周の宝器である九鼎の大小・軽重を尋ねた故事から，統治者を軽んじ滅ぼして天下を取ろうとすること，転じて人の実力を疑い地位をくつがえそうとすること。

3．「奇貨居くべし」は，奇貨とは珍しい品物のことで，今すぐに用いることがなくとも，将来を見据えて蓄えておくよい，の意味。転じて，よい機会は逃さずに，うまく利用しなければならないということ。

4．「木に縁りて魚を求む」は，木に登っても水中に住む魚は得られないことから，手段を誤ると目的は達成できないということ。

5．「水魚の交わり」は，水と魚が切っても切り離せない関係であるように，離れることのできない親密な間柄のこと。

正答 1

大卒警察官

No. 151 警視庁

国語　故事成語　平成30年度

故事成語に関する記述として，最も妥当なのはどれか。

1　「瓜田に履を納れず」とは，瓜畑に瓜を盗みに入るとき，靴を履いて畑に入ると靴跡が残り，証拠を残してしまうことから，「証拠を残さないように注意すること」という意味を指す。

2　「推敲（すいこう）」とは，唐の詩人が詩を書いたとき，「僧推月下門」の「推（おす）」を「敲（たたく）」と代えるかどうかで悩んだことから，「たいしたことのないことをくよくよ悩む」という意味を指す。

3　「杜撰（ずさん）」とは宋の杜黙（ともく）の詩が規律に合わないものが多かったことから，「かつてなかったほど独創的ですばらしいもの」という意味を指す。

4　「蟷螂（とうろう）の斧」とは，蟷螂（かまきり）が鎌を振り上げて車に立ち向かったという故事から，「たとえ戦力的に厳しくても必死の勢いで立ち向かうこと」の意味を指す。

5　「泣いて馬謖（ばしょく）を斬る」とは，諸葛亮が命令違反を行った愛弟子の馬謖を処刑した故事から，「規律を保つためには，たとえ愛する者であっても，違反者は厳しく処分する」という意味を指す。

解説

1．「瓜田（かでん）に履（くつ）を納（い）れず」は，瓜を盗むのかと疑われるので，瓜畑では靴が脱げても履き直さないことをさし，「疑いが掛けられるような行いは避けよ」という意味。「李下に冠を正さず」と同じ意味である。

2．「推敲」は「詩文の字句を何度も練り直すこと」という意味である。

3．「杜撰」は「著作物の典拠が確かでないこと。いい加減に書かれていて，誤りが多いこと」という意味である。

4．「蟷螂の斧」は，「力のないものが力量も顧みず強敵に立ち向かう」という意味である。

5．妥当である。

正答　5

警視庁

No.152 国語 四字熟語 平成29年度

次のA～Eの四字熟語の空所に当てはまる漢数字の合計として，最も妥当なのはどれか。

A　傍目（　）目……意味：当事者より第三者の方が物事の是非がよく分かること。

B　（　）分五裂……意味：いくつにも分かれて，秩序をなくすこと。

C　（　）鬼夜行……意味：多くの人が悪い行いをすること。

D　八面（　）臂(ぴ)……意味：ひとりで何人分もの働きをすること。

E　破顔（　）笑……意味：顔をほころばせて，にっこり笑うこと。

1　114
2　117
3　119
4　213
5　220

解説

A：傍目八目（おかめはちもく）。岡目八目とも書く。囲碁の対局が由来の熟語。
B：四分五裂（しぶんごれつ）。類義語は四分五散。
C：百鬼夜行（ひゃっきやこう）。百鬼とは妖怪のこと。
D：八面六臂（はちめんろっぴ）。８つの顔と６本の腕を持っている仏像からきた熟語。
E：破顔一笑（はがんいっしょう）。

よって，8＋4＋100＋6＋1＝119になるので，正答は**3**である。

正答　3

大卒警察官

No. 153 警視庁

国語　四字熟語の意味　平成28年度

四字熟語「付和雷同」の意味として，最も妥当なのはどれか。

1　世間に知れないようにひそかに策動すること
2　多くの人が口をそろえて同じことを言うこと
3　人と行動や運命をともにすること
4　自分に一定の見識がなく，ただ他の説に訳もなく賛成すること
5　行動などが非常に迅速なこと

解説

1.「暗中飛躍（あんちゅうひやく）」の説明である。
2.「異口同音（いくどうおん）」の説明である。
3.「一蓮托生（いちれんたくしょう）」の説明である。
4. 正しい。
5.「迅速果敢（じんそくかかん）」の説明である。

正答　4

No. 154 警視庁

国語　敬語表現　平成21年度

日本語の敬語表現を，（ア）尊敬した表現，（イ）へりくだった表現，（ウ）丁寧な表現の３つに分類するとき，次のうちで（ウ）の例として適切なものはどれか。

1　その方は明日来てくださるはずです。
2　その会議には私の上司がまいります。
3　その事件の経緯をお話し申し上げます。
4　その窓口で待っていらっしゃいます。
5　その資料なら地下倉庫にございます。

解説

1.「来てくださる」は「その方」が「来る」ことを敬って表現した言葉なので，（ア）尊敬した表現が当てはまる。
2.「まいります」は私の会社（身内）の「私の上司」が「行く」ことをへりくだって表現した言葉なので，（イ）へりくだった表現が当てはまる。
3.「お話し申し上げます」は話している相手に敬意を表すために，自分が「話す」ことをへりくだって表現した言葉なので，（イ）へりくだった表現が当てはまる。
4.「待っていらっしゃいます」は窓口で待っている客などの相手に対して「待っている」ことを敬って表現した言葉なので，（ア）尊敬した表現が当てはまる。
5. 正しい。「ございます」は「ある」の丁寧な表現である。

正答　5

大卒警察官 5月型

No. 155 数学 一次関数 平成28年度

$l : y=ax+b$, $m : y=9x$, $n : y=\frac{1}{9}x-1$ で表される3つの直線 l, m, n があり，l と m，m と n，n と l の交点をそれぞれ，A，B，Cとする。ABCが三角形とならないときの a と b の組合せとして妥当なのはどれか。

	a	b
1	0	$-\frac{11}{10}$
2	1	$\frac{9}{10}$
3	-1	$-\frac{9}{8}$
4	2	$\frac{7}{8}$
5	-2	$-\frac{7}{6}$

解説

3直線の交点が三角形にならないためには，(1)2直線または3直線が平行である，または，(2)3直線が1点で交わる，のいずれかを満たす必要がある。

直線 m と直線 n の傾きは，9，$\frac{1}{9}$ であるので，a の値が9または $\frac{1}{9}$ であれば，(1)の条件を満たすが，選択肢に a の値が9または $\frac{1}{9}$ であるものは存在しない。

次に，(2)を満たす場合を考える。m と n の交点は，$y=9x$，$y=\frac{1}{9}x-1$ の連立方程式の解であり，$(x,\ y)=\left(-\frac{9}{80},\ -\frac{81}{80}\right)$ となる。3直線が1点で交わるには，直線 l が $\left(-\frac{9}{80},\ -\frac{81}{80}\right)$ を通ればよい。つまり，

$$-\frac{81}{80}=-\frac{9}{80}a+b \quad \cdots\cdots①$$

が成り立てばよい。選択肢を順に代入していくと，$(a,\ b)=\left(-1,\ -\frac{9}{8}\right)$ のときに，$-\frac{81}{80}=-\frac{9}{80}\times(-1)-\frac{9}{8}$ となり，①が成り立つ。ほかの選択肢の場合は，①は成り立たない。

よって，正答は**3**である。

正答 3

大卒警察官 No. 156 5月型

数学　接線の方程式　平成25年度

放物線 $x=y^2+1$ と点（2，1）で接する接線の方程式は次のうちどれか。

1　$y=\frac{1}{4}x+\frac{1}{2}$

2　$y=\frac{1}{3}x+\frac{1}{3}$

3　$y=\frac{1}{2}x$

4　$y=x-1$

5　$y=2x-3$

解説

$x=y^2+1$　……①

に点（2，1）で接する接線の方程式は

$x=m(y-1)+2$（m は実数）　……②

と表すことができる。

①，②より，

$y^2+1=m(y-1)+2$

$y^2-my+(m-1)=0$　……③

「放物線①と直線②が接する⇔2次方程式③が重解を持つ」であるから，

判別式 $D=(-m)^2-4\times1\times(m-1)$

$m^2-4m+4=0$

$(m-2)^2=0$

より，$m=2$ となる。このとき，直線②は $x=2(y-1)+2$，すなわち $y=\frac{1}{2}x$ となる。

よって，正答は**3**である。

正答　3

大卒警察官

No. 157　5月型　数学　円の方程式　平成27年度

方程式，$x^2+y^2-14x+6y+49=0$ が表す円の半径はいくらか。

1　2
2　3
3　4
4　5
5　6

解説

$x^2+y^2-14x+6y+49=0$ を変形して，

$$x^2-14x+49+y^2+6y+9=9$$

$(x-7)^2+(y+3)^2=3^2$ より，この方程式は中心（7，-3）で，半径3の円を表す。

よって，正答は**2**である。

正答　**2**

大卒警察官

No. 158 警視庁

数学　三角関数　平成26年度

$0° \leqq \theta \leqq 180°$ で，$\tan\theta = -\dfrac{\sqrt{7}}{3}$ のとき，$\sin\theta - \cos\theta$ の値として，正しいのはどれか。

1　$12+12\sqrt{7}$

2　$12-12\sqrt{7}$

3　$-\dfrac{3+\sqrt{7}}{4}$

4　$\dfrac{3+\sqrt{7}}{4}$

5　$\dfrac{\sqrt{7}}{4}$

解説

$0° \leqq \theta \leqq 180°$ において，

$$\tan\theta = \frac{\sin\theta}{\cos\theta} = -\frac{\sqrt{7}}{3} \quad \cdots\cdots ①$$

$$\sin^2\theta + \cos^2\theta = 1 \quad \cdots\cdots ②$$

$$\sin\theta \geqq 0 \quad \cdots\cdots ③$$

①より，

$$\frac{\sin^2\theta}{\cos^2\theta} = \left(-\frac{\sqrt{7}}{3}\right)^2 = \frac{7}{9}$$

$$9\sin^2\theta = 7\cos^2\theta \quad \cdots\cdots ④$$

②より，

$$\cos^2\theta = 1 - \sin^2\theta$$

これを④に代入して，

$$16\sin^2\theta = 7$$

$$\therefore \quad \sin\theta = \frac{\sqrt{7}}{4}$$

①より，

$$\cos\theta = \frac{\sqrt{7}}{4} \times \left(-\frac{3}{\sqrt{7}}\right) = -\frac{3}{4}$$

したがって，

$$\sin\theta - \cos\theta = \frac{\sqrt{7}}{4} - \left(-\frac{3}{4}\right) = \frac{3+\sqrt{7}}{4}$$

よって，正答は**4**である。

正答　4

大卒警察官

No. 159　5月型

数学　座標空間　平成24年度

座標空間内に$x=1$で表される平面がある。次に挙げる直線の中で，この平面に垂直な直線になっているものはどれか。

1　点(0, 2, 0)，と点(2, 0, 0) を通る直線
2　点(0, 2, 0)，と点(2, 2, 0) を通る直線
3　点(0, 2, 0)，と点(2, 0, 2) を通る直線
4　点(0, 2, 0)，と点(2, 2, 2) を通る直線
5　点(2, 0, 2)，と点(2, 2, 2) を通る直線

解説

$x=1$で表される平面は，x軸上の点 (1, 0, 0) を通りyz平面に平行な平面である。したがって，この平面に垂直な直線の方向ベクトルの成分は，x成分$\neq 0$，y成分$=0$，z成分$=0$となっていなければならない。そこで，各選択肢に与えられた2点を結ぶベクトルを考えるとき，その成分が同様になっていれば，この2点を通る直線は与えられた平面に垂直であるといえる。

1. A(0, 2, 0)，B(2, 0, 0) と置くと，$\overrightarrow{AB}=\overrightarrow{OB}-\overrightarrow{OA}=(2-0,\ 0-2,\ 0-0)=(2,\ -2,\ 0)$となり条件を満たさない。

2. A(0, 2, 0)，B(2, 2, 0) と置くと，$\overrightarrow{AB}=\overrightarrow{OB}-\overrightarrow{OA}=(2-0,\ 2-2,\ 0-0)=(2,\ 0,\ 0)$となり条件を満たす。

3. A(0, 2, 0)，B(2, 0, 2) と置くと，$\overrightarrow{AB}=\overrightarrow{OB}-\overrightarrow{OA}=(2-0,\ 0-2,\ 2-0)=(2,\ -2,\ 2)$となり条件を満たさない。

4. A (0, 2, 0)，B (2, 2, 2) と置くと，$\overrightarrow{AB}=\overrightarrow{OB}-\overrightarrow{OA}=(2-0,\ 2-2,\ 2-0)=(2,\ 0,\ 2)$となり条件を満たさない。

5. A (2, 0, 2)，B (2, 2, 2) と置くと，$\overrightarrow{AB}=\overrightarrow{OB}-\overrightarrow{OA}=(2-2,\ 2-0,\ 2-2)=(0,\ 2,\ 0)$となり条件を満たさない。

よって，正答は**2**である。

正答　2

数学　整数部分　平成30年度

$\sqrt{5}$の整数部分は2である。では，$\dfrac{4}{3-\sqrt{5}}$の整数部分はいくつか。

1　1
2　2
3　3
4　4
5　5

解説

$\dfrac{4}{3-\sqrt{5}}$の分母を有理化する。

$$\frac{4}{3-\sqrt{5}}=\frac{4(3+\sqrt{5})}{(3-\sqrt{5})(3+\sqrt{5})}$$

$$=\frac{4(3+\sqrt{5})}{3^2-(\sqrt{5})^2}$$

$$=\frac{4(3+\sqrt{5})}{9-5}$$

$$=3+\sqrt{5}$$

ここで$\sqrt{5}$の整数部分は2なので，$3+\sqrt{5}$の整数部分は$3+2=5$となる。
よって，正答は**5**である。

正答　**5**

数学　平行四辺形と相似比　平成18年度

次の図のように，平行四辺形 ABCD の辺 AB の延長上に AB を 5：2 に外分する点Pをとる。DP と AC の交点をQとするとき，AQ：QC の値は次のうちどれか。

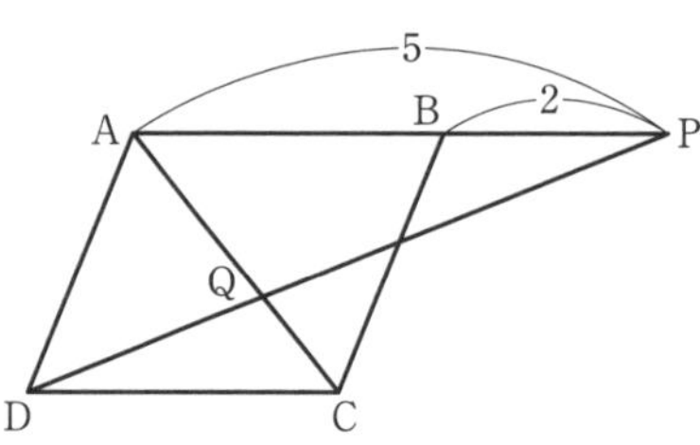

1　2：1
2　3：2
3　4：3
4　5：2
5　5：3

解説

題意より AP：PB＝5：2 であるから，AB：AP＝3：5 となる。そこで，以下，平行四辺形の辺 AB の長さを 3 として考える。

平行四辺形の一組の対辺は長さが等しいので，

CD：AP＝AB：AP＝3：5

AP//CD より，

∠PAQ＝∠DCQ（錯角）

対頂角は等しいので，

∠AQP＝∠CQD

∴　△PAQ∽△DCQ

したがって，

AQ：CQ＝AP：CD＝5：3

よって，正答は**5**である。

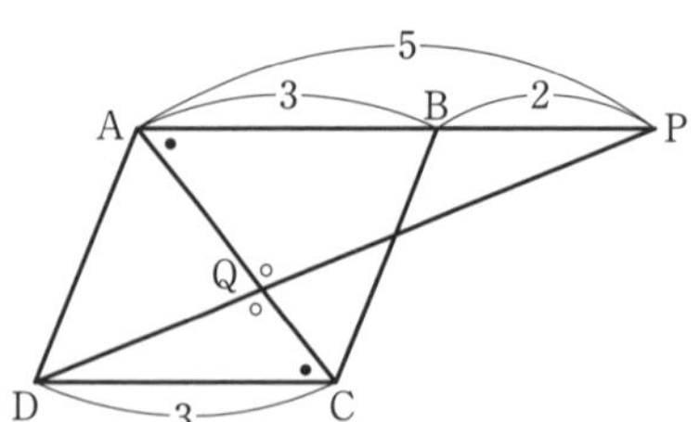

正答　5

大卒警察官

No. 162 警視庁

物理　力のつり合い　令和4年度

摩擦のある鉛直な壁に，長さL，質量mの一様な棒ABを押し当て，右端Bと壁の間を糸で結び，棒を水平にする。このとき張力T，棒が壁から受ける垂直抗力Nの組み合わせとして，最も妥当なのはどれか。ただし，糸と棒の間の角度をθ，重力加速度の大きさをgとする。

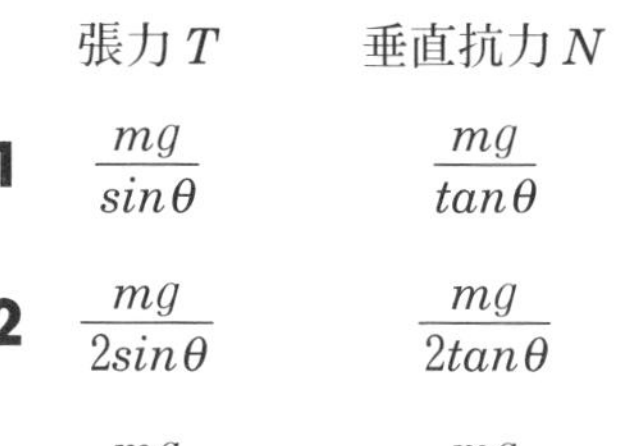
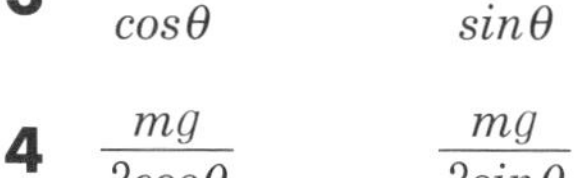

	張力T	垂直抗力N
1	$\frac{mg}{sin\theta}$	$\frac{mg}{tan\theta}$
2	$\frac{mg}{2sin\theta}$	$\frac{mg}{2tan\theta}$
3	$\frac{mg}{cos\theta}$	$\frac{mg}{sin\theta}$
4	$\frac{mg}{2cos\theta}$	$\frac{mg}{2sin\theta}$
5	$\frac{mg}{tan\theta}$	$\frac{mg}{cos\theta}$

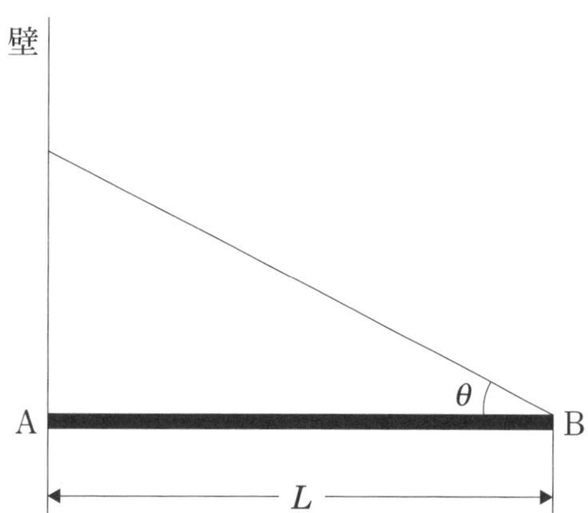

解説

棒にはたらく力としてまず挙げられるのが重力であるが，一様な棒の重心は真ん中にあるので，重力は棒の中心から鉛直下向きにはたらく。次に考えられるものとして糸の張力Tがある。棒が壁から受ける抗力は，垂直抗力Nと摩擦力Fに分解して考える。張力Tの水平成分とつり合う力が必要だから，垂直抗力Nは水平右向きとなる。また，B点におけるモーメントのつり合いを考えると，Fは鉛直上向きとなる。

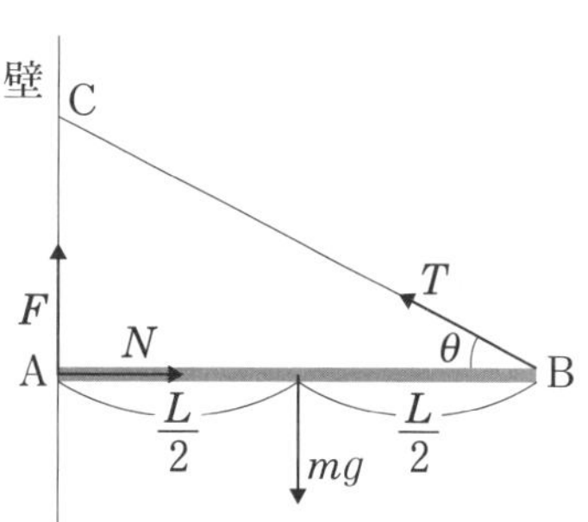

このとき，B点におけるモーメントのつり合いから，$F \times L = mg \times \frac{L}{2}$　∴　$F = \frac{mg}{2}$　…①

力の鉛直成分のつり合いから，$T\sin\theta + F = mg$　∴　①より，$T = \frac{mg}{2sin\theta}$　…②

力の水平成分のつり合いから，$N = T\cos\theta$　∴　②より，$N = \frac{mg\cos\theta}{2\sin\theta} = \frac{mg}{2tan\theta}$

よって，正答は**2**である。

正答　2

【注意】剛体にはたらく力のつり合いの条件は，

①すべての力の合力が$\vec{0}$　　$\vec{F} = \vec{F_1} + \vec{F_2} + \vec{F_3} + \cdots = \vec{0}$

②任意の点のまわりの力のモーメントの和が0　　$N = N_1 + N_2 + N_3 + \cdots = 0$

と表されるが，①は平行移動が生じないための条件，②は回転が生じないための条件である。さらに，①の条件が成り立っている場合，任意の1点に関して②の条件が成り立っていれば十分であることに注意する。

大卒警察官 警視庁

No.163 物理 反発係数 令和2年度

図のように，質量Mの箱Qがなめらかな水平面上に置かれている。箱Qの向かい合う面Aと面Bはともにx軸に垂直で，その2面間の距離はlである。この箱Qの内部のなめらかな底面上に質量mの小球Pを入れ，小球Pだけに初速v_0をx軸正の向きに与えた。小球Pが箱Qの面Aに垂直に衝突してから面Bに衝突するまでの時間tとして，最も妥当なのはどれか。ただし，小球Pと箱Qの反発係数をe（$0<e<1$）とし，面A，Bの厚みは無視できるものとする。

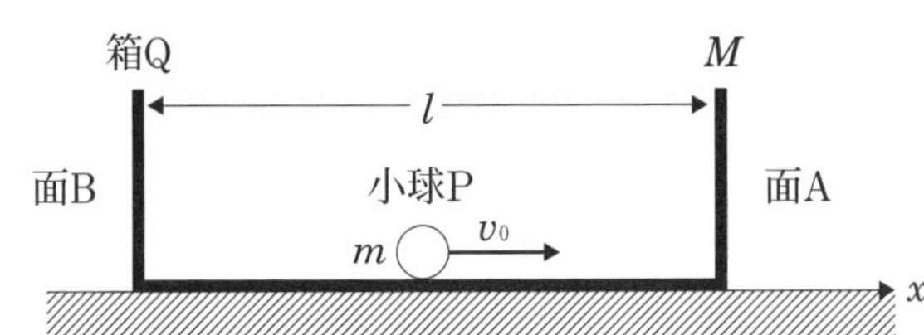

1 $\dfrac{l}{ev_0}$

2 $\dfrac{3l}{ev_0}$

3 $\dfrac{l}{3ev_0}$

4 $\dfrac{2l}{ev_0}$

5 $\dfrac{l}{2ev_0}$

解説

小球Pが面Aに垂直に衝突する場合，その前後での小球Pと箱Qの速度の変化を考える。衝突前の箱Qの速度をV_0〔m/s〕，衝突直後の箱Qの速度をV_1〔m/s〕，小球Pの速度をv_1〔m/s〕とすると，$V_0=0$〔m/s〕であるから，反発係数の定義より，

$$e=-\frac{v_1-V_1}{v_0-V_0}=-\frac{v_1-V_1}{v_0} \qquad \therefore \quad v_1-V_1=-ev_0$$

となるが，v_1-V_1は箱Qから見た小球Pの相対速度である（この速度はx軸負の向きになるので，負の値であることに注意）。したがって，この相対速度の絶対値であるev_0〔m/s〕で面Aと面Bの間の距離l〔m〕を割れば，小球Pが箱Qの面Aに衝突してから面Bに衝突するまでの時間t〔s〕を求めることができる。すなわち，

$$t=\frac{l}{ev_0}〔\mathrm{s}〕$$

となり，正答は**1**である。

【注意】

衝突の前後では，一方から他方を見ると近づく運動から遠ざかる運動に変化するので，相対速度の向きが変わる。このため，相対速度の比は必ず負になる。そこで，反発係数の式の右辺に「−」をつけることによって，反発係数の値自体は正になるようにしている。

正答 1

大卒警察官
No. 164
警視庁

物理　等加速度直線運動　令和元年度

粗い水平面上で，ある質量の物体に初速度 v_0[m/s] を与えた。物体が静止するまでの時間 t[s] と物体が滑る距離 x[m] の関係を式に表したものとして，最も妥当なのはどれか。

1　$x=\frac{1}{4}v_0t$

2　$x=\frac{1}{2}v_0t$

3　$x=v_0t$

4　$x=2v_0t$

5　$x=4v_0t$

解説

初速 v_0から静止するまで一定の動摩擦力による等加速度直線運動を行ったので，その平均の速さは$\frac{v_0+0}{2}=\frac{v_0}{2}$である。運動した時間が t [s] なので，滑る距離は，速さに時間をかけて，

$$x=\frac{v_0}{2}t$$

となる。

よって，正答は**2**である。

正答　**2**

大卒警察官

No. 165 警視庁

物理　楕円軌道の速度　令和3年度

地球の周りを半径 r で等速円運動する人工衛星Pがある。これを点Aで加速し，図の点線で示すような楕円軌道に移行したい。直線ABは楕円の長軸であり，地球の中心Oから点Bまでの距離は $3r$ とする。地球の質量をM，万有引力定数をGとすると，楕円軌道に入ったときの点AにおけるPの速さとして，最も妥当なのはどれか。

1　$\sqrt{\dfrac{GM}{r}}$　**2**　$\sqrt{\dfrac{GM}{2r}}$　**3**　$\sqrt{\dfrac{3GM}{2r}}$

4　$\sqrt{\dfrac{2GM}{3r}}$　**5**　$\sqrt{\dfrac{4GM}{3r}}$

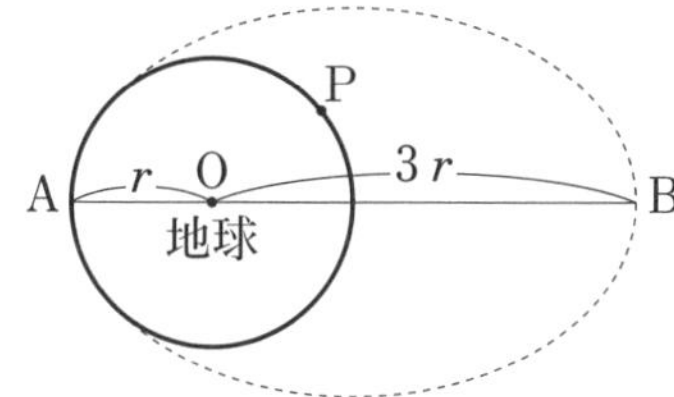

解説

点Aの人工衛星の速さを v_A，点Bの人工衛星の速さを v_B とする。楕円軌道を運動している間，ケプラーの第2法則から，人工衛星が描く面積速度$\left(\text{速さと地球からの距離の積の}\dfrac{1}{2}\right)$が一定になるので，

$$\frac{1}{2}v_A\times r=\frac{1}{2}v_B\times 3r$$

$$\therefore v_B=\frac{v_A}{3}$$

次に，楕円運動をしている間は，人工衛星に働く力学的エネルギーは保存する。そこで，人工衛星の質量を m とすると，力学的エネルギーは，運動エネルギーと位置エネルギーの和なので，

$$\frac{1}{2}mv_A^2-\frac{GMm}{r}=\frac{1}{2}mv_B^2-\frac{GMm}{3r}$$

両辺を m で割って，最初に求めた式を代入すると，

$$\frac{v_A^2}{2}-\frac{GM}{r}=\frac{1}{2}\left(\frac{v_A}{3}\right)^2-\frac{GM}{3r}$$

両辺を18倍して移項すると，

$$9v_A^2-v_A^2=\frac{18GM}{r}-\frac{6GM}{r}$$

整理して，

$$8v_A^2=\frac{12GM}{r}$$

$$\therefore v_A=\sqrt{\frac{3GM}{2r}}$$

よって，正答は**3**である。

正答　**3**

No. 166 5月型 物理 物体の運動 平成29年度

物体の運動に関する次の文章中の空欄ア，イに当てはまる語句の組合せとして妥当なのはどれか。ただし，空気抵抗は無視するものとする。

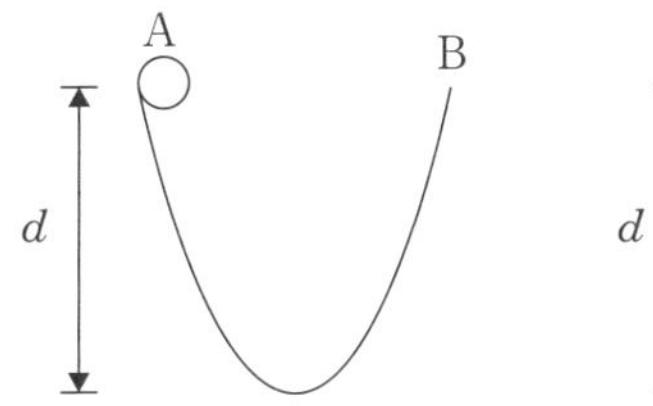

左図において点Aから静かに斜面上を転がった小球は，Aと同じ高さdの位置にある点Bまで転がった。次に，右図のように，左図と比べて途中で途切れた斜面の点Aから，同じ小球を静かに転がすと，小球は斜面が途切れた点B′から空中に飛び出て放物運動を行った。この放物運動の最も高い点の高さは（　ア　）。これは，放物運動の最も高い点では，小球の（　イ　）が0ではないからである。

	ア	イ
1	dより小さい	位置エネルギー
2	dより小さい	運動エネルギー
3	dと同じ	位置エネルギー
4	dと同じ	運動エネルギー
5	dより大きい	位置エネルギー

解説

Aから静かに放した小球の持つ力学的エネルギーはいずれの図の場合も変わらない。問題の左図の場合には，小球は点Bで折り返すときに，瞬間的に静止する。すなわち，運動エネルギーがAと同じく0となるため，Aと同じ高さのBまで到達するのである。一方，問題の右図の切れた斜面の場合，B′を通過した後，放物運動をして最高点に到達するが，最高点で小球の速さは0ではない。もし最高点で速さが0になるのなら，次の瞬間，小球はポトリと真下に落ちることになるが，実際には，投げたボールが途中でポトリと鉛直真下に落ちることはない，つまり，水平方向に速さを持っている。最高点でも，この速さのぶん，運動エネルギーを持っていて，運動エネルギーは0ではないため，そのぶんAよりも位置エネルギーは低くなるため，最高点での高さはdよりも小さいことになる。

これより，空欄アには「dより小さい」，空欄イには「運動エネルギー」が入る。

なお，位置エネルギーも最高点の高さでは0ではないが，高さがAより低い理由とはならないため，これを入れるのは不適切である。

よって，正答は**2**である。

正答　2

大卒警察官

警視庁

No.167 物理 比熱 平成23年度

質量100g の金属容器がある。これに100g の液体を入れて温度を測ると20℃だった。そこにさらに50℃の同じ液体を70g 加え，よくかき混ぜてから全体の温度を測ると30℃だった。この液体の比熱は温度によらず5.0J/g･K であることがわかっている。このとき，この金属容器の比熱（J/g･K）として，正しいのはどれか。ただし，液体の蒸発や外部との熱の出入りは考えない。

1 1.0
2 2.0
3 3.0
4 4.0
5 5.0

解説

高温の物体と低温の物体を接触させると，高温の物体から低温の物体へと熱が移動し，両者が等しい温度になったところで熱の移動は終わる。この状態を熱平衡状態という。このとき，**〔高温物体から流出した熱量〕＝〔低温物体に流入した熱量〕**という関係が成り立ち，これを熱エネルギー保存の法則という。一方，質量 m〔g〕，比熱 c〔J/g･K〕の物体の温度を ΔT〔K〕だけ上げるのに必要な熱量 Q〔J〕は，

$Q=mc\Delta T$

であるから，金属容器の比熱を x〔J/g･K〕として，熱エネルギー保存の法則は，題意より，

$70\times5.0\times(50-30)$
$=100\times x\times(30-20)+100\times5.0\times(30-20)$

と表される。ここで，高温物体に相当するのは50℃の液体70g，低温物体に相当するのは20℃の金属容器100g と20℃の液体100g の全体であることに注意する。上式を解くことにより，$x=2.0$〔J/g･K〕を得る。

よって，正答は**2**である。

正答 **2**

大卒警察官

No. 168 警視庁

物理　半導体　令和5年度

半導体に関する記述として、最も妥当なのはどれか。

1　ケイ素やゲルマニウムは高温では抵抗率が大きく電子を通しにくいが、温度が下がると抵抗率が下がる。このような半導体を真性半導体という。

2　真性半導体に微量のアルミニウムを入れるとｐ型半導体に変化し、アルミニウムは価電子を３個しか持たないため共有結合をするには電子が１つ不足する部分ができる。この部分をホールと呼び、正の電気を持つ粒子のようにふるまう。

3　半導体において電流を担う荷電粒子をキャリアと呼び、ｐ型半導体では電子がキャリア、ｎ型半導体ではホールがキャリアとなる。

4　ｐ型半導体とｎ型半導体を接合し両側に電極を取り付けたものを半導体ダイオードという。半導体ダイオードは双方向に電流を流し整える整流作用を持つ。

5　トランジスターは大きな電流の変化を微弱な電流に抑制するはたらきがある。２つのｐ型半導体の間に薄いｎ型半導体をはさんだ構造のものをpnp型トランジスター、２つのｎ型半導体の間に薄いｐ型半導体をはさんだ構造のものをnpn型トランジスターという。

解説

1. 抵抗率が導体と不導体の中間の物質を半導体という。真性半導体は、低温では抵抗率が大きく伝導性がほとんどないが、高温になると自由電子に相当する電子が発生して伝導性を示すようになる。半導体の例としては、単体ではケイ素Si、ゲルマニウムGe、セレンSeなどがある。

2. 妥当である。ｐ型半導体は、第14族のSiやGeに、ごく微量の第13族の元素が混じったものである。

3. 半導体において、電流の担い手をキャリアと呼ぶが、ｐ型半導体では正の電荷に相当するホールが、ｎ型半導体では負の電荷を持つ電子がキャリアになっている。

4. 前半の記述は正しい。半導体ダイオードでは、ｐ型部からｎ型部へは電流が流れるが、逆には流れにくい。このため、半導体ダイオードでは順方向の電圧のときだけ電流が流れるので、交流を直流に直す回路に使用される（整流作用）。

5. トランジスターには増幅作用があり、小さな電流を大きな電流に増幅させることができる。後半の記述は正しい。

正答　2

数学　物理　化学　生物　地学　文章理解　判断推理　数的推理　資料解釈

大卒警察官

警視庁

No.169 物理 電磁波 平成29年度

電磁波に関する記述として，最も妥当なのはどれか。

1　振動数の小さい方から順番にγ線，X線，紫外線，可視光線，赤外線，電波に大きく分類される。

2　熱放射の電磁波はその物体内の主として電子の熱運動によって放出され，その波長による強さの分布は物体の種類にはよらず，物体の温度のみによって定まる。

3　電子レンジは電波の一種である赤外線を用いて食品の加熱を行っているが，赤外線が食品中の水分子を運動させることで加熱する。

4　テレビの電波は周波数が高くなるほど雨による影響を受けにくくなるため，特に周波数の高い衛星放送の電波は大雨の影響をほとんど受けない。

5　赤外線には殺菌作用があるため，殺菌ランプとして利用され，260nm付近の波長を持つ赤外線の殺菌効果が最も高いとされている。

解説

1．振動数の小さい（波長の長い）ほうからではなく，振動数の大きい（波長の短い）ほうから，γ線，X線，紫外線，可視光線，赤外線，電波の順になる。

2．正しい。

3．電子レンジで使われているのは，赤外線ではなく，赤外線よりも波長の長いマイクロ波である。

4．電波は周波数が高くなるほど，雨の影響を受けやすくなる。したがって，通常のテレビ波は雨の影響を受けずに受信できるが，周波数の高い衛星放送の電波は，大雨が降るとその影響を受けて受信しにくくなる。

5．殺菌作用があるのは赤外線ではなく，紫外線である。また，260nm付近の波長で殺菌効果が最も高くなるが，この波長の電磁波は赤外線ではなく，紫外線である。

正答　2

No. 170 5月型 物理 音波 平成23年度

木の共鳴箱に一本の金属の弦を張って音が出るようにした装置（モノコード）を使って，弦のはじき方や弦の状態によって，音の高さや大きさがどのように変化するかを調べた。この装置にア～エのような変化を加えて変化前の音と変化後の音を比べるとき，変化後の音のほうが高くなるもののみをすべて挙げている組合せは，次のうちどれか。

ア　弦の長さを増す。

イ　弦の太さを減らす。

ウ　弦をはじく力を増す。

エ　弦の張力を増す。

1　ア

2　イ

3　ア，ウ

4　イ，エ

5　イ，ウ，エ

解説

両端を固定して張った弦の中央を指ではじくと，両端を節とする定常波ができる。弦にこのような定常波ができるのは，振動数が次の式で表される特定の値をとる場合だけである。

$$f_m=\frac{m}{2l}\sqrt{\frac{T}{\rho}} \qquad (m=1,\ 2,\ 3,\cdots\cdots)$$

ここで，l は弦の長さ，T は弦の張力，ρ は線密度である。これを弦の固有振動といい，$m=1$ の場合を基本振動，$m=2$ の場合を２倍振動，$m=3$ の場合を３倍振動，……という。また，このとき生ずる音を基本音，２倍音，３倍音，……という。弦から実際に出る音はこれらの音の混合であるが，全体としての音の高さは基本振動の振動数で決まる。すなわち，**基本振動の振動数が大きいと音は高くなる。**

したがって，上式から，弦をはじいたときに出る音の高さに関して次のようなことがいえる。

ア：弦の長さを増す→基本振動数の振動数が減る→音は低くなる

イ：弦の太さを減らす→弦の線密度が減る→基本振動数の振動数が増す→音は高くなる

エ：弦の張力を増す→基本振動数の振動数が増す→音は高くなる

なお，弦をはじく力を増すと定常波の振幅が大きくなるので音が大きくなるが，音の高さは変わらないことに注意する。

したがって，音が高くなるのはイとエの場合だけである。

よって，正答は**4**である。

正答　4

大卒警察官

No. 171　5月型

物理　ドップラー効果　平成25年度

音を出しながら走っている車が静止している観測者に近づいて来るとき，観測者に聞こえる音は｛高く，低く｝なり，観測者の前を車が通り過ぎると観測者に聞こえる音は｛高く，低く｝なる。これは，観測者の前を車が通り過ぎる前後で観測者に聞こえる音の｛振動数，振幅｝が変化するからであり，｛ドップラー効果，ホール効果｝と呼ばれる。

上文中の｛　｝内に当てはまる語句として妥当なものを順に挙げているのは，次のうちどれか。

1　高く，低く，振幅，ホール効果
2　高く，低く，振幅，ドップラー効果
3　高く，低く，振動数，ドップラー効果
4　低く，高く，振幅，ホール効果
5　低く，高く，振動数，ドップラー効果

解説

このような現象はドップラー効果と呼ばれ，音源の音の振動数と観測者の聞く音の振動数との間には次のような関係がある。

音速を V，観測者の速度を u_o，音源の速度を u_s，音源の振動数を f，観測者の聞く振動数を f' とすると，

$$f' = \frac{V - u_o}{V - u_s} f$$

ここで，u_o，u_s の符号は，音波の伝わる向きを正とする。

〈音源が観測者に近づいてくる場合〉

音波の伝わる向きは音源→観測者で，上式において $u_s > 0$，$u_o = 0$ であるから，$f' > f$ となり，振動数が大きくなり，聞こえる音は高くなる。

〈音源が観測者から遠ざかる場合〉

音波の伝わる向きは音源→観測者で，上式において $u_s < 0$，$u_o = 0$ であるから，$f' < f$ となり，振動数が小さくなり，聞こえる音は低くなる。

よって，正答は**3**である。

正答　3

図１のような電圧―電流特性をもつ電球L，10Ωの抵抗R，内部抵抗が無視でき起電力12Vの電池Eを，図２のように接続したとき，電球Lを流れる電流は何Aか。

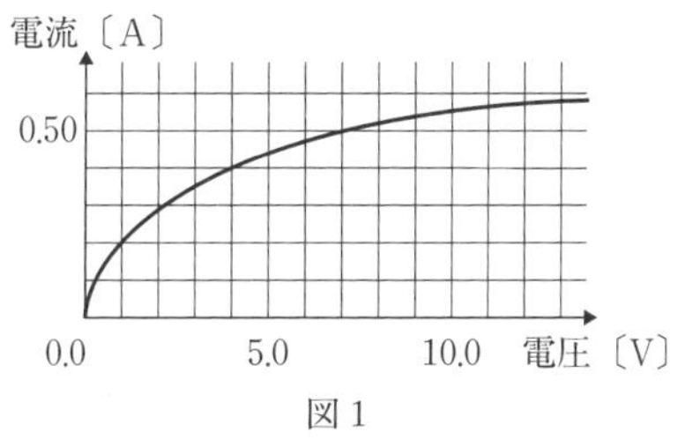

図１

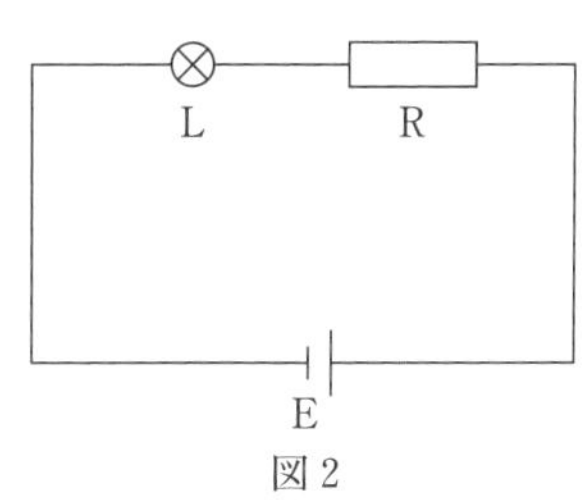

図２

1 0.10A
2 0.20A
3 0.30A
4 0.40A
5 0.50A

解説

電球Lの両端の電圧をV〔V〕，流れる電流をI〔A〕とすると，抵抗Rの両端の電圧は$10I$〔V〕，この回路の起電力の和＝電圧降下の和（キルヒホッフの法則）であるが，電池の内部抵抗は無視できるので，$12=10I+V$すなわち$I=-0.1V+1.2$という関係式が成り立ち，これは図１のI-V図上では一次関数を表す。このグラフを図１に記入すると，V軸上の点（12，0）を通り，傾きが−0.1であるから，次図のようになる。

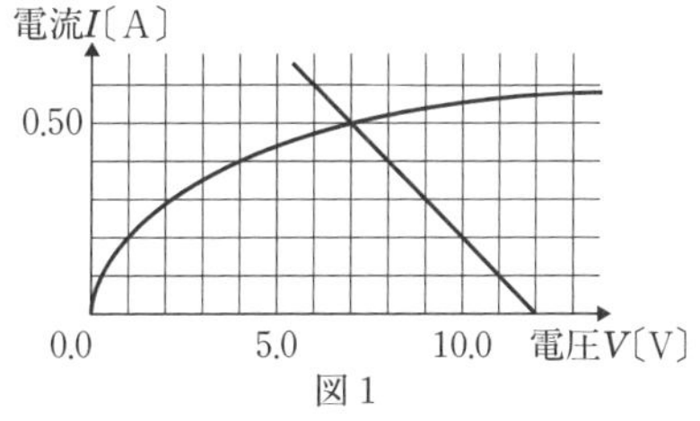

図１

そこで，この図におけるグラフの交点の座標を読み取って，$I=0.50$〔A〕を得る。
よって，正答は**5**である。

正答 5

大卒警察官

警視庁

No. 173 化学 分子間力と液体の沸点 令和4年度

分子間力と液体の沸点に関する記述中の空所A～Dに当てはまる語句の組合せとして，最も妥当なのはどれか。

液体が蒸発して気体になるためには，分子は隣接する分子との間に働く力に打ち勝って，液体表面から飛び出すだけの熱エネルギーを持たなければならない。したがって，分子間力が（　A　）液体ほど蒸発しにくく，沸点が高くなる。14族元素の水素化合物は，いずれも（　B　）の構造であり，構造が似た分子では，分子量が（　C　）ほど，沸点が高い。また，分子量が同じ程度の水素化合物の沸点を比較すると，14族に比べて15，16，17族が高くなっている。これは，15，16，17族の水素化合物が14族の水素化合物と違って（　D　）分子からなっているためである。

	A	B	C	D
1	小さい	正四面体	小さい	極性
2	小さい	正方形	大きい	無極性
3	大きい	正四面体	小さい	無極性
4	大きい	正四面体	大きい	極性
5	大きい	正方形	大きい	極性

解説

気体は，液体に比べて分子の熱運動が激しく，移動できる空間があれば分子は自由に広がっていく。液体は，気体に比べると分子の熱運動が穏やかなので，分子が位置を変えるだけの自由度はあるが，空間に自由に広がっていくことはできない。そのため，液体が蒸発して気体になるためには，液体の分子が，互いを拘束し合っている分子間力に打ち勝って液体の表面から飛び出すことができるように，分子の熱運動がより激しくなる必要がある。すなわち，外から熱エネルギーを与える必要があり，分子間力が大きい液体ほど，外から与えなければならない熱エネルギーの量が多くなるので，蒸発しにくく，沸点が高くなる（A）。14族元素である炭素C，ケイ素Siなどの原子と水素との基本化合物は□H_4（□は14族元素記号）という形の化合物で，いずれもその立体構造は正四面体となっており（B），その対称性から無極性分子となる。また，一般に構造のよく似た分子では，分子量が大きいほど分子間力（ファンデルワールス力）が強くなり，融点・沸点が高くなる傾向が見られる（C）。15，16，17族元素の原子と水素との基本化合物は，それぞれ□H_3（□は15族元素記号），H_2□（□は16族元素記号），H□（□は17族元素記号）という形の化合物で，いずれも極性分子となる（D）。

以上より，正答は**4**である。

正答　**4**

No. 174 警視庁 化学 気体の実験室的製法 令和3年度

気体の実験室的製法に関する記述として，最も妥当なのはどれか。ただし，反応させる試薬に過不足はないものとする。

1　銅と希硝酸を反応させると一酸化窒素が発生する。このとき，希硝酸 4 mol につき，一酸化窒素 1 mol が発生する。

2　銅と濃硝酸を反応させると二酸化窒素が発生する。このとき，濃硝酸 1 mol につき，二酸化窒素 1 mol が発生する。

3　塩化アンモニウムと水酸化カルシウムの混合物を加熱するとアンモニアが発生する。このとき，水酸化カルシウム 1 mol につき，アンモニア 1 mol が発生する。

4　硫化鉄（Ⅱ）と希硫酸を反応させると硫化水素が発生する。このとき，硫化鉄（Ⅱ）1 mol につき，硫化水素 2 mol が発生する。

5　銅と熱濃硫酸を発生させると二酸化硫黄が発生する。このとき，銅 1 mol につき，二酸化硫黄 3 mol が発生する。

解説

1．妥当である。銅と希硝酸が反応すると一酸化窒素が発生する。このときの化学反応式は，

$3Cu + 8HNO_3 \longrightarrow 3Cu(NO_3)_2 + 4H_2O + 2NO$

のように表される。化学反応式の係数の比が，反応する物質量の比を表す。希硝酸（HNO_3）と一酸化窒素（NO）の物質量の比は 8 ： 2 ＝ 4 ： 1 であるので，希硝酸 4 mol に対して一酸化窒素は 1 mol 発生する。

2．銅と濃硝酸を反応させると二酸化窒素が発生することは正しい。この化学反応式は，

$Cu + 4HNO_3 \longrightarrow Cu(NO_3)_2 + 2H_2O + 2NO_2$

であり，濃硝酸（HNO_3）と二酸化窒素（NO_2）が反応する物質量の比は 4 ： 2 ＝ 2 ： 1 である。したがって，濃硝酸 1 mol に対して，0.5mol の二酸化窒素が発生する。

3．塩化アンモニウムと水酸化カルシウムの混合物を加熱するとアンモニアが発生することは正しい。この反応を化学反応式で書くと，

$2NH_4Cl + Ca(OH)_2 \longrightarrow CaCl_2 + 2H_2O + 2NH_3$

となるので，水酸化カルシウム（$Ca(OH)_2$）とアンモニア（NH_3）の物質量の比は 1 ： 2 である。したがって，水酸化カルシウム 1 mol に対して，アンモニアは 2 mol 発生する。

4．硫化鉄（II）と希硫酸を反応させると硫化水素が発生することは正しい。このときの化学反応式は，

$FeS + H_2SO_4 \longrightarrow FeSO_4 + H_2S$

であり，硫化鉄（II）（FeS）と硫化水素（H_2S）の物質量の比は 1 ： 1 である。したがって，硫化鉄（II） 1 mol に対して，硫化水素は 1 mol 発生する。

5．銅と熱濃硫酸を反応させると二酸化硫黄が発生することは正しい。このときの化学反応式は，

$Cu + 2H_2SO_4 \longrightarrow CuSO_4 + 2H_2O + SO_2$

となるので，この反応の銅（Cu）と二酸化硫黄（SO_2）の物質量の比は 1 ： 1 である。したがって，銅 1 mol に対して二酸化硫黄 1 mol が発生する。

正答　1

大卒警察官 No. 175 5月型

化学　化学反応式　平成25年度

A～Eの事象と関連するア～キの化学反応式の組合せとして妥当なものは，次のうちどれか。

A　ケーキに重曹を入れるとふくらんだ。
B　花火に火をつけると白い光を発して燃えた。
C　釘がさびて赤くなった。
D　傷口にオキシドールを塗ると泡が出た。
E　貝殻に塩酸をかけると無色の気体が発生した。

ア　$4Al + 3O_2 \rightarrow 2Al_2O_3$
イ　$4Fe(OH)_2 + O_2 + 2H_2O \rightarrow 4Fe(OH)_3$
ウ　$2NaOH + CO_2 \rightarrow Na_2CO_3 + H_2O$
エ　$CaCO_3 + 2HCl \rightarrow CaCl_2 + H_2O + CO_2$
オ　$FeS + H_2SO_4 \rightarrow FeSO_4 + H_2S$
カ　$2H_2O_2 \rightarrow 2H_2O + O_2$
キ　$2NaHCO_3 \rightarrow Na_2CO_3 + H_2O + CO_2$

	A	B	C	D	E
1	ウ	ア	オ	キ	カ
2	ウ	エ	イ	キ	オ
3	キ	ア	イ	カ	エ
4	キ	ウ	イ	カ	オ
5	キ	オ	ア	ウ	エ

解説

A：重曹は炭酸水素ナトリウム（$NaHCO_3$）の別名であり，加熱すると熱分解によって二酸化炭素を発生する性質を利用してふくらし粉として調理に使われている〔キ〕。

B：花火の炎の色を白色にするにはアルミニウムの粉末が用いられている。アルミニウムが酸化して高温になると白く発光することを利用している〔ア〕。これを黒体放射（熱放射）という。なお，花火の黄色，赤色，緑色などは金属の炎色反応を利用している。

C：鉄Feは湿った空気中では$Fe \rightarrow Fe^{2+} \rightarrow Fe^{3+}$というように次第に酸化されていく。この反応で生じた水酸化鉄（Ⅲ）は時間の経過とともに複雑な構造を持つ縮合体へとさらに変化していく。これが鉄の赤さびと呼ばれるものである〔イ〕。

D：オキシドールは過酸化水素を主成分とする医療用の外用消毒剤の名称であり，傷口の血液，膿などに触れると，カタラーゼ（過酸化水素分解酵素）によって分解され，発生期の酸素が生じる。この酸素が殺菌作用を示す〔カ〕。

E：貝殻の主成分は炭酸カルシウム$CaCO_3$であり，塩酸などの強酸と反応して二酸化炭素CO_2を発生する〔エ〕。

よって，正答は**3**である。

正答　3

No. 176 警視庁

化学　金属イオン　令和2年度

金属イオンAを含む水溶液Ⅰと金属イオンBを含む水溶液Ⅱがある。このⅠ，Ⅱの水溶液にそれぞれ希塩酸を加えると，いずれの水溶液も白色沈殿を生じた。このとき，金属イオンAと金属イオンBの組合せとして，最も妥当なのはどれか。

	A		B
1	Zn^{2+}	——	Pb^{2+}
2	Ca^{2+}	——	Ag^{+}
3	Pb^{2+}	——	Ag^{+}
4	Ca^{2+}	——	Fe^{3+}
5	Cu^{2+}	——	Zn^{2+}

解説

Ag^{+}とPb^{2+}は塩酸で沈殿する。すなわち，これらの陽イオンの塩化物は水に不溶であり，$Ag^{+} \longrightarrow AgCl$（白色），$Pb^{2+} \longrightarrow PbCl_2$（白色）というように沈殿を生ずる。

よって，正答は**3**である。

なお，参考のため，選択肢の他の金属イオンについても沈殿反応を示しておく。

$Zn^{2+} \longrightarrow ZnS$（中性・塩基性溶液中にて硫化水素で沈殿，白色）
$Ca^{2+} \longrightarrow CaCO_3$（炭酸イオンで炭酸塩が沈殿，白色）
$Fe^{3+} \longrightarrow Fe(OH)_3$（塩基で水酸化物が沈殿，赤褐色）
$Cu^{2+} \longrightarrow CuS$（硫化水素で沈殿，黒色）

正答　3

No. 177 化学 金属のイオン化傾向 平成28年度

警視庁

金属のイオン化傾向に関する記述として，最も妥当なのはどれか。

1 一般に，金属の単体が水溶液中で陰イオンになろうとする性質を，金属のイオン化傾向という。

2 イオン化傾向が極めて大きい白金，金は空気中では酸化されず，金属光沢を保ち続ける。

3 ブリキ（スズめっき鋼板）に傷が付いた場合，鉄よりもスズの方がイオン化傾向が大きいため，鉄がイオンとなって溶け出し，鋼板は腐食されやすくなる。

4 水素よりイオン化傾向の小さい金属の銅や水銀は，硝酸と反応し，水素以外の気体を発生する。

5 水素よりイオン化傾向の大きい金属の銀は，塩酸や希硫酸と反応し，水素を発生する。

解説

1．金属原子の電子殻にある電子は，放出することはできるが，その電子殻に他から電子を受け入れることはできない。つまり，金属は陽イオンになることはできるが，陰イオンになることは絶対にない。金属のイオン化傾向とは，金属の単体が水溶液中で陽イオンになるなりやすさのことである。

2．イオン化傾向が大きいということは，金属が陽イオンになりやすいということであり，それは電子を失うので酸化されることである。白金（Pt）や金（Au）はイオン化傾向が極めて小さいため，陽イオンになりにくいので空気中で酸化されにくく，金属光沢を保ち続ける。「極めて大きい」の部分が「極めて小さい」であれば，正しい文となる。

3．ブリキは，鋼〔主成分は鉄（Fe)〕の表面を薄くスズ（Sn）で覆ったもので，これに傷が付くと，内部の鋼が露出する。その部分に雨水等の電解質を含む水溶液が触れると，イオン化傾向はスズより鉄のほうが大きいので，鉄がイオンとなって溶け出すため腐食されることになる。鉄とスズのイオン化傾向の大小が逆に表現されていれば，正しい文となる。

4．正しい。銅（Cu）や水銀（Hg）は硝酸（HNO_3）と反応して溶解するが，このとき水素（H_2）は発生せず，濃硝酸では二酸化窒素（NO_2），希硝酸では一酸化窒素（NO）が発生する。参考までに，熱濃硫酸（H_2SO_4）とも反応し，このときは二酸化硫黄（SO_2）が発生する。

5．銀（Ag）は水素よりイオン化傾向が小さく，塩酸（HCl）や希硫酸とは反応しないので，水素も発生しない。選択肢**4**のように硝酸や熱濃硫酸であれば反応し，**4**の解説で述べた気体と同じものが発生する。

正答 4

No. 178 警視庁 化学 化学平衡 令和5年度

化学平衡に関する記述ア～オのうち、正しいものの組合せとして、最も妥当なのはどれか。

ア　同じ物質量の水素とヨウ素を密閉容器に入れて一定温度に保ち、長時間が経過するとそれぞれの物質量は一定の状態で保たれるようになる。このように見かけ上反応が止まっていることを化学平衡の状態という。

イ　ルシャトリエの原理とは、化学平衡は、濃度、圧力、温度などの条件を変化させるとその影響を促進する方向に移動し、新しい平衡状態になることをいう。

ウ　一般に可逆反応が平衡状態にあるとき、反応に関係する物質の濃度を増加させるとその濃度が減少する方向に平衡が移動し、逆に物質の濃度を減少させるとその濃度が増加する方向に平衡が移動する。

エ　一般に気体が関係する可逆反応が平衡状態にあるとき、混合気体の圧力を増加させると気体分子の総数も増加する向きに反応が進み、圧力を減少させると気体分子の総数も減少する方向に平衡が移動する。

オ　一般に可逆反応が平衡状態にあるとき、加熱して温度を上げると発熱反応を伴う向きに平衡が移動し、温度を下げると吸熱反応を伴う向きに平衡が移動する。

1　ア、イ　**2**　ア、ウ　**3**　イ、エ　**4**　ウ、オ　**5**　エ、オ

解説

ア：正しい。可逆反応では、正反応の方向または逆反応の方向へと完全に進み切ることはない。たとえば、同じ物質量の水素H_2とヨウ素I_2を密閉容器に入れて一定温度に保った場合、H_2とI_2が反応してHIが生じる反応（HIの生成）と、HIが分解してH_2とI_2ができる反応（HIの分解）の両方向の反応が起こるが、やがてHIの生成とHIの分解の速度が一致し、それ以降はH_2、I_2、HIの量は変化しなくなる。このように見かけ上反応が止まっていることを化学平衡の状態という。

イ：誤り。ルシャトリエの原理とは、「可逆反応が平衡状態にあるとき、濃度、圧力、温度などの平衡を決める条件を変化させると、その影響を緩和する方向に平衡が移動し、新しい平衡状態になる」ことをいい、平衡移動の原理とも呼ばれる。

ウ：正しい。ルシャトリエの原理によれば、濃度を増加させるとその影響を緩和する方向、すなわち濃度が減少する方向に平衡が移動する。逆に、濃度を減少させるとその影響を緩和する方向、すなわち濃度が増加する方向に平衡が移動する。

エ：誤り。ルシャトリエの原理によれば、混合気体の圧力を増加させるとその影響を緩和する方向、すなわち圧力が減少する方向（気体分子の総数が減少する方向）に平衡が移動し、圧力を減少させるとその影響を緩和する方向、すなわち圧力が増加する方向（気体分子の総数が増加する方向）に平衡が移動する。

オ：誤り。ルシャトリエの原理によれば、加熱して温度を上げるとその影響を緩和する方向、すなわち吸熱反応を伴う向きに平衡が移動し、温度を下げるとその影響を緩和する方向、すなわち発熱反応を伴う向きに平衡が移動する。

以上より、正答は**2**である。

正答　2

化学 電気分解 平成18年度

硫酸銅（$CuSO_4$）水溶液に白金電極を入れて電流を流したところ，陰極と陽極で次のような反応が起こり，陰極に3.2gの銅（Cu）が析出した。このとき，陽極から発生する酸素（O_2）の量は標準状態で何Lか。ただし，銅の原子量は64，標準状態での気体の体積は1mol当たり22.4Lとする。

陰極：$Cu^{2+}+2e^- \rightarrow Cu$

陽極：$4OH^- \rightarrow 2H_2O+O_2+4e^-$

1 0.48 L
2 0.50 L
3 0.52 L
4 0.54 L
5 0.56 L

解説

陽極での反応式からわかるように，陽極から電子4molが流れ出すと1molの酸素が発生する。すなわち，電子が1mol流れると$\frac{1}{4}=0.25$〔mol〕の酸素が発生する。

一方，陰極での反応式からわかるように，1molの銅が析出するとき，陰極には2molの電子が流れ込んでいる。ここで，陰極で析出した銅のモル数は，$3.2\div64=0.05$〔mol〕であるから，流れた電子の量は，$2\times0.05=0.1$〔mol〕となる。

したがって，発生する酸素のモル数は，$0.25\times0.1=0.025$〔mol〕となり，標準状態での体積に換算すると，$22.4\times0.025=0.56$〔L〕となる。

よって，正答は**5**である。

正答 5

化学　フェノールの合成　平成24年度

次の図は，ベンゼンからフェノールを合成する際の，クメン法ではない反応経路の例を示している。空欄［ A ］にあてはまる化合物として，妥当なものはどれか。

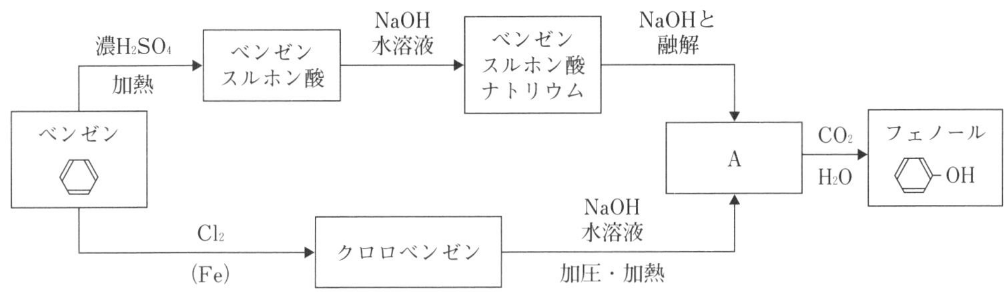

1　酢酸フェニル
2　ニトロベンゼン
3　ナトリウムフェノキシド
4　シクロヘキサン
5　塩化ベンゼンジアゾニウム

解説

図に示されているのは，フェノールの実験室的製法であり，クメン法は工業的製法である。図の上側の反応経路はベンゼンスルホン酸ナトリウムのアルカリ融解による製法（①），下側の反応経路はクロロベンゼンの加水分解による製法（②）である。①，②のいずれにおいてもAの部分にはフェノールのナトリウム塩（ナトリウムフェノキシド）ができる。以下に図中の各物質の構造式を示しておく。

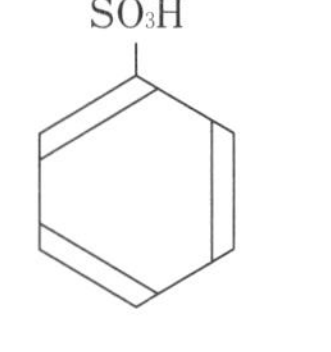

クロロベンゼン　　ナトリウムフェノキシド

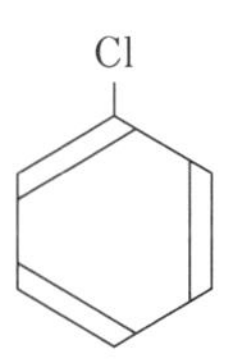

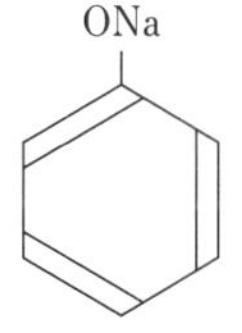

よって，正答は**3**である。

正答　3

No. 181 5月型 化学 水とパラフィン 平成19年度

水とパラフィン（蝋）の状態変化に関する以下の文章中の空欄ア～カに当てはまる語句の組合せとして正しいのは，次のうちどれか。

「ビーカーに水を入れゆっくりと凍らせた場合，水は(　ア　)から固まり，固体のほうが液体より密度が(　イ　)ため，その様子は(　ウ　)のようになる。一方，ビーカーにパラフィンを入れゆっくりと凍らせた場合，パラフィンは(　エ　)から固まり，固体のほうが液体より密度が(　オ　)ため，その様子は(　カ　)のようになる」

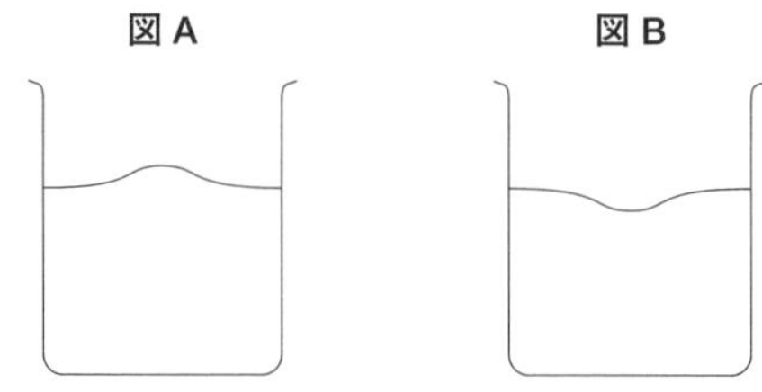

	ア	イ	ウ	エ	オ	カ
1	中央	小さい	図A	中央	大きい	図B
2	中央	大きい	図B	周辺	大きい	図A
3	周辺	大きい	図A	中央	大きい	図B
4	周辺	小さい	図B	周辺	大きい	図A
5	周辺	大きい	図A	周辺	小さい	図B

解説

問題となっている実験では，ビーカーのガラスの熱伝導率が大きいので，水もパラフィンもその液体はビーカーの内面や空気に接している周辺部から均等に冷やされていく。したがって，大筋では周辺から中心に向かって凍結が進むと考えてよい。ただし，温度の低下によって液体の密度も変化するため，上下方向には液体の移動が起こり，単純に周辺から中心へと凍結が進むわけではない。凝固点付近での，温度による液体の密度変化は水とパラフィンではかなり異なっている。水の凝固点（0℃）付近での密度変化を見ると，密度は4℃で最も高く，4℃以上では温度が上がるにつれて低下し，4℃以下では温度が下がるにつれて低下する。そして0℃で凍った時点で密度はさらに急激に低下する。このため，0℃付近での水は，液体のほうが固体より密度が高い（氷が水に浮くのはこのためである)。このような水の特異な性質には，水分子どうしの水素結合が関係している。一方，パラフィンは液体，固体にかかわらず温度が下がるにつれて常に密度が上昇し，凝固点付近でも液体のほうが固体よりも密度が低い（大部分の物質はこのような性質を示す)。以上のことから，水の場合は，先に凍った周辺部は密度が低下するので膨張し，その様子は図Bのようになる。一方，パラフィンの場合は，先に凍った周辺部は密度が上昇するので萎縮し，その様子は図Aのようになる。

以上より，正答は**4**である。

正答　4

大卒警察官

No.182 5月型

化学　石油の精製　平成24年度

次の文章中の空欄ア～エに入るものの組合せとして妥当なのはどれか。

石油の精製において，原油は分留によって沸点の異なるいくつかの成分に分けられる。これらの成分のうち，（　ア　）はガソリンの原料や石油化学工業の原料になり，（　イ　）は主にディーゼルエンジンの燃料として使われ，（　ウ　）は家庭用燃料やジェット機の燃料として使われ，（　エ　）は家庭用燃料，乗用車の燃料，石油化学工業の原料などに使われている。

	ア	イ	ウ	エ
1	重油	軽油	灯油	ガス分
2	重油	灯油	軽油	ガス分
3	ナフサ	重油	軽油	灯油
4	ナフサ	軽油	灯油	ガス分
5	ナフサ	重油	灯油	軽油

解説

原油の分留において得られる成分は，沸点の低いものから順に，ガス分（30℃以下），ナフサ（30～180℃），灯油（170～250℃），軽油（240～350℃），重油（350℃～），残油となっている。これらのうち，ガス分を加圧液化したものがLPG（liquefied petroleum gas）であり，乗用車（タクシーなど）の燃料や家庭用燃料として使われている〔エ〕。

ナフサは，粗製ガソリンとも呼ばれ，ガソリンの原料，各種石油化学工業の原料として重要である〔ア〕。

灯油は，家庭用燃料やジェットエンジンの燃料として使われている〔ウ〕。

軽油は，ディーゼルエンジンの燃料としてトラックやバスで利用されている〔イ〕。

以上より，ア：ナフサ，イ：軽油，ウ：灯油，エ：ガス分となるので正答は**4**である。

正答　4

大卒警察官

No. 183 警視庁

化学 プラスチック 平成29年度

プラスチック（合成樹脂）に関する説明として，最も妥当なのはどれか。

1 熱硬化性樹脂は付加重合で合成されるものが多く，成型や加工はしやすいが，機械的強度や耐熱性はさほど大きくない。代表的なものとしてポリエチレンがあり，ポリ袋やラップフィルムなどに用いられる。

2 熱可塑性樹脂は付加縮合で合成されるものが多く，硬く耐熱性には優れるが，いったん硬化したものは再び成型や加工はできない。代表的なものとしてフェノール樹脂があり，配電盤やソケットなどに用いられる。

3 メラミン樹脂は尿素とホルムアルデヒドを付加縮合させると得られ，電気絶縁性，耐薬品性に富み，透明で着色性にも優れるので，電気器具や日用雑貨などに用いられる。

4 アルキド樹脂は多価カルボン酸と多価アルコールとの反応で得られ，代表的なものとしてグリプタル樹脂があり，塗料や接着剤などに用いられる。

5 イオン交換樹脂は溶液中のイオンを別のイオンと交換する働きをもつ合成樹脂であり，酸性の官能基を導入したものを陰イオン交換樹脂，塩基性の官能基を導入したものを陽イオン交換樹脂という。用途として，海水から飲料水を作るのに用いられる。

解説

1. 熱硬化性樹脂は，付加重合ではなく，縮合重合で作られるものが多い。また，強度や耐熱性に優れた材料が多い。ポリエチレンは熱硬化性樹脂ではなく，熱可塑性樹脂である。

2. 熱可塑性樹脂は，付加重合で合成されるものが多く，成型や加工はしやすい。硬く耐熱性に優れ，一度硬化すると再び成形，加工できないのは熱硬化性樹脂である。フェノール樹脂は，熱硬化性樹脂である。

3. 尿素とホルムアルデヒドを付加縮合させてできるのは尿素樹脂である。また，後半の説明も，すべて尿素樹脂のものである。

4. 正しい。

5. 酸性の官能基を導入したものを陽イオン交換樹脂，塩基性の官能基を導入したものを陰イオン交換樹脂という。

正答 4

No. 184 警視庁 生物 動物の名称と分類 令和2年度

動物の名称とそれが属する分類の組合せとして，最も妥当なのはどれか。

1 プラナリア —— 海綿動物
2 クラゲ —— 刺胞動物
3 ミミズ —— 軟体動物
4 ヒトデ —— 原索動物
5 ホヤ —— 環形動物

解説

生物の分類の基本単位は種であるが，約190万以上といわれる種を下から段階的にまとめていった属・科・目・綱・門・界・ドメインという分類体系が用いられる。本問で問題とされているのは，門に該当する分類項目名である。

以下に，選択肢の各分類に該当する代表的な種を挙げておく。

海綿動物…クロイソカイメン，ホッスガイ
刺胞動物…ミズクラゲ，サンゴ，ヒドラ
軟体動物…ハマグリ，サザエ，タコ，イカ
原索動物…ホヤ，ギボシムシ，ナメクジウオ
環形動物…ミミズ，ゴカイ，ヒル

なお，クラゲという名称は，刺胞動物と有櫛（ゆうしつ）動物に属する動物のうち浮遊生活に適するクラゲ型の動物の総称であり，単独の種名としては存在しないことに注意。また，ヒトデは棘皮（きょくひ）動物に，プラナリアはへん形動物に属する。

以上より，正答は**2**である。

正答 2

大卒警察官

No. 185 警視庁

生物 エネルギーと代謝 令和4年度

エネルギーと代謝に関する記述として，最も妥当なのはどれか。

1 ATPの高エネルギーリン酸結合が切れ，ADPとリン酸に分解されるとき，エネルギーが放出される。

2 複雑な物質を単純な物質に分解し，エネルギーを取り出す過程を同化といい，その例として，光合成における糖の合成があげられる。

3 全ての酵素は温度が上がれば上がるほど，また中性に近ければ近いほど，反応速度は大きくなる。

4 多くの酵素は細胞内ではたらき，細胞内の特定の場所に存在しているのではなく，一様に分布している。

5 酵素は基質と結合し，酵素—基質複合体が作られると，反応が完了して生成物ができ，同時に分解されて，酵素としての性質を失う。

解説

1. 妥当である。

2. 複雑な物質を単純な物質に分解し，エネルギーを取り出す過程を異化という。異化の例としては，呼吸や発酵などがある。光合成における糖の合成は同化の例である。

3. 酵素による触媒反応は，温度が低いうちは温度の上昇とともに反応速度が増加する。しかし，ある温度（通常40℃前後）を境にそれ以上温度が高くなると急激に反応速度が低下する。これは，高温では酵素を構成するタンパク質が変性して酵素の活性が失われるからである。また，酵素の活性が最大となるpHの値は酵素によって異なり，たとえば，酸性の強い胃の中ではたらくペプシンはpH 2付近で最大の活性を示す。したがって，必ずしも中性（pH 7）に近ければ近いほど適しているとはいえない。

4. 酵素には，消化酵素のように細胞の外ではたらくものもあるが，その多くは細胞内の特定の部分に存在し，細胞小器官と密接に関係しながらはたらく。

5. 酵素は，酵素—基質複合体を作って反応を速めるが，通常，反応の前後で酵素自身は変化しない。

正答 1

大卒警察官

警視庁

No. 186 生物 DNA 平成30年度

DNAに関する記述中の空欄A～Dに当てはまる語句の組合せとして，最も妥当なのはどれか。

DNAを構成するヌクレオチドの糖は（　A　）であり，塩基にはアデニン，（　B　），グアニン，シトシンの4種類がある。

また，DNAは2本の（　C　）の鎖が平行に並び塩基部分で向かい合わせに結合してはしご状の構造をとっている。さらにこの構造がねじれて（　D　）が提案したDNAの二重らせん構造を形成している。

	A	B	C	D
1	デオキシリボース	ウラシル	ヌクレオチド	ワトソンとクリック
2	リボース	ウラシル	ポリペプチド	シャルガフ
3	デオキシリボース	チミン	ヌクレオチド	ワトソンとクリック
4	デオキシリボース	チミン	ポリペプチド	シャルガフ
5	リボース	チミン	ヌクレオチド	ワトソンとクリック

解説

DNAで使われている糖は「デオキシリボース」であり，これが空欄Aに入る。「リボース」はRNAで使われる糖である。また，DNAの塩基は，アデニン（A），グアシン（G），シトシン（C）とチミン（T）である。したがって，空欄Bには「チミン」が入る。ウラシル（U）はRNAで使われる塩基である。DNAでは構成単位であるヌクレオチドの鎖が2本並んでおり，これがねじれて二重らせん構造をとっている。したがって，空欄Cには「ヌクレオチド」が入る。なお，ポリペプチドはアミノ酸が結合して鎖状になっている構造の物質である。また，この二重らせん構造を提案したのは「ワトソンとクリック」であるので，空欄Dにはこれが入る。シャルガフは，DNAの塩基の構成比に関する経験則を提案した生化学者で，DNAの二重らせん構造の発見に寄与しているが，シャルガフ自身がこの構造を提案したわけではない。

以上より，正答は**3**である。

正答 3

数学 物理 化学 生物 地学 文章理解 判断推理 数的推理 資料解釈

大卒警察官

No. 187 警視庁

生物　遺伝　平成25年度

スイートピーの白色花の株にはいくつかの系統がある。いま，遺伝子型がCCppである系統の白色花と，遺伝子型がccPPである系統の白色花とを交雑したところ，F_1（雑種第一代）ではすべて有色花になり，F_2（雑種第二代）では有色花と白色花がおよそ９：７の分離比で現れた。この現象についての説明として，最も妥当なのはどれか。

1　遺伝子Ｃは遺伝子Ｐに対して優性である。
2　遺伝子Ｐは遺伝子Ｃに対して不完全優性である。
3　遺伝子Ｐは遺伝子Ｃが有色の色素をつくる働きを抑制する。
4　遺伝子Ｃは遺伝子Ｐが有色の色素をつくる働きを抑制する。
5　遺伝子Ｃと遺伝子Ｐの両方をもつ個体だけが有色花になる。

解説

スイートピーの花の色の遺伝では，着色遺伝子Ｃと有色遺伝子Ｐが互いに補足しあって有色が発現し，Ｐだけでは白色となる。このような遺伝子を補足遺伝子という。

F_1の遺伝子型はすべてCcPpであり，この場合ＣとＰが同時に存在するので有色が発現する。F_2では遺伝子型C○P○，C○pp，ccP○，ccpp（○は優性，劣性どちらでもよい）が９：３：３：１の割合で出現するが，これらのうち有色を発現するのはC○P○だけであり，ほかは白色である。したがって，有色と白色の分離比は９：(３＋３＋１)＝９：７となる。

よって，正答は**5**である。

正答　5

大卒警察官

No. 188 警視庁

生物　植物ホルモン　令和元年度

次の記述に該当する植物ホルモンとして，最も妥当なのはどれか。

・イネの馬鹿苗病菌から発見された。

・細胞の伸長成長の促進。

・種なしブドウの生産に利用される。

1　オーキシン
2　サイトカイニン
3　ジベレリン
4　アブシシン酸
5　エチレン

解説

イネの馬鹿苗病菌から発見され，種なしブドウの生産に利用されるのは，ジベレリンである。ジベレリンの植物ホルモンとしてのはたらきは，細胞の伸長成長の促進であり，この点でも問題文のとおりである。よって，正答は**3**である。

そのほかの選択肢について，代表的なはたらきを紹介すると，オーキシンは伸長成長の促進と抑制，特に屈性に関係し，サイトカイニンは細胞分裂の促進に関係する。また，アブシシン酸は休眠の誘導や種子の発芽抑制にはたらき，エチレンは果実の成熟を促進する。

正答　3

大卒警察官

No. 189 5月型

生物 光合成 平成26年度

光合成に関する次の記述のうち，妥当なものはどれか。

1 葉緑体内の光合成色素であるクロロフィルは可視光線の中でも特に緑色光をよく吸収し，光合成に必要な光エネルギーの吸収に関与している。

2 葉緑体内のチラコイドでは光エネルギーを用いてATPが作られ，ストロマではこのATPのエネルギーを用いて二酸化炭素を原料としてブドウ糖などが作られる。

3 海藻類は細胞内に葉緑体を持たないため光合成を行わず，鉄，硫黄などの無機物を酸化し，その際に得られる化学エネルギーを用いて炭酸同化を行っている。

4 一年生草本や農作物などのような陽性植物は陰葉を生じないため補償点が低く，呼吸量も小さいので弱光の下では生育しにくい。

5 植物は，呼吸でできた二酸化炭素を光合成の原料とすることはできず，すべて体外から吸収した二酸化炭素を原料として光合成を行っている。

解説

1．クロロフィルは青紫色光と赤色光をよく吸収し，緑色光や黄色光はほとんど吸収しない。緑色植物の葉の色が緑色に見えるのは，緑色光をほとんど吸収せず反射しているからである。

2．正しい。

3．海藻類には紅藻，褐藻など見かけ上は緑色に見えないものもあるが，実際には細胞内に葉緑体を持っていて，光合成を行う。

4．補償点とは，光合成によるCO_2の吸収量と呼吸によるCO_2の排出量とがつりあっているときの光の強さである。陽性植物の葉はすべて陽葉であるため，補償点が高く，呼吸量も大きい。このため，弱光の下では光合成量＜呼吸量となりやすく，植物は長く生育できない。

5．植物は，呼吸で発生したCO_2も光合成の原料として用いることができる。このため，測定されるCO_2吸収量は見かけの光合成量である。真の光合成量は，見かけの光合成量に呼吸によるCO_2排出量を加えたものになる。

正答 2

警視庁

No. 190 生物 ヒトの消化液・消化酵素とその作用 平成28年度

ヒトの消化液，それに含まれる消化酵素，その主な作用の組合せとして，最も妥当なのはどれか。

	消化液	消化酵素	作用
1	だ液	カタラーゼ	デンプンを分解する
2	胃液	ペプシン	タンパク質を分解する
3	すい液	トリプシン	脂肪酸を分解する
4	すい液	リパーゼ	ペプトンを分解する
5	腸液	マルターゼ	ブドウ糖を分解する

解説

1．だ液に含まれる消化酵素はアミラーゼであり，デンプンを分解する。カタラーゼは肝臓や赤血球に多く存在する酵素で，過酸化水素を分解し酸素を発生させる。傷口の消毒液として用いるオキシドールは過酸化水素水であり，傷口にオキシドールをかけたときに出る泡はカタラーゼによる過酸化水素の分解反応で発生した酸素である。

2．正しい。ペプシンはその前駆体であるペプシノーゲンの形で胃腺から分泌され，胃酸（塩酸）やすでに胃の中に存在したペプシンによって分子の一部分が加水分解を受けペプシンに変化し，タンパク質消化に働くようになる。

3．すい液に含まれるトリプシンは，胃でタンパク質が消化されてできたペプトンなどを，さらにもう少し細かいペプチドにまで分解する消化酵素である。脂肪酸は脂肪の分解でできる物質である。

4．すい液に含まれるリパーゼは，脂肪を分解する唯一の酵素である。中性脂肪がリパーゼによって分解されると，モノグリセリドと脂肪酸になる。

5．マルターゼは二糖類であるマルトース（麦芽糖）を単糖類であるグルコース（ブドウ糖）2個に分解する消化酵素である。マルターゼなどの小腸の消化酵素は腸液として分泌されるのではなく，小腸上皮の細胞の細胞膜上に存在している。

正答 2

大卒警察官

No. 191 警視庁

生物 ヒトのホルモン 令和5年度

ヒトのホルモンに関する記述として、最も妥当なのはどれか。

1 ホルモンは内分泌腺から血液中に分泌される。ホルモンは血液によって運搬されるため、一般に自律神経系による調節よりも素早く働くが、作用に持続性はない。

2 膵臓のランゲルハンス島で分泌されるホルモンとして、グルカゴンとインスリンがある。グルカゴンはグリコーゲンの合成を促進して血糖濃度を下げるはたらきがあるのに対して、インスリンはグリコーゲンの分解を促進して血糖濃度を上げるはたらきがある。

3 副腎皮質より分泌されるホルモンとして糖質コルチコイドがある。糖質コルチコイドはタンパク質を分解し糖をつくり出すことで、血糖濃度を上げるはたらきがある。

4 脳下垂体後葉より分泌されるホルモンとしてパラトルモンがある。腎臓における水分の再吸収や血圧の上昇を促進するはたらきがある。

5 副甲状腺より分泌されるホルモンとしてバソプレシンがある。バソプレシンには血液中のカルシウムイオン濃度を上げるはたらきがある。

解説

1. ホルモンによる調節は即効的ではあるが、自律神経系による調節よりは遅く、作用は自律神経系よりも持続性がある。

2. グルカゴンはグリコーゲンの分解を促進し血糖濃度を上げるはたらきがある。インスリンはグリコーゲンの分解抑制と合成促進によって血糖濃度を下げるはたらきがある。

3. 妥当である。

4. 脳下垂体後葉から分泌されるホルモンとしてバソプレシンがあり、腎臓における水分の再吸収を促進したり、血圧を上昇させたりするはたらきがある。

5. 副甲状腺より分泌されるホルモンとしてパラトルモンがあり、骨中のカルシウムを血液中に放出させて、血液中のカルシウムイオン濃度を上げるはたらきがある。

正答 3

大卒警察官

No. 192　警視庁

生物　免　疫　平成27年度

免疫に関する記述として，最も妥当なのはどれか。

1　免疫にかかわる細胞を総称してリンパ球と呼び，白血球やマクロファージなど多くの種類がある。

2　免疫機構によって自己にあらざる異物と認識され，リンパ球の作用で排除される物質を抗体と呼ぶ。

3　抗原抗体反応とは，免疫グロブリンと呼ばれる抗原が抗体に作用して，無害な物質を形成する反応である。

4　移植手術の際に移植された組織が定着しないで脱落する拒絶反応は，免疫の作用によって起こる。

5　アレルギーは，体内に取り込まれた異物に対して機能すべき免疫反応が働かないために起こる。

解説

1. 免疫機能にかかわっている細胞の主なものは，顆粒球，マクロファージ，リンパ球などで，これらは血液中を流れていて，まとめて白血球と呼ばれている。

2. 抗原抗体反応で排除されるのは，抗原である。体内に侵入した異物が抗原であり，これに特異的に働く物質を抗体という。

3. 免疫グロブリンは抗体である。抗原抗体反応とは，抗体の働きにより異物（抗原）を無毒化しようとする反応である。

4. 正しい。拒絶反応は，移植組織が異物として認識されるために生じる。

5. アレルギーとは，花粉やハウスダストなどを抗原として，過剰な抗原抗体反応が引き起こされて，花粉症などの不快な状態となることをいう。

正答　4

大卒警察官

No. 193 警視庁

生物 呼吸と発酵 令和3年度

呼吸および発酵に関する記述として，最も妥当なのはどれか。

1 呼吸は生物が備えているATP合成の仕組みであり，酸素を用いた異化により，呼吸基質の有機物が水と炭素にまで分解される。

2 解糖系は細胞質基質で行われる異化の代謝経路であり，グルコースがピルビン酸に分解される反応経路ではATPと$FADH_2$を生成する。

3 電子伝達系はミトコンドリアの内膜に存在する複数のタンパク質で構成される反応系であり，酸化還元反応により，ATPからADPが合成される。

4 クエン酸回路はミトコンドリアのマトリックスで行われる異化の代謝経路であり，循環的な反応経路によって，アセチルCoAとオキサロ酢酸からNADHと$FADH_2$が合成される。

5 発酵は微生物が酸素の消費なしに炭水化物を分解する反応であり，呼吸と同程度の量のATPを生産できる。

解説

1. 呼吸によって有機物は水と二酸化炭素に分解されるのであり，炭素に分解されるわけではない。

2. 解糖系で生成されるのは$FADH_2$ではなくNADHである。なお，**4**にあるとおり，$FADH_2$が生成されるのはクエン酸回路である。

3. 電子伝達系では，ATPからADPが合成されるのではなく，ADPからATPが合成される。

4. 妥当である。

5. 発酵も一種の嫌気呼吸と考えられるが，問題文の呼吸を好気呼吸ととらえて，発酵を嫌気呼吸と考えると，得られるATPは呼吸のほうが多い。具体的には，1分子のグルコースから，呼吸では38分子のATPが生産されるが，発酵の一種である解糖やアルコール発酵では2分子のATPしか生産されない。

正答 4

大卒警察官

No.
194

5月型

生物　学習による行動　平成23年度

動物が過去の経験に基づいて新しい行動をできるようになることを「学習」といい，これには「条件付け」,「慣れ」,「刷り込み」などがあるが，次のうち「刷り込み」に当たる行動はどれか。

1　ウミガメは砂浜で卵を産むが，卵から生まれたウミガメの子は海に向かって歩き出す。

2　ネズミを迷路に入れ出口にエサを置くと，最初は道を間違えてばかりいるが，何度も繰り返すうちに徐々に早くエサにたどり着けるようになる。

3　イヌにエサを与える際に同時にベルを鳴らすことを繰り返すと，ベルの音を聞くだけで唾液が出るようになる。

4　生まれたばかりのアヒルの子に動くおもちゃの車を見せると，それの後について歩き回るようになる。

5　サルに遠くの物を棒で取る場面を見せると，サルは遠くの物を棒で取るようになる。

解説

1. これは「学習」による行動ではない。本能行動である。

2. これは「学習」による行動であるが,「試行錯誤学習」と呼ばれる。

3. これは「学習」による行動であるが,「条件づけ」あるいは「条件反射」と呼ばれる。パブロフの実験として有名である。

4. 正しい。「刷り込み」はローレンツによって発見されたが，一度刷り込まれると変更がききにくく，また特定の時期にしか成立しないので,「学習」の特別な例とされている。

5. これは「学習」による行動ではなく，知能による行動（見通し行動）である。

正答　4

大卒警察官

警視庁

No. 195 地学 太陽 平成27年度

太陽に関する記述として，最も妥当なのはどれか。

1 太陽の表面に現れる黒点は，周囲よりも温度が1000〜1500Kほど高い部分である。

2 太陽の光球外側で見られる巨大な炎のような気体をフレアという。

3 太陽表面から放出される電気を帯びた高速の粒子の流れを太陽風という。

4 太陽表面から放出される莫大なエネルギーの源は，ウランの核分裂反応である。

5 黒点付近の彩層とコロナの一部が突然明るくなる現象をプロミネンスという。

解説

1．黒点は周囲よりも1,000〜1,500Kほど温度が低い。

2．炎のように見えるガスの塊はプロミネンスである。フレアは彩層やコロナの一部が突然高温となって輝く現象で，太陽活動の極大期に多発する。

3．正しい。オーロラは，太陽風が地球大気に作用して発生する現象である。

4．太陽のエネルギーの源は，水素原子4個が融合してヘリウム原子1個が作られる核融合反応である。

5．太陽表面が明るくなる激しい爆発現象は，フレアである。

正答 3

No. 196 警視庁

地学　地　球　平成29年度

地球に関する以下の記述のうち，最も妥当なのはどれか。

1　約46億年前に微惑星が衝突を繰り返して地球が形成された際，地球の材料となった微惑星に含まれていた酸素や窒素が気体として放出され，現在のような酸素の豊富な大気が作られた。

2　約46億年前に誕生した地球は，微惑星の衝突による多量の熱でマグマオーシャンの状態であったが，微惑星の減少とともに地球は冷え始め，約40億年前までに金属鉄に富む縞状鉄鉱層が大規模に形成された。

3　約46億年前から５億4,200万年前までの時代をカンブリア時代といい，この時代の化石は多く産出され，地球や生命の進化を明らかにしている。

4　約25億年前までにはシアノバクテリアと呼ばれる原核生物が出現しており，シアノバクテリアの活動によって固まってできた構造物をストロマトライトという。

5　約７億年前には地球の平均気温が約−40〜−50℃まで低下して地球全体が厚い氷に覆われていたが，この時代に恐竜などの脊椎動物は絶滅した。

解説

1. 地球の大気成分のうち，酸素は，植物の光合成の作用によって蓄積されたものであり，原始地球の大気に豊富な酸素が含まれていたわけではない。

2. 縞状鉄鉱層は，光合成生物が現れたことで，海中の鉄イオンと酸素が結合してできたもので，約25〜20億年前に大規模に形成された。

3. カンブリア紀（時代）は，約５億4,200万年〜４億8,800万年前で古生代の最初の期間である。５億4,200万年より前の時代は，先カンブリア時代と呼ばれている。後半は，カンブリア紀の説明としては正しい。

4. 正しい。

5. 前半の説明は正しい（全球凍結と呼ばれている）。しかし，恐竜が現れたのはこれよりもずっと後の，約２億5,000万年前のことであり，この時代に滅んだわけではない。また，脊椎動物は，ほ乳類，は虫類，鳥類，魚類，両生類のことで，絶滅していないことにも注意してもらいたい。

正答　4

大卒警察官

No. 197 警視庁

地学　ケプラーの法則　平成28年度

ケプラーの法則に関する記述として，最も妥当なのはどれか。

1　太陽と惑星を結ぶ線分は，等しい時間に等しい面積を描く。
2　恒星の表面温度と，放射エネルギーが最大になる波長との積は一定である。
3　惑星と太陽との平均距離の2乗は，惑星の公転周期の3乗に比例する。
4　惑星の表面1㎡から毎秒放出されるエネルギーは，表面温度の4乗に比例する。
5　惑星は，太陽を中心とする円軌道を公転する。

解説

ヨハネス=ケプラー（1571～1630年）がまとめた天文学の基本法則を「ケプラーの法則」という。第1法則は「惑星は太陽を1つの焦点とする楕円軌道上を公転する」，第2法則は「惑星と太陽を結ぶ線分が一定時間に描く面積は一定である」，第3法則は「太陽と惑星との間の平均距離の3乗は，惑星の公転周期の2乗に比例する」である。

1．正しい（ケプラーの第2法則）。
2．温度と放射エネルギーが最大になる波長は反比例する（ウィーンの変位則）。
3．平均距離の3乗が公転周期の2乗に比例する（ケプラーの第3法則）。
4．黒体から放射されるエネルギーは，絶対温度の4乗に比例する（シュテファン=ボルツマンの法則）。
5．惑星は楕円軌道上を公転する（ケプラーの第1法則）。

正答　1

数学 物理 化学 生物 地学 文章理解 判断推理 数的推理 資料解釈

大卒警察官

No. 198 警視庁

地学　気　象　令和５年度

我が国の気象に関する記述として、最も妥当なのはどれか。

1　冬には冷たく湿ったシベリア高気圧が発達する一方、日本の北東海上に発達した低気圧が停滞し、西高東低型の気圧配置になる。

2　日本では、６月～７月にかけてオホーツク海低気圧と太平洋高気圧との間に停滞前線が発生する。これを梅雨前線という。

3　乾いた空気塊が山脈を超えて吹き下るとき、山の風上側より風下側で低い温度になることをフェーン現象といい、日本では春先に日本海側で観測されることが多い。

4　熱帯低気圧のうち最大風速が約17m/s 以上のものを台風という。台風の中心に向かって時計回りに風が吹き、激しい下降気流が発生する。

5　７月の後半には、偏西風が弱まって北に移動すると、日本は太平洋高気圧に覆われ、南高北低型の気圧配置になる。

解説

1. 冬には冷たく乾いたシベリア高気圧が発達する。

2. ６月～７月にかけてオホーツク海高気圧と太平洋高気圧との間に停滞前線が発生する。

3. 湿った空気塊が山脈を超えて吹き下るとき、山の風上側より風下側で高い温度になることをフェーン現象という。

4. 台風の中心に向かって反時計回りに風が吹き、激しい上昇気流が発生する。

5. 妥当である。

正答　5

数学
物理
化学
生物
地学
文章理解
判断推理
数的推理
資料解釈

大卒警察官

No. 199 警視庁

地学　飽和水蒸気量と相対湿度　令和2年度

10℃及び30℃における飽和水蒸気量はそれぞれ9.4g/m^3，30.4g/m^{3}である。30℃で相対湿度80％の大気１m^{3}中の水蒸気量は，10℃で相対湿度40％の大気１m^{3}中の水蒸気量のおよそ何倍であるか。

1　3.5倍
2　5.0倍
3　6.5倍
4　8.0倍
5　9.5倍

解説

飽和水蒸気量とは，一定の体積の大気中に含まれる水蒸気の最大量であり，単位としては〔g/m^3〕を用いる。飽和水蒸気量は気温が高くなるにつれて大きくなる。

相対湿度は，飽和水蒸気量に対する含まれている水蒸気量の割合であり，

$$相対湿度〔\%〕=\frac{水蒸気量}{飽和水蒸気量}\times 100$$

と表される。

以上に基づき，問題文中の数値を用いて実際に計算すると，30℃で相対湿度80％の大気１m^{3}中の水蒸気量は30.4×80÷100＝24.32〔g〕，10℃で相対湿度40％の大気１m^{3}中の水蒸気量は9.4×40÷100＝3.76〔g〕となる。したがって，この倍率は，24.32÷3.76≒6.47〔倍〕となる。

よって，正答は**3**である。

正答　3

No.200 警視庁 地学 災害 令和4年度

災害に関する次のア〜ウの記述のうち，正しい記述のみを全て選んだものとして，最も妥当なのはどれか。

ア　海域で発生する地震がしばしば津波を伴うのは，海底の動きに合わせて上下する海面が元に戻ろうとする力によって波が生まれるからである。

イ　揺れは震源に近いほど大きいが，地盤によっても異なる。埋め立て地や低湿地などの特に地盤の悪い地域では激しい揺れと共に液状化現象が起こる。

ウ　火山ガスは一般に95％以上が硫化水素や二酸化硫黄，塩化水素といった強い毒性を持つ重いガスであり，大量に吸い込むと中毒死事故に繋がる。

1　ア
2　イ
3　ウ
4　ア，イ
5　イ，ウ

解説

ア：正しい。津波は，海域で発生した浅発地震により，海底が大きく隆起または沈降したときに発生する。海底の動きに合わせて海面が上下し，海面が元に戻ろうとする力によって波が生まれる。

イ：正しい。埋め立て地や河川沿いの低湿地などでは，地震動による水圧の上昇によって，水を含む砂の地盤が液状化することがある。液状化現象が起こると，地盤は強度を失うので，建物が沈下するなどの被害が発生する。

ウ：誤り。火山ガスの成分は大部分が水蒸気で，そのほかに，二酸化炭素，硫化水素，二酸化硫黄，水素，ヘリウム，窒素，塩化水素などさまざまな気体が含まれるが，成分の割合は火山によって大きく異なる。硫化水素，二酸化硫黄，塩化水素といった強い毒性を持つ気体の含有量が多い場合は，大量に吸い込むと中毒死事故に繋がりかねないので，注意が必要である。

以上より，正答は**4**である。

正答　4

数学
物理
化学
生物
地学
文章理解
判断推理
数的推理
資料解釈

大卒警察官
警視庁
No. 201 文章理解 現代文（要旨把握） 令和5年度

次の文章の要旨として、最も妥当なのはどれか。

ゾウは鼻を手のように器用に動かすことができるから、常に嗅覚を使って外界を探索しているように見える。手のひらに鼻が付いているようなものだ。地面の匂いを嗅ぐこともできるし、鼻を空中高く上げれば、遠くからやってくるかすかな匂いをとらえることもできる。

実際、ゾウは、仲間とのコミュニケーションをはじめ、さまざまな状況で匂い情報を利用している。

アフリカゾウ、アジアゾウともに、オスのゾウは年に一度、目の横にある側頭腺から独特の匂いのあるタール状のどろっとした液体を分泌する。この時期をマスト（musth）という。マストのときには、男性ホルモンであるテストステロンの濃度が何十倍にも上昇する。マストのオスゾウは凶暴で、とても危険である。マストのゾウに踏みつぶされて亡くなる人が後をたたないという。そのため、マストのゾウの研究は難しく、その意義はあまりよくわかっていない。

アジアゾウの場合、10歳前後の性的に未成熟なオスは、マストの時期にハチミツのような甘い香りの液体を分泌する。ところが性成熟を迎えて大人になると、分泌液に含まれる成分が変化し、悪臭を放つようになる。この悪臭の正体は、2-ノナノンやフロンタリンといった匂い分子である。年をとるにつれ、マストの期間は長くなり、ますます凶暴になるとともに、2-ノナノンやフロンタリンの濃度も高くなる。

フロンタリンの分子を大人のオスに嗅がせても反応しないが、性成熟前の若いオスに嗅がせると逃げるような動作をする。メスに嗅がせた場合、その反応は性周期によって異なり、生殖可能な時期にもっとも強い興味を示す。フロンタリンの分子には（+）と（−）の2種類があって、（+）と（−）は互いに鏡に映した像の関係になっている。マストの分泌液には（+）と（−）の両方が含まれているが、その比率はオスの年齢によって変わり、若いオスほど（+）の比率が高く、年をとるにつれて（+）と（−）の比率が一対一に近づいていく。このようなことから、フロンタリンは、オスのアジアゾウの性成熟の程度を伝えるシグナルだと考えられる。

1 ゾウは手のひらに鼻が付いているようなもので、さまざまな匂いの情報を利用しており、オスのゾウのマストの時期には、その分泌液の匂いで性成熟の程度を伝えるシグナルになっていると考えられている。

2 オスのゾウは、マストの時には悪臭のする分泌液を出し、その匂いによって凶暴化するが、なぜ凶暴化するかはまだわかっていない。

3 オスのゾウは、鼻を手のように使うため、匂いの嗅ぎ分けをすることができ、色々な匂いを嗅ぎ分けられることが性成熟の程度を表している。

4 オスのゾウのテストストロンはマストの時期に増大し、歳をとったゾウの方がより多く分泌することが原因で悪臭を放つため、周りのゾウが離れていくシグナルとなっている。

5 ゾウは鼻が手のように発達しているので、匂いだけでなくその触覚などの感覚も利用して、お互いの年齢や性別などを感じることができる。

解説

出典は、新村芳人『嗅覚はどう進化してきたか』。ゾウは手のように器用に動かせる鼻を使って嗅覚により情報を利用しており、オスのゾウのマストの時期には、その分泌液の匂いでオスのゾウの性成熟の程度を知ることができるという文章。

1．妥当である。

2．第3段落の内容であるが、要旨としては、ゾウが嗅覚によって情報を得ていること、実際にマスト期の分泌物の匂いは性成熟の程度を伝えるシグナルであることに触れる必要がある。

3．「色々な匂いを嗅ぎ分けられること」によってではなく、マスト時期に発する分泌物「フロンタリン」の匂いによって、性成熟の程度がわかるのである。

4．マスト時期の分泌物の匂いによって、「離れていく」のは、「性成熟前の若いオス」だけで、「大人のオス」は反応せず、「メス」は生殖可能な時期には強い興味を示すとある。

5．「触覚」についての記述はない。

正答　1

大卒警察官

No. 202 警視庁 文章理解 現代文（要旨把握） 令和4年度

次の文書の要旨として，最も妥当なのはどれか。

私が継続している良い行動の，最たるものが「走ること」です。

最初は「週に二回，三〇分ずつ歩く」ことしかできなかった私が，今では，ほぼ毎日のように走っています。

始めた当時と比べて，走る距離は大きく変化しましたが，そのときから今まで変わらないのが，「好きなことを犠牲にしない」というポリシーです。

好きなことを犠牲にしてまでやれば，必ず無理が出て挫折するでしょう。それに，そもそも好きなことを楽しむのが人生だと思っている私にとって，好きなことを犠牲にするという選択肢は最初からありません。

たとえば，お酒。私は一日の終わりに飲むお酒が大好きです。大量には飲みませんが，楽しい仲間とわいわいやったり，一人で静かにグラスを傾ける時間はなにものにも代え難いと思っています。夜はお酒を飲むために使いたいので，走るのはもっぱら朝。飲み会が遅い時間まで押したときには，「明日は走らなくてもいいや」と気楽に構えています。

そういうふうにやってきたから，ここまで続けることができたのです。

もちろん，人の好みは人それぞれ。「朝はゆっくり眠りたい」という人は，その欲求を犠牲にせずに夜に走ればいいでしょう。

今，「朝活」と呼ばれる早朝の勉強会が流行っています。私自身は朝型なので違和感はありませんが，全員が全員それに乗せられることはありません。

「朝風呂にゆっくり入るのが至福の時間」という人が，それを犠牲にして勉強会に出席しても，いずれ嫌になるでしょう。

世間の流行や常識にとらわれないで，本当の自分のニーズを見極めましょう。

自分のライフスタイル最優先でやらなければ，なんのためにそれを始めるのかわからないではありませんか。

1 良い行動を継続するためには，自分の欲求に正直になるべきであり，やりたくないときにはやってはならないし，やりたくなるまでやらなくてもよい。

2 「朝活」が流行っているが，流行に乗せられないで自分のニーズを見極めれば，体のために良いのはむしろ夜行動することだとわかるはずである。

3 体にとってもっとも良い行動は「走ること」であり，日によって時間や距離が減っても毎日やり続けるべきである。

4 習慣を自分の力にするためには，時には好きなことを犠牲にしてでも，決まったスケジュールで決まった量をこなさなくてはならない。

5 物事を継続するために，好きなことを犠牲にすれば必ず無理が生じるので，自分のニーズを見極め，ライフスタイルに合わせて取り組むべきである。

解説

出典は，石田淳『始める力』。好きなことを犠牲にせずにライフスタイルに合わせて物事を継続することを薦める内容である。

1．「好きなことを犠牲にしない」というポリシーについては書かれているが，それを「やりたくなるまでやらなくてもよい」と解釈するのは不適当である。

2．「体のために良いのはむしろ夜行動すること」とする記述は本文中にはない。

3．筆者にとって良い行動の中で「最たるもの」が「走ること」であって，それを一般化し「体にとってもっとも良い行動」とするのは，不適当である。

4．第3段に「好きなことを犠牲にしない」，また，第5段落に，夜遅くなったら「『明日は走らなくてもいいや』と気楽に構えています」とあるので，決まったスケジュールで量をこなすことを薦めてはいない。

5．妥当である。「好きなことを犠牲にしない」というポリシーと，本文終わりにある「世間の流行や常識にとらわれないで，本当の自分のニーズを見極めましょう」「自分のライフサイクル最優先」をまとめたものである。

正答　5

次の文章の要旨として，最も妥当なのはどれか。

二億三〇〇〇万年前には地球上に出現し，当時あった全大陸を支配し，種としての多様化を極めた後，白亜紀の終わりの六六〇〇万年前に絶滅してしまった恐竜。生きていたのはおよそ一億六四〇〇万年間。それが長いのか短いのかは，誰にもわからない。しかし，白亜紀末に激変した環境に適応できず，淘汰されてしまったことは間違いない。

淘汰されてしまった恐竜。それは，「弱くてダメな奴」だったのだろうか？

だが，もしもあの時に恐竜が絶滅していなかったなら，と考えてみよう。

今もまだ恐竜時代が続いていたとしたらどうなっていただろう。

全長三〇メートル，体重一〇トンという巨大な恐竜がそこら中を闊歩(かっぽ)していて，さらに「超肉食恐竜」と言われ，餌と見れば見境なく飛び掛かってくる全長一二メートル，体重六トンのティラノサウルスがそこら中で待ち構えていたなら――。

そう，今もなお恐竜時代が続いていたとしたら，哺乳類は恐怖にふるえながら隅っこで生きているだけだったかもしれない。

恐竜が牛耳る生態系では，哺乳類に許された生態系の中でのスペースは非常に限られたものとなる。のびのびと進化することはできず，小さくて弱いまま。哺乳類の時代が来ることはなかっただろう。

だが，実際には，恐竜が絶滅したことで生態系にスペースが生まれ，哺乳類は飛躍的に進化することができた。だからこそ人類が現れ，今のような生物世界が展開されている。

それはつまり，恐竜が環境の激しい変化に耐えられなかった「弱くてダメな奴」で，その後に進化を遂げた哺乳類，とりわけ人類は恐竜に比べて「強くて優秀な存在」なのではないか？との問いに行きつく。

しかし，そういった視点で恐竜，そして人類を見ることは，驕(おご)りに近い。

何かが絶滅するから，別の何かが進化する。

つまり，絶滅と進化とは対立するものではなくて，表裏一体の関係にある。

進化という縄には，必ず絶滅という細い糸が撚(よ)り合わされているのだ。

1　絶滅した恐竜よりも，進化した人類が「強くて優秀な存在」なのではなく，絶滅するものがいるから別のものが進化するという，表裏一体の関係がある。

2　生態系を牛耳っていた恐竜には「強くて優秀な存在」という驕りがあったと言え，そのために激変した環境に適応できず，滅びてしまったのである。

3　一億六四〇〇万年間という恐竜の歴史からすれば，人類の歴史は短いが，絶滅と進化の対立に勝利した人類が恐竜より「強くて優秀な存在」であると考えるのは，驕りではない。

4　恐竜の絶滅という歴史を踏まえると，人類にもいつ絶滅の危険が襲ってくるかわからないので，十分な備えをする必要がある。

5　哺乳類，人類は恐竜に比べてちっぽけで歴史も短いが，環境の変化に適応して進化してきたことから，より「強くて優秀な存在」であると言える。

解説

出典は，小林快次『恐竜は滅んでいない』。絶滅した恐竜が「弱くてダメな奴」で，進化した人類が「強くて優秀な存在」なのではなく，絶滅と進化とは対立するものではなく，表裏一体の関係にあるという内容である。

1．妥当である。本文終わりにある結論部分「つまり，絶滅と進化とは対立するものではなく，表裏一体の関係にある」を言い換えたものである。

2．恐竜に「『強くて優秀な存在』という驕り」があったという記述はない。

3．「絶滅と進化とは対立するものではなく」とあるので，「絶滅と進化の対立に勝利」とするのは誤りである。また本文では，人類を「強くて優秀な存在」とすることは「驕り」だと捉えている。

4．「絶滅の危機」に備える必要については論じられていない。

5．本文では，人類を「強くて優秀な存在」とすることを「驕り」だと捉えている。

正答　1

数学
物理
化学
生物
地学
文章理解
判断推理
数的推理
資料解釈

大卒警察官

No. 204 警視庁

文章理解　現代文（要旨把握）　令和元年度

次の文章の要旨として，最も妥当なのはどれか。

3Dプリンターというのは最近になって開発された技術ではありません。その歴史は古く，一九八〇年代にはすでに実用化されていました。僕が初めて3Dプリンターを見たのは一九九〇年代半ばですが，その頃は数千万円もするような高価な装置でした。発明から二〇年以上が経ち，基本特許が切れたのにともなって個人向けの3Dプリンターが低価格で発売され，広く普及するタイミングになったことも，現在のような3Dプリンターの大きなブームの大きな要因の一つです。

3Dプリンターは，従来の製造業の中で一つの技術として使われていました。立体物を水平に輪切りにした断面データをもとに，樹脂などの薄い層を積み上げて立体物を製作する技術で，「アディティブ・マニュファクチャリング（Additive Manufacturing：積層造形，付加製造）」と呼ばれます。

「アディティブ・マニュファクチャリング」はいわゆるデジタルファブリケーション（物質を情報化したり，情報を物質化したりする技術の総称）の中では，素材を「重ねる」技術です。「切る」「削る」技術のレーザー加工機では時間がかかりすぎる作業を，素材を「重ねる」ことにより短縮でき，従来は金型を成型しなければならなかった部品の製造に使われてきました。

こうした「重ねる」技術が近年になり安価に使えるようになってきたため，3Dプリンターを使うことで工期を短縮し，コストダウンを図ることができるようになってきたのです。

1　3Dプリントの技術は，より複雑な構造を持ち，金型では作ることができないような構造のモノを作ることができる。

2　3Dプリンターが発明されたことにより，「アディティブ・マニュファクチャリング」というまったく新しい技術が誕生した。

3　3Dプリンターにより，「切る」「削る」技術のレーザー加工機では時間がかかりすぎた金型の成型作業を大幅に短縮できるようになった。

4　3Dプリンターが広く普及するようになったのは，工期短縮，コストダウンのために製造業者が多く購入したからである。

5　近年，「重ねる」技術が安価に使えるようになってきたため，3Dプリンターの導入は工期の短縮やコストダウンにつながっている。

解説

出典は，小笠原治『メイカーズ進化論』。「重ねる技術」が3Dプリンターとして普及するようになるまでの歴史を述べた文章。

1．第三段落に「従来は金型を成型しなければならなかった部品の製造に使われてきました」とあるので，「金型では作ることができないような構造のモノを作ることができる」とするのは誤り。

2．「アディティブ・マニュファクチャリング」という，素材を「重ねる」技術が「安価に使えるようになってきたため」3Dプリンターという形で普及したので，順序が逆である。

3．「大幅に短縮できるようになった」のは「レーザー加工機では時間がかかりすぎる作業」そのものであり，「金型の成型作業」の時間ではないので，誤り。

4．「3Dプリンターが広く普及」したのは，「安価に使えるようになってきたため」であり，「製造業者が多く購入したから」かどうかはわからない。また，3Dプリンターの普及によって「工期短縮，コストダウン」が進んだのだから，因果関係が逆である。

5．妥当である。

正答　5

No. 205 警視庁 文章理解 現代文（要旨把握） 令和5年度

次の文章の要旨として、最も妥当なのはどれか。

産業のなかで、鉄鋼業が消費するエネルギーはひじょうに大きいものです。高炉では、鉄鉱石をコークスで還元して銑鉄をつくり、これを転炉で鋼（スチール）にします。そしてこれを圧延して、薄い鋼板にして利用します。

鋼板は、建築や機械や自動車に使用された後に回収され、電炉に入れられて電気加熱で溶解され、圧延工程をへて再利用されています。電炉鋼の割合は電炉比であらわされ、2000年には世界で30％程度です。

2010年の世界の鉄鋼生産は11億トンであり、2050年の世界の鉄鋼需要は24億トンとされています。このままいくと、鉄鋼生産の１次エネルギー消費は2010年の約1.7倍になります。単純に２倍以上にならないのは、2050年には24億トンの半分のおよそ12億トンはリサイクル鉄鋼（電炉鋼）になると予想されているためです。

電炉鋼が増大すると、リサイクル鉄鋼中の銅の混入率が高まり、鉄鋼の品質が低下すると心配する意見もあります。これには、国際的な規約をつくって、銅の混入率を低下させることが必要ですが、実現すれば、電炉鋼の割合を高くすることが可能になります。

2050年ごろに世界の鉄鋼のリサイクル率が70～80％以上になり、消失する鉄鋼を新規に供給していくだけですむとすれば、鉄鋼用のエネルギーは大きく低下します。じっさいにリサイクル率を上げなければ、鉄鉱石が枯渇していくという問題があり、規制がなくても鉄鋼業がそのような行動をとる可能性があります。

1　鉄鋼業の消費するエネルギーは、生産量に合わせて年々増加しており、そのエネルギー消費の大きさが負担となっており、徐々に産業自体が衰退していきそうである。

2　鉄鋼業は、その需要は増え続けているが、原料である鉄鉱石が枯渇していくという問題もあり、今後は別の産業に置き換わっていく可能性がある。

3　鋼板として生産物に利用された鋼は、電炉鋼として再利用されるが、鉄鉱石の枯渇や、エネルギー問題の観点からも、今後その割合が増えていくと予想される。

4　電炉鋼は2010年で、全世界の鉄鋼のうち30％程度の割合を占めているが、今後の鉄鋼需要の増え方や、電炉鋼自体の品質の低下からすると、その割合は下がっていくものと思われる。

5　鉄鋼の需要は年々増えているが、リサイクル鉄鋼中の銅の混入率によって、鉄鋼の品質が低下する心配があり、各鉄鋼業者の中でリサイクルの割合を増やすために、国際的な規制が作られた。

解説

出典は、槌屋治紀『これからのエネルギー』。リサイクル鉄鋼である電炉鋼は、鉄鋼用のエネルギーを低下させることができ、鉄鉱石の枯渇という問題もあることから、その割合が増えていくと予想されるという文章。

1．第３段落に、鉄鋼業の消費するエネルギーは、リサイクル鉄鋼により生産量の「単純に２倍以上にならない」とある。また、「産業自体が衰退」するという記述もない。

2．「別の産業」に関する記述はなく、リサイクル率を上げる方向に向かう可能性があると述べられている。

3．妥当である。

4．「2010年」ではなく、「2000年」である。また、電炉鋼については「国際的な規約をつくって、銅の混入率を低下させる」ことで割合が高くなる可能性が示唆されている。

5．国際的な規約については「実現すれば」とあるので、「国際的な規制が作られた」とはいえない。

正答　3

大卒警察官

No. 206 警視庁

文章理解　現代文（要旨把握）　令和3年度

次の文章の要旨として，最も妥当なのはどれか。

文部科学省の学習指導要領には，国語科の学習内容として「聞く力」「話す力」「読む力」「書く力」の4つが挙げられています。日本では江戸時代から寺子屋で習うのは「読み，書き，算盤」といわれたように，「読む」ことと「書く」ことに重点がおかれ，「聞く力」と「話す力」には注力されていませんでした。聞いたり，話したりするのは特別に学ばなくても，そのうち身に付くものだと考えられていたのでしょうか。

しかし，最近では，幼児期は「聴く力」を育み，子どもの持つ想像力を膨らませる時期だと考えられています。私の知り合いの脳科学研究者の話によると，あまり早くから字を読ませ，絵本も自分で読んでしまうと，聴くことでイメージを広げ考える能力を摘み取ってしまうことになるそうです。そのため，ある時期までは，絵本は自分で読ませるのではなく，お母さんお父さんが読んであげることが，脳の発達には大事だということでした。

小学校に入るまでは読み聞かせに熱心でも，子どもが1年生になると突然，やめてしまう保護者の方々がいます。「1年生なら自分で読めるでしょ」というわけです。わが子が本をスラスラ読めることを夢見ていた親の期待もあるかもしれませんが，入学式が済んで1年生になったからといって，子どもの心と脳が突然変わるわけではありません。

子どもは本を読んでもらうのが大好きです。保護者の方の本を読む声は，子どもの想像力をかき立てる魔法の声なのです。そういった幼児期の好奇心旺盛な時間を止めて，子どもの「聴く力」の発育を寸断してしまうのは残念なことです。

1　学習指導要領にあるように，幼児期には「聞く力」「話す力」「読む力」「書く力」がバランスよく発達するように配慮するべきである。

2　幼児期の教育において「読む」ことと「書く」ことに重点を置くのは日本で伝統的になされていたことであり，現代においてもこれは理にかなっている。

3　子どもの発達には段階があるので，幼児期には読み聞かせによって「聴く力」を，小学校に入ってからは読書によって「読む力」を重点的に伸ばすのがよい。

4　現代の脳科学では，「聴く力」を伸ばすことで「話す力」「読む力」「書く力」も同時に備わることが分かっているので，幼児期においては読み聞かせが最も重要なことである。

5　幼児期のある時期までは，本を自分で読ませるのではなく，読み聞かせによって「聴く力」を育むことが，脳の発達には重要である。

解説

出典は，久野泰可『「考える力」を伸ばす』。伝統的な日本の教育では，「読む」ことと「書く」ことに重点が置かれていたが，最近では，子どもの持つ想像力を膨らませる時期である幼児期には，本を自分で読ませるのではなく，読み聞かせによって「聴く力」を育むことが脳の発達には重要であるという内容。

1．学習指導要領には4つの力が挙げられていることは述べられているが，それらがバランスよく発達するように配慮することについては主張されておらず，むしろ，幼児期には「聴く力」を重視すべきとしている。

2．前半は正しい記述であるが，第2段落にあるように，最近では「聴く力」が重視されている。

3．第3段落で，筆者は，子どもが1年生になると読み聞かせをやめてしまう保護者を批判的に取り上げており，むしろ，小学生になっても読み聞かせは続けるべきだと考えていることが読み取れる。

4．「聴く力」は「イメージを広げ考える能力」の発達につながるだけで，他の3つの力が「同時に備わる」という記述はない。

5．妥当である。

正答　5

大卒警察官

No. 207 警視庁

文章理解　現代文（要旨把握）　平成29年度

次の文章の要旨として，最も妥当なのはどれか。

生態学のうちに，直接に人間を対象とする分野，人間生態学が生まれたけれども，それは，当然人間だけを対象とすることはゆるされなかった。生態学が，生活する有機体と，世界の他の構成要素との機能的連関の科学である以上は，人間だけを対象とするということ自身が矛盾である。人間と動物，人間と植物，そして，人間と無機的自然との交渉が，はじめから問題であったのである。

生活する主体にたいして，それと機能的連関をもつ事物は，一般に環境とよばれる。しばしば，風土という語がやや似た意味につかわれるけれども，その内容は，空想的な影響力をもった占星術的作用が考えられていたりする。主体と環境との相互連関は，どこまでも具体的であり，実証的である。そして，人間と環境との具体的相互作用を，科学的に，かつ広汎な見とおしのもとに，理解する道をひらいたものは，やはり生物界全般を通ずる一般理論としての生態学の前進であった。

じつは，主体と環境を別々のものと考える考え方に問題がある。環境を固定的な舞台装置ないしは背景に見たて，主体をそこに演技する俳優とみる見方は，まったく誤っている。われわれは，とりあえず概念的に主体と環境を分極化してとり出すけれども，じっさいに動いているのは，主体＝環境系という一つの系 system である。もし，別々の側から両者をながめるならば，どちらもが劇の進行にたいして本質的な役割をはたしている。どちらもが動いている。未来の予言という，科学としての本質的任務を，生態学にもあたえるとすれば，それは，だから，初期条件のあたえられた主体環境系が，系としていかに変貌し発展してゆくかを知ることにある。

1　人間生態学は，生態学のうち直接に生活の主役である人間を対象にするものであり，間接的には，脇役としての動植物や無機的自然も含まれる。

2　人間と環境の具体的相互作用を理解するための学問である人間生態学の任務は，環境問題を解決する方法を探すことである。

3　かつては生活する主体が主役であり，環境はただの背景とみなされていたが，環境こそが本質的な役割をはたしていると考えるのが現代の生態学である。

4　人間生態学は，人間だけを対象とするものではなく，動物，植物，無機的自然との相互作用を一つの系の中でみるものである。

5　人間生態学は具体的・実証的・科学的なものであるから，生態系全体の変貌ないし発展と結果を完全に予言することが可能である。

解説

出典は，梅棹忠夫・吉良竜夫編『生態学入門』。

1．主体と環境を別々に考え，人間を主役，環境などを脇役とすることは第3段落で「まったく誤っている」と筆者は否定している。

2．本文の範囲では，環境問題の解決に関する議論はされていない。

3．第3段落によれば，生態学は，主体と環境を区別し，どちらかに重点を置くのではなく，「主体＝環境系という一つの系 system」として捉えているので，環境に力点を置く記述は不適切である。

4．正しい。

5．第2段落によると，具体的・実証的なのは，人間生態学ではなく「主体と環境との相互連関」である。また，生態系の変貌や発展について，「完全に予言」するという記述は本文中にはない。

正答　4

大卒警察官

No. 208 警視庁

文章理解 現代文（要旨把握） 令和2年度

次の文章の要旨として，最も妥当なのはどれか。

睡眠については，多くの場合，たとえば「1日6時間」「1日7時間」といったように，基本的に毎日同じだけ寝なくてはいけないと語られます。これを意識しすぎて「1日6時間」という睡眠ノルマを自分に課してしまっている場合，きちんと6時間寝られなかった日があるとそれが気になってしまいます。

「今日は残業で深夜帰りになったから，5時間しか寝られなかった」「なかなか寝付けなかったせいで，4時間しか寝られなかった」と，ノルマ分寝られなかったことが，ちょっとしたストレスになってしまいます。

しかし，帰宅が深夜になり，1日6時間寝られないなどという事態は，仕事をしていればよくあることです。いちいち，それを気にしていたらきりがないのではないでしょうか。

寝付けないときに寝なくてはいけないという思いが，さらに交感神経を高めて余計に眠れなくなってしまうということが起きているのです。

実は，「毎日同じ時間分睡眠をとらなくてはいけない」というのは，それほど強く意識すべきことではありません。

なぜなら，人間の体は，たとえば1日寝不足になっても，次の日は寝不足になった分だけもっと深い睡眠が補えるようにできています。生態学的には，翌日に睡眠をとって寝不足分を補うことができればそれで十分です。ただし，寝不足が2日間以上続くようなら，それは体に大きなダメージをもたらします。

そこで，私は睡眠を2日単位で考えることを実践しています。もし，4時間しか寝られなかったのであれば，不足している2時間分は翌日8時間寝ることで補う，つまり「1日6時間」ではなく，「2日で12時間」を目安にしているのです。

もし深夜まで残業して睡眠4時間だったのなら，次の日はできる限り早く仕事を切り上げて，前日に不足した2時間分の睡眠を補い，8時間眠るようにする。

これなら，仕事が忙しい人であっても，まだ取り入れやすい睡眠の考え方ではないかと思います。

1 生態学的には，1日寝不足になるだけで体に大きなダメージをもたらすことがわかっているので，睡眠は基本的に毎日同じだけとることが大切である。

2 人間の体は1日寝不足になっても，次の日は睡眠が補えるようにできているため，毎日同じ時間の睡眠を目標にするより，「2日で12時間」を目安にする方が取り入れやすい。

3 人間の体は，睡眠のリズムが乱れることによって大きなダメージを受けるので，毎日決まった時間帯で規則的な睡眠をとることが重要である。

4 人間の体は，寝不足になっても他の栄養で補えるようにできているため，睡眠が十分とれていなくてもそれほど強く気にする必要はない。

5 生態学的に，人間の体はいくらでも睡眠が蓄えられるようにできているため，仕事が忙しい人であっても，週末により多く睡眠をとることで，不足した睡眠が補える。

解説

出典は，見波利幸『心が折れる職場』。睡眠を１日何時間と考えるのではなく，２日で何時間と考えるほうがよいという文章。

1．第６段落に「人間の体は，たとえば１日寝不足になっても，次の日は寝不足になった分だけもっと深い睡眠が補えるようにできています。生態学的には，翌日に睡眠をとって寝不足を補うことができればそれで十分です」とあり，睡眠は毎日同じだけとる必要はないとしている。

2．妥当である。

3．「睡眠のリズムが乱れることによって大きなダメージを受ける」といった記述はなく，むしろ，そのような睡眠ノルマがストレスになるので，２日単位で考えるように勧めている。

4．「他の栄養」についての記述はない。

5．「いくらでも睡眠が蓄えられる」という記述や「週末により多く睡眠をとる」ことを勧める記述はなく，次の日に不足分を補充することを提案している。

正答　2

警視庁

No. 209 文章理解　現代文（要旨把握）　令和2年度

次の文章の要旨として，最も妥当なのはどれか。

資本という言葉には，単に物的な資本だけでなく，共同体の人間関係や組織の信頼といった，必ずしも貨幣換算できない，無形の資本も入っています。そうしたものの蓄積の上に，企業の活動や，日々の経済活動がある。これは，別段新しい発見でも何でもなく，日常の生活のなかで，誰もが素朴に感じていることでしょう。

例えば農業は，先行する世代から受け継がれた灌漑（かんがい）施設などの物的資本や，人間関係の継承，そのなかで取り交わされる知識の発展の上に成り立つ産業です。同じことは，製造業についても，サービス業についてもいえるでしょう。日本の製造業がここまで発展できたのは，何世代にもわたる技術や知識の蓄積と継承があったからであり，それを支える組織や共同体のネットワークがあったからです。こうした無形のさまざまな資本があって，初めて私たちの生活が成り立っているわけです。

これはきわめて当たり前の事実ですが，残念ながら今の社会科学で，こうした無形の資本が正当に評価されることはまれです。経済学でも社会学でも，あるいは経営学でも会計学でも，こうした無形の資本を簡単に計測することができないため，制度や政策を考える議論にうまく乗せられないのです。

しかし，貨幣換算できる有形の資本だけでなく，貨幣換算できない無形の資本も増えていかなければ，私たちの生活が豊かにならないのは問違いないところでしょう。あらゆる国家には，何世代にもわたって蓄積された「国民資本（ナショナル・キャピタル）」が存在し，それが良くも悪くも，私たちの経済活動を規定しているのです。

これから必要なのは，こうした貨幣を必ずしも媒介としないかたちで増えたり減ったりしている資本に注目して，その蓄積が我々の生活にどんな便益を――あるいは不便益を――もたらしているのかを正当に評価することにある，というのが私の考えです。経済社会の新たなビジョンを考えるには，こうした資本概念の拡張が不可欠になるでしょう。

1　無形の資本だけでなく，物的な資本の蓄積が我々の生活にもたらしている便益や不便益を調べ，正当に評価することが資本概念の拡張につながる。

2　無形の資本は簡単に計測することができないため，これを正確に計測する技術がこれからは必要とされている。

3　経済社会の新たなビジョンを考えるために，貨幣を必ずしも媒介としない無形の資本に注目して，その価値を正当に評価し，資本概念を拡張することが必要である。

4　共同体の人間関係や組織の信頼といった無形の資本は，実際に富を生むことがないため，社会科学の分野で正当に評価されることはまれである。

5　貨幣を媒介としない無形の資本という，まったく新しい概念を取り入れることで，資本概念は大きく拡張することができ，経済社会の新たなビジョンが生まれるだろう。

解説

出典は，柴山桂太『静かなる大恐慌』。経済社会の新たなビジョンを考えるには，物的な資本だけでなく，貨幣換算できない無形の資本についても，その便益あるいは不便益を正当に評価する必要があるという文章。

1．「無形の資本」と「物的な資本」の記述が逆であるので，誤り。

2．前半は妥当な記述であるが，「正確に計測する技術」については述べられていない。

3．妥当である。

4．社会科学の分野では「実際に富を生むことがないため」ではなく，「簡単に計測することができないため，制度や政策を考える議論にうまく乗せられない」から正当に評価されることがまれだとある。

5．「無形の資本」の便益は「誰もが素朴に感じている」ことなので，「まったく新しい」とすることはできない。

正答　**3**

数学 物理 化学 生物 地学 文章理解 判断推理 数的推理 資料解釈

No. 210 警視庁 文章理解 現代文（内容把握） 平成26年度

次の文章の内容と一致しているものとして，最も妥当なのはどれか。

西洋風のホテルでは個室はきちんとした壁や頑丈な扉によって区別され，その扉には精巧な鍵が取り付けられている。この個室ではじめて「内部」に入ったと考えられるから，靴をぬぐことも，ゆかた，ステテコ姿になることもまったく自由である。その代り，個室を出るときは，わが国で家の玄関を靴をはいて出るのと同じ意味をもつ。靴をはいて個室を出れば，家庭内の食堂であろうとホテルの食堂であろうと街のレストランであろうと同じく「外部」である。西欧の伝統としての「内部」「外部」の意識にはこのような考えがあると思われる。

さて，靴をはいたまま暮らす西欧的雰囲気とは，独立した個の対立による外的秩序の空間であり，靴をぬいで暮らす日本的雰囲気とは，わけへだてのない個の集合による内的秩序の空間であるということができる。ここで外的秩序は内的秩序に必ずしも優っているとも考えられない。内的秩序には外的秩序にない親密感や安心感があり，住む人々に仲間意識やくつろぎを与えてくれる。しかしながら空間領域には意識の上で内外の別があり，どこにこの境界線をおくのかということを強く意識する必要があると考えられるのである。たとえば，列車の寝台車やホテルの廊下を外的秩序と思っている人々と，同じ場所を内的秩序と思っている人々とが同席すると，服装，態度，話し方等が不調和で，お互いに不愉快な思いをすることがあるからである。

わが国では伝統的に，家の内部に整然たる秩序をととのえ，家族を中心に一軒ごとに内的秩序を保ってきた。内部に秩序をもつということは，別な見方をすると建築の外部には無関心であることを意味し，都市空間の充実という構想は稀薄であった。それに対し，西欧諸国では，イタリアの広場などに見られるように建築の外部にも美しい模様の舗装が古くから発達し，また家の中まで靴のまま入るという習慣が生れてきた。この西欧の生活の中には外的秩序の考え方があり，日本の住いの中で行われるようなことが外で行われる。

1　西欧的雰囲気とは，わけへだてのない個の集合による内的秩序の空間であり，日本的雰囲気とは，独立した個の対立による外的秩序の空間である。

2　西欧の都市空間が充実しているのは，家の「内部」に整然たる秩序をととのえ，内的秩序を保とうとする意識が「外部」の都市空間にも及んでいるためである。

3　空間領域には意識の上で内外の別があるので，どこに境界線をおくかを強く意識しないと，人との間に不調和が生じ不愉快な思いをすることがある。

4　西欧の伝統としての「内部」「外部」の意識が日本にも浸透するようになり，日本の伝統としての「内部」の意識も少しずつ変化し始めている。

5　西欧では「内部」をわけへだてのない個の集合による内的秩序の空間としてととのえることで「外部」へも関心が及ぶようになり，都市空間が充実したものになった。

解説

出典は，芦原義信『街並みの美学』。

1．第2段落冒頭の文には「西洋的雰囲気とは，独立した個の対立による外的秩序の空間であり……日本的雰囲気とは，わけへだてのない個の集合による内的秩序の空間である」とある。

2．「家の『内部』に整然たる秩序をととのえ，内的秩序を保とうとする意識が」とあるのは，むしろ日本の話であり，この部分が誤り。本文第3段落に「わが国では伝統的に家の『内部』に整然たる秩序をととのえ，……内的秩序を保ってきた」とある。

3．正しい。本文第2段落の文に相当し，本文の内容に合致している。

4．「西洋の伝統としての『内部』『外部』の意識が日本にも浸透するようになり」や，「日本の伝統としての『内部』の意識も少しずつ変化し始めている」など，外部，内部についての日本の意識の変化については，本文に書かれていない。

5．**2**と同様の誤りである。「『内部』をわけへだてのない個の集合による内的秩序の空間としてととのえる」のは西洋ではなく，日本である。

正答　3

大卒警察官

No. 211 警視庁

文章理解 現代文（内容把握） 平成24年度

次の文章の内容と一致するものとして，最も妥当なものはどれか。

サルとヒトが分かれた，文字どおりヒト化への最初の一歩，この直立二足歩行はどこで生まれたのだろうか。

以前は，ヒトの祖先が森林から草原に出てきたときと考えられていたが，最近では，森林の林床*1である程度直立二足歩行が完成してから草原に出ていったという説が優勢だ。直立二足歩行が完成する過程は中途半端で，敵に襲われたらひとたまりもなかったはずだ。だが，森林の中ならそんなときは木に登ってしまえばよい。

［注］林床*1　森林の樹下の環境。

だが，いったいなぜ，森の中で直立二足歩行を始めたのだろうか。決定的な理由はわからないが，おそらく，立ち上がり，手を自由に使ってみたところ，このうえなく便利だと気づいたからにちがいない。オスが大きな果物を運んできてメスにプレゼントし，メスと仲良くさせてもらえるという利点もあっただろう。チンパンジーは子育て期間中，母親はたえず子どもを抱いたり背負ったりしている。そんなときなど，子どもを抱きながら歩いているうちに，しだいに二足歩行がじょうずになり，食糧をとる範囲が広がり，それを手に持って運ぶこともできるようになった。簡単な道具のようなものも運んだかもしれない。二足歩行は，きわめて革新的な技術革命だったのだ。

直立二足歩行が発達する過程では，ナックル・ウォーキングと言われる，手を軽くにぎって，指の中節骨の背側を地面につける歩き方をしたこともあったようだ。いまでもナックル・ウォーキングをよくするチンパンジーやゴリラには，手の指がくるっと返ってしまわないように，手の指のつけ根の関節に，ストッパー機能をもつ部分がある。ヒトの祖先にはそれがないため，ナックル・ウォーキングはしなかったと考えられていたのだが，最近，ヒトの祖先には，手首の関節にストッパー機能をもつ部分があることがわかってきた。

つまり，ヒトの祖先も，ある時はナックル・ウォーキングをし，ある時は直立二足歩行をしていたのである。ある時期，ヒトの祖先はチンパンジーと同じような状態であったわけだ。その状態からしだいに直立二足歩行を完成し，やがて草原に移動し，広がっていったのだろう。このヒトの祖先を「猿人」と呼んでいる。

猿人の直立二足歩行への適応は急速に進んだと考えられている。草原では，森のように，一本の木に実がたわわに実っているということはなく，食糧は広い範囲に散らばっている。移動能力は食糧を確保するために，欠くことのできない能力だったのだ。

1　ヒトの祖先は，森林の中でナックル・ウォーキングを併用しながら，しだいに直立二足歩行を完成させ，やがて草原に出ていったとする説が優勢である。

2　サルからヒトの祖先に進化する過程で，ナックル・ウォーキングに必要な機能はなくなった。

3　猿人の直立二足歩行への適応が森の中で急速に進んだのは，草原と異なり，散在する食糧を確保するために，移動能力が必要だったからである。

4　文字どおりのヒト化への最初の一歩は，ヒトの祖先が森林から草原に出たときの一歩である。

5　直立二足歩行は，敵に襲われても木に登って逃げられるという点で，きわめて革新的な技術革命だった。

解説

出典は，馬場悠男『ホモ・サピエンスはどこから来たか』。

1．正しい。

2．ナックル・ウォーキングに必要な機能がなくなったのではなく，もともとなかったと考えられていたが，そのような機能を持つ部分があることがわかってきたとある。

3．食糧が散在するのは「草原」であり，「森」ではまとまった場所で食糧を確保できるとある。

4．二段落目の冒頭に，最近では，森林である程度直立二足歩行が完成してから草原に出ていったという説が優勢であるとの記述がある。

5．直立二足歩行が革新的である点は，手を自由に使えることが，子育てや食糧，道具を運搬したりするのに大変便利であるという点であると述べられている。

正答　1

大卒警察官

No. 212 警視庁

文章理解　現代文（内容把握）　平成23年度

次の文章の内容に合致するものとして，最も妥当なのはどれか。

精神とは何か。この問に対しては，言語の本質に近づくためには，分析的に定義するよりも比較，対照して描いた方がうまく答えられる。だから精神が，空間・時間との関連で，客観的にどのような現われ方をし動くのかを，ここで描いてみようと思うが，これは植物という，精神がまだはっきり現われていない低次の段階に見られるような体，つまり植物体と比較，対照して行うとしよう。

木は，先にいったように，有機組織構造と自己充足をもつ個性を有し，活動的な力をそなえている。この活動力で，自己の置かれた環境から感覚物質を選び出し，これを合成して体内へ吸収し，木という統合体の中でそれを積極的に維持する。しかし，木の個性は樹皮を越えてまでは及ばない，といっていいかも知れない。木の個性はその木がとる姿の大きさの中にあるものだし，空間，時間的にその木だけが示す姿の特徴に限定されている。木が占めている物理的な領域を越えてまで及んでいると認められる力は，木の中にない。したがって，その点では他の無機物と大差はない。いいかえれば，木には顕在化した精神が見られないのである。

それにたいし動物では，精神という新しい特異な力が，自然界の創造エネルギー，これはまた私の考えるところでは，合目的なものでもあるが，このエネルギーから生じた。動物には，木と同じように積極的に同化，成長しようとする力がある。動物の体は植物の体と同様，物理的な大きさは制限，限定されている。しかしその身体の中心には，「精神」と呼ばれる新しい力があり，これが視覚，聴覚，嗅覚といった感覚器官を媒体として，身体の範囲を越え，空間的にも時間的にもある程度放射状に広がるか，もしくは及ぶのである。したがって，動物の個性は，この精神という新しい力によってその皮膚を越え，身体という物体を越えて広がり，身体の占める環境よりもずっと広い空間・時間的環境を，精神的に把握し占める。植物は，個性が物理的な大きさに限定されているため，物理的な世界のみに限定されているが，この植物とは対照的に，動物は，肉体と精神という二重の性質をもっているので，物心二重の世界に生きている。精神という新しい現象と，それに対応した精神界は，いっしょに生じるのである。

1　動物の個性は，空間的にも時間的にも身体の範囲を超えて広がるのであり，それ自身が示す姿の特徴に限定されない。

2　植物は，顕在的には無機物と大差ない個性しか有していないが，潜在的な自己充足可能な個性については，その違いは大きい。

3　植物は，個性が物理的な大きさの限定をうけ，物理的な世界のみに限定されるが，動物は，個性が様々に存在し，物理的には計りきれない大きさにまで広がることができる。

4　植物は，精神がまだはっきり現われていない低次の段階ではあるが，有機組織構造と自己充足をもつ個性や自然界の創造のエネルギーをもち，物心二重の世界に生きている。

5　動物の身体には視覚，聴覚，嗅覚など植物にはない力があるため，動物の個性は物体を越えて広がり，身体の占める環境よりも広い空間・時間的環境を，精神的に把握し占める。

解説

出典はリチャード=ウィルソン『言語という名の奇跡』渡辺正一，土家典生訳。

1．正しい。

2．植物には顕在化した個性は見られない（第２段落末）と述べているから，まず，「顕在的には」が誤り。また，「有機組織構造と自己充足をもつ個性を有し，活動的な力をそなえている」（第２段落第１文）のだから，「無機物と大差ない個性しか有していない」のではないし，「潜在的な自己充足可能な個性」という点も誤り。

3．植物については正しいが，動物の個性が「様々に」存在するという点への言及はなく，「計りきれない大きさにまで広がることができる」とは述べていない。

4．「物心二重の世界に生きている」のは植物ではなく動物である。また，「自然界の創造のエネルギー」については，動物の精神の発生源として言及されており，植物が持つかどうかは不明である。

5．動物の個性が物体を越えて広がるのは，「精神」という新しい力があるからである。「視覚，聴覚，嗅覚」は「力」ではなく「媒体」にすぎない。

正答　1

警視庁

No. 213 文章理解 現代文（空欄補充） 令和5年度

次の文の空欄に当てはまる一節として、最も妥当なのはどれか。

対話というのは、相手が目のまえにいて話すことです。対話のもっとも大きな特徴は、自分も話し、相手も話すという相互交渉によって成立しているところです。

接続詞という品詞は、基本的に話の流れを話し手が管理しているときに現れるものです。ですから、対話では、基本的には接続詞があまり使われません。接続詞の多用は、話の流れを話し手が独占しているような印象を与えるため、相互交渉を前提とする対話では相手にたいして失礼になることが多いからです。

しかし、一方的に話しつづける相手にたいし、そろそろ自分の話したいことを話したいと思うこともあります。そのようなときは、話題を転換させるために、「ところで」のような転換の接続詞を使って、自分の話題を切りだします。

また、相手の一面的な評価にたいし、自分の考えを述べたくなることもあります。そのようなときは、「でも」などのような逆接の接続詞を使って相手の話をさえぎり、自分の率直な意見を表明することを予告します。

さらに、接続詞は、次の話をする推進力になる場合もあります。たとえば、「じゃあ」という接続詞は、「じゃあ、行ってくるね」「じゃあ、会議を始めます」「じゃあ、次いくぞ」「じゃあ、終わります」などと使います。「じゃあ」は行動が新たな段階に移ることを予告する接続詞ですが、これらの例ではいずれも、「じゃあ」をつけないと、次の話や行動に移れない感じがします。先ほど挙げた「でも」の例でも、会議の場で、すでに出た発言と対立する意見を言うときには、「でも」をあいだにはさみ、その勢いを借りないと、次の言葉が出てきません。

このように、対話で使われる接続詞は、（　　　）ために欠かせないものです。

1　複数の話題を切り替えながら、同時に展開する
2　その場の空気を転換させ、話し手が主導権を握る
3　強引に対話の流れを支配し、相手の話題を受け流す
4　相手に話の内容をよく理解させ、会議を和やかに進める
5　一面的な雰囲気を切り替え、まったく逆の結論を導く

解説

出典は、石黒圭『文章は接続詞で決まる』。対話で使われる接続詞は、話し手が主導権を握りたいと思ったときに、それまでの話題を転換させ、新たな話題に移すという役割があるという文章。

空欄の文の冒頭にある「このように」から、それまで述べた接続詞の役割についてまとめた内容が続くとわかる。例として挙げられている「ところで」「でも」「じゃあ」を見ると、「話題を転換させるために、『ところで』のような転換の接続詞を使って、自分の話題を切り出します」「相手の話をさえぎり、自分の率直な意見を表明することを予告します」「新たな段階に移ることを予告する」とあることから、「自分の話題」へと「転換させる」という要素が入っている選択肢を選べばよい。

1．話題が「複数」あり、「同時」に展開するという内容の記述はない。
2．妥当である。
3．「強引」に支配し、相手の話題を「受け流す」という内容の記述はない。
4．接続詞を使うことよって「失礼」にならないように配慮することから、「会議を和やかに進める」ことができるともいえるが、前半部分の「相手に話の内容をよく理解させ」ると解釈できる記述はない。
5．それまでの対話の雰囲気が「一面的」であると解釈されるような記述はなく、また、話題を展開するとあるだけで、それが「逆の結論」であるとも述べられていない。

正答　2

大卒警察官

警視庁

No. 214 文章理解 現代文（空欄補充） 令和3年度

次の文章の空所に当てはまる語句として，最も妥当なのはどれか。

統計を書くことは，一つのストーリーを創作することに他なりません。特定の統計モデルは，特定のストーリーを語っているのです。

そのストーリーが妥当かどうかは，実測データへの当てはまりの良さだけでは言えない面もあります。たとえば天気予報にしろ，経済予測にしろ，「当てる」ことを目的とするのか，それとも「説得的な理論に基づく」ことを尊ぶのか，はたまた「それにより人々の行動を所期の方向へ誘導する」ことを旨とするのか，これらは場面により，また論者により，意見が分かれます。

このように統計とは，一般的な数学の問題のようにまず計算をした後にそれを解釈する，というよりは，むしろ解釈と計算とが表裏一体となって同時進行する，という性格のものです。これが統計分析の難しさであると同時に，そこには解釈を計算によって検算し，計算を解釈によって検算する，という二重のチェック機能が働くという便利さもあります。統計は「顔のある数学」と言ってよいでしょう。

特に経済統計や社会統計など「人」を扱う統計の場合，統計モデルの構築やその分析には「臨場感」が伴います。すなわち，そこで扱われている人たちが何を考え，どのような情報を基に，どのように意思決定したか，が統計モデルにより記述されるからです。自分がその立場にいたらどうしたか，と想像することで，モデルや分析がどう自然か不自然か，の見当がつく場合もあります。

しかし何と言っても統計分析で一番面白いのは，筆者の独断をお許し願えるのであれば，その分析が同時代や後世の人々の手でどのように記事化され，それがどのような読者の目にどう映り，さらにそれが世論や政策にどう反映されるか，に馳せる思いです。

もちろん当初の分析者の「思い」と，それを記事化したり，さらにそれを読んだりする人たちの解釈や思惑とは，必ずしも一致しなくて構いません。（　　）という前述の理は，ここにも生きています。

1　必ず「当たる」わけではないのだから，統計分析を信頼してはいけない
2　「当たる」「当てはまりのよい」ことだけが統計分析の本領とは限らない
3　人々の思いに関係なく，確実に「当たる」予測をすることこそが統計分析の本領である
4　分析者の思惑を超え，誰もが想像もしない展開をしてこそ役に立つ統計である
5　人々の行動を所期の方向へ「誘導」できなければ，統計の存在する意味はない

解説

出典は，佐々木彈『統計は暴走する』。統計分析が妥当かどうかは，「当たる」「当てはまりのよい」ことだけで判断されるとは言えない面があり，統計を解釈する目的や場面や論者などにより意見がわかれたり，さらに分析者による記事を読んだ人たちの解釈もさまざまであったりすることが統計分析のおもしろさであるという文章。

空所の後の「前述の理」から，空所にはそれまでの段落で筆者が説明してきたことが入るとわかる。また，空所前の「一致しなくて構いません」より，統計分析を行う際にもそれを解釈する際にもさまざまな意見があることを肯定的にとらえていると考えられる。したがって，空所には，第2段落の「そのストーリーが妥当かどうかは，実測データへの当てはまりの良さだけでは言えない面もあります」という筆者の主張の言い換えが入る。

1．統計分析の信頼性についての議論は本文中にはない。
2．妥当である。
3．第2段落にあるように「そのストーリーが妥当かどうかは，実測データへの当てはまりの良さだけでは言えない面もあります」ということから，「確実に『当たる』」ことを統計分析の本領とするのは不適切である。
4．分析者の思惑とは「必ずしも一致しなくて構いません」とあるだけで，そこから「誰もが想像もしない展開」へとするのは論理の飛躍である。
5．「人々の行動を所期の方向へ『誘導』」することは統計分析の目的の一つにすぎないため，「『誘導』できなければ，統計の存在する意味はない」とするのは誤りである。

正答　2

No. 215 警視庁 文章理解 現代文（空欄補充） 令和2年度

次の文章の空欄A，Bに当てはまる語句として，最も妥当なのはどれか。

モンテスキューが『法の精神』で説いた三権分立は，立法権は貴族を代表する上院と人民を代表する下院の二院制とし，上院には下院の行動を阻止する権能のほか，大臣弾劾（だんがい）裁判権や恩赦の権限を与えるものでした。君主は執行権を握り，議会の議決に対する拒否権と法律を執行する権限を有します。司法権は政治的関係においては「無」であって，法律を機械的に適用する「法の口」にすぎず，しかも常設の機関ではなく，人民から選出された人によって一定期間だけ存続するものとされていました。このように，本質的に［　A　］を狙いとしたものでした。

しばしば彼は権力の抑制・均衡を唱えたといわれますが，君主，貴族，庶民の間の力のバランスを取ることで貴族の特権を回復することに主眼があったのであって，決して人権保障のための権力の分立を意図したものではありませんでした。

これに対して，合衆国憲法の三権分立は，権力に対する不信や人間性への猜疑（さいぎ）を前提とする点でモンテスキューと共通しますが，独立宣言で表明された「奪うことのできない天賦人権」を基礎にした権力分立である点で決定的に異なります。

そのため合衆国憲法の採用した三権分立は，実質的に権力分立の新概念を打ち立てたものでした。

一つは，単に権力を三つにわけるのではなく，三権間に相互に抑制・均衡しあう仕組みを作った点です。権力を分立する目的が［　B　］ことにあると考えれば，相互の抑制・均衡はその目的を達成するうえで当然の帰結でした。合衆国憲法によって権力分立は，より近代国家にふさわしい概念に生まれ変わったのです。

いま一つの新しさは，三権間の水平的分立だけでなく，垂直的な分立，つまり連邦制を採用したことです。合衆国憲法が成立する以前には，ヨーロッパでは主権は単一不可分なものと考えられてきました。実際にも，既存の一三の独立国家のうえに連邦政府を建設することには理論的なむずかしさもあったのですが，アメリカの場合，国家権力は主権者である人民から委託されたものだという人民主権の概念で理論武装することによって，これを乗り越えたのです。

	A	B
1	人民主権の確立	絶対王政を永続させる
2	立憲君主制の温存	人々の自由と人権を保障する
3	自由と人権の保障	司法権の独走を阻止する
4	絶対王政の永続	立憲君主制を温存する
5	司法権独立の維持	人民の主権を確立させる

解説

出典は，大浜啓吉『「法の支配」とは何か』。三権分立について，モンテスキューの「法の精神」と合衆国憲法を比較して論じた文章。

A：空欄のある段落で，「司法権は政治的関係においては「無」であって」「一定期間だけ存続するもの」とあり，三権分立が名ばかりであると述べられていることから，「司法権独立の維持」は不適切である。また，次の段落に「君主，貴族，庶民の間の力のバランスを取ることで貴族の特権を回復することに主眼があった」ことから「絶対王政の永続」は不適切，「決して人権保障のための権力の分立を意図したものではありませんでした」とあることから，「人民主権の確立」「自由と人権の温存」も不適切となる。以上より，モンテスキューの説く三権分立が「本質的に狙った」ものは，「立憲君主制の温存」となる。

B：空欄には，合衆国憲法の採用した三権分立の目的が入る。第3段落に「奪うことのできない天賦人権」を基礎としているとあることから，「人々の自由と人権を保障する」，「人民の主権を確立させる」が入る。

よって，正答は**2**である。

正答　2

次の文の空欄に当てはまる一節として，最も妥当なのはどれか。

食のサイエンスには，不確定要素がたくさんあります。たとえば，「サラダを思い浮かべて下さい」といわれて，各人がイメージするサラダの姿かたちは全く同じではないでしょうし，サラダに対する個人の好き嫌いなどの感情もそれぞれ異なるでしょう。食べものは，ただの「物質」として認識されているわけではなく，必ず各人の「思想」が付随してきます。そのため，食べるということは，食品の機能性などを重視した「理性食い」をしようとしても，その一方で自分の思想に基づいた「感性食い」を避けることがなかなかできない宿命にあります。理論面のみでバサッと切れない，歯切れの悪いところが，食の科学が科学として認識されにくい要因のひとつではないかと感じます。

また，芸術分野における食の立場も，類似した構造があります。絵画の鑑賞では主に「目」から，音楽の鑑賞では主に「耳」からの情報でその芸術美を堪能します。この視覚，聴覚，という，遠い対象物からの感覚を受け取る体験が，純粋芸術の鑑賞としては大切です。また，みるのみ，聞くのみというある種限られた感覚での体験が，芸術感の高揚にとって重要な要因のひとつといわれています。

それに対して食体験は，視覚・聴覚・嗅覚・味覚・触覚という「五感」をフルに使った行為で，純粋芸術の観点からは，私たちの生活に自然に存在しすぎています。また，対象物と近距離で感じるにおい・味・食感といった感覚は，あまりに生々しく，直接的な体験です。さらに，食べることは，物質を口に入れ，咀嚼し，飲み込むことで身体に取り入れ，消化・吸収されなかったものが体外に排泄されるという，一連の肉体的行為でもあります。

つまり，食の芸術は，芸術作品として人の感情を揺さぶる「感性」の要素をもってはいるものの，直接的すぎる感覚であり，また，身体に取り込む物質情報としての「理性」の要素も色濃くあわせもっているといえます。

すなわち，食は，（　　　）といえます。これは一見すると半端な印象を与える一方で，食は理性と感性のちょうどよい“ハイブリッド”であり，応用科学や応用芸術の両世界で独特のポジションを取りうるということでしょう。

1　理性も感性も兼ね備えており，科学でも芸術でも高い地位にある，まさに“百獣の王”の立場と呼ぶに相応しい

2　科学の世界では十分に認識されていても，芸術としては理性の要素が色濃く，認められにくい

3　科学の世界でも芸術の世界でも，理性もしくは感性のどちらかに特化することができない“コウモリ的立場”にある

4　理性も感性も不足し，科学的にも芸術的にも無視される“蜉蝣（かげろう）のような存在”である

5　理性の不足によって科学としては認識されていない反面，その感性の要素から芸術としては非常に人気の高い主題である

解説

出典は，石川伸一『「食べること」の進化史』。食のサイエンスは，芸術として捉えると直接的で，「感性」の要素を持ち，同時に身体に取り込む物質情報としての「理性」の要素もちょうどよく持ち，応用科学や応用芸術の世界で独特のポジションを持つという内容。空欄の前に「すなわち」とあることから，前段落の内容を中心に言い換えた内容が最終段落となることに注意する。

1．食は「不確定要素がたくさんあり」「科学として認識されにくい」（第１段落），「半端な印象」「ちょうどよい“ハイブリッド”」（最終段落）とあることから，「科学でも芸術でも高い地位にある，まさに“百獣の王”」というのは不適当である。

2．第１段落に「科学としては認識されにくい」とあるので，「科学の世界では十分に認識されて」というのは不適当である。また，最終段落で，「ちょうどよい“ハイブリッド”であり，応用科学や応用芸術の両世界で独特のポジションを取りうる」としていることから，芸術としては「認められにくい」というのも不適当である。

3．妥当である。

4．最終段落に「ちょうどよい“ハイブリッド”であり，応用科学や応用芸術の両世界で独特のポジションを取りうる」とあることから，「理性も感性も不足」「科学的にも芸術的にも無視される」というのは不適当である。

5．最終段落に「応用科学や応用芸術の両世界で独特のポジションを取りうる」とあることから，芸術面においてのみ人気のある主題というのは不適当である。

正答　3

No. 217 警視庁 文章理解 現代文（文章整序） 平成30年度

次の文章を先頭に置き，A～Dの文章を並べ替えて意味の通る文章にしたときの順番として，最も妥当なのはどれか。

科学の世界では，データの「解釈」の誤りは避けられない。それは，誤りの原因が研究者の未熟さや不注意だけではないからである。限られたデータを合理的に説明する方法は，他にもあるかもしれないのだ。そして，科学はこうした誤った解釈を修正していくことで進歩していく。ちょうど，ニュートンの力学をアインシュタインの相対性理論が修正したように。ダーウィンの進化論も例外ではないだろう。

A　このようなミスが発見されたなら，ただちに論文が掲載された雑誌にその誤りを報告する義務がある。

B　しかし，科学的な観察そのものの誤りや，事実の記載自体の誤りは，基本的に研究者の未熟さや不注意に基づくものである。

C　したがって，このような誤りは研究者の信用に関わる問題になる。

D　そして，自分で誤りを正した論文が受理された場合に限り，その研究者の信用は回復されうる。

1　A－C－D－B
2　A－D－C－B
3　B－D－C－A
4　B－C－A－D
5　C－B－A－D

解説

出典は酒井邦嘉『科学者という仕事』。科学の世界では，データの「解釈」の誤りは避けられないが，誤った解釈を修正することにより，科学は進歩する。しかし，研究者の未熟さや不注意による「観察そのもの」の誤りや「記載自体」の誤りは，論文を正し，信用回復に努める必要があるという内容。

最初にBの「しかし」に着目すると，「基本的に研究者の未熟さや不注意に基づく」と，先頭の文章の「誤りの原因が研究者の未熟さや不注意だけではない」が逆接でつながることがわかるので，選択肢としてBが最初に来る**3**・**4**が候補となる。Bに続く文としてCを見てみると，「このような誤り」はBの「研究者の未熟さや不注意に基づくもの」のことで，それは「研究者の信用に関わる」とつながる。A－DはCの「信用に関わる問題」を受けて，論文について「ミス発見→雑誌に報告→誤りを正す→信用回復」とつながる。したがって，B－C－A－Dが正しいので，正答は**4**である。

正答　4

大卒警察官

No. 218

警視庁

文章理解　現代文（文章整序）　令和3年度

次の文章を先頭に置き，A～Eの文章を並べ替えて意味の通る文章にしたときの順番として，最も妥当なのはどれか。

遊ぶ，ということでは，おとなと子どもとでは，意味する内容が少し異なっている。

A：たとえば，週末に映画鑑賞や登山などを楽しむ，レクリエーションといってもよい。

B：いつも，自分から興味・関心のあることに向かっていき，いわば自発的に遊んでいる。

C：それに対して，乳幼児期の子どもは，遊ぶこと自体が，毎日の生活だといえる。

D：おとなは，日常の忙しい仕事や生活から逃れて気分転換をする際に，このことばが使われる。

E：おとなは，意識的に時間を確保して，遊ぶ，ということになる。

1　B－A－C－D－E
2　B－D－E－C－A
3　D－A－E－C－B
4　D－E－B－C－A
5　E－D－C－B－A

解説

出典は，近藤幹生『保育とは何か』。遊びについて，おとなと子どもを比較して論じた文章。

冒頭の文より，「遊ぶ」について，「おとな」と「子ども」を比較していることがわかるので，内容からそれぞれグループ分けをする。「おとな」について論じているグループにはA，D，Eが，「子ども」についてはB，Cが分類される。Bについては「自分から興味・関心のあることに向かってい」る遊び方は，Dの「日常の忙しい仕事や生活から逃れて」と対比されるので，「子ども」の遊び方と考えられる。

Cの「それに対して」より，最初に「おとな」について，次に「子ども」について述べているということがわかり，A，D，EはB，Cに先行することがわかる。Cの「遊ぶこと自体が，毎日の生活」と対比されるのはEの「意識的に時間を確保して，遊ぶ」であるので，E－C－Bとわかる。

Dに着目すると「このことば」は冒頭の「遊ぶ」をさしているので，最初にくるのはDとなる。

以上より，D－A－E－C－Bとなるので，正答は**3**である。

正答　3

大卒警察官

No. 219 警視庁

文章理解　現代文（文章整序）　令和2年度

次の文章を先頭に置き，A～Fの文章を並べ替えて意味の通る文章にしたときの順番として，最も妥当なのはどれか。

脳も筋肉と同じように使い続けると疲れてきます。

A：時間をロスして仕事の能率が下がり，残業が増えると，睡眠時間にしわ寄せがきてしまいます。

B：まさに「負のスパイラル（循環）」ですね。

C：脳がまだ元気な午前中に探し物に貴重な時間を取られると，その日1日のトータルの仕事効率が大幅にダウンします。

D：睡眠中に脳は日中に取り入れた情報を整理し，記憶や学習の強化を行っています。

E：そして残業時間が長くなり，溜まった仕事を片づけるために翌日も早く出勤しなくてはなりません。

F：そんな得がたい睡眠時間が足りなくなると，ますます仕事力が低下していくことにもつながります。

1　A－D－F－C－E－B
2　A－D－F－E－B－C
3　C－E－A－D－F－B
4　D－C－E－A－F－B
5　E－A－D－F－B－C

解説

出典は，小松易『仕事力が10倍アップするシンプル片づけ術』。仕事効率がダウンすると睡眠時間にしわ寄せがきて，ますます仕事の効率が下がるという負のスパイラルについて書かれた文章。

「仕事の効率が下がる」ことについて書かれているのはA，C，E，「睡眠時間」についてはA，D，Fと，2つのグループに分けられる。A，D，FとA，C，Eのまとまりの両方が含まれているのは**3**である。**3**を見ると，冒頭文の「脳が疲れる」という状況を具体的に述べているのはCであるので，Cが最初にくるのは妥当である。

Eの「そして」に注目するとCの「仕事効率が大幅にダウン」により，「残業時間が長くなる」ので，C－E。Aで残業が増えて「睡眠時間」にしわ寄せがくると話が展開し，Fの「そんな」に注目すると，これはDの睡眠の機能をさすので，C－E－A－D－Fになる。

最後にBの「まさに」で，以上の悪循環を「負のスパイラル」と表している。

よって，正答は**3**のC－E－A－D－F－Bとなる。

正答　3

No. 220 警視庁 文章理解 現代文（文章整序） 令和元年度

次の文章を先頭に置き，A～Dの文章を並べ替えて意味の通る文章にしたときの順番として，最も妥当なのはどれか。

私の場合，交渉するときの基本は，まず「相手をほめること」です。

A：そのためには当然，互いの要求を忌憚（きたん）なく伝え合うことが必要で，相手との距離を詰め，近しい関係になることが求められます。

B：「何だ，そんなことか」と思われる方もいるかもしれませんが，これは非常に重要なのです。

C：この「相手との距離を詰める」という点で，「ほめる」というのは実に有効です。

D：仕事とは，単純に言ってしまえば，互いが利益を得られるようにすること。

1 A—B—D—C
2 A—C—D—B
3 B—A—C—D
4 B—A—D—C
5 B—D—A—C

解説

出典は，殿村美樹『ブームをつくる』。交渉時に相手をほめることの重要性とその理由について述べた文章。

内容や重複する語に注目すると，「相手との距離」について述べているのはAとC，「互い」について述べているのはAとDである。Cの「この」は既出の「相手との距離」をさしているので，A—Cになる。また，Aの「その」は，Dの「互いが利益を得られるようにする」をさしていることから，D—Aとなる。ここで選択肢を見ると，該当するのは**5**だけである。冒頭の「相手をほめること」をBの「これ」が受け，D，A，Cでほめることが重要な理由を説明しているので，B—D—A—Cとなる。

よって，正答は**5**である。

正答 5

次の英文の内容と合致するものとして，最も妥当なのはどれか。

The Chinese have always called the Yellow River their "joy and sorrow." Joy because control of its waters to irrigate crops has sustained more people for longer than anywhere in history. But sorrow because of what happens when the river fails or the control gives way. Unlike the Mekong [*1], where floods are still good news, flooding along the Yellow River is usually disastrous. The river has probably killed more people than any other natural feature on the earth's surface. Controlling those floods has always been the single most important activity of Chinese governments. Many historians argue that it is the single most important reason for the creation and survival over the millennia of the vast Chinese state with its draconian [*2] powers. The Chinese sum up the relationship in a word: *zhi* [*3], which means both "to regulate water" and "to rule."

But fast-forward sixty years from the great disaster of 1938 and the news is all about the river running dry. The Yellow River first failed to reach the sea in 1972. Between then and 1998 it stopped short of its delta [*4] for part of almost every year. In 1997 it did not reach the sea for more than seven months. For most of that time it trickled into the sand on its bed at Kaifeng [*5], 485 miles inland and just downstream of the site of the 1938 breach.

［語義］ The Mekong [*1] メコン川／draconian [*2] 厳しい，厳酷な／*zhi* [*3] 治
delta [*4] 三角州／Kaifeng [*5] 開封（中国の都市）

1 中国は，洪水が恵の水となりうることから，黄河を「喜び」と表現してきた。
2 黄河の洪水を防ぐことが中国政府の重大な懸案となったのは，最近のことである。
3 中国政府と黄河の関連を表す「治」には，「水を治める」という意味しかない。
4 1972年から1998年までの間，黄河は毎年のように三角州の途中までしか流れなかった。
5 1997年に，1938年に起きた黄河決壊の現場のやや上流の開封付近で黄河は干上がった。

解説

出典：Fred Pearce「When the Rivers Run Dry」

全訳〈中国人はいつも黄河を「喜びと悲しみ」と表現してきた。喜びとするのは，穀倉地へ灌漑（かんがい）し水を治めたことで，歴史上のどこよりも長く，より多くの人々を養ってきたからである。しかし，悲しみのほうは，河が決壊し，コントロールが効かなくなったときに起きたことによる。メコン川は，洪水がまだよいニュースであるのだが，それとは違い，黄河流域の洪水は通常大惨事となる。この河はおそらく，地表にあるどのような地勢よりも多くの人々の命を奪ってきた。これらの洪水を防ぐことはいつも，中国政府の唯一でもっとも重大な懸案であった。多くの歴史家はこれこそが厳しい力を持つ巨大な中国政府を創造し，何千年も繁栄させた唯一で最も重要な理由であると見ている。中国人は，治という，「水を治める」と「(国を) 治める」という両方の意味を持つ，文字の中にその関係性を総括している。

しかし，1938年の大災害から60年後まで話を進めると，ニュースはすべて河が干上がったことばかりになる。黄河は1972年に初めて海にその流れが到達できなかった。その年から1998年までの間，毎年のように河は三角州の途中までしか流れない時期があった。1997年には7か月以上，河は海へ到達しなかったのである。その期間の大部分で河は開封市の川底の砂の中を滴っていただけであったが，そこは485マイル内陸で，1938年の決壊した地点のほんの下流であった〉

1．「洪水が恵の水」となるのはメコン川である。第1段落冒頭部分にあるように，黄河は「穀倉地への灌漑（かんがい）」によって恵みを得てきたのである。

2．第1段落後半にあるように「治水」は何千年も前から重大な懸案であった。

3．第1段落最終文にあるように，「治」には「(国を) 治める」という意味もある。

4．妥当である。

5．第2段落最終文の「downstream」は上流ではなく「下流」である。

正答　4

大卒警察官

No. 222 警視庁 文章理解　英文（内容把握）　令和3年度

次の英文の内容と合致するものとして，最も妥当なのはどれか。

Criticism is futile because it puts a person on the defensive and usually makes him strive to justify himself. Criticism is dangerous, because it wounds a person's precious pride, hurts his sense of importance, and arouses resentment.

B. F. Skinner, the world-famous psychologist, proved through his experiments that an animal rewarded for good behavior will learn much more rapidly and retain what it learns far more effectively than an animal punished for bad behavior. Later studies have shown that the same applies to humans. By criticizing, we do not make lasting changes and often incur *1 resentment.

Hans Selye, another great psychologist, said, "As much as we thirst for approval, we dread condemnation."

The resentment that criticism engenders *2 can demoralize *3 employees, family members and friends, and still not correct the situation that has been condemned.

George B. Johnston of Enid, Oklahoma, is the safety coordinator for an engineering company. One of his responsibilities is to see that employees wear their hard hats whenever they are on the job in the field. He reported that whenever he came across workers who were not wearing hard hats, he would tell them with a lot of authority of the regulation and that they must comply. As a result he would get sullen acceptance, and often after he left, the workers would remove the hats.

He decided to try a different approach. The next time he found some of the workers not wearing their hard hat, he asked if the hats were uncomfortable or did not fit properly. Then he reminded the men in a pleasant tone of voice that the hat was designed to protect them from injury and suggested that it always be worn on the job. The result was increased compliance with the regulation with to resentment or emotional upset.

［語義］ incur *1 招く／engender *2 生じさせる／demoralize *3 士気をくじく

1 他人のあら探しをする人間は，自分を正当化し自尊心を守ろうと考えている。

2 心理学者のスキナーは，動物の訓練では良いことをしたときに褒めるより，悪いことをしたときに罰するほうが効果的だと実証した。

3 心理学者のセリエは，「我々人間は他人からの賞賛を強く望むよりも，他人からの非難を恐れる。」と述べている。

4 批判が呼び起こす怒りは，従業員や家族・友人の意欲をそぐだけで，批判の対象とした状態は少しも改善されない。

5 工場の安全管理責任者であるジョンストンは，ヘルメットの被り心地の悪さを認めつつ，それで危険が防げると従業員に説明したが，作業員にその着用を促すことはできなかった。

出典：Dale Carnegie「How to Win Friends and Influence People」

全訳〈批判は，人を防衛的な状態にし，たいていは自分を正当化することに躍起にさせるため，無益である。批判は危険である。なぜなら，人の大切な自尊心に傷を与え，矜持を傷つけ，怒りを呼び起こすからである。

B.F. スキナーは，世界的に有名な心理学者であるが，彼の訓練から，よいことをしたときに褒められた動物は，悪いことをしたときに罰せられた動物と比較すると，よりすばやく学習し，学んだことをはるかに効果的に学び身につけると実証した。後の研究は同じことが人にも当てはまることを示している。批判によっては，持続的な変化は起こせず，しばしば怒りを招く。

ハンス・セリエというもう一人の偉大な心理学者は，「われわれが他人からの賞賛を強く望むのと同じくらい，他人からの非難を恐れる」と述べた。

批判が呼び起こす怒りは，従業員や家族・友人の意欲をそぐだけで，批判の対象とした状態は少しも改善されない。

オクラホマ州イーニドのジョージ B. ジョンストンは，工場の安全管理責任者である。彼の職務上の義務の一つは，従業員が現場で仕事をするときには常にヘルメットをしているか確認することである。彼は，ヘルメットを着用していない従業員に出会ったときにはいつでも，威厳のある口調で彼らに規則について話し，従わなければならないと命じたと報告した。結果として，（彼の命令は）不機嫌な態度で受け入れられたが，彼がいなくなると，従業員はしばしばヘルメットを脱いでしまったものだった。

彼はそれまでとは違った方法を試すことにした。次にヘルメットをかぶっていない従業員たちを見つけたとき，彼はヘルメットのかぶり心地が悪いのか，それとも，うまくフィットしないのか聞いてみた。そして，心地のよい声の調子で，ヘルメットは彼らをケガから守るようにデザインされていることを思い起こさせ，仕事のときには常に着用するように提案した。その結果，怒りを呼び起こしたり気分を害したりすることなく，規則の遵守率が高まった〉

1. 冒頭の文にあるように「他人のあら探しをする人間」ではなく，「批判」を受けることによって，人は自らを正当化しようとするのである。

2. 第 2 段落にあるように，「褒める」ことのほうが，「罰する」ことより効果的であったと実証している。

3. 第 3 段落「As much as」は「〜と同じくらい」であり，賞賛を望むことと「同じくらい」非難を恐れるのである。

4. 妥当である。

5. 第 6 段落にあるように，ヘルメットの意義を丁寧に説明することで，着用を促すことができた。

正答 4

No.223 警視庁 文章理解 英文（内容把握） 令和4年度

次の英文の内容と合致するものとして，最も妥当なのはどれか。

There was a time when a kid just home from school would pick up a baseball and bat from his bedroom floor, make a team from friends around the neighborhood, and start a game, just for fun. No longer. These days, there are many kinds of organized activities leaving little time to play.

According to research carried out over the last decade, many children have stopped playing team sports in neighborhood groups, but at the same time parents often push their children into team sports in organized programs. This means that there are fewer children playing team sports in general, but more children playing on organized teams in clubs or at school.

For example, statistics show that the number of baseball players has declined 26% over the past 10 years, while the number of children that play frequently has risen slightly. To take another example, participation in soccer has increased 11% over the past 10 years, while play on high school teams has risen 65%. That's quite a difference. Team sports today are more organized and more serious than they used to be, and often require youngsters to schedule their school and home activities around their sports. Furthermore, more and more children are specializing in a single sport at an early age. The result is fewer multisport athletes, not only in high school but in youth leagues as well.

Parents do not seem to be worried that the relaxed pleasures of their youth have been replaced by competitive teams sports. The great majority of parents agree that participation in organized youth sports is important for personal growth, improved physical fitness, good moral behavior, and healthier eating habits. Not all children respond to competitive sports, however. Many dislike competition and have turned instead to non-competitive sports like inline skating, which has grown in popularity by some 500% over the past 10 years. Others have quit sports altogether and enjoy indoor, non-physical activities such as television, video games, computers and the Internet.

1　大多数の親は，組織化されたスポーツ活動に参加することが子どもの成長に役立つと考えている。

2　昨今はチームスポーツの人気がなく，学校などが組織化したチームで活動する子どもは減った。

3　今日のチームスポーツは本格化しレベルが上がったため，複数の種目で活躍する選手は少ない。

4　かつては，学校から帰宅した子どもは近所の友達と一緒に青少年スポーツクラブに参加した。

5　競争を嫌う子どもは，非競争型のスポーツよりも室内の体を使わない活動の方が向いている。

解説

出典は，鳥飼慎一郎『20日間集中ジム　英文スピードリーディング　初級編』。

英文の全訳は以下のとおり。

〈子どもが学校から帰宅するとすぐに部屋の床の上にある野球のボールとバットを持って，近所の友達とチームを作り，試合を始め，ただ楽しんでいるという時代があった。もはやそうではない。近頃は，遊びの時間がほとんど残されていない組織化されたスポーツ活動が数多くある。

この10年にわたりなされた研究によれば，多くの子どもたちは近所のグループでチームスポーツをすることはやめたが，同時に親たちはしばしば子どもたちに組織化されたプログラムのチームスポーツをさせている。このことは，一般的なチームスポーツをする子どもは減ってきているが，クラブや学校での組織化されたチームでプレーする子のほうは増えてきていることを意味している。

たとえば，統計では野球をする人の数は過去10年にわたり26％下がってきているが，一方で頻繁に野球をする子どもの数は少しずつ上がってきている。もう一つの例では，この10年でサッカーへの参加は11％の増加にもかかわらず，高校のチームでプレーする数は65％増加している。これはかなりの違いがある。今日のチームスポーツはより組織化され，かつてのものに比べより真剣で，子どもたちに学校や家での活動をスポーツに合わせてスケジュールするようにしばしば要求する。そのうえ，ますます多くの子どもたちが低年齢の段階で一つのスポーツに特化するようになった。その結果，複数のスポーツをする選手は減少し，それは，高校だけでなく，ユースリーグでもいえることである。

親たちは，自分の子どもたちのリラックスした楽しみが，競争的なチームスポーツに取って代わられることに対して危惧しているようには見えない。大多数の親は組織化されたユースのスポーツに参加するのは，人としての成長，身体能力の改善，望ましい道徳的行動，そしてより健康的な食習慣にとって重要だと考えている。しかし，すべての子どもが競争的スポーツに向いているわけではない。多くは競争が嫌いで，代わりにインラインのスケートのような非競争的なものに変えており，そういったスポーツはその人気が過去10年で500％ほど増加している。スポーツを辞め，インドアを楽しみ，テレビやビデオゲーム，コンピュータやインターネットなどの身体を使わない活動を楽しんでいる者もいる〉

1．妥当である。

2．第２段落に「クラブや学校での組織化されたチームでプレーする子の方は増えてきている」，第３段落に，サッカーは「高校のチームでプレーする数は65％増加している」とあるので，学校のチームで活動する子どもは減ったとはいえない。

3．チームスポーツが本格化し，レベルが上がったからではなく，「幼児期に一つのスポーツに特化させた」から「複数の種目で活躍する選手」は少なくなったのである

4．「青少年スポーツクラブに参加」したのではなく，ただ楽しみのためだけに運動したのである。

5．インラインスケートのように非競争型のスポーツも500％増加しているように「競争を嫌う子ども」でも「非競争型のスポーツ」には向くこともある。

正答　1

大卒警察官

No. 224 警視庁 文章理解 英文（内容把握） 令和2年度

次の英文の内容と合致するものとして，最も妥当なのはどれか。

The average man who uses a telephone could not explain how a telephone works. He takes for granted the telephone, the railway train, the linotype, the aeroplane, as our grandfathers took for granted the miracles of the gospels*1. He neither questions nor understands them. It is as though each of us investigated and made his own only a tiny circle of facts. Knowledge outside the day's work is regarded by most men as a gewgaw*2. Still we are constantly in reaction against our ignorance. We rouse ourselves*3 at intervals and speculate. We revel in*4 speculations about anything at all —— about life after death or about such questions as that which is said to have puzzled Aristotle, "why sneezing from noon to midnight was good, but from night to noon unlucky."

One of the greatest joys known to man is to take such a flight into ignorance in search of knowledge. The great pleasure of ignorance is, after all, the pleasure of asking questions. The man who has lost this pleasure or exchanged it for the pleasure of dogma, which is the pleasure of answering, is already beginning to stiffen*5. One envies so inquisitive a man as Jowett*6, who sat down to the study of physiology in his sixties. Most of us have lost the sense of our ignorance long before that age. We even become vain of*7 our squirrel's hoard of knowledge*8 and regard increasing age itself as a school of omniscience*9. We forget that Socrates was famed for wisdom not because he was omniscient but because he realised at the age of seventy that he still knew nothing.

［語義］ gospels*1 新約聖書の福音書／gewgaw*2 安い飾り物／rouse oneself*3 奮起する／revel in*4 耽る／stiffen*5 頑固になる /Jowett*6 Jowett, Benjamin 19世紀イギリスの神学者／vain of*7 うぬぼれて／squirrel's hoard of knowledge*8 リスの蓄え程の僅かな知識／omniscience*9 全知

1 普通の人は，電話の構造を疑問に思うことはあっても，理解しようとはしない。
2 仕事以外の知識は安っぽい飾りのようなもので，持っていても価値がない。
3 人は，常に無知に反抗しようと努めており，時々奮起して思索する。
4 質問する喜びと引き換えに回答する喜びを失った人は，既に頑固になり始めている。
5 ソクラテスは70歳にして全知を手に入れたため，英知の人と称えられた。

出典は，行方昭夫『英文傑作エッセイ21選生きるヒント』。人間としての大きな喜びの一つは，知識を求めて無知の世界に飛び込むことであるという文章。

英文の全訳は以下のとおり。

〈電話を使っている普通の人は，電話がどういう構造であるのか説明できないだろう。普通の人は，電話，鉄道列車，ライノタイプ，飛行機を当然のものだと思っており，ちょうど祖父の時代の人が福音書に記された奇跡を当然だと考えていたのと同じである。疑問視しないし，理解もしないのだ。あたかもそれぞれが実際に自分で調べ，納得しているのは，ごく少数の事実だけだのようだ。日常的な仕事以外の知識は，多くの人にとって安っぽい飾りだと見なされている。それでも人は無知に対しては常に反抗しようとしている。われわれは，時々奮起して思索する。いかなることについても思索に耽るのだ。――死後の世界についてとか，あるいは，アリストテレスを悩ませたとされている質問，「正午から深夜までの間のくしゃみはいいが，深夜から正午までの間のくしゃみが不吉であるのはなぜか」を思案するとか。

人間に知られている大きな喜びの一つは，知識を求めて，このように無知の中に飛び込んでいくことである。無知の喜びは結局のところ，質問する楽しみだ。この喜びを失った人，あるいは質問の喜びを，独断的な考えをする喜び，つまり回答する喜びと交換した人はすでに頑固になり始めている。著名な神学者ジャウィットのように探究心にあふれる人は羨ましい。彼は60代で生理学を学び始めたのだ。大部分の人はその年齢よりずっと前に自分が無知だという気持ちを失っている。人はリスの蓄えほどのわずかな知識にうぬぼれるようになりさえし，年を重ねているだけで，全知を手に入れたと思い込んでいる。ソクラテスが英知の人という名声を得たのは全知だったからではなく，70歳になっても自分は何も知らぬとわかっていたからであるのを，われわれは忘れているのだ〉

1．第1段落に，普通の人々は電話のことを当然のことと考えているので「疑問視しない」とある。

2．仕事以外の知識を「安っぽい飾り」としているが，そういった知識は「疑問視」も「理解」もされず，当然のことと思われているとあるだけで，そこから「持っていても価値がない」と結論づけることはできない。

3．妥当である。

4．頑固になり始めている人は，質問する喜びと引き換えに，回答する喜びを「得た」人である。

5．ソクラテスが英知の人と称えられたのは「全知を手に入れた」からではなく，「70歳になっても自分は何も知らぬとわかっていた」からである。

正答　3

大卒警察官

No. 225 警視庁 文章理解 英文（内容把握） 令和元年度

次の英文の内容と合致するものとして，最も妥当なのはどれか。

All of us identify to varying degrees with the groups to which we belong — sports teams, schools, a department of function, or a business. In fact, the prestige *1 and affiliation *2 created by group membership help us understand who we are — our concept of self.

Of course, different groups have different goals and subcultures. Even within the same organization, individuals must choose subgroup affiliations. The director of finance may choose to identify primarily with her functional specialty (finance), the business unit to which she is attached (a product unit), or the overall corporation. These choices are called *nested social dilemmas* *3. Each individual must decide whether to satisfy self-interest, the interests of the subgroup to which he or she belongs, or the interests of the overall organization.

Because individuals are more likely to help those who are part of groups with which they identify, it is important that people identify strongly with those who are working toward the same purpose. Commitment to a particular group guides an individual's actions when presented with choices that must be decided in favor of one group or another. Thus, the propensity *4 to help others — or to accept help from others — is influenced strongly by the level of group identification, the similarity of members within the group, and the level of competition between subgroups.

［語義］ prestige *1 名声／affiliation *2 所属／*nested social dilemmas* *3 入れ子状の社会的ジレンマ／propensity *4 傾向

1 グループのメンバーシップによって生み出される名声と所属は，グループのコンセプトを理解するのに役立つ。

2 入れ子状の社会的ジレンマとは，様々なグループや組織に主たる帰属意識を同レベルで持たなければならないという葛藤のことをいう。

3 各個人は所属する組織の利益を満たすべきであり，私利を求めるべきではない。

4 個人が同じ目的に向かって仕事をしている人々に強い一体感を抱くことは重要である。

5 他者からの助けを受け入れる傾向とサブグループ間の競争のレベルは無関係である。

解説

出典は，Robert Simons "Levers of organization design"。

英文の全訳は以下のとおり。

〈程度の差はあっても，私たちは誰でも皆，スポーツチーム，学校，職務の部署，会社など，自分が所属する集団と一体感を持っている。実際に，その集団の一員であることでもたらされる名声や所属意識によって，私たちは自分が誰であるかということ，つまり自己概念を理解できる。

もちろん，集団が異なれば目標やサブカルチャーも異なる。同一組織内であってさえ，個人はどのサブグループ（下位集団）に所属するか選ばなければならない。財務担当重役は，自分の職務の専門分野（財務），自分が所属している事業部門（製造部門），あるいは会社全体のいずれかと主に一体感を感じることを選ぶかもしれない。こうした選択は，入れ子状の社会的ジレンマと呼ばれている。各個人は，自己利益，自分が所属する下位集団の利益，あるいは組織全体の利益のいずれを満たすかを決めなければならないのである。

個人は，自分が一体感を持つ集団のメンバーを助ける傾向が強いので，同じ目的に向かって仕事をしている人と強い一体感を持つことは重要である。いずれかの集団に有利となるような決定をしなければならないという選択にせまられたとき，特定の集団への深い関与によって個々人の行動が決まる。したがって，他者を助けるかどうか，あるいは他者からの援助を受け入れるかどうかは，集団への一体感のレベル，集団内のメンバーの類似性，下位集団間の競争のレベルによって大きく影響を受ける〉

1．グループの一員であることによって生み出される名声と所属は，自分が何者であるかという自己概念を理解するのに役立つとあるため，「グループのコンセプトを理解する」というのは誤り。

2．入れ子状の社会的ジレンマとは，さまざまなレベルの所属集団のうち，どの集団の利益を満たすのか決めなければならないというジレンマであるから，「帰属意識を同レベルで持たなければならないという葛藤」は誤り。

3．自己利益と所属する組織の利益のいずれの利益を満たすか選択しなければならないだけであり，私利を求めるべきではないという記述はないので誤り。

4．妥当である。

5．他者からの助けを受け入れる傾向は，サブグループ間の競争のレベルに影響を受ける，とあるので「無関係」とするのは誤り。

正答 4

警視庁

No. 226 文章理解　英文（内容把握）　令和4年度

次の英文の内容と合致するものとして，最も妥当なのはどれか。

I've spoken with thousands of Japanese about their experiences overseas. One factor above all else really concerns them : English. Many Japanese believe that, if they could only speak English better, all their problems would disappear. But this simply isn't true.

Let me tell you a story about a Japanese general manager working in New York City. I was surprised that he had this position. He couldn't speak English well at all. He could hardly speak a word! I interviewed the five Americans who reported to him. All five said that he was a really good manager. In fact, they agreed that he was the best manager they had ever had.

I said : "How can that be? The guy can barely speak English!"

But they said : "He helps us. He helps us when we have problems. He's always open when we have questions. We know what our objectives are. Everything is very clear. He gives feedback. He's great to work for."

In other words, he did everything he should be doing as their manager. I love that example and I love to share it with Japanese business people. It shows them that their English doesn't have to be perfect. It doesn't even need to be very good! You can still be a good manager. You can *definitely* still be a good manager.

So my advice to Japanese expatriates is this : Don't worry about your English ability. Instead, focus on communication. Focus on speaking up, on saying what you really think. Focus on doing your job, being a good manager. That means clarifying objectives, monitoring performance, giving and receiving feedback, motivating. Those skills and responsibilities are far more important than merely speaking better English.

Don't be ashamed of your English ability. Don't apologize for it. And don't be afraid to let people know when you don't understand.

1　日本人の多くは，英語が上達することで海外での問題をすべて解決できるとは思っていない。

2　日本人は，英語力を心配する必要がない代わりに，コミュニケーションに注意を払う必要がある。

3　海外に駐在の日本人が良い上司になるには，高いレベルの英語力が必要である。

4　本音を口にすることなく，部下のモチベーションを高めるスキルは，英語力よりも重要なスキルである。

5　英語力が足らないのは恥ずかしいことなので，まず相手に謝罪の気持ちを伝えるべきである。

解説

出典は，ジョン・ギレスピー『日本人がグローバルビジネスで成功するためのヒント』。

英文の全訳は以下のとおり。

〈私は何千人もの日本人と彼らの海外経験について話をしたことがある。他のすべてよりも重要な一つの要因が彼らを本当に悩ませている。それは英語である。日本人の多くは，英語を話すことが上達できさえすれば，すべての問題は消えてしまうと信じている。しかし，これはまったく真実ではない。

ニューヨークシティーで働く日本人のゼネラルマネージャーについての話をしたいと思う。私は彼がこのポジションに就いていたことに本当に驚いた。彼はまったく上手に英語をしゃべることができなかったのだ。彼は単語ですらほぼ話せなかったのだ。私は彼に（仕事の）報告をする立場の5人のアメリカ人をインタビューした。5人全員が彼は本当に良いマネージャーだと言っていた。事実，彼がこれまでの中で最も良いマネージャーだということで彼らは一致していた。

私は「どうやってそんなことが可能になるのだろう？　その人はほとんど英語が話せないんですよね？」と言った。

しかし，彼らは「彼は私たちを助けてくれる。彼は私たちに問題が起きたときに助けてくれるのだ。彼は私たちが疑問を持ったときにいつもオープンでいてくれるのだ。私たちは目的が何かを知っている。すべてがとてもはっきりしている。彼はフィードバックをしてくれる。彼はその役職を務めるにふさわしいほどすばらしいんだ」と言ったのだ。

言い換えれば，彼はマネージャーとしてするべきことをすべてしていたのだ。私はこの例が好きで，日本のビジネスパーソンたちとこれをシェアするのが好きなのである。これは彼らの英語は完璧である必要はないことを示している。それがとても良いという必要さえないのだ。それでも良いマネージャーになることはできるのだ。それでも確実に良いマネージャーになりうるのである。

だから，日本人の駐在員に対する私のアドバイスはこうである。あなたの英語の能力を心配する必要はない。それより，コミュニケーションにフォーカスしなさい。発言することにフォーカスしなさい，本当にあなたが考えていることを言うことに。あなたの仕事をすることにフォーカスしなさい，良いマネージャーになることに。このことは目的を明確にし，パフォーマンスをモニタリングし，フィードバックを与えたり，受けたり，モチベーションを高めることを意味するのである。これらのスキルと責任は，単に英語を上手に話すことより，はるかに重要である。

あなたの英語力を恥ずかしく思ってはいけない。そのことについて謝ることはない。あなたが理解していないということを人に知らせることを怖がってはいけないのだ。

1．第1段落にあるように「日本人の多くは，英語が上達することで海外での問題をすべて解決できる」と思っている。

2．妥当である。第6段落に書かれている内容である。

3．第6段落にあるように「高いレベルの英語力」は必要なく，コミュニケーション能力が必要だと述べられている。

4．第6段落で「本当に自分が考えていることを言うことにフォーカスしなさい」とあるので，「本音を口にすることなく」とするのは不適切である。

5．最後の段落で「恥ずかしく思ってはいけない」「謝ることはない」としているので，「恥ずかしいこと」「謝罪の気持ちを伝えるべき」というのは不適切である。

正答　2

No. 227 警視庁 文章理解 英文（内容把握） 令和5年度

次の英文の内容と合致するものとして、最も妥当なのはどれか。

Designers are increasingly paying attention to making products that make less noise. Steve Jobs, for example, did not want to use a fan to cool his first computer. He thought a fan would make too much noise. Since then, there has been a broad *1 movement to make products that are quieter.

The reason for doing this is clear: noise is a problem that affects us all. In 2011 the World Health Organization published a report on health and the environment. The main environmental cause of bad health is air pollution. The second cause is noise pollution. Making a quieter environment is good for people and for businesses, too. Quieter cars, printers, washing machines, and airplanes may be more expensive, but these products consume less energy. That makes them cheaper to operate in the long run.

Quieter airplanes, as one example, are better for everyone. People who live near airports are happier when noise decreases. People who fly on quieter planes find traveling less stressful, too. In the workplace, machinery and air conditioning that is quieter may be a bit more expensive, but it increases concentration and reduces fatigue. *2

In general, noise is bad, but complete silence is not good either. For pedestrians *3 and people who are blind, quiet electric cars and electric bicycles can be dangerous. It is important for such vehicles to make at least some sound for safety reasons. To let the user know that he or she has taken a photo, an artificial sound is added to digital cameras.

There are other cases where sound is desirable even though it is not necessary. Car manufacturers work hard so that the closing of the car door sounds just right. They want to produce a sound that produces a feeling of high quality.

For designers, the goal is not silence, but getting the sound right. And most of the time, "right" means quieter and making less noise.

［語義］broad *1　幅広い／fatigue *2　疲労・倦怠感／pedestrians *3　歩行者

1　スティーブ・ジョブズの考えとしては、静かなコンピューターの方が消費エネルギーが少なく、効率の良い商品になると考えていた。

2　WHOの発表によると、騒音公害は最も健康を害する環境的要因と言われており、解決が急がれている。

3　さまざまな製造メーカーは、完全に無音な商品を開発することで、ストレスのない快適な環境の実現を目指している。

4　一般的に騒音は好ましくないものではあるが、完全なる無音もよくない場合があり、安全上最低限の音を出すことも必要である。

5　自動車メーカーは車の扉を閉める際など、音が必要でない場合は、極力音が出ないように懸命に取り組んでいる。

解説

出典は、James M. Vardaman、神崎正哉『毎日の英速読』。

英文の全訳は以下のとおり。

〈設計者たちは、騒音の少ない製品を作ることにますます注意を払っている。たとえば、スティーブ・ジョブズは、彼の最初のコンピューターを冷却するためにファンを使うことを望んでいなかった。彼はファンがあまりにも大きな音を立てるのではないかと思ったのだ。それ以来、より静かな製品を作るということが幅広い動きとなった。

これを行う理由は明らかである。騒音は私たち全員に影響を与える問題なのだ。2011年、世界保健機関は健康と環境に関する報告書を発表した。健康を害する一番の環境原因は大気汚染である。二番目の原因は騒音公害なのだ。より静かな環境を作ることは、人々にとっても企業にとっても良いことである。より静かな車、プリンター、洗濯機、そして飛行機はだいぶ高価になるかもしれないが、これらの製品は消費エネルギーが少ない。これにより、長期的には運用コストが安くなるのだ。

より静かな飛行機は、一例だが、誰にとってもより良いものである。空港の近くに住んでいる人は、騒音が軽減されれば幸せになる。静かな飛行機に乗る人も乗っている間のストレスが減る。職場では、静かな機械や空調は少し高価かもしれないが、それにより集中力は高まり、疲労が軽減する。

一般的に、騒音は好ましくないものであるが、完全なる無音も良くはない。歩行者や目の不自由な人にとって、静かな電気自動車、電動自転車は危険な場合がある。このような車両は、安全上の理由から、最低限の音を出すことが重要である。ユーザーが写真を撮ったことを知らせるために、デジタルカメラには人工音が追加されている。

たとえ必要でなくても、音を出すことが望ましい場合はほかにもある。自動車メーカーは、車の扉を閉める際にちょうどいい音になるように懸命に取り組んでいる。彼らは高品質であるという感覚を醸し出す音を作り出したいと思っているのだ。

設計者にとっての目標は、無音ではなく、適切な音だ。そしてほとんどの場合、適切とは、より静かで、より騒音が少ないことを意味する〉

1．第1段落に、スティーブ・ジョブズは、コンピューターを冷却するためにファンを使うことを望んでいなかったとあるが、第2段落の「静かなコンピューター」が「効率の良い商品」であるという見解は、スティーブ・ジョブズではなく筆者のものである。

2．第2段落に、騒音公害は二番目の原因とある。また、「解決が急がれている」という記述はない。

3．第4段落に、完全なる無音も良くはないとある。また、あえて人工音を加えている商品もあることから、「完全に無音な商品を開発することで」というのは誤り。

4．妥当である。

5．第5段落に、車の扉を閉める際に、高品質であるという感覚を醸し出す音を作り出したいと思っているとある。

正答 4

大卒警察官
警視庁

No. 228 文章理解 英文（内容把握） 令和5年度

次の英文の内容と合致するものとして、最も妥当なのはどれか。

The shogunate [*1] created and maintained an extensive road system across the country. The roads were created to supply city residents with material goods and facilitate military control. The roads also allowed huge processions of daimyo to reach Edo for alternate residence. Two main roads linked Edo with Kyoto and Osaka. The Tokaido road went along the Pacific coast. The Nakasendo road went through the central mountains. From these major roads, connecting roads reached out into the countryside in all directions. Along each road were post towns [*2], where people could spend the night. The post towns became economic centers of the region.

The daimyo processions [*3], with hundreds of servants, warriors and officials, needed places to stay at the end of each day's journey. A network of first-class inns was created for the daimyo of larger domains [*4]. Daimyo of smaller domains stayed in less elaborate inns. Itinerant merchants [*5], pilgrims [*6] and other commoners stayed in even less extravagant lodgings.

The Gokaido, the Five Highways including the Tokaido and Nakasendo, radiated from Nihombashi in Edo. The roads were tightly regulated. At a number of barrier stations, sekisho, officials checked identification. These stations allowed the shogunate to monitor communications and troop movements.

The shogunate also depended on coastal shipping by kaisen, "circuit ships." Cargo boat trade flourished. Daimyo from all over the country needed to send their tax rice to market. They converted the rice to cash and sent it to Edo to support their alternate residences. Rice traders in Sakai and Osaka became rich loaning money to daimyo.

［語義］the shogunate [*1] 幕府／post towns [*2] 宿場町／the daimyo processions [*3] 大名行列／domains [*4] 石高／Itinerant merchants [*5] 行商人／pilgrims [*6]（お遍路などの）巡礼者

1 幕府が日本全国に街道を作ったのは、都市への物資の供給と、経済活動の活性化を目指したものであった。

2 五街道は、すべて京都や大阪に繋がっており、中でも太平洋沿岸を通る東海道と山の中を抜けていく中山道がよく使われる街道だった。

3 街道沿いには、人々が宿泊できる宿場町があり、たくさんの人が宿泊したりするので、その地域の経済の中心となっていた。

4 大名行列の泊まる場所として、一流の宿屋が整備されていき、やがて庶民もそのような宿屋を利用するようになった。

5 大名は自分自身の生活のために年貢米を換金する必要があり、そのために廻船を利用して米商人を呼び寄せて、米を換金した。

解説

出典は、James M. Vardaman『シンプルな英語で話す日本史』。

英文の全訳は以下のとおり。

〈幕府は日本全国に広範な街道システムを作り、維持した。街道は、都市住民に物資を供給し、軍事的統制を容易にするために作られた。街道によって、大きな大名行列は別の屋敷に移るため、江戸にたどり着くことができた。２つの主要街道は、江戸と京都・大阪を結ぶものである。東海道は太平洋岸に沿っていた。中山道は中央山地を抜けていた。これらの主要道路から、接続道路があらゆる方角の地方に伸びていた。各街道沿いには宿場町があり、人々が宿泊することができた。宿場町は地域の経済の中心地となっていた。

何百人もの使用人、武士、役人を伴った大名の行列は、毎日の旅の終わりに宿泊する場所を必要としていた。一流宿屋のネットワークは、より大きな石高の大名のために整備された。小さな石高の大名は、簡素な宿屋に泊まった。行商人、巡礼者、その他の庶民は、さらにぜいたくではない宿泊施設に滞在した。

東海道と中山道を含む５つの街道である五街道は、江戸の日本橋から放射状に伸びていた。街道は厳しく規制されていた。多くの砦である関所では、役人が身分証明書を確認していた。これらの関所により、幕府は情報のやり取りと軍隊の動きを監視することができたのだ。

幕府はまた、「廻船」つまり巡回船による沿岸部の海運にも依存していた。貨物船の貿易は盛んであった。全国の大名が年貢米を市場に送る必要があったのだ。彼らは年貢米を現金に換金し、江戸屋敷を支援した。堺や大阪の米商人は大名にお金を貸すことで金持ちになったのだ〉

1．第１段落に、街道を作ったのは物資の供給と軍事統制のためとある。

2．第１段落に、東海道と中山道の２つが「江戸と京都・大阪を結ぶ」とある。また、第３段落には、五街道はすべて、江戸の日本橋から「放射状に伸びていた」とある。

3．妥当である。

4．第２段落に、庶民は「さらにぜいたくではない宿泊施設に滞在した」とある。

5．第４段落に、換金は、自分自身の生活のためではなく、「江戸屋敷の支援のため」とある。また、米商人を呼び寄せたという記述はない。

正答　3

大卒警察官

No. 229 警視庁

判断推理　命　題　令和5年度

あるクラスの学生に好きな科目についてアンケートを実施したところ、次のことが分かった。このとき確実にいえることとして、最も妥当なのはどれか。

○　社会が好きな学生は、体育が好きである。
○　数学が好きな学生は、国語が好きではない。
○　数学が好きな学生は、音楽が好きではない。
○　理科が好きな学生は、社会が好きである。
○　数学が好きではない学生は、社会が好きである。

1　体育が好きではない学生は、国語が好きではない。
2　音楽が好きな学生は、国語が好きである。
3　社会が好きな学生は、国語が好きではない。
4　理科が好きな学生は、数学が好きである。
5　国語が好きではない学生は、体育が好きではない。

解説

まず、与えられた命題を、A～Eのように論理式で表す。

A：「社会→体育」
B：「数学→$\overline{\text{国語}}$」
C：「数学→$\overline{\text{音楽}}$」
D：「理科→社会」
E：「$\overline{\text{数学}}$→社会」

A～Eの対偶を、それぞれF～Jとする。

F：「$\overline{\text{体育}}$→$\overline{\text{社会}}$」
G：「国語→$\overline{\text{数学}}$」
H：「音楽→$\overline{\text{数学}}$」
I：「$\overline{\text{社会}}$→$\overline{\text{理科}}$」
J：「$\overline{\text{社会}}$→数学」

このA～Jに基づき、選択肢を検討すればよい。

1．妥当である。F、J、Bより、「$\overline{\text{体育}}$→$\overline{\text{社会}}$→数学→$\overline{\text{国語}}$」となり、体育が好きではない学生は、国語が好きではない。
2．H、E、Aより、「音楽→$\overline{\text{数学}}$→社会→体育→」となるが、その先が推論できない。
3．Aより、「社会→体育→」となるが、その先が推論できない。
4．D、Aより、「理科→社会→体育→」となるが、その先が推論できない。
5．「$\overline{\text{国語}}$→」となる命題が存在しないので、判断できない。

正答　1

No.230 判断推理 命題

警視庁 令和2年度

ある試験で，以下のＡまたはＢに該当するものは受験することができない。このとき，確実にいえることとして，最も妥当なのはどれか。

Ａ　18歳以上の男性

Ｂ　資格を持っていない女性

1　18歳未満で資格を持っていれば受験できる。

2　男性は資格を持っていないと受験できない。

3　女性は18歳以上でないと受験できない。

4　資格を持っていれば，男性でも女性でも受験できる。

5　資格を持っていなくても，18歳以上であれば受験できる。

解説

男性か女性か，18歳以上か未満か，資格を持っているかいないかでわけると８通りに分けられる。その中でＡ，Ｂに該当するものを示すと以下のようになる。

性別	18歳	資格	該当	
男性	以上	持っている	Ａ	①
		持っていない	Ａ	②
	未満	持っている		③
		持っていない		④
女性	以上	持っている		⑤
		持っていない	Ｂ	⑥
	未満	持っている		⑦
		持っていない	Ｂ	⑧

この表を利用して選択肢を検討する。

1．妥当である。該当するのは③と⑦でどちらもＡ，Ｂに該当していないので受験できる。

2．④は男性で資格を持っていないが，Ａ，Ｂに該当しないので受験できる。

3．⑦は女性で18歳未満だが受験できる。

4．①は資格を持っているがＡに該当するので受験できない。

5．②と⑥は資格を持っていなくて，18歳以上であるが受験できない。

正答　1

大卒警察官

No. 231 警視庁

判断推理 6種目の得意・不得意 平成17年度

あるクラスの生徒について，次のア～オのことがわかっているものとすると，論理的に正しくいえるものはどれか。

ア　柔道が得意な生徒は，チェスが得意である。
イ　サッカーが得意でない生徒は，将棋が得意である。
ウ　水泳が得意な生徒は，野球が得意でない。
エ　チェスが得意な生徒は，水泳が得意でない。
オ　野球が得意でない生徒は，サッカーが得意でない。

1　サッカーが得意な生徒は，柔道が得意である。
2　チェスが得意でない生徒は，サッカーが得意である。
3　柔道が得意でない生徒は，水泳が得意である。
4　野球が得意な生徒は，チェスが得意でない。
5　将棋が得意でない生徒は，水泳が得意でない。

解説

まず，ア～オを次のように表してみる。

ア　柔道→チェス
イ　$\overline{\text{サッカー}}$→将棋
ウ　水泳→$\overline{\text{野球}}$
エ　チェス→$\overline{\text{水泳}}$
オ　$\overline{\text{野球}}$→$\overline{\text{サッカー}}$

次に，このア～オの命題について，その対偶をそれぞれカ～コとしてみると，

カ　$\overline{\text{チェス}}$→$\overline{\text{柔道}}$
キ　$\overline{\text{将棋}}$→サッカー
ク　野球→$\overline{\text{水泳}}$
ケ　水泳→$\overline{\text{チェス}}$
コ　サッカー→野球

となる。これらをもとにして，各選択枝について三段論法が成り立つかどうかを検討すればよい。

1．コ→ク→？で，水泳が得意でない生徒については不明であり，柔道が得意であるかどうかはわからない。

2．カ→？であり，柔道が得意でない生徒については不明で，サッカーが得意かどうかはわからない。

3．**2**と同様に，柔道が得意でない生徒については不明である。

4．ク→？で，水泳が得意でない生徒については不明で，チェスが得意かどうかはわからない。

5．キ→コ→クとなるので，$\overline{\text{将棋}}$→サッカー→野球→$\overline{\text{水泳}}$から，「将棋が得意でない生徒は，水泳が得意でない」というのは論理的に正しい。

以上から，正答は**5**である。

正答　5

判断推理　集　合　平成28年度

ある空港の搭乗口で搭乗客100名について調査を実施したところ，次のア～カのことが分かった。これらのことから判断して，20歳未満の男性で行き先が国内の者の人数として，最も妥当なのはどれか。

ア　調査対象者のうち，男性は54人である。
イ　行き先が海外の者は28名で，それ以外の者の行き先は全て国内である。
ウ　行き先が国内の者のうち，20歳未満の者は42人である。
エ　行き先が海外の者のうち，女性は13人である。
オ　20歳以上の女性で行き先が海外の者は，20歳以上の女性で行き先が国内の者より10人少なく，20歳以上の男性で行き先が海外の者の人数の2倍である。
カ　20歳以上の男性で行き先が国内の者は12人いる。

1　23人
2　24人
3　25人
4　26人
5　27人

解説

要素の個数を求めるには，キャロル表を作成し，そこに条件で与えられている数値（＝要素の個数）を記入して検討していく。まず，「男性は54人（したがって，女性は46人）」（条件ア），「行き先が国内の者は72人」（条件イより），「行き先が海外の女性は13人」（条件エ），「20歳以上の男性で行き先が国内の者は12人」（条件カ）を記入すると，**表Ⅰ**のようになる。さらに，女性46人のうち行き先が海外なのは13人だから，行き先が国内の女性は33人である。そうすると，行き先が国内である72人のうち，女性が33人，20歳以上の男性が12人だから，20歳未満の男性で行き先が国内の者の人数は，72－(33＋12)＝27〔人〕である。

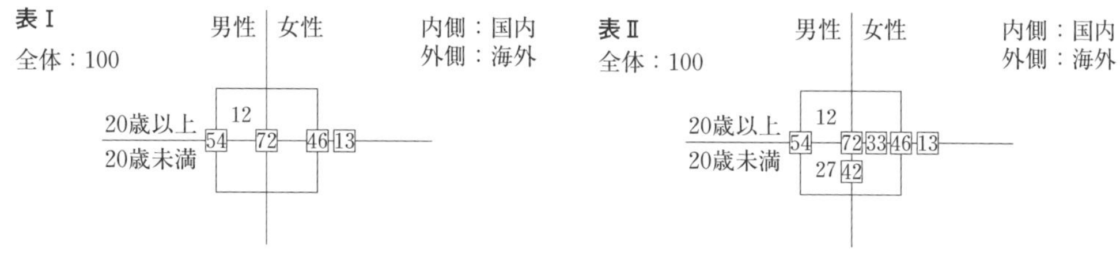

よって，正答は**5**である。
なお，この問題では条件ウおよびオは不要である。

正答　5

数学
物理
化学
生物
地学
文章理解
判断推理
数的推理
資料解釈

大卒警察官

No. 233 5月型

判断推理　野球部とサッカー部の勧誘　平成24年度

野球部とサッカー部が新入部員勧誘のため，次のような掲示を行った。

野球部：「運動が好き，かつ，やる気のある人は歓迎します。」

サッカー部：「運動が好きでなく，かつ，やる気のない人は歓迎しません。」

このとき，次のうちで確実にいえるのはどれか。

1　野球部とサッカー部の両方で歓迎される人はいない。

2　サッカー部で歓迎される人は全員野球部でも歓迎されるが，その逆は必ずしもいえない。

3　野球部で歓迎される人とサッカー部で歓迎される人の範囲は完全に一致する。

4　野球部で歓迎される人は全員サッカー部でも歓迎されるが，その逆は必ずしもいえない。

5　野球部でもサッカー部でも歓迎されない人はいない。

解説

野球部が行った掲示は「(運動が好き∧やる気がある) →歓迎する」であり，サッカー部が行った掲示は「(運動が好きでない∧やる気がない) →歓迎しない」である。ここで，サッカー部が行った掲示内容について，その対偶を考えると「歓迎する→ (運動が好き∨やる気がある)」で，これは「歓迎するのは運動が好きか，またはやる気がある人」ということである。つまり，サッカー部では「運動が好きならやる気がない人でも，やる気があるなら運動が好きでない人でも歓迎する」ことになる。野球部とサッカー部がそれぞれ歓迎する人の範囲をベン図で表してみると，野球部は図Ⅰ，サッカー部は図Ⅱで，それぞれ斜線で示した部分である。この図からわかることは，「野球部で歓迎される人は全員サッカー部でも歓迎されるが，サッカー部で歓迎される人が野球部でも歓迎されるとは限らない」ということである。また，運動が好きでなく，かつ，やる気もない人がいれば，野球部でもサッカー部でも歓迎されない。

よって，正答は**4**である。

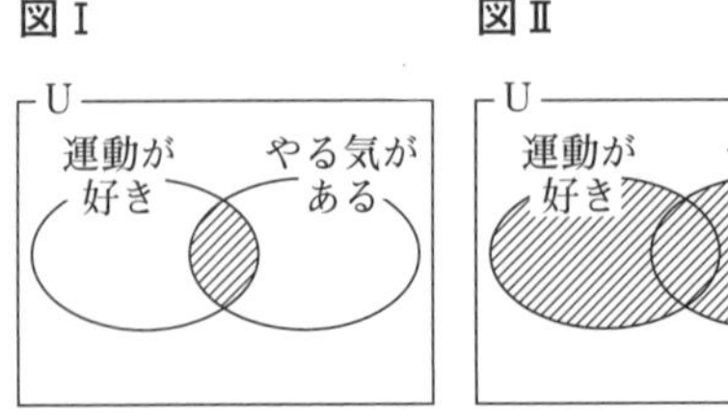

正答　4

No. 234 警視庁

判断推理 うそつき問題 令和元年度

A，B，Cの３人が以下のような発言をした。このとき，確実にいえることとして，最も妥当なのはどれか。

A「BとCはともに嘘つきである。」
B「CとAはともに嘘つきである。」
C「AとBはともに嘘つきである。」

1 Aは嘘をついている。
2 Aは嘘をついていない。
3 ３人のうち，１人が嘘をついている。
4 ３人のうち，２人が嘘をついている。
5 全員が嘘をついている。

解説

場合分けをして考える。(1) 嘘つきが０人（全員が正直），(2) 嘘つきが１人，(3) 嘘つきが２人，(4) 嘘つきが３人（全員が嘘つき）のときで場合分けをする。

(1) 嘘つきが０人（全員が正直）の場合

たとえば，Aの発言が正しいとすると，BとCはともに嘘つきになるので，全員が正直という前提に矛盾する。よって，この場合はありえない。

(2) 嘘つきが１人の場合

たとえば，Aのみが嘘つきとして考える。すると残りのBとCは正直になるが，Bの発言の「CとAはともに嘘つきである」が正しいとするとCも嘘つきになり，Aのみが嘘つきという前提と矛盾する。よって，この場合はありえない。

(3) 嘘つきが２人の場合

たとえば，Aのみが正直として考える。Aの発言よりBとCは嘘つきとなる。Bの発言が嘘なので，発言の中の「ともに」の箇所が嘘だとして，Aに関する発言のみが嘘だとすると矛盾しない。Cに関しても同様である。よって，１人の正直者が誰かは確定しないが，３人のうち１人が正直で２人が嘘つきという状況は発言内容と矛盾しない。

(4) 嘘つきが３人（全員が嘘つき）の場合

たとえば，Aの発言が嘘だとすると，BのCのどちらかは正直でなければならない。しかし，これは全員が嘘つきという前提に矛盾する。

よって，(3) の場合のみが確実にいえるので，正答は**4**である。

正答 4

大卒警察官

No. 235 警視庁

判断推理　発言からの推理　令和 5 年度

ある検定試験を受験したA～Eの５人が、試験の合否について、次のように発言している。４人だけが本当のことを言っているということが分かっているとき、確実にいえることとして、最も妥当なのはどれか。

A「Cは試験に合格した」
B「Eは試験に合格した」
C「私は不合格でした」
D「CとEのいずれかは試験に不合格でした」
E「試験に合格したのは私だけでした」

1　Cは試験に合格した。
2　Eは試験に合格した。
3　Dはうそを言っている。
4　Eはうそを言っている。
5　CとEは２人とも試験に不合格だった。

解説

５人のうち４人が本当のことを言っており、１人が誤ったことを言っている。そうすると、A「Cは試験に合格した」とC「私は不合格でした」は矛盾するので、誤ったことを言っているのはAまたはCということになり、B、D、Eの発言は正しい。そして、D、Eの発言が正しいことから、Cの発言は正しく、Aの発言は誤りである。

以上より、正答は**2**である。

正答　**2**

数学　物理　化学　生物　地学　文章理解　判断推理　数的推理　資料解釈

No.236 5月型 判断推理 発言からの推理 平成21年度

赤い帽子が3つ，白い帽子が2つある。この5つの帽子の中から，本人には帽子の色がわからないようにA，B，Cの3人に1つずつ帽子をかぶせた。A，B，Cの3人は帽子の色と個数の内訳は知っており，また，自分以外の2人の帽子は見えている。まず，A，B，Cの3人に自分の帽子の色がわかるかどうか尋ねたところ，3人とも「わからない」と答えた。他の2人も「わからない」と答えたのを聞いた3人に対し，改めて自分の帽子の色がわかるかどうか尋ねると，AとCの2人が同時に自分の帽子の色が「わかった」と答え，AとCが「わかった」と答えたのを聞いたBも，「それなら，私もわかった」と答えた。このとき，3人にかぶせられた帽子の色の組合せとして正しいのは，次のうちどれか。

	A	B	C
1	赤	赤	赤
2	赤	赤	白
3	赤	白	赤
4	白	赤	赤
5	白	赤	白

解説

最初の段階で，3人の帽子の色がどのような組合せであれば，自分の帽子の色がわかるのかを考えてみればよい。A，B，Cの3人は，白い帽子が2つしかないことを知っているので，自分以外の2人が白い帽子をかぶっていれば，自分の帽子の色は赤だとわかるはずである。しかし，最初は3人とも自分の帽子の色がわからないと答えているので，3人の中で白い帽子をかぶっているのは，多くても1人である。このとき，3人とも自分の帽子の色を判断することはできない。3人とも自分の帽子の色がわからないと答えたことから，3人は「白い帽子をかぶっているのは多くても1人しかいない」ことがわかるが，自分以外の2人が赤い帽子をかぶっていた場合，自分の帽子が赤であるか白であるか判断できない。ところが，自分以外の2人のうちの1人が白い帽子をかぶっていれば，ほかに白い帽子をかぶっている者はいないのだから，自分の帽子の色が赤だとわかる。つまり，最初に3人が「わからない」と答えた後に，自分の帽子の色が「わかった」と答えたA，Cからは白い帽子をかぶっている者が1人見えたのであり，これはBということになる。Bとしては，赤い帽子が3人ならばAもCも最後まで自分の帽子の色がわからないのに，自分の帽子の色が「わかった」と答えたということは，白い帽子が1人だけいるからであり，A，Cとも赤である以上自分が白い帽子をかぶっていると判断することができる。したがって，3人にかぶせられた帽子の色は，A＝赤，B＝白，C＝赤であり，正答は**3**となる。

正答 3

大卒警察官

No. 237　5月型

判断推理　ラインマーカーとノートの配分　令和元年度

赤色が３本，青色が２本，黄色が２本，緑色が１本のラインマーカーと赤色，青色，黄色，緑色それぞれ１冊ずつのノートをＡ～Ｄの４人で等分する。次のことがわかっているとき，確実にいえるものはどれか。

・ＡとＢのラインマーカーの色は同じ組合せである。
・Ｃは緑色のラインマーカーをもらった。
・Ｄは青色のラインマーカーをもらった。
・ラインマーカーとノートの色が同じ色だったのはＤだけである。

1　Ａは青色のノートをもらった。
2　Ｂは青色のラインマーカーをもらった。
3　Ｂは緑色のノートをもらった。
4　Ｃは黄色のラインマーカーをもらった。
5　Ｄは赤色のノートをもらった。

解説

条件を表にまとめていく。「ＡとＢのラインマーカーの色は同じ組合せである」より，複数ある色は赤色か青色か黄色であるが，「Ｄは青色のラインマーカーをもらった」より，青色は残り１本となる。よって，ＡとＢのラインマーカーの色は赤色と黄色になる。

	ラインマーカー		ノート
Ａ	赤	黄	
Ｂ	赤	黄	
Ｃ	緑	赤，青	
Ｄ	青		
合計	赤×３，青×２ 黄×２，緑×１		赤・青・黄・緑 各１

「ラインマーカーとノートの色が同じ色だったのはＤだけである」より，ＡとＢのノートの色は青色か緑色になる。ＣとＤのノートの色は残りの赤色と黄色になる。Ｄはラインマーカーとノートの色が同じ色なので，Ｄのノートとラインマーカーが赤色になり，Ｃの残りのラインマーカーが青色でノートが黄色に決まる。

	ラインマーカー		ノート
Ａ	赤	黄	青，緑
Ｂ	赤	黄	
Ｃ	緑	青	黄
Ｄ	青	赤	赤
合計	赤×３，青×２ 黄×２，緑×１		赤・青・黄・緑 各１

よって，Ｄは赤色のノートをもらっているので，正答は**5**である。

正答　5

No. 238 警視庁 判断推理 暗　号 平成26年度

「平成６年５月１日８時３分２秒」という時間の数字の部分を４つの記号［○，×，△，□］を使って暗号で表すと，

「平成（○△）年（○○）月（○）日（△×）時（□）分（△）秒」

となる。この方法により，「本町４丁目９番12号」という住所の数字の部分を暗号で表したものとして，正しいのはどれか。

1「本町（×）丁目（○□）番（△□）号」
2「本町（×）丁目（△○）番（□×）号」
3「本町（×）丁目（○×）番（□×）号」
4「本町（○×）丁目（△○）番（□×）号」
5「本町（○×）丁目（○□）番（△□）号」

解説

数字を４種類の記号を用いて表しているので，４進法を考えてみる。そうすると，１日＝(○)日，２秒＝(△)秒，３分＝(□)分なので，○＝1，△＝2，□＝3となるから，残る×について，×＝0に対応すると推測することが可能である。ここで，10進法と４進法，および４進法を上記の記号で表したときの関係をまとめると，表のようになる。

10進法	0	1	2	3	4	5	6	7	8	9	10	11	12	13	14	15	…
４進法	0	1	2	3	10	11	12	13	20	21	22	23	30	31	32	33	…
	×	○	△	□	○×	○○	○△	○□	△×	△○	△△	△□	□×	□○	□△	□□	…

これで，「平成６年５月１日８時３分２秒」＝「平成（○△）年（○○）月（○）日（△×）時（□）分（△）秒」となり，矛盾しない。ここから，「本町４丁目９番12号」＝「本町（○×）丁目（△○）番（□×）号」となる。

よって，正答は**4**である。

正答　4

大卒警察官

No. 239　警視庁

判断推理　記数法　平成27年度

次の図は，それぞれの左側に書かれた数字を，ある規則に従って☆を黒く塗りつぶしたものである。このとき，X が表す数字として，最も妥当なのはどれか。

1

★	☆	☆	☆	☆
☆	☆	☆	☆	☆
☆	☆	☆	☆	☆
☆	☆	☆	☆	☆
☆	☆	☆	☆	☆

3

★	☆	☆	☆	☆
★	☆	☆	☆	☆
★	☆	☆	☆	☆
☆	☆	☆	☆	☆
☆	☆	☆	☆	☆

15

★	★	☆	☆	☆
★	★	☆	☆	☆
★	☆	☆	☆	☆
☆	☆	☆	☆	☆
☆	☆	☆	☆	☆

49

★	★	★	☆	☆
☆	★	☆	☆	☆
☆	☆	☆	☆	☆
☆	☆	☆	☆	☆
☆	☆	☆	☆	☆

X

★	★	★	★	☆
★	★	★	☆	☆
★	★	☆	☆	☆
★	☆	☆	☆	☆
☆	☆	☆	☆	☆

1　130
2　180
3　250
4　290
5　310

解説

「1」および「3」から考えて，左端列の★1個が1に対応していると考えられる。そこで，「15」を考えてみると，左から2列目の列の★2個が12だから，左から2列目の列の★1個は6である。つまり，左端列で5まで表せるので，左から2列目は★1個が6，左から2列目までがすべて★だと35となるので，左から3列目の★1個は36となればよい。つまり，左端列は $1=6^0$，2列目は 6^1，3列目は 6^2，4列目は 6^3，5列目は 6^4 を表すことになり，要するに6進法を図示したものである。「49」で確認してみると，$6^2\times1+6^1\times2+6^0\times1=36+12+1=49$ となって，成り立っている。そうすると，「X」は，$6^3\times1+6^2\times2+6^1\times3+6^0\times4=216+72+18+4=310$ となる。

よって，正答は**5**である。

正答　**5**

A～Eの５人は同じ大学の出身で，現在は政治家，医師，弁護士，税理士，教師のいずれか異なる職業に就いている。この５人に関して，次のことが分かっているとき，確実に言えるのはどれか。

ア　CとEは同じ団地に住んでおり，近くに教師の家がある。
イ　AとCは高校時代，政治家，弁護士とともに野球部に所属していた。
ウ　政治家はDとEとともにゴルフによく行く。
エ　昨日，DとEは医師の家に遊びに行った。
オ　Cの娘は医師の息子と婚約している。

1　Aは教師である。
2　Bは医師である。
3　Cは税理士である。
4　Dは弁護士である。
5　Eは税理士である。

解説

条件アより，CとEは教師ではない。条件イより，AとCはいずれも政治家でも弁護士でもなく，条件ウより，DもEも政治家ではない。また，条件エより，DとEは医師ではなく，条件オより，Cも医師ではない。ここまでをまとめると表Ⅰとなる。

この結果，Cは税理士であり（この段階で正解が決定してしまう），政治家はBとなる。そして，医師はA，教師はDと決まり，Eは弁護士で，表Ⅱのようにすべて決定する。

表Ⅰ

	政	医	弁	税	教
A	×		×		
B					
C	×	×	×		×
D	×	×			
E	×	×			×

表Ⅱ

	政	医	弁	税	教
A	×	○	×	×	×
B	○	×	×	×	×
C	×	×	×	○	×
D	×	×	×	×	○
E	×	×	○	×	×

よって，正答は**3**である。

正答　3

大卒警察官

No. 241 警視庁

判断推理　対応関係　令和5年度

ある大学のサークルに在籍するA～Eの5人の活動状況について、次のことがわかっているとき、確実にいえることとして、最も妥当なのはどれか。

○　5人は、英会話、軽音楽、テニスのサークルのうち、少なくとも1つ以上に所属している。

○　Aは、英会話サークルに所属しているが、軽音楽サークルには所属していない。

○　軽音楽サークルに所属している者は、テニスサークルに所属しておらず、英会話サークルに所属している。

○　Aは、Bと共通するサークルに所属していない。

○　Cは、Bと共通するサークルに所属していない。

○　Dは、Eと共通するサークルに所属していない。

○　2つのサークルに所属している人は2人いる。

1　Aはテニスサークルに所属している。

2　テニスサークルには3人が所属している。

3　Dは英会話サークルに所属している。

4　Eは軽音楽サークルに所属している。

5　英会話サークルには3人が所属している。

解説

まず、「Aは、英会話サークルに所属しているが、軽音楽サークルには所属していない」「軽音楽サークルに所属している者は、テニスサークルに所属しておらず、英会話サークルに所属している」「Aは、Bと共通するサークルに所属していない」より、Aが所属しているのは英会話サークルのみ、Bが所属しているのはテニスサークルのみである。そして、「Cは、Bと共通するサークルに所属していない」より、Cが所属しているのは、英会話サークルのみ（表Ⅰ）、英会話サークルと軽音楽サークル（表Ⅱ）の2通りとなる。しかし、「Dは、Eと共通するサークルに所属していない」「2つのサークルに所属している人は2人いる」という条件を考えると、表Ⅰは成り立たず、D、Eに関して、表Ⅲ、表Ⅳの2通りとなる。この表Ⅲ、表Ⅳより、正答は**5**である。

表Ⅰ

	英会話	軽音楽	テニス
A	○	×	×
B	×	×	○
C	○	×	×
D			
E			

表Ⅱ

	英会話	軽音楽	テニス
A	○	×	×
B	×	×	○
C	○	○	×
D			
E			

表Ⅲ

	英会話	軽音楽	テニス
A	○	×	×
B	×	×	○
C	○	○	×
D	○	○	×
E	×	×	○

表Ⅳ

	英会話	軽音楽	テニス
A	○	×	×
B	×	×	○
C	○	○	×
D	×	×	○
E	○	○	×

正答　5

大卒警察官

No. 242　5月型

判断推理　鑑賞した映画の組合せ　令和元年度

A～Fの６人は月曜日から金曜日まで行ける人だけで集まって映画を観た。A～Fはそれぞれ恋愛映画かSF映画のいずれか一方が好きであり，その日に集まった人の多数派が好きな映画を見ることにした。また，好きな映画が恋愛映画とSF映画が同数のときはホラー映画を見ることにした。次のことがわかっているとき，木曜日と金曜日に観た映画の組合せとして正しいのはどれか。

・月曜日はA，C，FでSF映画を観た。
・火曜日はA，B，C，D，EでSF映画を観た。
・水曜日はA，C，D，E，Fで恋愛映画を観た。
・木曜日はA，B，D，Eで，金曜日はB，C，E，Fで映画を観た。

	木曜日	金曜日
1	ホラー映画	SF映画
2	恋愛映画	ホラー映画
3	SF映画	ホラー映画
4	ホラー映画	恋愛映画
5	ホラー映画	ホラー映画

月曜日から水曜日の観た映画と集まった人を表にまとめると以下のようになる。

	A	B	C	D	E	F	映画
月	○		○			○	ＳＦ
火	○	○	○	○	○		ＳＦ
水	○		○	○	○	○	恋愛

火曜日と水曜日を比較すると，変わったのはＢとＦのみである。これで，ＳＦ映画から恋愛映画に替わったので，ＢがＳＦ映画，Ｆが恋愛映画を好きであることがわかる。

月曜日は恋愛映画が好きなＦが集まったのに，ＳＦ映画が多数だったことから，ＡとＣはＳＦ映画が好きであることがわかる。

水曜日はＳＦ映画が好きなＡとＣが集まったのに，恋愛映画が多数だったことから，Ｆに加えＤとＥも恋愛映画が好きだったことになる。

以上を踏まえて木曜日と金曜日を表にまとめると以下のようになる。

	A	B	C	D	E	F	映画
木	ＳＦ	ＳＦ		恋愛	恋愛		ホラー
金		ＳＦ	ＳＦ		恋愛	恋愛	ホラー

よって，正答は**5**である。

正答　5

大卒警察官

No.243 警視庁

判断推理　試合の勝敗　令和5年度

A～Gの7人が1対1のゲームをしたところ、表のような結果になった。ただし、表の一部の空欄のところは、結果が見えなくなっている。勝った人に2点、引き分けた人に1点、負けた人には0点のポイントを加えたところ、1位が同点でAとE、3位が同点でFとGであった。このとき確実にいえることとして、最も妥当なのはどれか。なお、表は縦軸のチームを基準にして対戦結果を示しており、表中の○は勝ち、×は負け、△は引き分けを表している。また、1位と3位がそれぞれ同点のため、2位と4位は考慮しないものとする。

＼	A	B	C	D	E	F	G
A	＼	○	○	○	×	○	×
B	×	＼	△	○	○	△	×
C	×	△	＼	○	×	×	○
D	×	×	×	＼	×	×	
E	○	×	○	○	＼		
F	×	△	○	○		＼	
G	○	○	×				＼

1　EはFに勝った。
2　EはGに勝った。
3　EはFとGに引き分けた。
4　GはFに勝った。
5　GはDに引き分けた。

解説

特に明記されていないが、順位は勝点（ポイント）で決定すると考えてよい。すべての結果が判明しているのは、Aが４勝２敗で勝点８、Bが２勝２分２敗で勝点６、Cが２勝１分３敗で勝点５、までである。AとEは同点で１位なので、Eの勝点は８である。FとGが同点で３位であるが、Bが勝点６なので、FとGの勝点は７でなければならない。勝点７とするためには、２勝３分１敗、３勝１分２敗の２通り、勝点８については、３勝２分１敗、４勝２敗の２通りがある。Eが３勝２分１敗で勝点８の場合、残りの結果も含めて表Ⅰとなる。Eが４勝２敗の場合、４勝目をF、Gのどちらから上げるかで、表Ⅱ、表Ⅲの２通りがある。これら表Ⅰ～表Ⅲより、正答は**5**である。

表Ⅰ

	A	B	C	D	E	F	G	勝	分	敗	点	順位
A		○	○	○	×	○	×	4	0	2	8	1
B	×		△	○	○	△	×	2	2	2	6	5
C	×	△		○	×	×	○	2	1	3	5	6
D	×	×	×		×	×	△	0	1	5	1	7
E	○	×	○	○		△	△	3	2	1	8	1
F	×	△	○	○	△		△	2	3	1	7	3
G	○	○	×	△	△	△		2	3	1	7	3

表Ⅱ

	A	B	C	D	E	F	G	勝	分	敗	点	順位
A		○	○	○	×	○	×	4	0	2	8	1
B	×		△	○	○	△	×	2	2	2	6	5
C	×	△		○	×	×	○	2	1	3	5	6
D	×	×	×		×	×	△	0	1	5	1	7
E	○	×	○	○		×	○	4	0	2	8	1
F	×	△	○	○	○		×	3	1	2	7	3
G	○	○	×	△	×	○		3	1	2	7	3

表Ⅲ

	A	B	C	D	E	F	G	勝	分	敗	点	順位
A		○	○	○	×	○	×	4	0	2	8	1
B	×		△	○	○	△	×	2	2	2	6	5
C	×	△		○	×	×	○	2	1	3	5	6
D	×	×	×		×	×	△	0	1	5	1	7
E	○	×	○	○		○	×	4	0	2	8	1
F	×	△	○	○	×		○	3	1	2	7	3
G	○	○	×	△	○	×		3	1	2	7	3

正答　**5**

No. 244 警視庁 判断推理 試合の勝敗 令和2年度

56チームが出場する野球のトーナメント戦が開催されることになり，１日につき最大４試合まで行われ，また，同じチームが１日に２度試合をすることがないように日程を組んだ。優勝チームと準優勝チームが決まり，また，準決勝の２試合で敗れた２チームが対戦し，３位と４位のチームが決まるまでにかかる最少の日数として，最も妥当なのはどれか。

1　15日
2　16日
3　17日
4　18日
5　19日

解説

トーナメント戦の総試合数は優勝するチームが１チームの場合，参加チームが n チームだとすると，$n-1$ 試合となる。本問は56チームが出場するので優勝チームを決めるまでに55試合である。それに加え３位決定戦が１試合あるので，全部で56試合となる。

１日に同じチームが２試合することはないので，準決勝以降の４試合は以下のように２日かかる。

最終日…決勝戦，３位決定戦　（２試合，４チーム）
最終日の１日前…準決勝（２試合，４チーム）

これ以前は１日に同じチームが２試合することがないので，残り52試合は１日４試合行うと
52÷4＝13
となり13日となる。これに準決勝と決勝の２日を加えると15日となる。

よって，正答は**1**である。

正答　1

大卒警察官

No. 245　5月型

判断推理　数量条件からの推理　平成26年度

あるテストは，第１問から第10問までの10問で構成され，１問10点の100点満点である。各問は選択肢「ア」「イ」のいずれかを選択して解答することとされており，各問とも，「ア」「イ」の一方が正解で，もう一方は不正解の選択肢となっている。Ａ～Ｅの５人がこのテストを受験し，それぞれの解答と得点は，次の表のとおりだった。このとき，Ｂの得点として正しいのはどれか。

	第１問	第２問	第３問	第４問	第５問	第６問	第７問	第８問	第９問	第10問	得点
A	イ	イ	ア	ア	イ	イ	イ	ア	ア	ア	60
B	イ	イ	イ	イ	ア	ア	ア	ア	イ	イ	
C	イ	ア	イ	イ	ア	ア	イ	ア	イ	イ	70
D	ア	イ	ア	ア	イ	イ	ア	イ	ア	ア	30
E	ア	ア	ア	イ	ア	イ	ア	イ	イ	ア	70

1　30点
2　40点
3　50点
4　60点
5　70点

解説

まず，ＣとＥの解答を比較してみると，第２問，第４問，第５問，第９問の解答が一致している。２人の解答が異なっている残りの６問は，Ｃ，Ｅのどちらかが正解しているので，この６問でＣ，Ｅ２人の得点合計は60点である。Ｃ，Ｅの得点合計は140点なので，２人の解答が一致している４問で得点合計が80点なければならない。つまり，第２問，第４問，第５問，第９問はＣ，Ｅの２人とも正解していることになる。次に，Ａの解答を見ると，Ｃ，Ｅが２人とも正解している第２問，第４問，第５問，第９問はすべて不正解である。したがって，Ａは第１問，第３問，第６問，第７問，第８問，第10問を正解して60点である。これにより，10問の正解が表のようにすべて決定し，Ｂの得点は50点である。

	第１問	第２問	第３問	第４問	第５問	第６問	第７問	第８問	第９問	第10問	得点
A	イ	イ	ア	ア	イ	イ	イ	ア	ア	ア	60
B	イ	イ	イ	イ	ア	ア	ア	ア	イ	イ	50
C	イ	ア	イ	イ	ア	ア	イ	ア	イ	イ	70
D	ア	イ	ア	ア	イ	イ	ア	イ	ア	ア	30
E	ア	ア	ア	イ	ア	イ	ア	イ	イ	ア	70
正解	イ	ア	ア	イ	ア	イ	イ	ア	イ	ア	

以上より，正答は**3**である。

正答　3

大卒警察官

警視庁

No. 246 判断推理 数量関係 平成22年度

ある職場で，レクリエーションの余興に八つの景品A，B，C，D，E，F，G，Hを用意した。そのうち1つだけは他と価格が異なるが，それ以外はすべて同一の価格である。そして，A，B，Cの合計価格よりもD，E，Fの合計価格の方が高く，A，C，Eの合計価格よりもB，G，Hの合計価格の方が高い。以上から判断して，価格の異なる景品が確実に含まれる組み合わせはどれか。

1　AとC
2　BとD
3　CとE
4　DとF
5　EとG

解説

A＋B＋C＜D＋E＋F，A＋C＋E＜B＋G＋Hで，この2式はいずれも左右の価格が異なっている。価格が異なる景品は1個しかないので，2式のうちの一方のみでしか比較の対象となっていない景品は，価格が他と異なる可能性はない。したがって，D，F，G，Hがまず除外される。また，B，Eは一方では価格の低い組，他方では価格の高い組に入っているので，これも他の景品と価格が異なる可能性はない。したがって，可能性があるのはAまたはCの価格が他の景品より安い，ということだけであり，正答は**1**である。

この場合，価格が高いほうの組は（D，E，F），（B，G，H）で，両者に共通する景品は1個もないのだから，これらに他と価格が異なる景品は含まれておらず，可能性があるのはA，Cだけ，と考えてもよい。

正答　1

大卒警察官

警視庁

No.
247 判断推理 操作手順 平成29年度

24枚のコインのうち，１枚は偽物で本物のコインよりも軽く，他の23枚は全て本物で同じ重さである。１台の天秤を使って確実に偽物のコインを特定するために使用する天秤の最少の使用回数として，最も妥当なのはどれか。

1　２回
2　３回
3　４回
4　５回
5　６回

解説

コインは天秤で測る際，天秤の上に２か所，天秤に載せなかったものが１か所と３組に分けて考える。このときどこに偽物のコインがあっても個数が少なくなるように均等に分けるとよい。

１回目は24枚を８枚×３組に分けて，２組を天秤に載せる。この天秤がつりあうか，つりあわないかで場合分けをする。

(1) つりあったとき

載せなかった８枚の中に偽物がある。

２回目は３枚×２組，２枚に分けて，３枚×２組を天秤に載せる。

つりあったら載せなかった２枚の中に偽物があり，３回目で偽物を判断できる。

つりあわなかったら上がった３枚の中に偽物がある。３回目でこの中の２枚を天秤に載せると，つりあったら載せなかったコイン，つりあわなかったら上がったコインが偽物と判断できる。

(2) つりあわなかったとき

上がった８枚の中に偽物がある。この後の操作は（1）と同じである。

よって，３回の使用回数で確実に偽物のコインを特定できるので，正答は**2**である。

正答 2

《別解》

公式

$3^{n-1} < M \leqq 3^n$　（M＝ 個数，n＝回数）

を利用して求める。

M＝24なので

$3^{n-1} < 24 \leqq 3^n$

より n＝３となるので３回で特定できる。

判断推理　操作手順　平成27年度

文字AとBが直線上に交互にＡＢＡＢＡＢと並んでいる。このうち隣り合う２つの文字を一緒に，同じ直線上で移動する操作を繰り返す。ただし，文字を移動して空間ができても，そこは詰めない。また，移動した文字の少なくとも１つは，その他の文字列のいずれかと必ず隣り合うものとする。このとき，最終的にＡＡＡＢＢＢ又はＢＢＢＡＡＡとするために必要な最小の移動の回数として，最も妥当なのはどれか。

1　３回
2　４回
3　５回
4　６回
5　７回

解説

最初にABABABと並んだ状態から，隣り合う２つの文字を移動させて，最終的にAAABBBまたはBBBAAAとするためには，最初に移動させるのは「BA」でなければならない。つまり，最初に移動させる文字は，左から２番目と３番目，あるいは４番目と５番目である。最初に左から２番目と３番目を移動させる場合は図Ⅰ，最初に左から４番目と５番目を移動させる場合は図Ⅱの手順で行えば，いずれも３回の移動でBBBAAAとすることが可能である。

図Ⅰ

```
            A B A B A B
      ① B A A     B A B
      ② B A A A B B
  ③ B B B A A A
```

図Ⅱ

```
   A B A B A B
①  A B A     B B A
      ② A A B B B A
            ③ B B B A A A
```

よって，正答は**1**である。

正答　1

操作手順

A～D 4種類の重りがある。次の図の3通りにおいて，すべて左右の重さが等しいとき，A 1個とつりあわせるためには，Bが何個必要か。

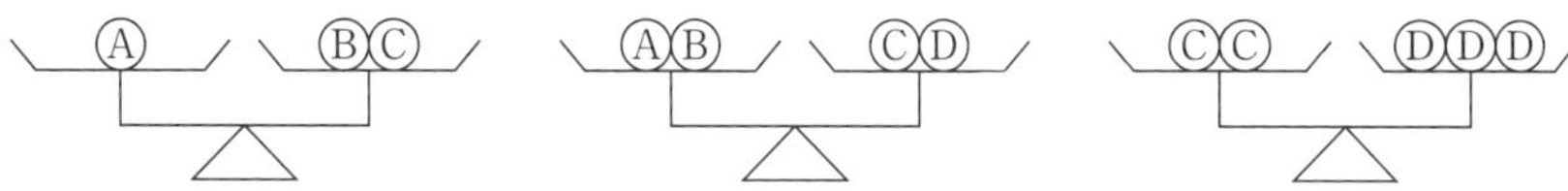

1　2個
2　3個
3　4個
4　5個
5　6個

解説

問題の右図より，2C＝3D，C：D＝3：2である。そこで，Cの重さを3，Dの重さを2とすると，左図より，A＝B＋3…①，中図より，A＋B＝5…②，となる，①，②より，A＋B＝B＋3＋B＝5，2B＝2，B＝1で，A＝1+3=4，となる，A＝4，B＝1だから，A 1個とつりあうBの個数は4個である。

よって，正答は**3**である。

正答　3

大卒警察官

No. 250 警視庁

判断推理　川渡り問題　平成29年度

下図のような川があり，大人６人，子ども３人が，スタート地点がある一方の岸から，ゴール地点がある対岸まで，一艘（そう）の足こぎボートを使って以下のルールに従い移動する。スタート地点からゴール地点までの移動，ゴール地点からスタート地点までの移動を，それぞれ１回と数えるとき，全員が対岸のゴール地点まで移動し終えるまでのボートの最少の移動回数として，最も妥当なのはどれか。

・ボートに大人は１人だけしか乗ることができない。
・ボートに子どもは最大２人までしか乗ることができない。
・ボートに大人と子どもが同時に乗ることはできない。
・ボートが無人で移動することはない。

ゴール

スタート

1　23回　　**2**　25回　　**3**　27回
4　29回　　**5**　31回

解説

ボートを戻す役割に着目して移動させる。

１回目……ボートを戻すことを考え，子どもが２人で乗って対岸に行く。
２回目……対岸から子どもが１人でボートをこいで帰ってきて，対岸に１人の子どもを残して戻ってくる。
３回目……大人が１人で乗って対岸に向かう。
４回目……対岸に残っていた子どもがボートをこいで戻ってくる。

ここまでの操作で大人が１人対岸に行ったことになる。大人は６人なので，

4〔回／人〕×6〔人〕＝24〔回〕

で大人が全員対岸に行ったことになり，ボートはスタート地点にある。

25回目……ボートを戻すことを考え，子どもが２人で乗って対岸に行く。
26回目……対岸から子どもが１人でボートをこいで帰ってきて，対岸に１人の子どもと先に移動している大人６人を残して戻ってくる。
27回目……子どもが２人で乗って対岸に向かう。

以上の操作で全員を移動させることができる。

よって，正答は**3**である。

正答　3

図のように，8枚の正方形が配置されており，各正方形は赤，白，青，黄，緑のいずれか1色で塗られている。次のことがわかっているとき，Aの正方形の色として正しいのはどれか。

ア　白で塗られた正方形は，赤で塗られた正方形に挟まれている。

イ　青で塗られた正方形は，赤で塗られた正方形に挟まれている。

ウ　黄で塗られた正方形，緑で塗られた正方形のいずれも，白で塗られた正方形と接していない。

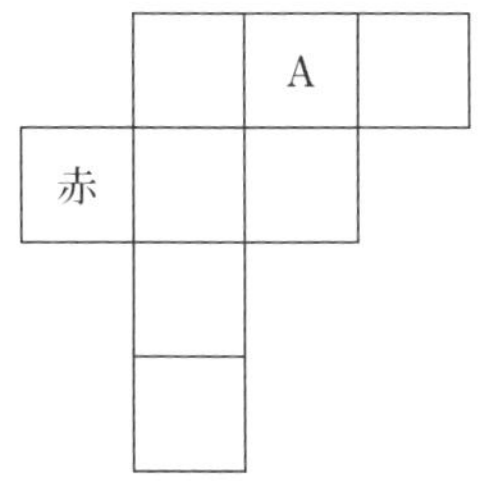

1　赤
2　白
3　青
4　黄
5　緑

解説

正方形の枚数は8枚で，これが5色に塗られているので，同じ色で塗られた正方形は4枚までである。白の正方形も青の正方形も赤の正方形で挟まれているが，赤で塗られた正方形のうちの1枚は決まっているので，その隣の正方形は白または青である必要がある。そうすると，8枚のうちの上段と2段目の6枚の正方形については，図Ⅰ，図Ⅱのいずれかとなる。ところが，図Ⅱだと白で塗られた正方形の下の正方形は黄または緑のいずれであっても条件を満たさない。したがって，正方形の配置は図Ⅰの場合だけが成り立ち，Aは白になる。

図Ⅰ

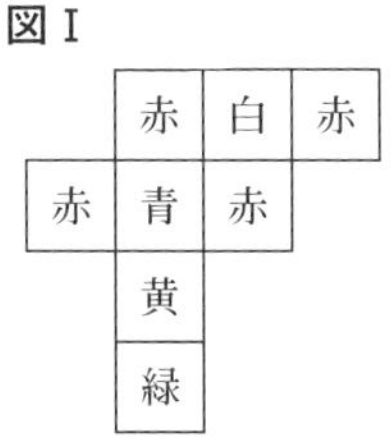

図Ⅱ

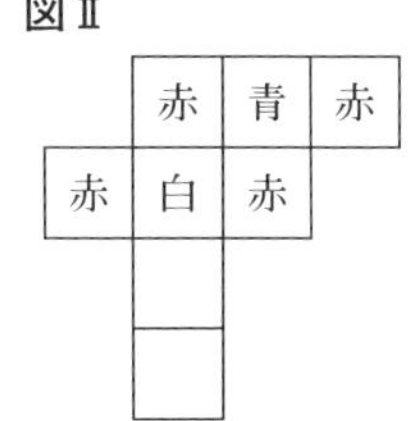

よって，正答は**2**である。

正答　2

以下に示すのはある建物の１つのフロアの見取り図で，①～⑪と書かれた正方形がフロア内の１室を表している。A～Fの６人がいずれかの部屋に１人ずつ住み，それ以外は空室となっている。次のア～カのことがわかっているとき，確実に言えることとして，最も妥当なのはどれか。

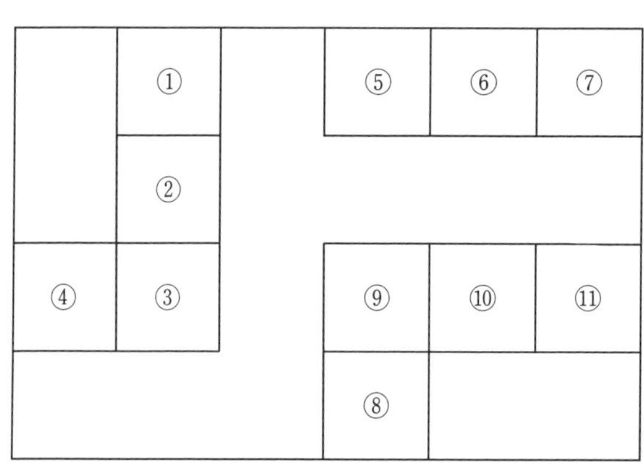

ア　Aの隣室は２部屋とも空室である。
イ　Bの居室はAの居室の真西にある。
ウ　Cの居室はEの居室の真向かいである。
エ　Dの居室は真東と真西には部屋がない。
オ　Eの居室は他の５人の居室よりも北にある。
カ　Fの隣室は２部屋とも居住者がいる。

1　Aの真向かいにEが住んでいる。
2　BはCの隣に住んでいる。
3　Dの居室は他の５人の居室よりも南にある。
4　Eの隣の住人はFである。
5　Fの隣の住人はB，Dである。

解説

まず，Eの居室は他の5人の居室よりも北にある（オ）ので，A，B，C，D，Fが①および⑤〜⑦に住んでいることはない。そして，Cの居室はEの居室の真向かい（ウ）なので，（C＝⑨，E＝⑤），（C＝⑩，E＝⑥），（C＝⑪，E＝⑦）のいずれかである。しかし，Aの隣室は2部屋とも空室であり（ア），Bの居室はAの居室の真西にある（イ）という条件から，Aの居室は⑨，⑩のいずれかでなければならない。Aの居室が⑩だと，C，Eに関する条件が満たせないので，A＝⑨（⑧，⑩は空室）で，C＝⑪，E＝⑦となる。そうすると，①は空室でなければならないので，F＝③，B＝④，残るDは②となり，図のように決まる。この図より，正答は**5**である。

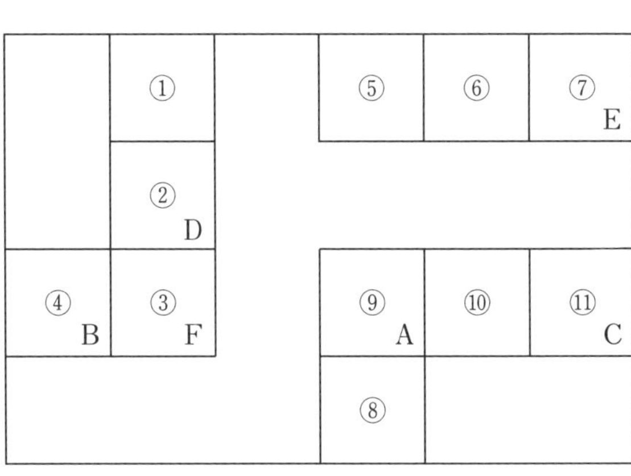

正答　5

大卒警察官 No. 253 5月型 判断推理 8人の家の位置関係 平成24年度

図のようにア～クに区画された8軒の家があり，A～Hがそれぞれ住んでいる。次のことがわかっているとき，確実にいえるのはどれか。

・AとCは北側の家に住んでおり，Cの家の隣はDが住んでいる家の真北に当たる。
・Hは南側の家に住んでおり，3方向をA，E，Gの家に囲まれている。

ア	イ	ウ	エ
オ	カ	キ	ク

N

1 Aの家はCの家の東隣である。
2 オがDの家ならば，クはEの家である。
3 Bの家はGの家の真北に当たる。
4 クがDの家ならば，イはAの家である。
5 Fの家はDの家の真北に当たる。

解説

Aの家は北側，Hの家は南側で3方向をA，E，Gに囲まれているので，Aの家の真南にHの家があり，その両隣がE，Gとなる。ただし，E，GのどちらがHの家の東側，また西側なのかは確定しない。これと，C，Dの家の配置とから，図Ⅰ～図Ⅳの4通りが考えられ，そのそれぞれについて，ア，エにB，Fの家があることになる（B，Fについてもア，エのどちらなのかは確定しない）。ここから，**1**，**2**，**3**，**5**は確実とはいえず，確実にいえるのは**4**だけであるので，正答は**4**である。

図Ⅰ

ア	A	C	エ
G	H	E	D

図Ⅱ

ア	A	C	エ
E	H	G	D

図Ⅲ

ア	C	A	エ
D	G	H	E

図Ⅳ

ア	C	A	エ
D	E	H	G

正答 **4**

位置関係

次の図のように，８個の箱Ａ～Ｈが２段に重ねて置かれている。この８個の箱のうちの３個に当たりくじが入っており，ア～エのことがわかっているとき，確実に当たりくじが入っているといえる箱はどれか。

ア　左側（Ａの側）に１個，右側（Ｂの側）に２個，当たりくじの入った箱がある。

イ　上段に２個，下段に１個，当たりくじの入った箱がある。

ウ　Ａの箱は，当たりくじが入った箱のうちの２個と面で接している。

エ　Ｅの箱は，当たりくじが入った箱とは面で接していない。

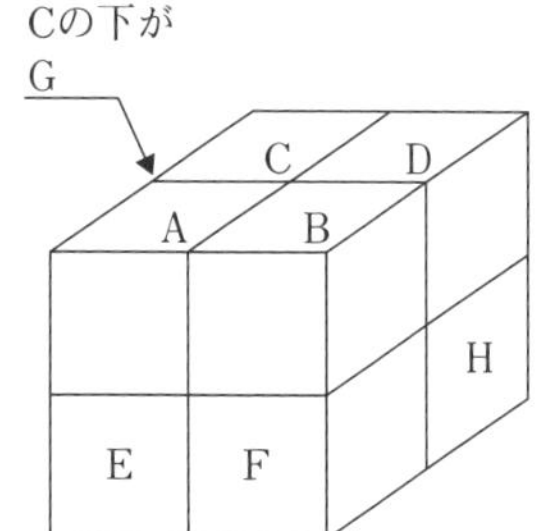

1　B　　**2**　C　　**3**　D　　**4**　E　　**5**　H

解説

まず，当たりくじの入った箱が，左側に１個，右側に２個，上段に２個，下段に１個あり，Ｅの箱と面で接しているＡ，Ｆ，Ｇの箱には当たりくじが入っていない，という条件をまとめると図Ⅰとなる。

次に，「Ａの箱は，当たりくじが入った箱のうちの２個と面で接している」という条件を考えると，Ａの箱と面で接している箱はＢ，Ｃ，Ｅだから，このうちの２個に当たりくじが入っていることになる。ただし，Ｃ，Ｅは左側の箱なので，どちらか１個にしか当たりくじは入っていない。そうすると，Ｂの箱には必ず当たりくじが入っていなければならない（この時点で正答は**1**と決まる）。つまり，Ｂ，Ｃ，Ｅの箱に関しては，①ＢとＣに当たりくじが入っている，②ＢとＥに当たりくじが入っている，の２通りがありえる。①の場合，当たりくじが入っているもう１つの箱はＨ（図Ⅱ），②の場合はＤ（図Ⅲ）となる。

図Ⅰ

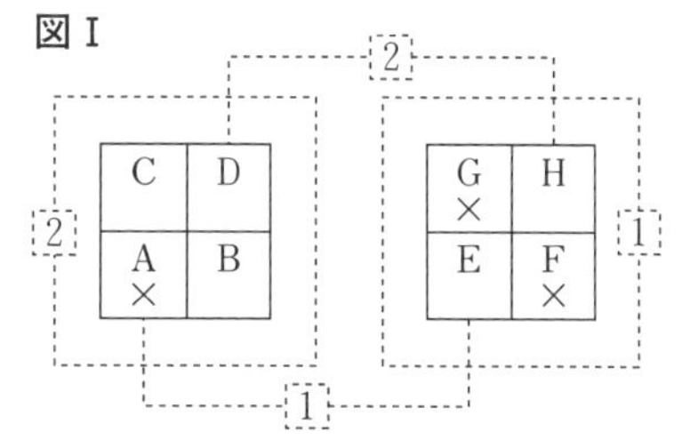

図Ⅱ

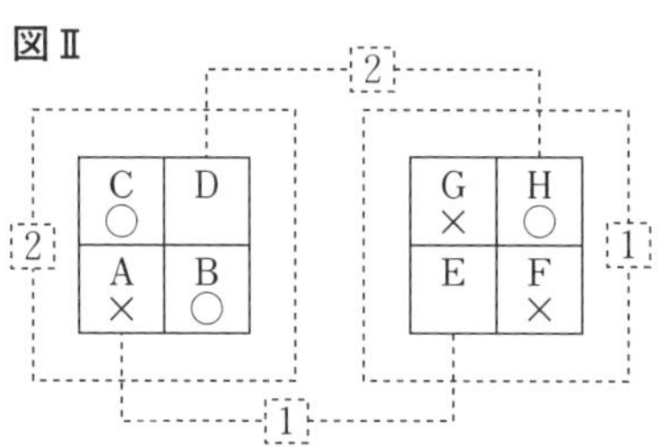

図Ⅲ

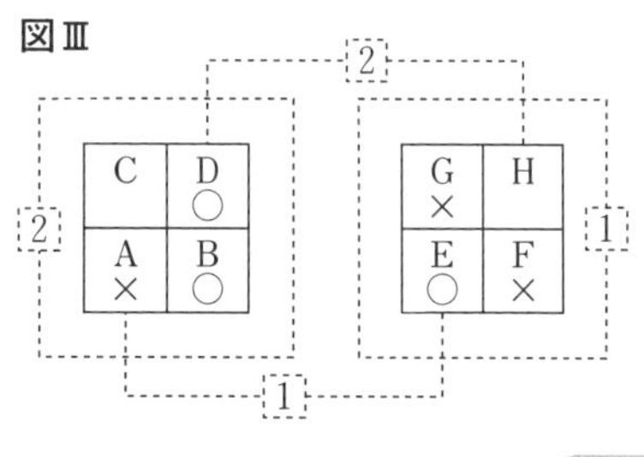

正答　**1**

大卒警察官

No. 255 警視庁

判断推理　6人の座席の位置　平成30年度

A～Fの6人はレンタカーで1泊2日の旅行に出かけ，レンタカーの座席は下図のようになっている。各人の座席について以下のことが分かっているとき，確実にいえることとして，最も妥当なのはどれか。

・Aは1日目，2日目のどちらかで①に座った。
・Bの2日目の座席は，②であった。
・Cの2日目の座席は，1日目の隣の座席であった。
・Dの2日目の座席は，1日目に座った座席の前であった。
・Eは運転免許を持っておらず，1日目はAの隣に座った。
・Fは2日ともCの斜め前に座った。

1　A～Fの中には2日間同じ座席に座った者がいる。
2　Aの1日目の座席は，Bの斜め前の座席であった。
3　Bの1日目の座席は，③であった。
4　Dの2日目の座席は，③であった。
5　Eの2日目の座席は，Fの真後ろの座席であった。

解説

条件をもとに，各人の位置関係をブロック（塊）でⅠ～Ⅲのように表す。

ここで，Aが1日目に①に座ったとすると，Eが②の運転席に座ることになり，条件に反するので，Aは2日目に①に座ったと確定する。

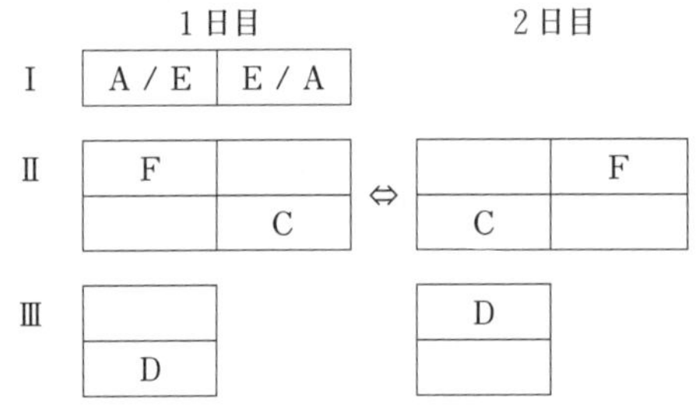

まず，1日目のⅠのブロックが入る場所を考える。Ⅰが2列目だとすると，Ⅱのブロックが入らない。Ⅰが3列目だとすると，2日目にⅡのブロックが入らない。したがってⅠは1列目と確定し，1日目の①がE，②がAと決まる。

このとき，2列目，3列目には，ⅡとⅢを組み合わせたものが入るが，座席の配置は次の2通りが考えられる。

1日目

E	A
F	B
D	C

2日目

A	B
D	F
C	E

1日目

E	A
B	F
C	D

2日目

A	B
F	D
E	C

選択肢を検討すると，確実にいえるのは**5**である。

正答　5

大卒警察官

警視庁

No. 256 判断推理 円卓の席順 平成17年度

Ａ～Ｆの６人が，円卓に等間隔に座っている。Ａの隣にはＤが座っている。Ｂの向かいにはＦが座っている。そして，Ｃの向かいはＡではない。このとき，６人の並び方を一つに確定させる条件として，妥当なものはどれか。

1　Ｃの向かいはＤである。

2　Ｅの向かいはＡである。

3　Ａの右隣はＤである。

4　Ｃの右隣はＥである。

5　Ｆの右隣はＥである。

解説

円卓の座席に関する問題では，まず向かい合って座っている２人に注目する。ここではＢとＦが向かい合っているので，この２人の座席を決めてしまうと，Ａの隣がＤ，Ｃの向かいはＡではないのでＤしかありえず，以下のⅠ～Ⅳの４通りの可能性があることになる。ここで**1**～**5**を考えると，**1**，**2**はすでに確定しているので新たな条件を付加することにならない。**3**ではⅠ，Ⅳのいずれであるか判断できず，**4**ではⅡ，Ⅲのいずれか判断できない。これに対し**5**の条件があれば，座席配置はⅠの場合に確定するので，**5**が座席配置を１通りに確定するのに必要な条件である。

したがって，**5**が正答である。

この問題では，Ｂ，Ｆのどちらかについて，その左右の一方でも決まれば全員の配置が決まる，という関係になっており，ＢまたはＦに関連しない条件では座席配置を１通りに確定することはできないようになっている。

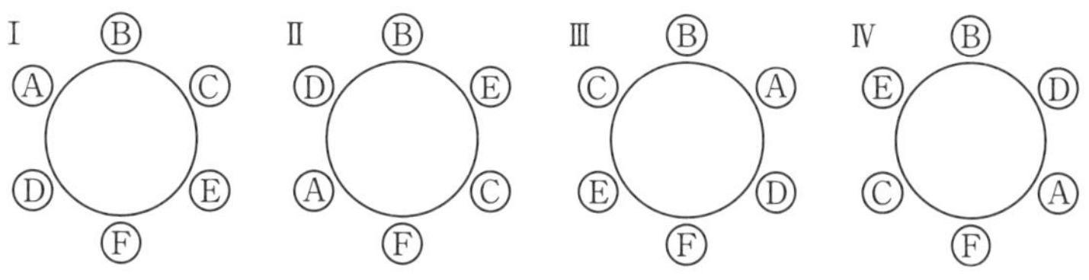

正答　5

数学 物理 化学 生物 地学 文章理解 判断推理 数的推理 資料解釈

大卒警察官

No.257 警視庁

判断推理 重ね合わせ 令和5年度

下図のような正方形の枠の中に、A～Cの正方形を重ねたものがある。A～Cは同じ面積の正方形であり、１番上にA、２番目にB、３番目にCの順に重なっている。それぞれ見えている部分の面積は、A＝100cm² B＝68cm² C＝52cm²である。このとき枠内の面積として、最も妥当なのはどれか。

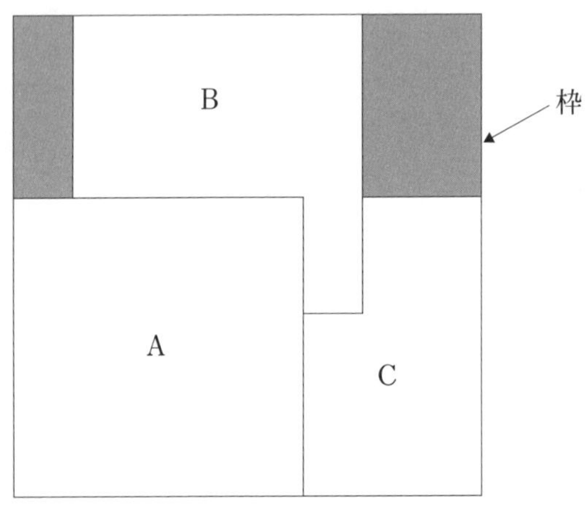

1 196cm²
2 225cm²
3 256cm²
4 289cm²
5 324cm²

解説

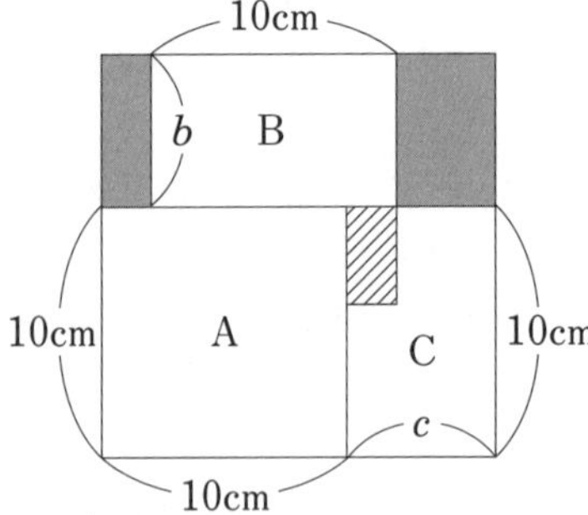

Aの面積が100cm²なので、A～Cの１辺はいずれも10cmである。B＋C＝68＋52＝120〔cm²〕で、右図の斜線部をBからCに移すとBとCの面積は等しくなり、図のb、cの長さはいずれも６cmとわかる。したがって、枠の１辺の長さは10＋６＝16〔cm〕、その面積は、16^2＝256〔cm²〕となる。

よって、正答は**3**である。

［別解］選択肢より、正方形の枠の１辺の長さは、14cm、15cm、16cm、17cm、18cmのいずれかである。正方形の枠の１辺の長さが15cmだと、Cの見えている部分の面積は50cm²未満になってしまう。一方、正方形の枠の１辺の長さが17cmだと、Bの見えている部分の面積は70cm²を超えることになる。つまり、正方形の枠の１辺の長さは16cmで、その面積は16^2＝256〔cm²〕である。

正答 3

No. 258　5月型　判断推理

図形の分割

平成19年度

次の図のような正方形を，内部の点線に沿って合同な4個の図形に切り分ける方法は全部で何通りあるか。ただし，回転させたり裏返したりして同一になる場合は1通りと数えるものとする。

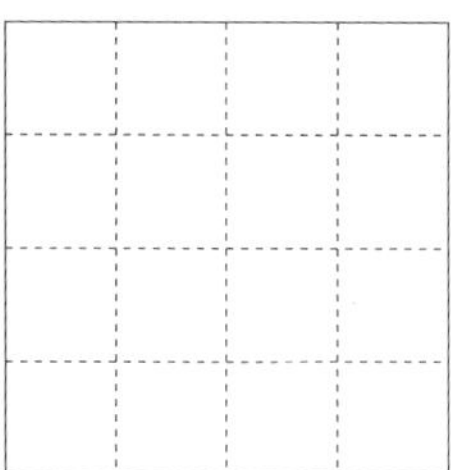

1　2通り
2　3通り
3　4通り
4　5通り
5　6通り

解説

合同な4個の図形に切り分ける方法は以下の通りで，全部で5通りある。

したがって，正答は**4**である。

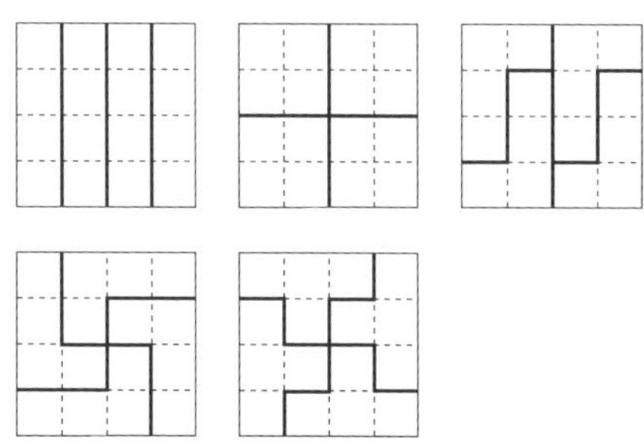

正答　4

大卒警察官

No. 259　警視庁

判断推理　平面の分割　平成29年度

下図は円内の平面に３本の直線を引き，円内の平面を分割したところを表している。この円内に５本の直線を書き加えることによって分割される平面の最大の数として，最も妥当なのはどれか。

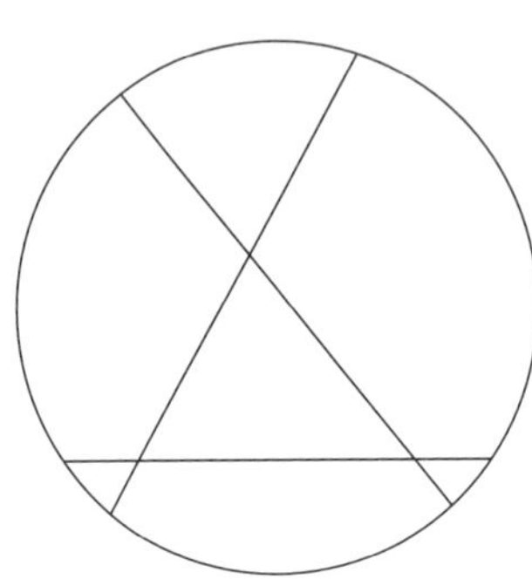

1　34
2　35
3　36
4　37
5　38

解説

実際に順番に分割して，規則性を考える。

直線１本

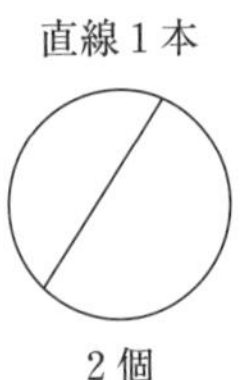

２個

直線２本

４個

直線３本

７個

最初は２個から４個へと２個増えて，次は４個から７個へと３個増えている。これより差が１つずつ大きくなる階差数列になっていることがわかる。５本の直線を書き加えた８本までは以下のように増えていく。

線の本数	1	2	3	4	5	6	7	8
分割の個数	2	4	7	11	16	22	29	37

+2　+3　+4　+5　+6　+7　+8

よって，正答は**4**である

正答　4

図のような平行四辺形を，４本の太線部分で切断し，５枚に分割した。Ａ～Ｄの図形は，この５枚のうちの４枚である。残りの１枚の図形として，正しいのはどれか。

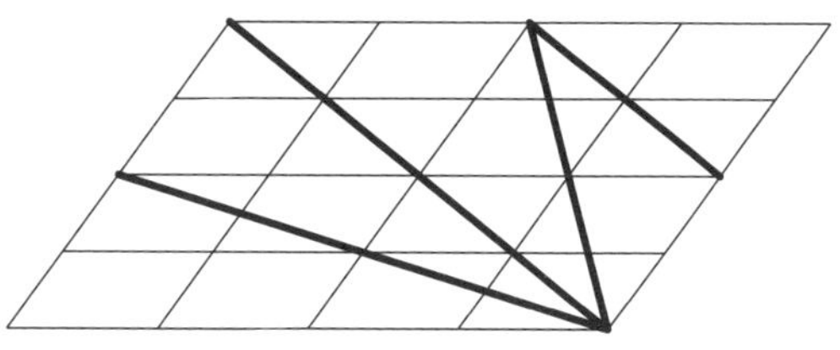

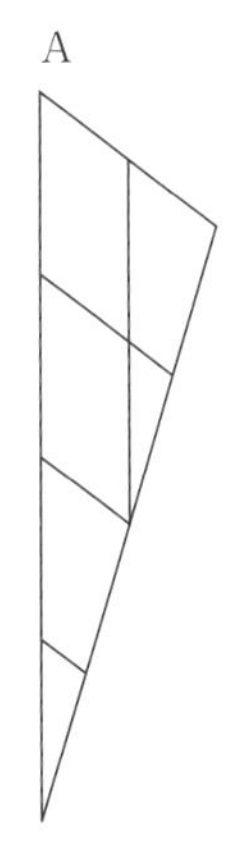

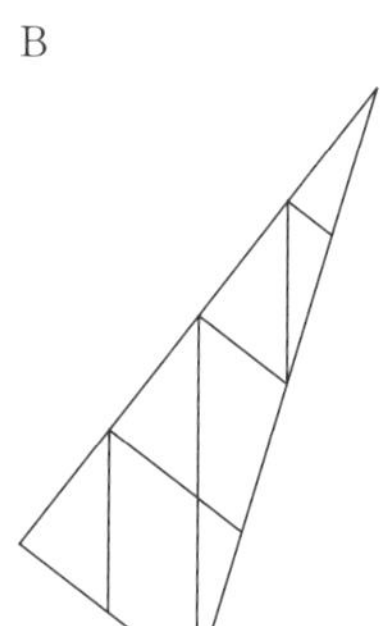

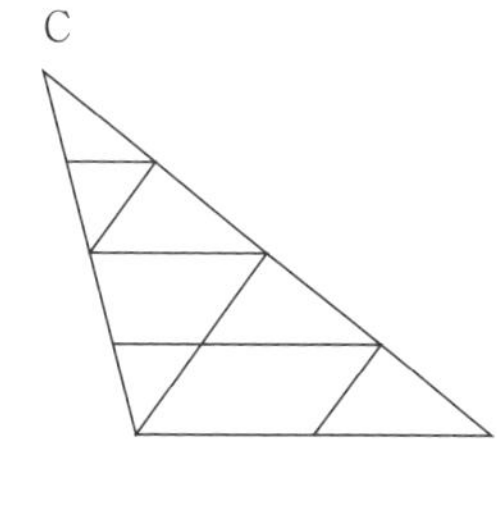

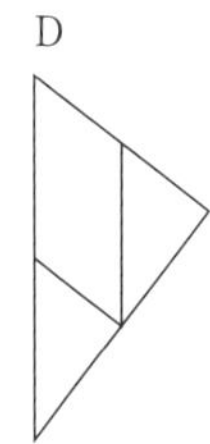

1
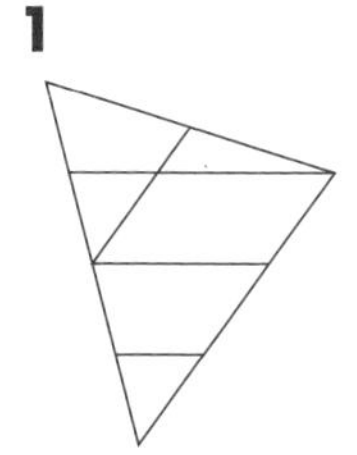

2
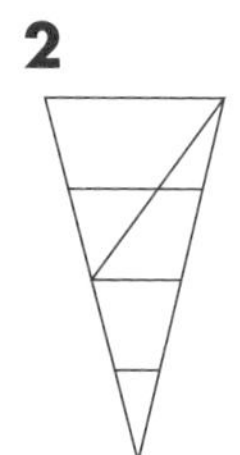

3
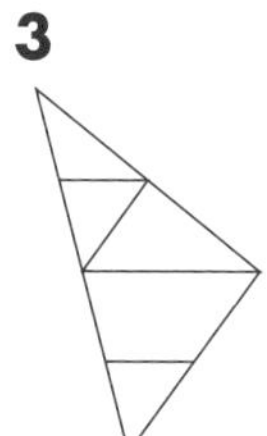

4
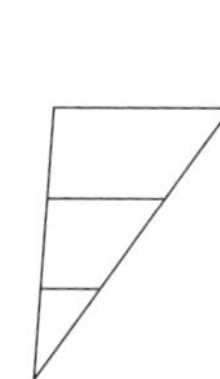

5
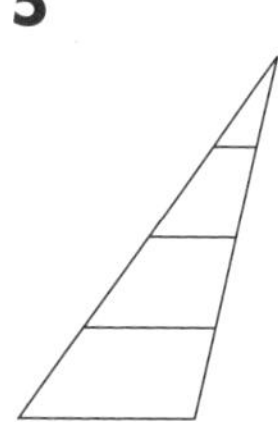

解説

Ａ～Ｄの図形を，もとの平行四辺形の位置に当てはめると図Ⅰのようになる。欠けている部分に該当する図形は**3**であり，これを補充すると図Ⅱのようにもとの平行四辺形となる。

図Ⅰ
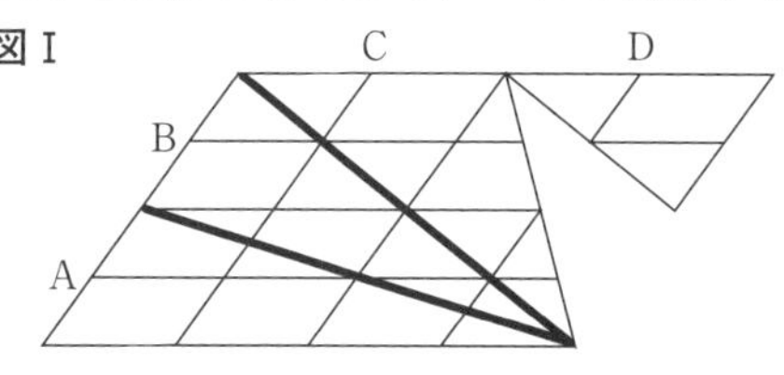

図Ⅱ
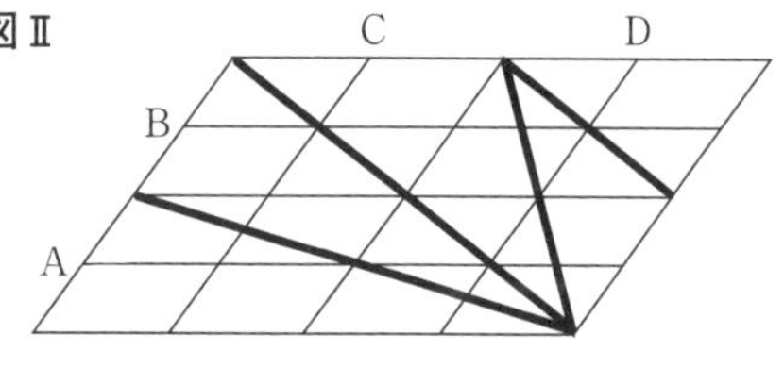

よって，正答は**3**である。

正答　3

図のような，正三角形を並べて作った正六角形がある。A～Dのうち，同じ図形を３枚組み合わせて，図の正六角形とすることができる図形の組合せとして，正しいのはどれか。ただし，図形を裏返すことはしないものとする。

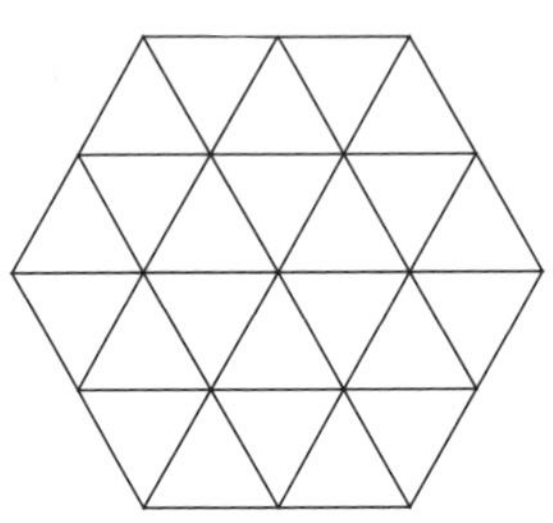

A
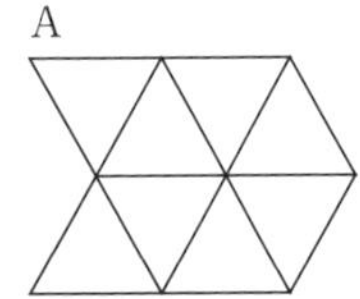
B
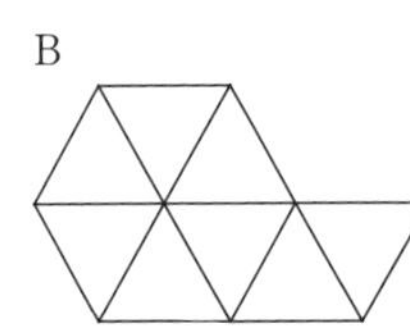
C
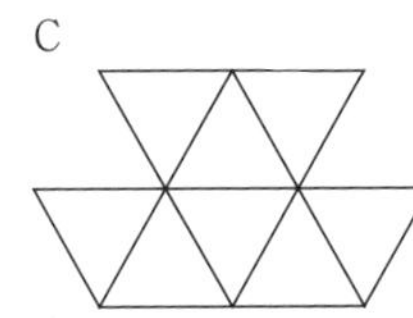
D
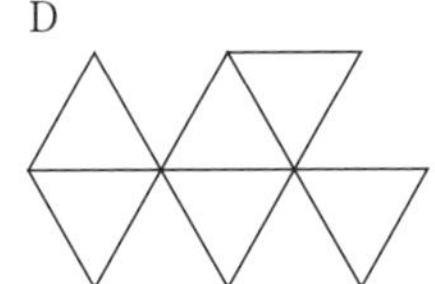

1　A，B
2　A，D
3　B，C
4　B，D
5　C，D

解説

正三角形８枚で構成された同じ図形を３枚使って，正三角形24枚で構成される正六角形とするのだから，正六角形の中心で120°ずつ回転させて，重なることなく組み合わせられなければならない。そうすると，AおよびCの図形をどのように配置しても，正六角形の中心で120°ずつ回転させて，重なることなく組み合わせることは不可能である。これに対し，BおよびDの図形は，図のように３枚組み合わせることによって，正六角形とすることが可能である。

B
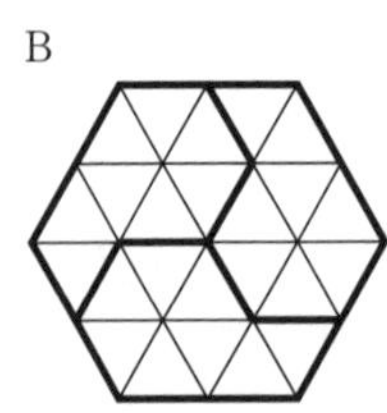
D
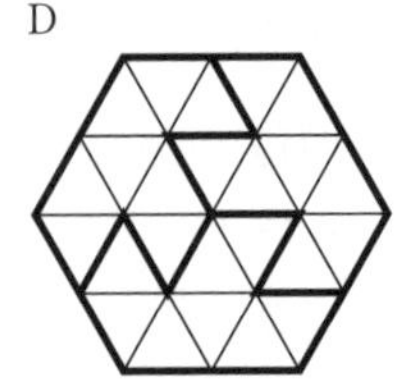

よって，正答は**4**である。

正答　**4**

No. 262 判断推理 平面図形の組合せ

5月型 平成24年度

A～D４枚の図形があり，これにもう１枚の図形を加えて長方形を作りたい。図形Ａは図１のように置かれており，各図形は隙間なく，重ねることなく敷き詰め，また裏返すことはしないものとするとき，加えるもう１枚の図形として正しいのはどれか。

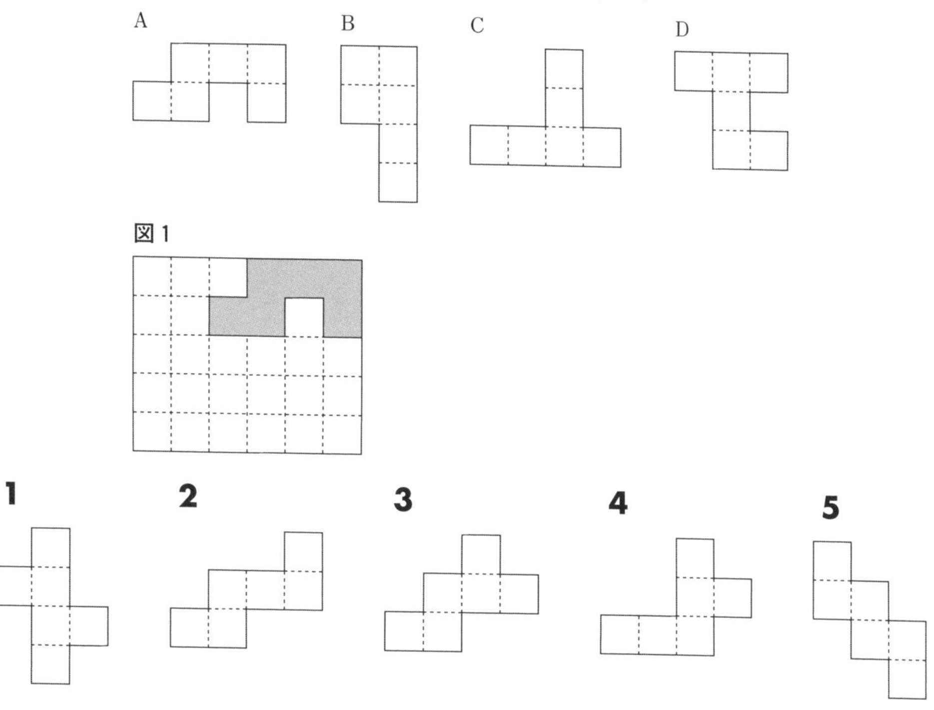

解説

Ａの左側に配置される図形を考えると，ここにはＤしか入らない（図Ⅰ）。このＤが配置された左下はＢまたはＣとなるが，図Ⅱのように Ｂを配置すると，Ｃを配置することができない(残る部分を１枚の図形で埋めることができない)。そこで，Ｄの左下にＣ，その右側にＢを配置すると，残った部分に配置されるのは**4**の図形となる。

よって，正答は**4**である。

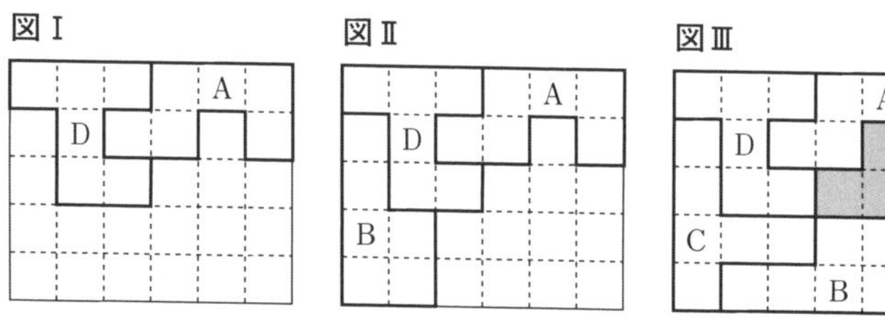

正答 4

大卒警察官

No. 263 5月型 判断推理

平面図形

平成20年度

次の図形は，同じ大きさの正方形15枚を並べて作られている。A～E 5種類の中から適当な3種類を選んで透き間なく並べるとこの図形を作ることができるが，その3種類の組合せとして正しいものは，次のうちどれか。ただし，選んだ3種類を並べる際は，回転させることはかまわないが重なる部分があってはならない。

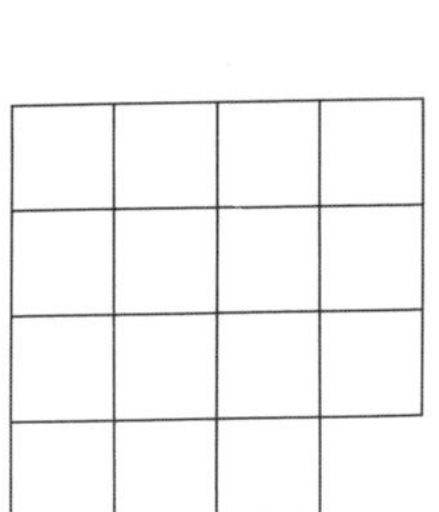

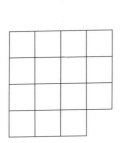

A

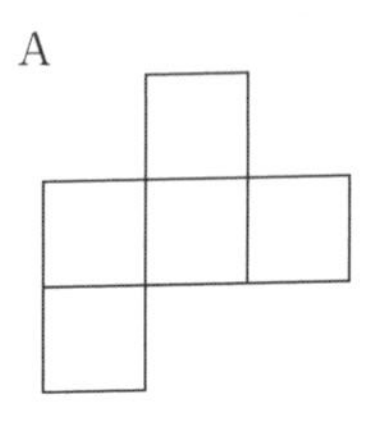

B

C

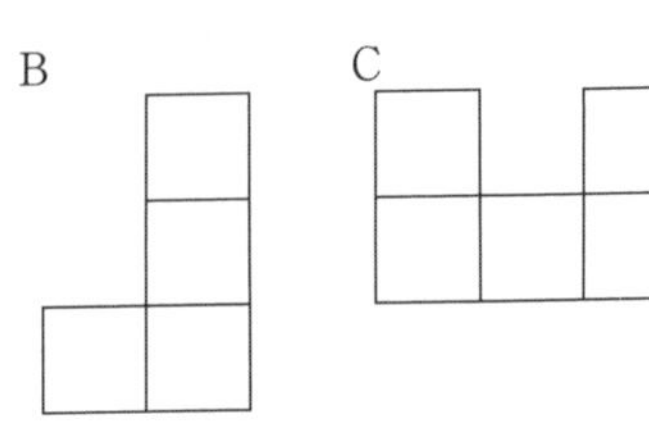

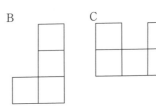

D

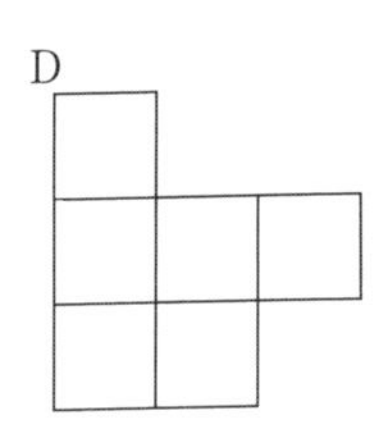

E

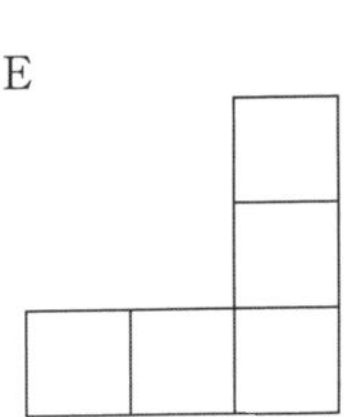

1　A，B，C
2　A，C，E
3　B，C，E
4　B，D，E
5　C，D，E

解説

この種の問題では，まず枚数の検討を行ってみるとよい。問題の図形は正方形15枚でできている。(A，B，C)，(B，C，E) だと14枚，(C，D，E) だと16枚となってしまうので，**1**，**3**，**5**は誤りである。**2**，**4**については，(A，C，E) のとき，次の図のように3種類を並べて問題図のようにすることが可能である。

よって，正答は**2**である。

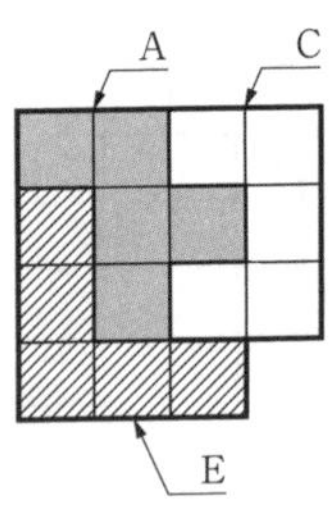

正答　**2**

大卒警察官

No. 264 7月型

判断推理　2種類の板を並べる方法　平成17年度

図Ⅰのような2×5の長方形を，図Ⅱにある2×1の長方形，2×2の正方形で透き間なく敷き詰めたい。図Ⅱの長方形，正方形は重ねてはいけないものとし，また2×2の正方形は使わなくてもよいものとすると，敷き詰め方は全部で何通りあるか。

1　13通り
2　15通り
3　17通り
4　19通り
5　21通り

図Ⅰ　図Ⅱ

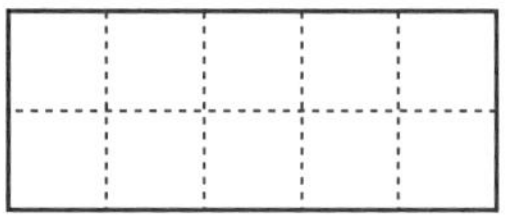

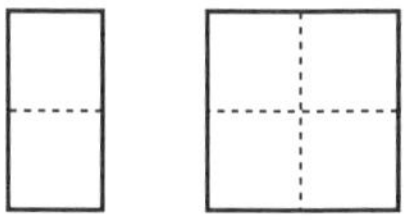

解説

まず，2×1の長方形5枚で敷き詰めることを考えると，5枚とも縦にして並べるのが1通り，その中から隣り合う2枚を横にして並べるのが4通り，1枚だけを縦にして並べるのが3通りで，全部で8通りある。次に，2×1の長方形を3枚，2×2の正方形を1枚使うと，2×1の長方形を3枚とも縦にする並べ方が4通り，1枚だけを縦にする並べ方が6通りで，10通りである。さらに，2×1の長方形1枚，2×2の正方形2枚を使う並べ方が3通りあるから，合計で8+10+3=21〔通り〕となり，正答は**5**である。

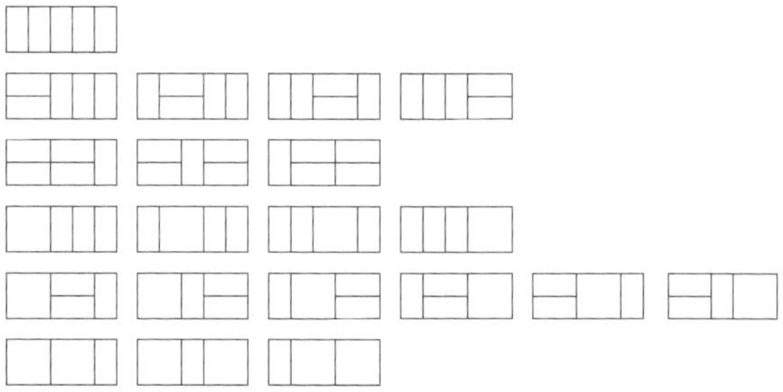

正答　5

No. 265 判断推理 紙テープの見え方 平成30年度

図Ⅰのように表面の下半分が灰色で，裏面は無地の長い紙テープがある。この紙テープを図Ⅱのように折っていったとき，アとイの部分の見え方の組合せとして正しいものはどれか。

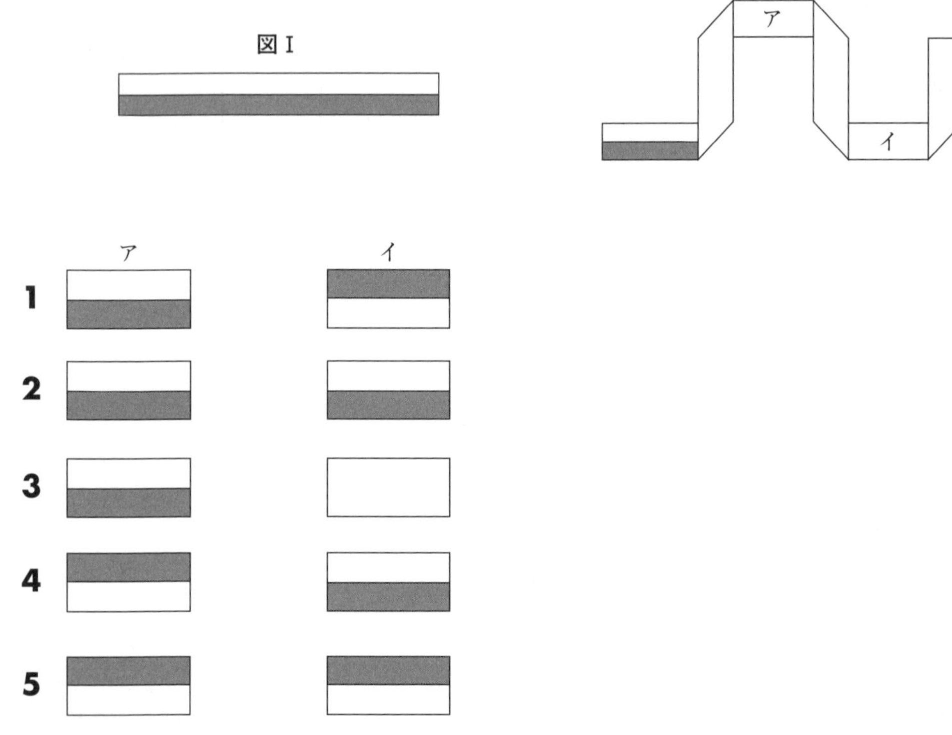

解説

実際に図Ⅱの折り曲げた部分に色をつけていけばよい。裏面および見えない部分は斜線で表すと，折り曲げていった様子は次のようになる。

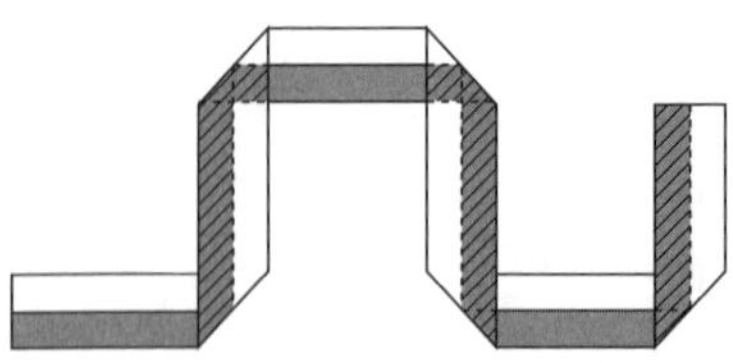

この図より，ア，イともに，見えている部分は表面で，下半分が灰色であるとわかる。
よって，正答は**2**である。

正答 2

神奈川県

No. 266 判断推理 折り紙 平成27年度

図のように，正方形の紙を３回折った後，太線部分で切断し，灰色部分を取り除いた。この紙を再び展開したときの図として，正しいのはどれか。

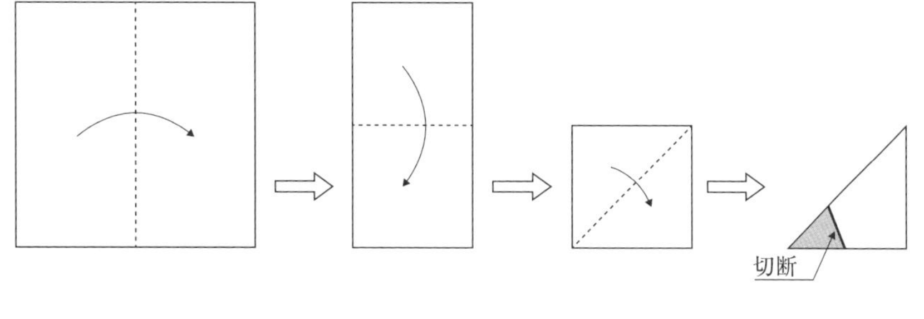

1
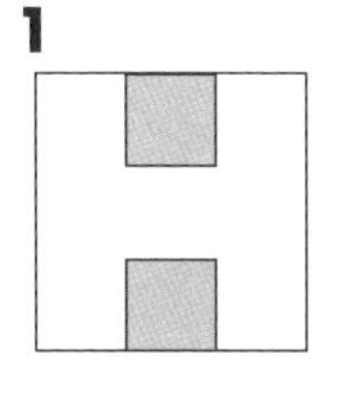

2
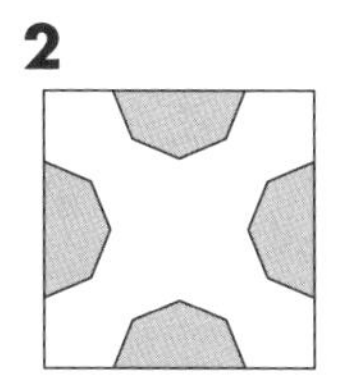

3
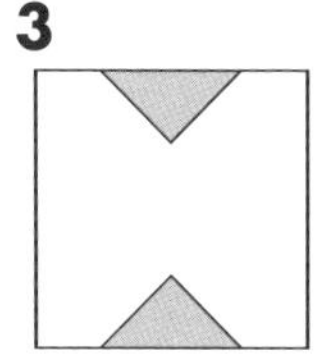

4
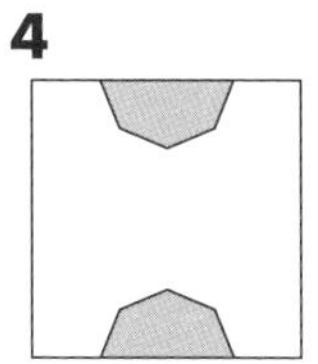

5
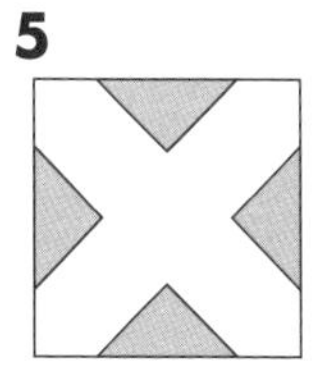

解説

折ったときと逆順に紙を展開していけばよい。このとき，切断した部分を折り目に対して線対称となるように広げていくと，次の図のようになる。

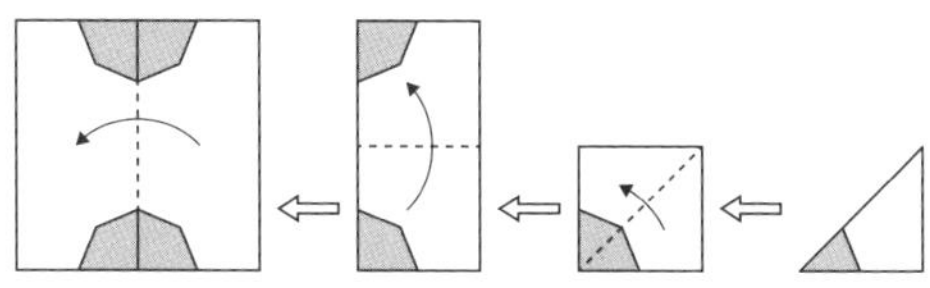

よって，正答は**4**である。

正答 4

大卒警察官 No. 267 5月型

判断推理　3か所を通る最短経路　平成18年度

次の図のような街路をAからBまで歩くとき，P，Q，Rの3か所を必ず通るものとすると，その最短経路は何通りあることになるか。ただし，同じ道を通ってもよいものとする。

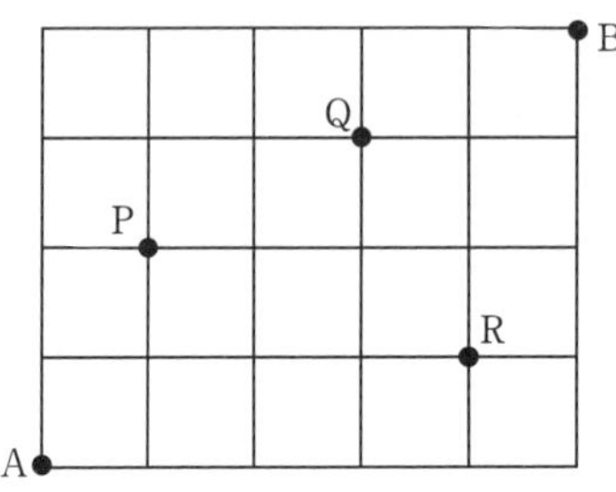

1　54通り
2　108通り
3　162通り
4　216通り
5　270通り

解説

AからBまで歩くのに，P，Q，Rを必ず通る最短経路を考えると，Pより先にQ，Rを通るとA→Pと歩くより距離が遠くなる。A→P→Q→R→Bと歩いても，A→P→R→Q→Bと歩いても，最短経路なら歩く距離は13区画で同一である。AP間の最短経路は3通り，PQ間，QR間，QB間の最短経路も3通りずつある。PR間，RB間の最短経路は4通りである。

したがって，A→P→Q→R→Bと歩く最短経路は，

$3\times3\times3\times4=108$〔通り〕

A→P→R→Q→Bと歩く最短経路は，

$3\times4\times3\times3=108$〔通り〕

で，全部で216通りあることになる。

よって，正答は**4**である。

正答　4

No.268 警視庁 判断推理 2点を移動する経路の数 平成17年度

下の図は一辺1cmの正三角形を並べたものである。いま，点Pから点Qまで4cmで移動したい。同じ点を二度通ってはならないとすると，行き方は全部で何通りあるか。

1　9通り
2　12通り
3　15通り
4　18通り
5　21通り

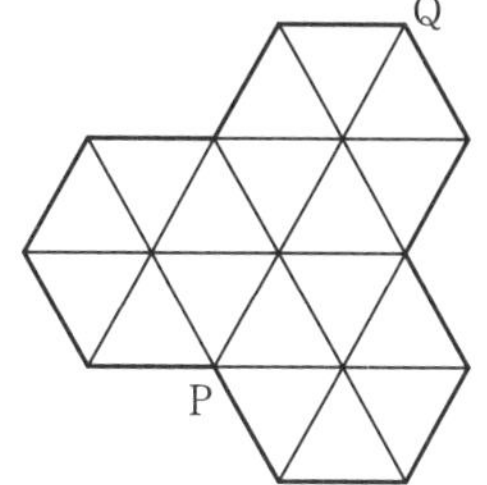

解説

点Pから点Qまで同じ点を2度通らずに4cmで移動するとすれば，利用できる経路は図Ⅰの範囲に限られる。ここで，2点PQを結ぶ直線より右側だけを利用することを考えると，図Ⅰ－1～6までの6通りがある。図の対称性から左側を利用する経路も6通りが考えられるので，全部で12通りとなり，正答は**2**である。

図Ⅰ　図Ⅰ－1　図Ⅰ－2　図Ⅰ－3

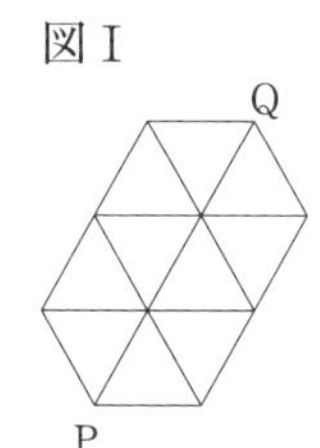

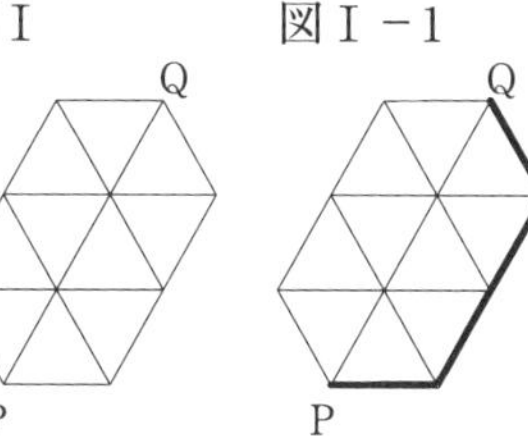

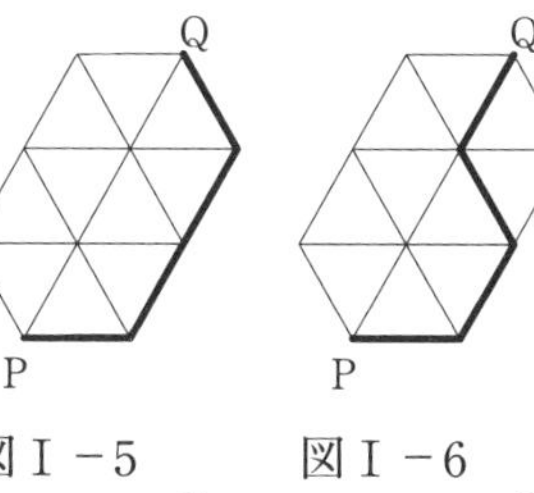

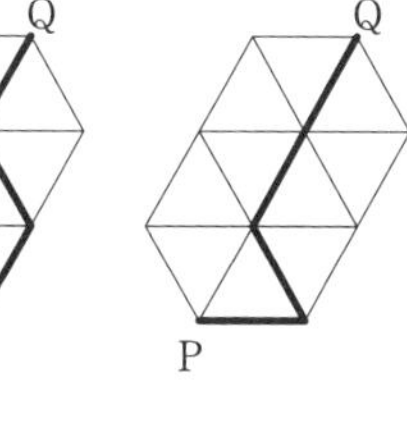

図Ⅰ－4　図Ⅰ－5　図Ⅰ－6

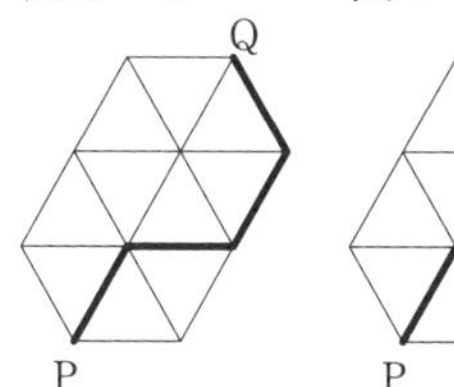

正答　2

大卒警察官

No. 269 警視庁

判断推理　軌　跡　平成27年度

図のような立方体ABCD－EFGHと，その辺の上を動く2つの点P，Qがある。点Pは頂点Aを出発し，AB，BC，CG，GH，HD，DAの各辺をこの順に一定の速度で移動する。点Qは点Pと同時に頂点Gを出発し，GF，FB，BA，AD，DC，CGの各辺をこの順に点Pと等しい速度で移動する。このとき，点Pと点Qを結ぶ線分の中点の軌跡を正方形ABCDに投影したものとして，最も妥当なのはどれか。

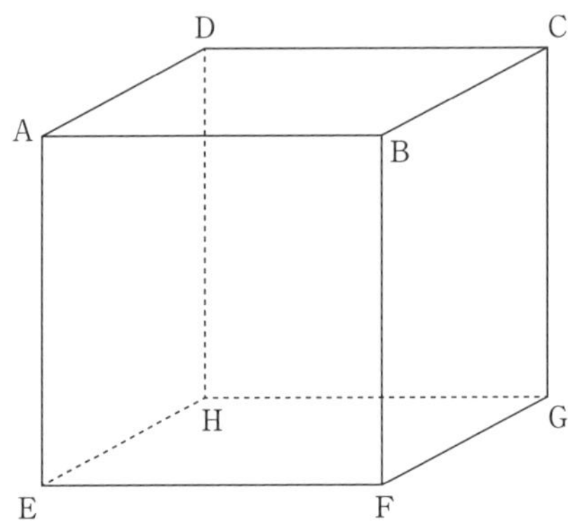

1

2

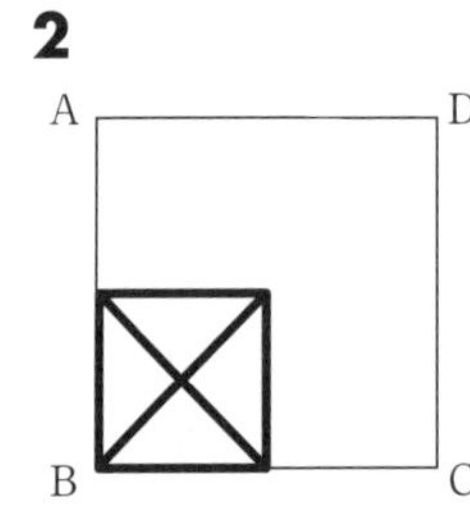

3

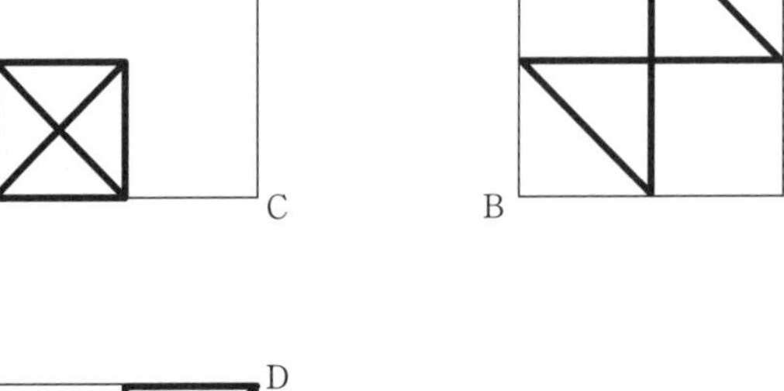

4

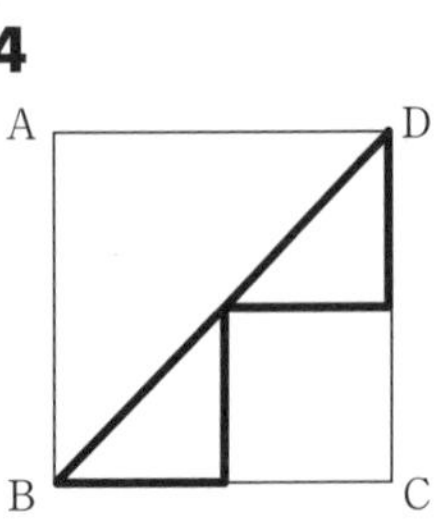

5

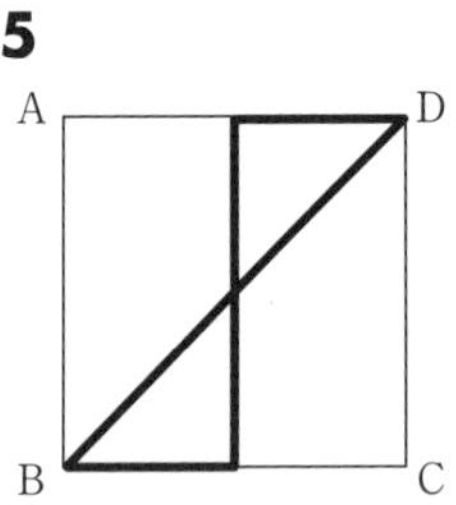

解説

点Pが頂点A→B，点Qが頂点G→Fと移動するとき，スタート時の点Pが頂点A，点Qが頂点Gにいる段階では，線分PQは立方体の対角線AGに一致するので，その中点を正方形ABCDに投影すると，図の点Oとなる。そこから，点PがBへ，点QがFへ向かうと，正方形ABCDの側から見れば，点Pは頂点AからBへ，点Qは頂点CからBへ向かって移動することになる。この場合，線分PQの動きは対角線ACが頂点Bの方向へ平行移動するように投影されるので，線分PQの中点の軌跡は，図の線分OBに投影される（①）。次に，点Pが頂点B→C，点Qが頂点F→Bと移動するとき，正方形ABCDの側からは，点Pだけが頂点BからCへ動き，点Qは頂点Bにとどまるように見えるので，その中点は頂点Bから辺BCの中点Eまでの動きとなる（②）。点Pが頂点C→G，点Qが頂点B→Aと移動すると，点Pが頂点Gに，点Qが頂点Aに移動した時点で，その中点は図のOとなるので，そこまでの軌跡は③として投影される。その後は，点Pが頂点H，点Qが頂点Dとなった時点で中点は頂点Dに投影されるので，そこまでの軌跡は④，点Pが頂点D，点Qが頂点Cに移動した段階で中点は辺CDの中点Fに投影されるので，そこまでの軌跡は⑤となる。そして，最終的に点Pが頂点Aに，点Qが頂点Gに戻れば，その中点は再び点Oに投影されるので，そこまでの軌跡は⑥となる。

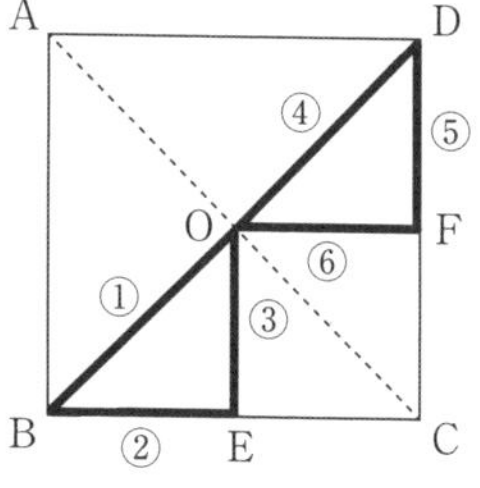

よって，正答は**4**である。

正答　4

大卒警察官
No. 270
5月型

判断推理　長方形の内部にある点の軌跡　平成24年度

図の長方形が，直線 l 上を滑ることなく1回転するとき，長方形の内部にある点Pが描く軌跡として正しいのはどれか。

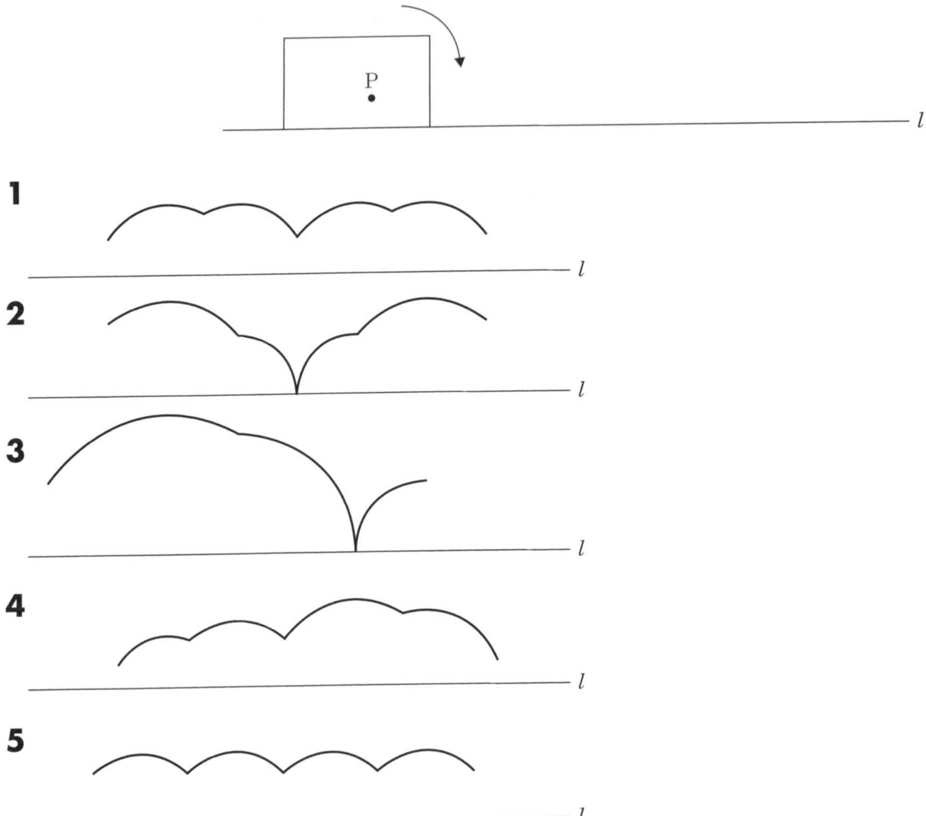

解説

直線図形が回転するとき，図形内の1点が描く軌跡（弧になる）については，①回転中心，②回転半径，③回転角度，の3項目を考えればよい。この問題では，回転する図形は長方形なので，回転中心は長方形の頂点となり，4頂点が順に回転中心となる。また，回転半径はそれぞれ点Pから各頂点までの距離である。回転角度は，長方形の場合は毎回90°である。図のように長方形ABCDとすると，A→B→C→Dの順に回転中心となる。回転半径はAP→BP→CP→DPの順であり，CPが最も長いので，3番目の弧が最も大きくなる。また，点Pは図形の内部にあるので，点Pの軌跡が直線 l 上に達することはない。この図の軌跡と一致するのは**4**であるので，正答は**4**である。

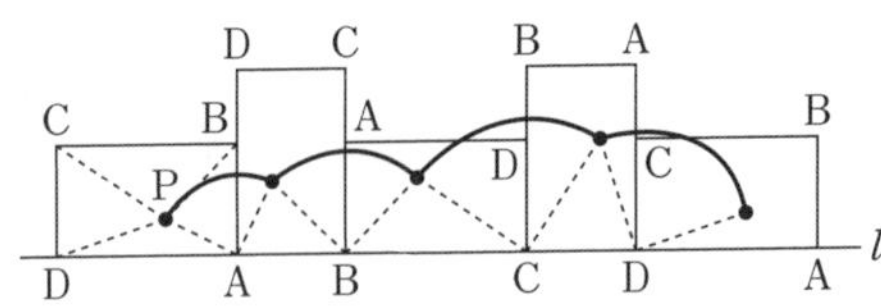

正答　4

△ABC の辺 AC 上を点 P が，辺 BC 上を点 Q が自由に移動できるものとするとき，線分 PQ の中点 M が動きうる範囲を斜線で示した図として正しいものは，次のうちどれか。

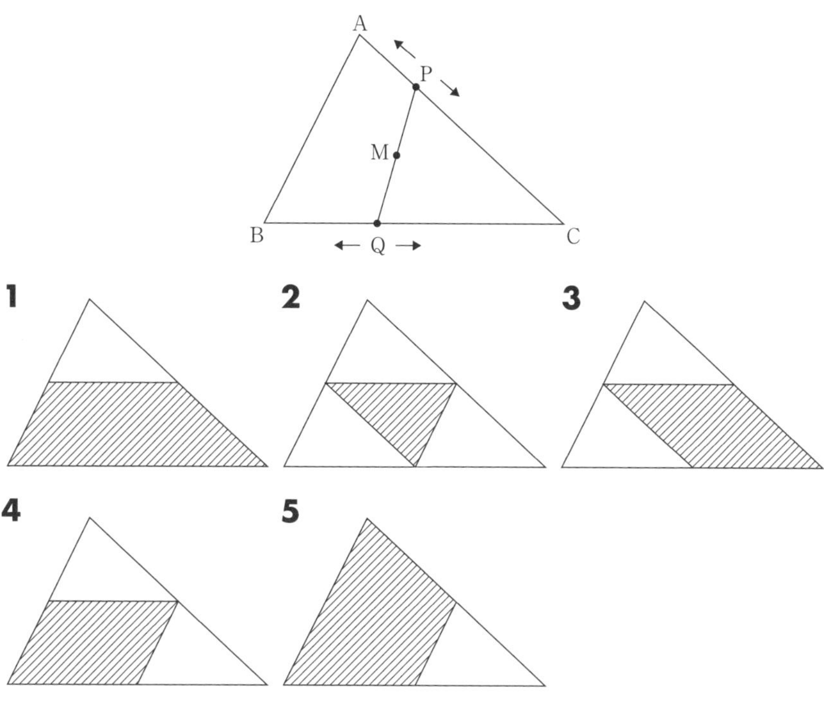

解説

点 P を頂点 A に固定して点 Q だけを辺 BC 上で動かすと，線分 PQ の中点 M の軌跡は，辺 AB と辺 AC の中点を結ぶ線分となり，点 P を動かしても点 M はこの線分より頂点 A 寄りの部分には移動できない（辺 BC 寄りの部分には移動できる）。また，点 Q を頂点 B に固定して点 P だけを辺 AC 上で動かすと，線分 PQ の中点 M の軌跡は，辺 AB と辺 BC の中点を結ぶ線分となり，点 Q を動かしても点 M はこの線分より頂点 B 寄りの部分には移動できない（辺 AC 寄りの部分には移動できる）。つまり，点 M は下の図の灰色部分を動くことができず，点 M が動ける範囲は斜線部分だけである。したがって，正答は**3**である。

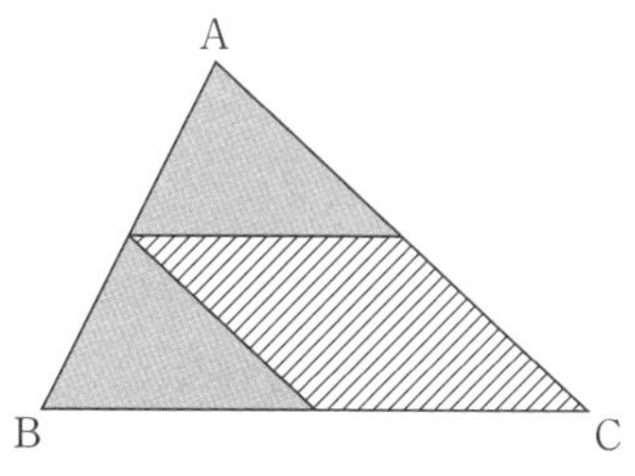

正答　3

大卒警察官

No. 272 5月型

判断推理　点の描く軌跡　平成30年度

図のように円Bが円Aに内接している。円Aと円Bの半径の比は2：1である。円Bが円Aの内部を滑ることなく回転するとき，円Bの内部の点Pの描く軌跡として妥当なものはどれか。

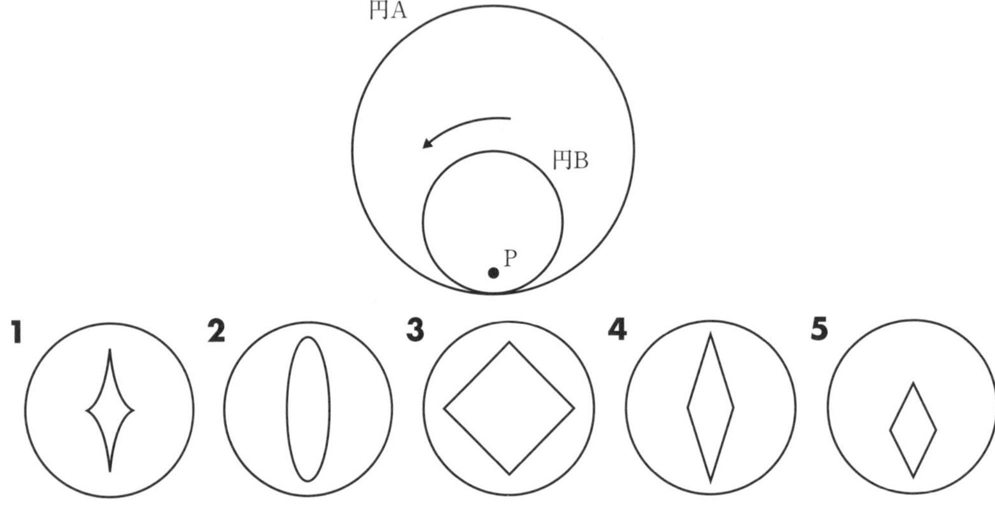

解説

まず，確認しやすい点を考える。次の図のように，円A：円B＝2：1より，円の内部を$\frac{1}{2}$移動したときは，スタート時とちょうど反対側に点Pがあり，$\frac{1}{4}$もしくは$\frac{3}{4}$移動したときには，円の中心に近い位置に点Pがある。

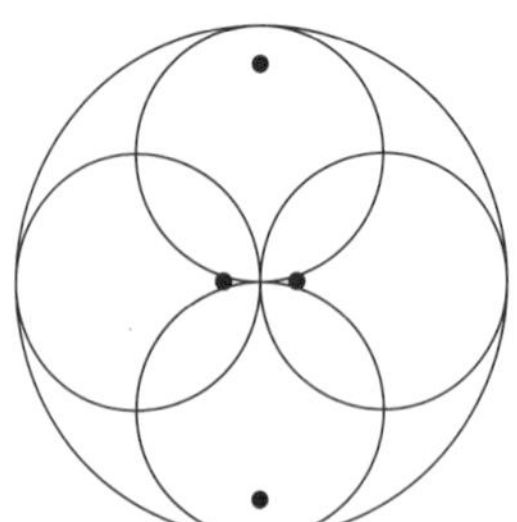

ここまでで，選択肢は**1**，**2**，**4**に絞られる。ここで，円の比率が2：1のとき，内側の円の円周上の点であれば，軌跡は直線を描くが，それ以外の点の場合は曲線を描く。また，この場合，外側の円の円周の形に沿った曲線を描くのでだ円になる。

よって，正答は**2**である。

正答　**2**

判断推理　点の描く軌跡　平成30年度

下の図は半円の直径と直角二等辺三角形の斜辺を重ねてできたもので，点Pは半円の中心である。この図形を直線上を滑ることなく転がしたときの点Pの軌跡として，最も妥当なのはどれか。

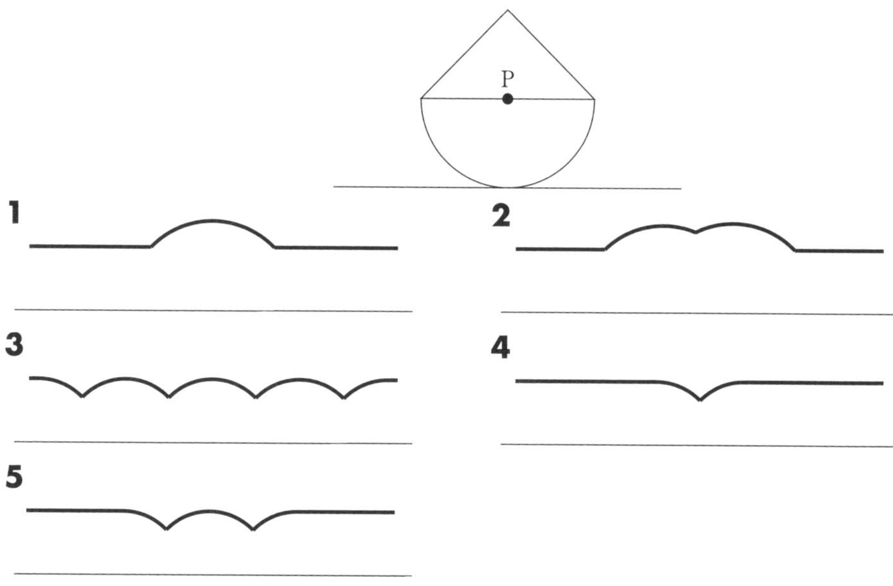

解説

図Ⅰのように，直角二等辺三角形の頂点をA，B，Cとする。△ABCは直角二等辺三角形で，点Pは斜辺BCの中点なので，AP＝BP＝CPとなる。

点Pは半円の中心なので，この図形を，直線上を滑ることなく転がしたとき，弧BCが直線と接している間は，点Pの軌跡は転がる直線と平行な直線となる（図Ⅱの①）。半円の直径BCが直線と垂直になった後は，点Pの軌跡は点Cを中心としてCPを半径とする弧を描く（図Ⅱの②）。直角二等辺三角形の辺ACが直線と接するところまで回転すると，今度は，点Pの軌跡は点Aを中心としてAPを半径とする弧を描く（図Ⅱの③）。同様に，直角二等辺三角形の辺ABが直線と接するところまで回転すると，点Pの軌跡は点Bを中心としてBPを半径とする弧を描く（図Ⅱの④）。半円の直径BCが直線と垂直になるところまで回転すると，それ以降は弧BCが直線と接するので，点Pの軌跡は再び転がる直線と平行な直線となる（図Ⅱの⑤）。

以上の軌跡の変化をまとめたものが，図Ⅱである。

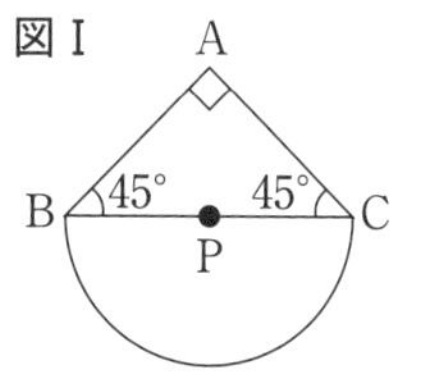

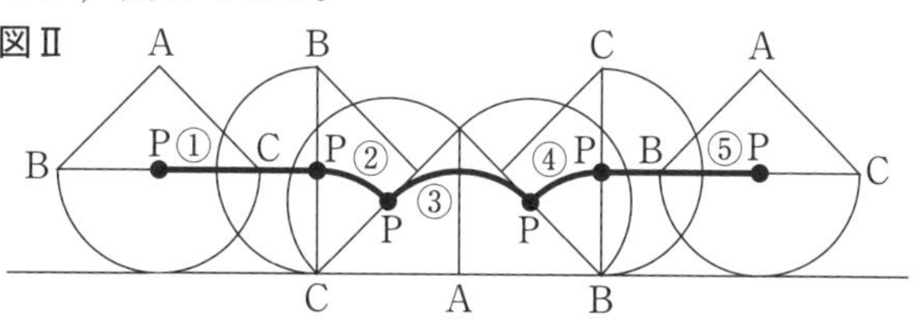

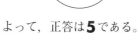

よって，正答は**5**である。

正答　5

判断推理　軌跡の面積　平成16年度

図のように，1辺の長さ1cmの正方形が直線 l 上を滑ることなく回転して行き，P点が P′の位置に来るまで移動した。このとき，P点の描く軌跡と直線 l とで囲まれた図形の面積はいくらになるか。

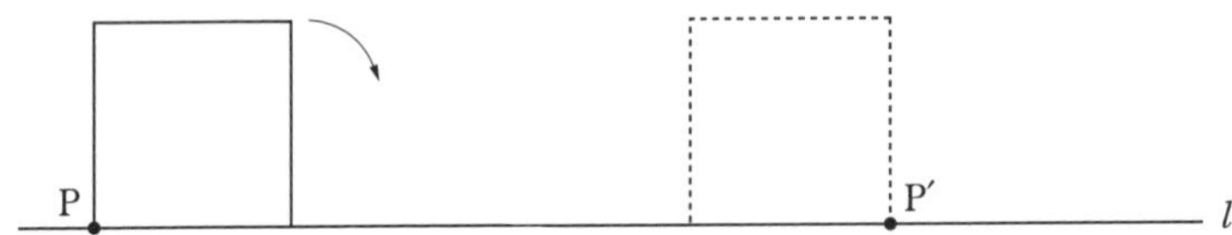

1　$(\pi+1)\text{cm}^2$
2　$(\pi+2)\text{cm}^2$
3　$2\pi\ \text{cm}^2$
4　$\frac{5}{2}\pi\ \text{cm}^2$
5　$(2\pi+2)\text{cm}^2$

P点の描く軌跡は図のようになる。

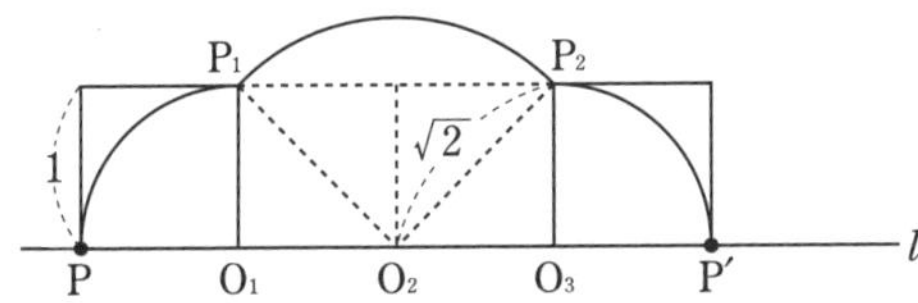

求める面積は，扇形 O_1PP_1，扇形 O_3P_2P'，扇形 $O_2P_1P_2$，直角二等辺三角形 $P_1O_1O_2$，直角二等辺三角形 $P_2O_2O_3$ に分解して計算する。

扇形 $O_1PP_1=\pi\times1^2\times\frac{1}{4}=\frac{\pi}{4}$

扇形 $O_3P_2P'=\frac{\pi}{4}$

扇形 $O_2P_1P_2=\pi\times(\sqrt{2})^2\times\frac{1}{4}=\frac{\pi}{2}$

直角二等辺三角形 $P_1O_1O_2=1\times1\times\frac{1}{2}=\frac{1}{2}$

直角二等辺三角形 $P_2O_2O_3=\frac{1}{2}$

よって，求める面積は，

$\frac{\pi}{4}\times2+\frac{\pi}{2}+\frac{1}{2}\times2=\pi+1$〔$\text{cm}^2$〕

したがって，正答は**1**である。

正答　1

大卒警察官

警視庁

No.275 判断推理 正八面体の内部の多面体 令和2年度

正八面体があり，各辺の中点を頂点とする多面体を内部に作った。この多面体に関する記述として，最も妥当なのはどれか。

1 辺の数は18本である。
2 面の数は12面である。
3 頂点の数は正十二面体と同じである。
4 辺の数は正十二面体と同じである。
5 頂点の数は正二十面体と同じである。

解説

正八面体の各辺の中点を頂点とする多面体は，次の図Ⅰのように，正三角形の面と正方形の面からなっている。また，正十二面体と正二十面体の見取図は，図Ⅱと図Ⅲのとおりである。

図Ⅰ

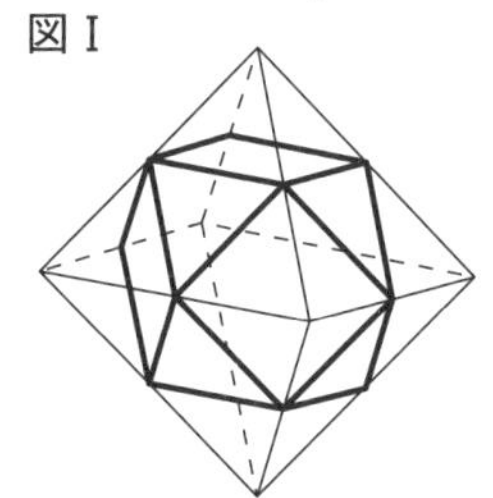

正八面体と内部の多面体

図Ⅱ

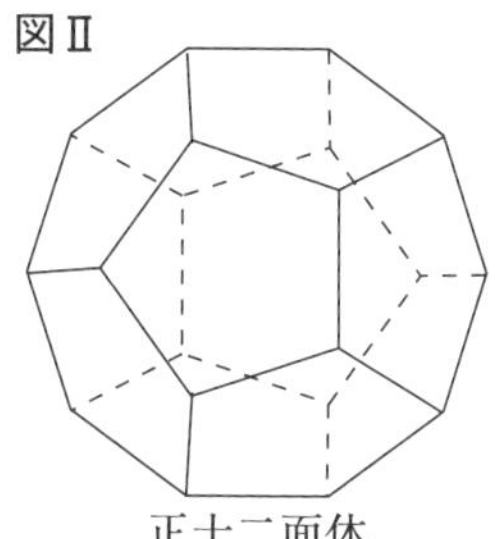

正十二面体

図Ⅲ

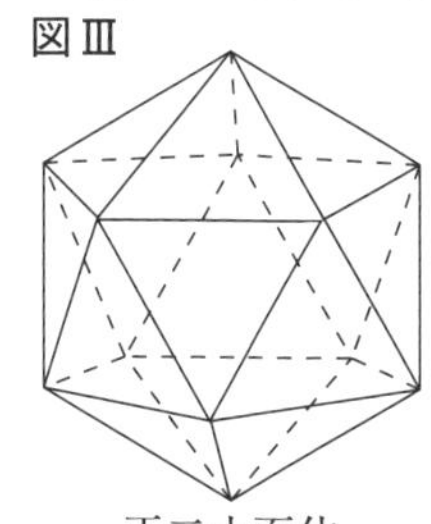

正二十面体

図Ⅰの内部の多面体は，元の正八面体の面があったところには正三角形が残り，正八面体の頂点があったところには正方形の面ができている。したがって，この多面体は，正三角形の面が8面と正方形の面が6面からなる十四面体である。

この十四面体の頂点は，すべて元の正八面体の辺の中点なので，その個数は正八面体の辺の数と同じである。正八面体には正三角形の面が8面あるので，辺の延べ数は3×8＝24〔本〕である。1本の辺は2つの面で共有されているので，実際の辺の数は辺の延べ数の$\frac{1}{2}$であり，24÷2＝12〔本〕である。したがって，十四面体の頂点の数は12個である。

また，この十四面体の辺の数を考えると，正三角形（辺は3本）が8面と正方形（辺は4本）が6面あるので，辺の延べ数は3×8＋4×6＝48〔本〕である。1本の辺は2つの面で共有されているので，十四面体の辺の数は48÷2＝24〔本〕である。

一方，正十二面体の頂点の数と辺の数について考えると，正十二面体には正五角形の面が12面あるので，頂点の延べ数は5×12＝60〔個〕，辺の延べ数は5×12＝60〔本〕である。1個の頂点は3つの面で共有されており，1本の辺は2つの面で共有されているので，実際の頂点の数は60÷3＝20〔個〕，辺の数は60÷2＝30〔本〕となる。

さらに，正二十面体の頂点の数については，正二十面体には正三角形の面が20面あるので，頂点の延べ数は3×20＝60〔個〕で，1個の頂点は5つの面で共有されているので，実際の頂点の数は60÷5＝12〔個〕である。

以上のことを踏まえて，各選択肢を検証していく。

1．十四面体の辺の数は24本である。
2．十四面体の面の数は14面である。
3．十四面体の頂点の数は12個，正十二面体のそれは20個なので，異なる。
4．十四面体の辺の数は24本，正十二面体のそれは30本なので，異なる。
5．妥当である。十四面体も正二十面体も頂点の数は12個である。

正答 5

数学 物理 化学 生物 地学 文章理解 判断推理 数的推理 資料解釈

大卒警察官

No. 276 5月型

判断推理　正四面体の辺の中点を結ぶ最短距離　平成24年度

図のような，１辺の長さが６cmの正四面体ABCDがある。この正四面体の表面上を，辺ABの中点Mから４つの面すべてを通って１周する最短の長さとして，正しいのはどれか。

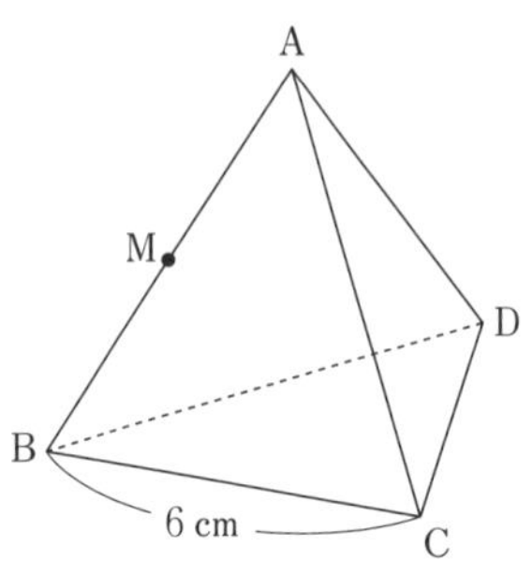

1　$6\sqrt{3}$ cm
2　$6\sqrt{6}$ cm
3　12cm
4　$12\sqrt{3}$ cm
5　$12\sqrt{6}$ cm

解説

立体表面上での最短距離は，展開図での平面上の最短の長さである。正四面体ABCDの展開図として図Ⅰを用意すれば，点Mからすべての面を通って１周する最短の長さは正四面体の辺と平行な直線分となり，その長さは12cmである（正四面体の各面を１列に並べた展開図は，全体で平行四辺形となる）。立体の表面上で見た場合は図Ⅱ（各面において，中点連結定理より３cm）のようになる。

よって，正答は**3**である。

図Ⅰ　図Ⅱ

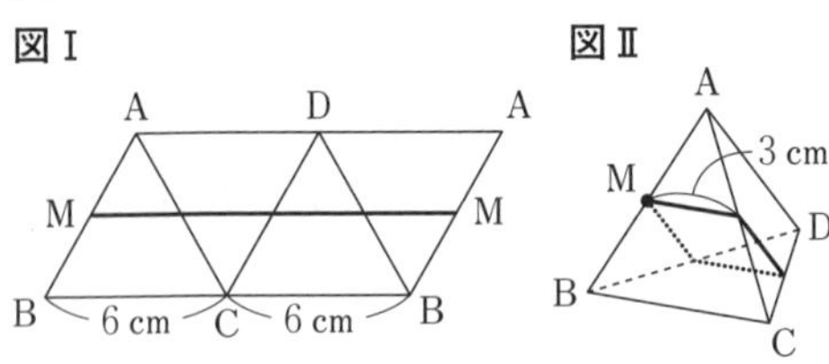

正答　3

大卒警察官

5月型

No. 277 判断推理

立方体

平成25年度

図は，立方体の頂点のうちの４か所に黒い点を付けたものである（１か所は見えない部分の頂点に付けられている）。この立方体の黒い点の配置と同じ配置となる立方体として，正しいのはどれか。

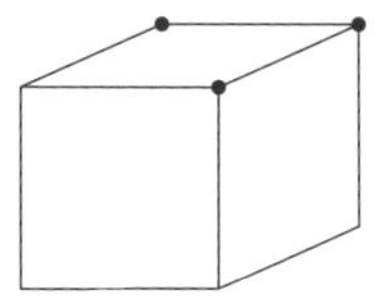

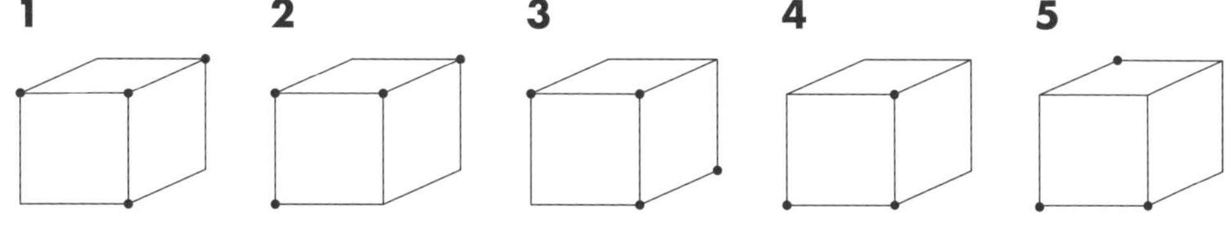

解説

問題図の立方体の４か所目の黒い点を示すと図Ⅰのようになる。

図Ⅰ

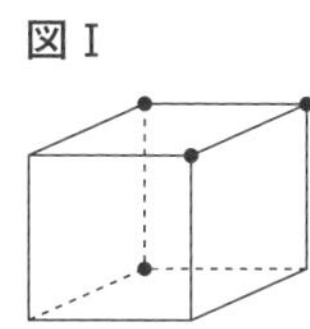

選択肢にある立方体も同様にしてみると，次のようになる。

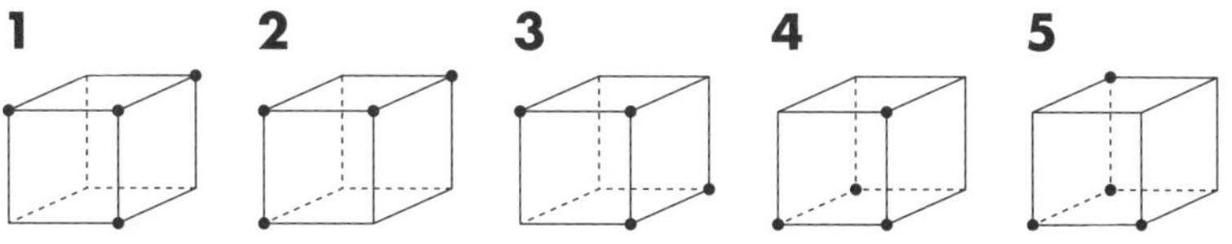

1は，方向を変えてみると図Ⅱのようになり，下段の黒い点の位置が一致しない。**2**～**4**は，方向を変えてみるとすべて図Ⅲとなり，やはり下段の黒い点の位置が一致しない。**5**は，上下を反転させてみると図Ⅰとなり，４か所の黒い点の位置はすべて一致する。

図Ⅱ　図Ⅲ

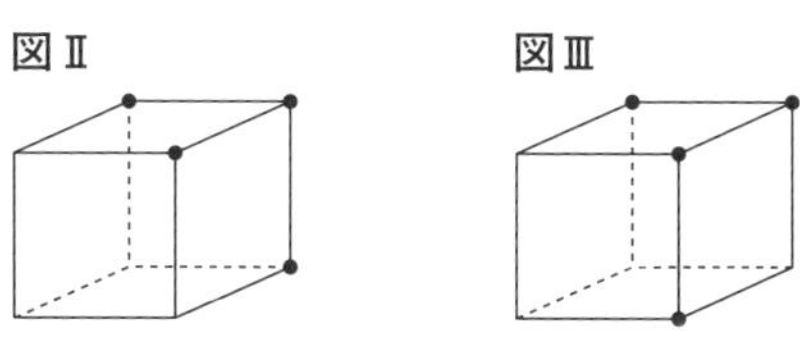

よって，正答は**5**である。

正答　5

下図は立方体の2つの角を切り落としてできた立体である。この立体の展開図として最も妥当なのはどれか。

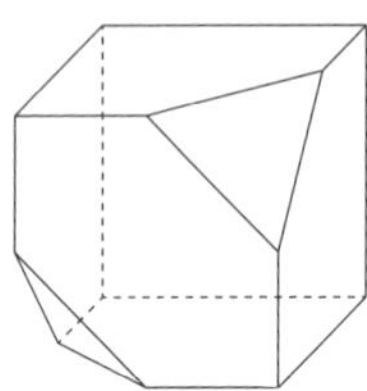

1

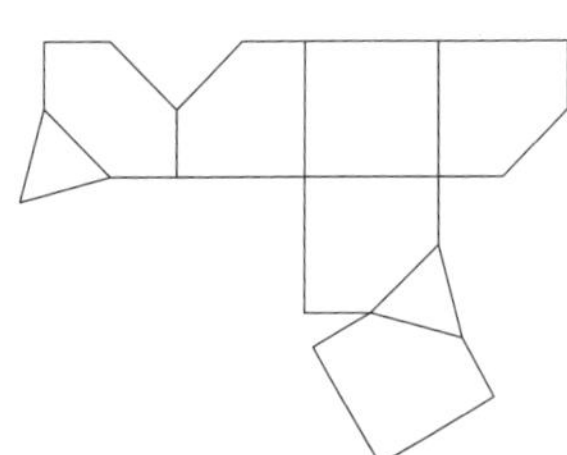

2

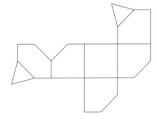

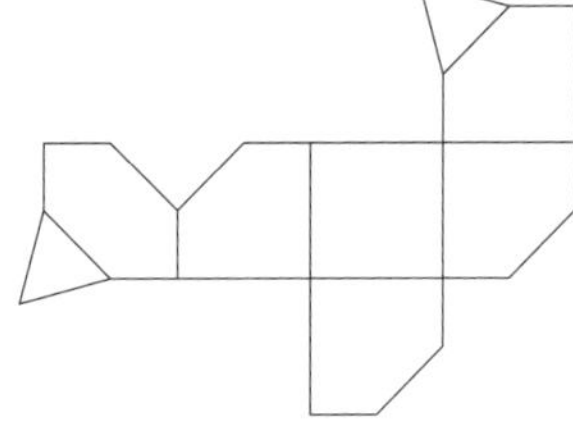

3

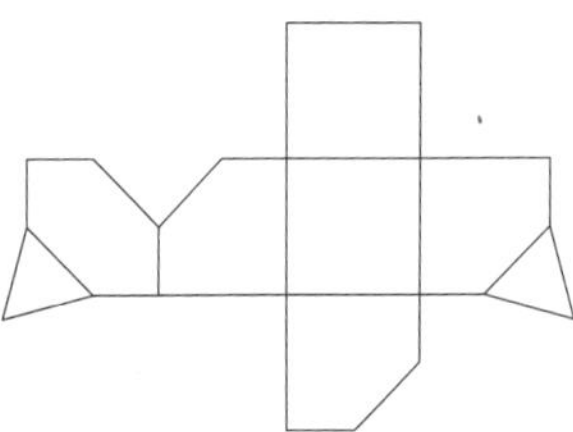

4

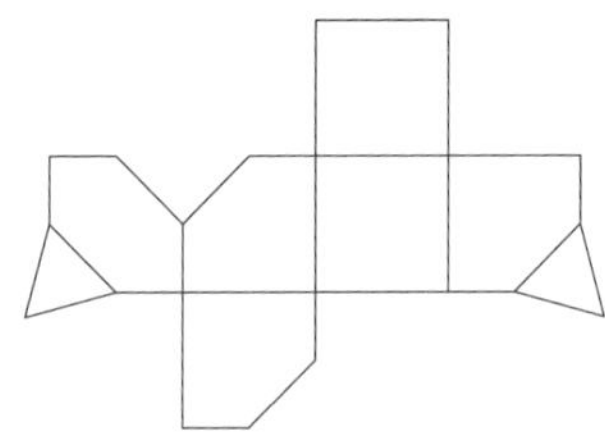

5

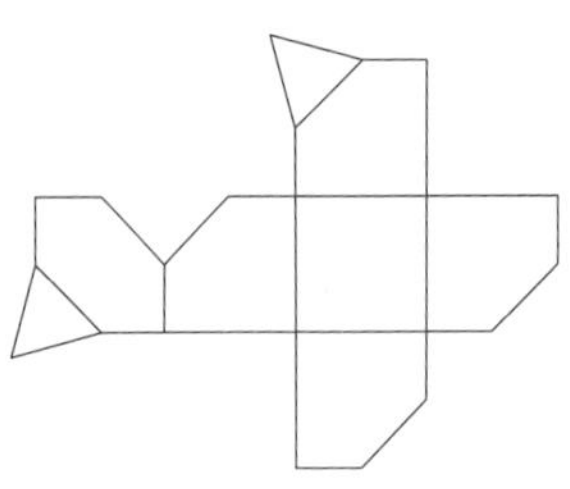

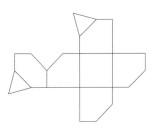

この立体の展開図では，図Ⅰのように六角形の面の両側に三角形の面がなければならない。**1**は，三角形の面の1つが五角形の3面に囲まれてしまう（図Ⅱ）。**2**は，三角形の1面が正方形の面および五角形の面と重なってしまう（図Ⅲ）。**3**は，三角形の2面が重なることになる（図Ⅳ）。**4**も同様である。**5**は，面を移動させると図Ⅴのようになり，この立体の展開図として成り立っている。よって，正答は**5**である。

図Ⅰ

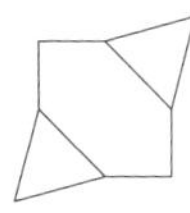

図Ⅱ

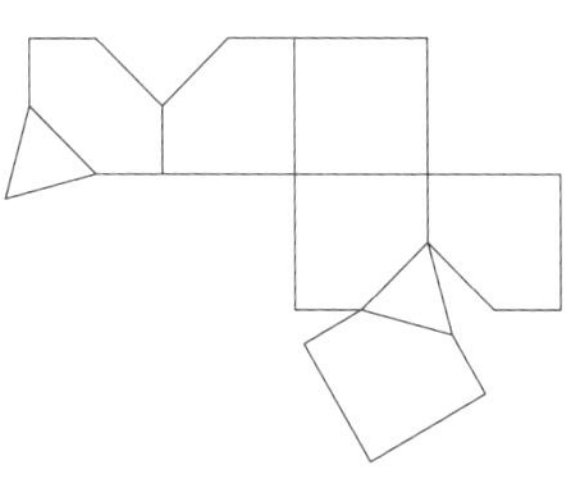

図Ⅲ

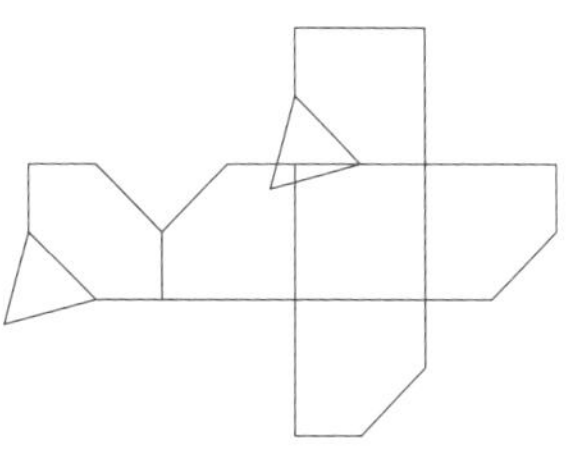

図Ⅳ

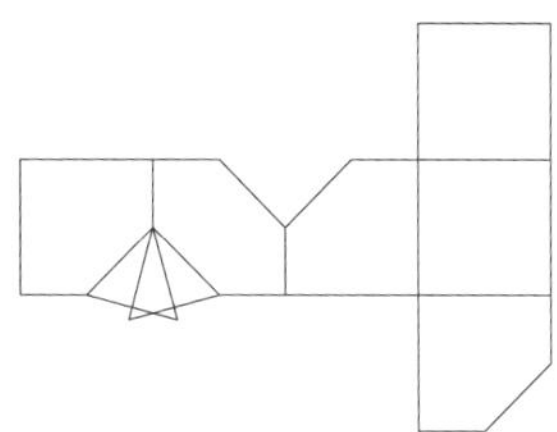

図Ⅴ

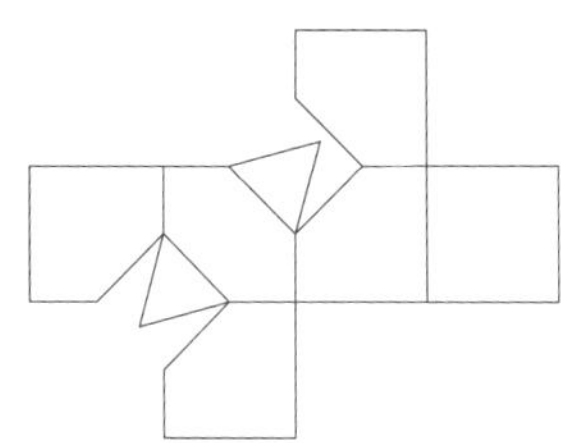

正答　5

数学
物理
化学
生物
地学
文章理解
判断推理
数的推理
資料解釈

大卒警察官

No. 279 警視庁 判断推理

展開図

平成27年度

次の図は正八面体の展開図である。この正八面体において，太線の辺と直交する辺として，正しいのはどれか。

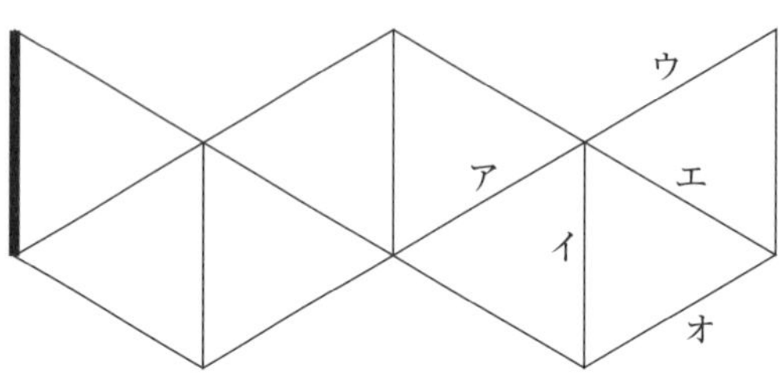

1 ア
2 イ
3 ウ
4 エ
5 オ

解説

問題の展開図の右端の辺をXとし，この展開図を組み立てて正八面体を作ったときに重なる辺どうしを線で結んでいくと，図Ⅰのようになる。また，このときの正八面体の見取図は図Ⅱのようになり，さらに，図Ⅱの見取図を頂点Aのほう（真上）から見ると，図Ⅲのようになる。

図Ⅰ

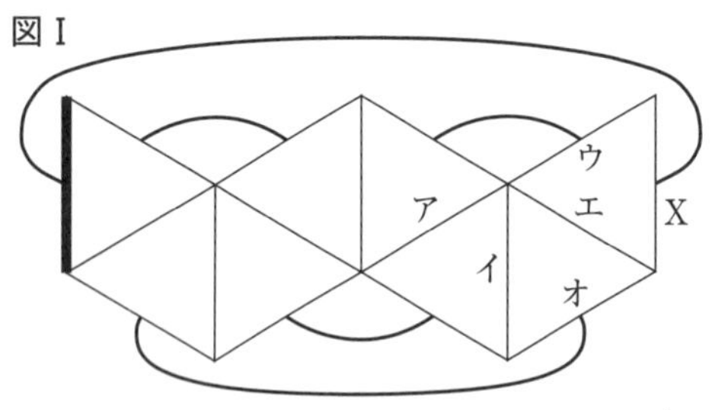

図Ⅱ

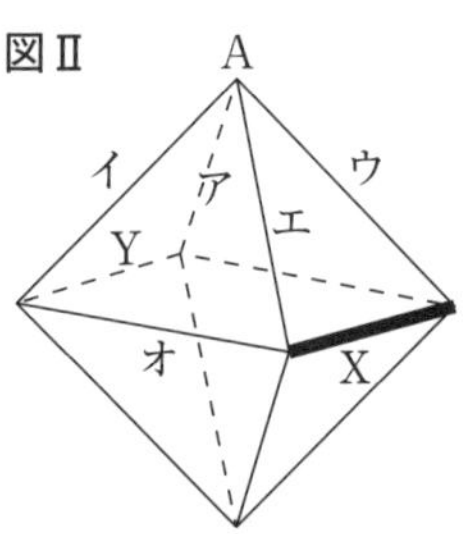

図Ⅲ

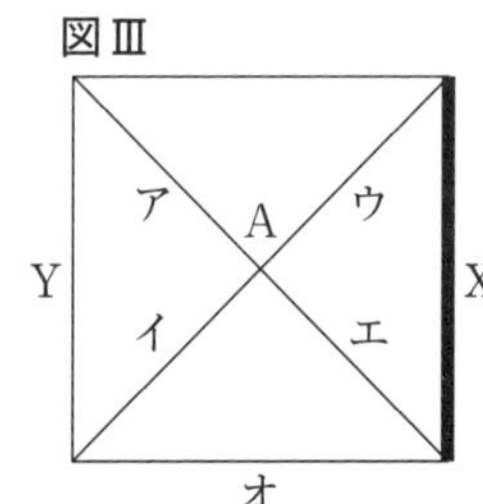

図Ⅰからわかるように，問題の展開図の太線の辺は右端のXの辺と重なる。

ここで，図Ⅱを見ると，Xとウ，エは同一平面上にあり，正三角形の3辺なので，Xとウ，エがなす角度はそれぞれ60°である。アとイについては，Xと反対側の平行な辺Yと同一平面上にあり，これも正三角形の3辺なので，XをYの位置に平行移動させて考えると，Xとア，イがなす角度はやはりそれぞれ60°である。

オについては，正八面体を上下2つの四角錐に分割した場合，その底面は正方形になるので，その正方形の隣り合う2辺であるXとオがなす角度は90°であり，X（展開図の太線の辺）とオは直交する（正八面体を真上から見た図Ⅲ参照）。

よって，正答は**5**である。

正答 5

判断推理　展開図　平成26年度

図のような正八面体の展開図を組み立てたとき，辺EHと共通する辺として，正しいのはどれか。

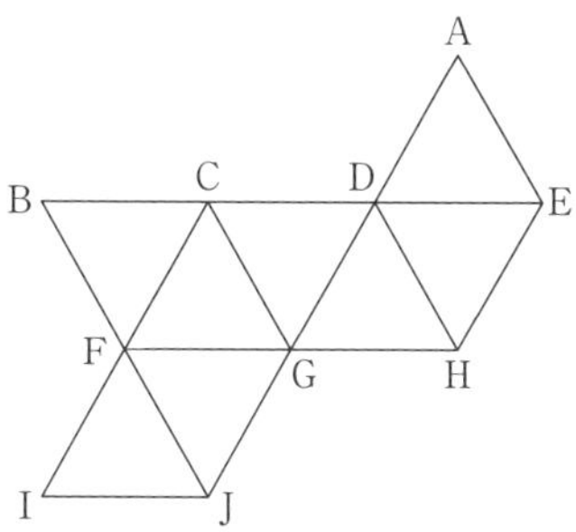

1　辺AE
2　辺BC
3　辺BF
4　辺GJ
5　辺IJ

解説

図Ⅰの正八面体ABCDEFを展開すると，どのような展開図としても，２面並んだひし形の長対角線方向の頂点は，A－F，B－D，C－Eが対応することになる（図Ⅱ）。

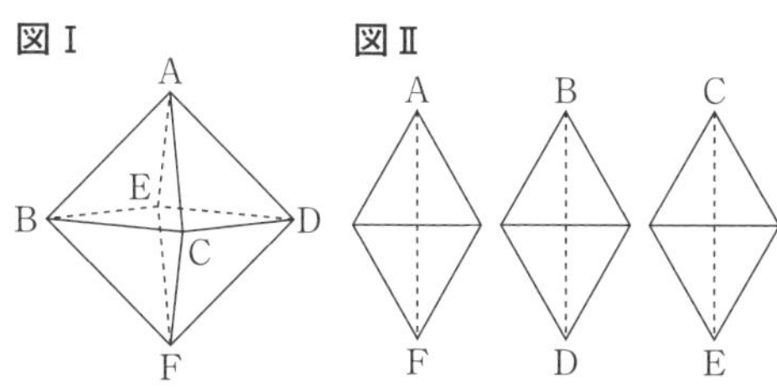

そこで，問題図の正八面体展開図について，右上の面を面ABCとして，各頂点にA～Fの記号を振ると，図Ⅲのようになる。問題図における辺EHは図Ⅲでは辺CFとなる。ほかに辺CFとなるのは，問題図では辺IJである。

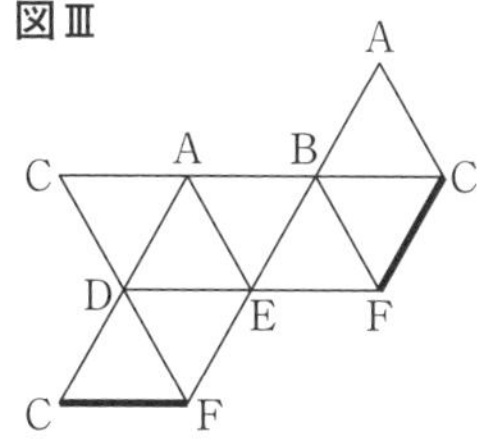

よって，正答は**5**である。

正答　5

大卒警察官

No. 281 警視庁 判断推理 展開図 平成30年度

下の展開図を組み立てた時にできる立体の頂点と辺の数の組合せとして，最も妥当なのはどれか。

	頂点の数	辺の数
1	12	20
2	12	24
3	16	20
4	16	24
5	18	24

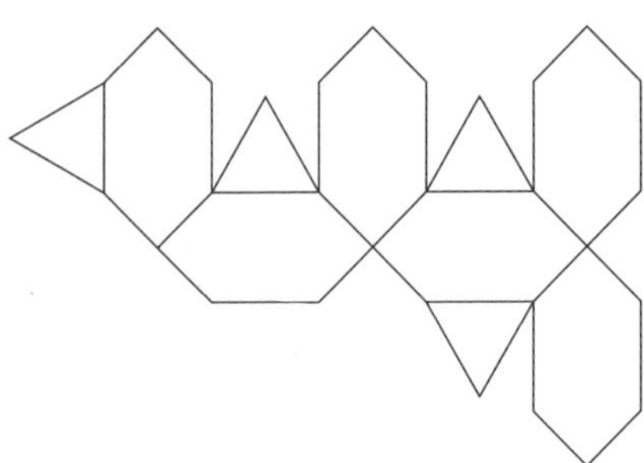

解説

問題の展開図は，4つの三角形と6つの六角形で構成されている。

まず，この展開図に含まれる頂点の延べ数を計算すると，三角形（頂点は3つ）が4つと六角形（頂点は6つ）が6つあるので，$3\times4+6\times6=48$〔個〕である。

また，この展開図に含まれる辺の延べ数を計算すると，三角形（辺は3本）が4つと六角形(辺は6本）が6つあるので，$3\times4+6\times6=48$〔本〕である。

ここで，この展開図を組み立てて立体を作ったときに重なる辺どうしを太線で結んでいくと，次の図Ⅰのようになる。また，実際に組み立てた立体の見取図は次の図Ⅱのようになる（立方体の4か所の頂点部分を切り落とした立体)。

図Ⅰ

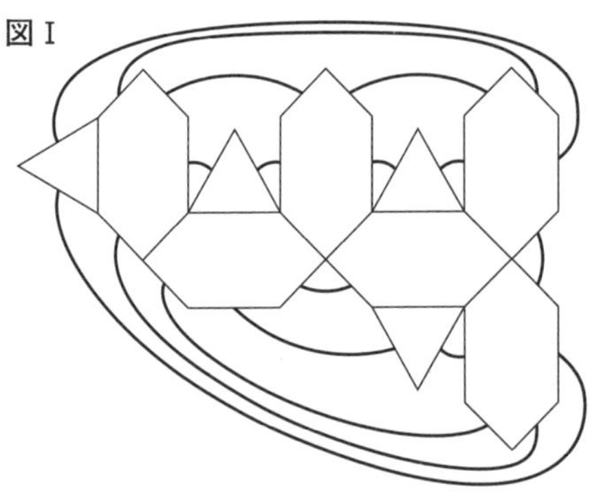

図Ⅱ

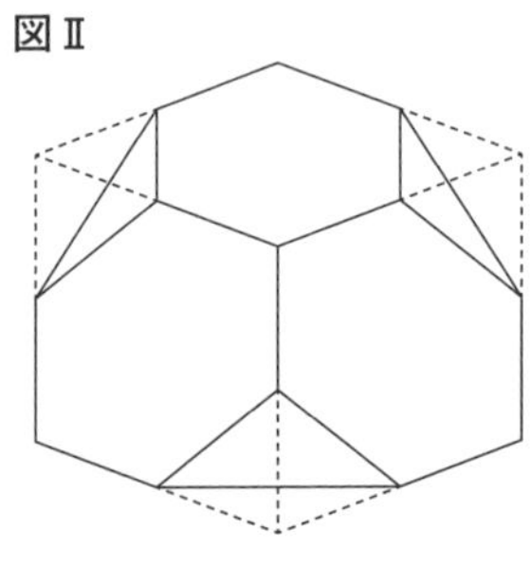

これらの図を見るとわかるように，立体上のどの頂点にも3つの面が集まっており，展開図上では別々の3つの面のそれぞれの1頂点として数えられている頂点が，立体上の頂点としては1個と数えられていることになる。したがって，立体の頂点の数は，展開図上の頂点の延べ数の$\frac{1}{3}$になるので，$48\div3=16$〔個〕となる。

一方，立体上のどの辺も2つの面で共有されており，展開図上では別々の2つの面のそれぞれの1辺として数えられている辺が，立体上の辺としては1本と数えられていることになる。したがって，立体の辺の数は，展開図上の辺の延べ数の$\frac{1}{2}$になるので，$48\div2=24$〔本〕となる。

よって，正答は**4**である。

正答 4

大卒警察官

No. 282 警視庁

判断推理　模様のある立体の展開図　平成17年度

表面に同じ模様の描かれた立方体を，同じ模様同士が接するように3個組み合わせた。そうしてできた立体を正面と右から見たのが下の図である。立方体の展開図として，妥当なものはどれか。

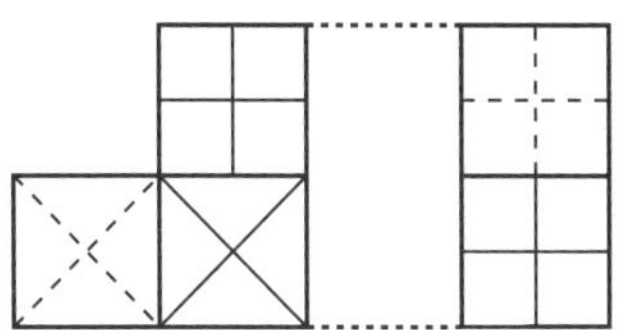

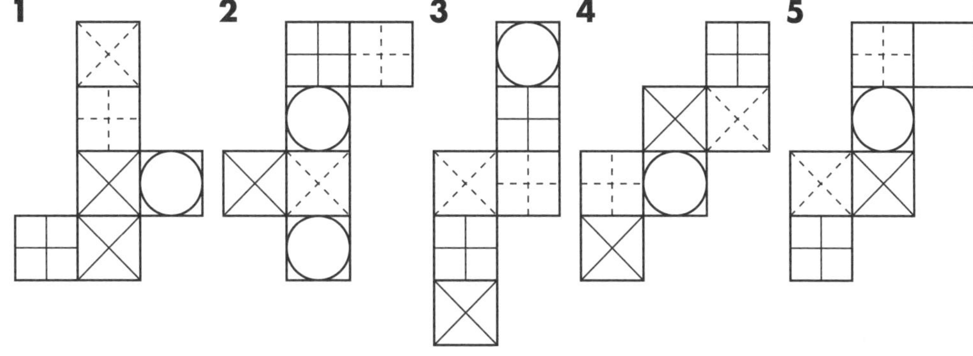

解説

以下の図のように，各立方体を五面図にしてみる。

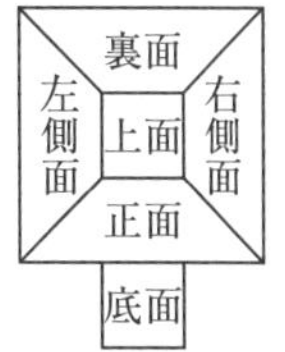

1については，右下段の立方体で正面を2通り考えることができるが，図のような配置にすれば矛盾なく3つの立方体を組み合わせることが可能である。

2では，右側の2段に重ねた立方体は組めるが，その場合に左側の立方体を正しく配置することができない。

3～**5**では，いずれも右側の2段に重ねた立方体について，上段の底面と下段の上面の模様を一致させることが不可能である。

以上から，正答は**1**である。

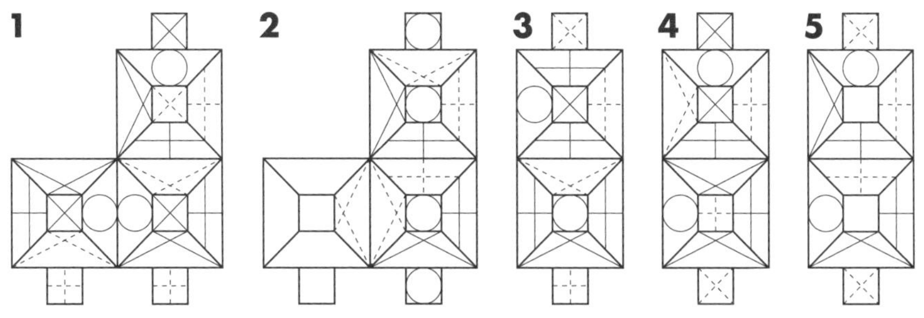

正答　1

No. 283 警視庁

判断推理　正六面体の展開図と回転　平成18年度

下の展開図を組み立てると（A）の立方体ができる。今この立方体を図の位置から，向かって右に7回，手前に5回転がした時の上面の図として，妥当なものはどれか。

ただし，1回転がすとは，4分の1回転の意味である。

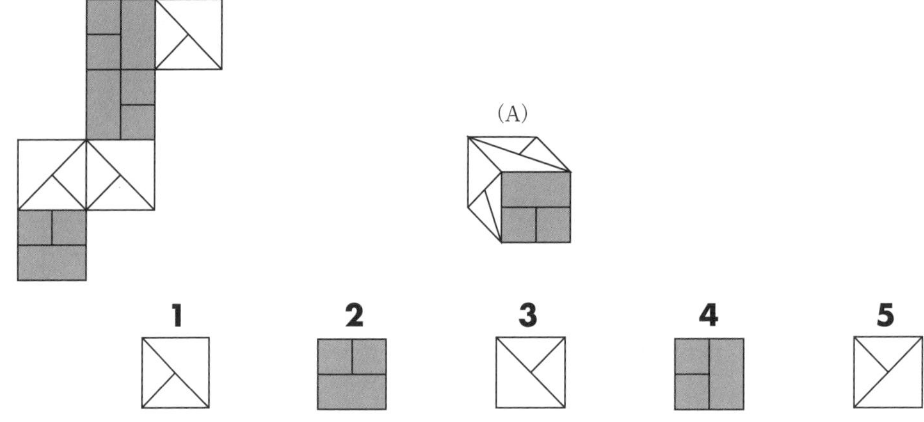

解説

与えられた展開図を移動させてみると次のようになる。これをもとに五面図で考えていけばよいが，同一方向に7回転がすのは3回転がすのと同じことであり，同様に，同一方向に5回転がすのは1回転がすのと同じことである。つまり，右に3回，手前に1回転がした状態を考えれば，図のようになり，このとき上面は**4**となる。

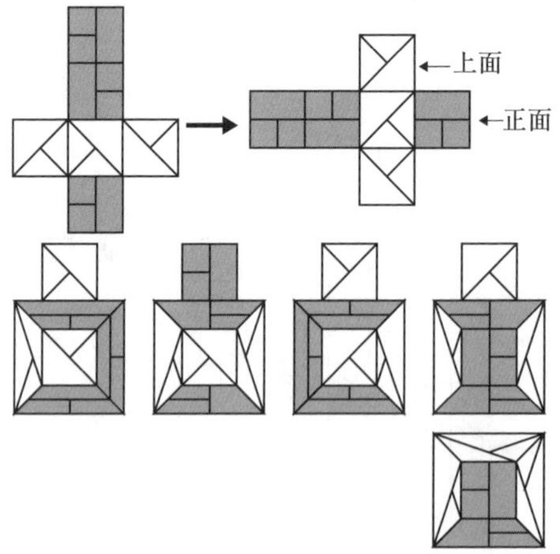

正答　4

No. 284 7月型 判断推理 マス目上でのサイコロの回転 平成17年度

展開すると図Ⅰのように文字が記された正六面体がある。この正六面体を図Ⅱのような碁盤の目状の面上に置き，矢印の方向に滑らないように転がした。Gの地点で正六面体の上面に記されている文字として正しいものは，次のうちどれか。ただし，碁盤の目の1マスの大きさは正六面体の1辺の長さと等しい。

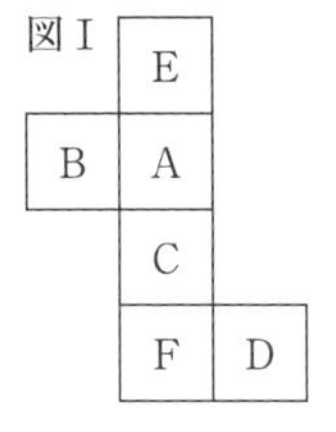

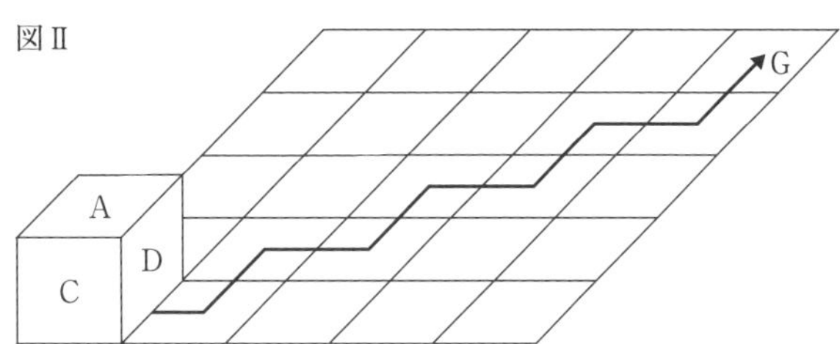

1 B
2 C
3 D
4 E
5 F

解説

サイコロのような正六面体を転がす問題では，見取り図や展開図のままで考えるとわかりにくい。以下の図のような五面図に表して面の動きを書き込んでみると判断しやすい。G地点で正六面体の上面に記された文字はCであり，正答は**2**である。

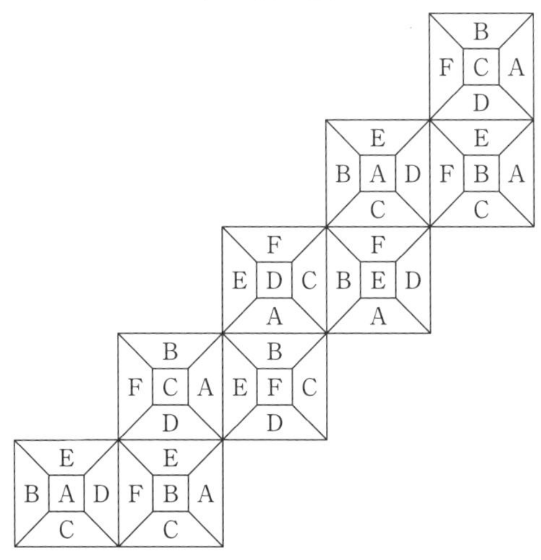

正答 2

大卒警察官

No. 285 警視庁 判断推理 **積み木の着色** 平成18年度

小さな立方体18個を互いの面と面とが少なくとも1面以上でぴったりと合わさるように接合し，下図のような1つの立体をつくった。この立体をペンキに浸した場合，小さな立方体の表面積の3分の2がペンキに塗られるものの数として，妥当なものはどれか。

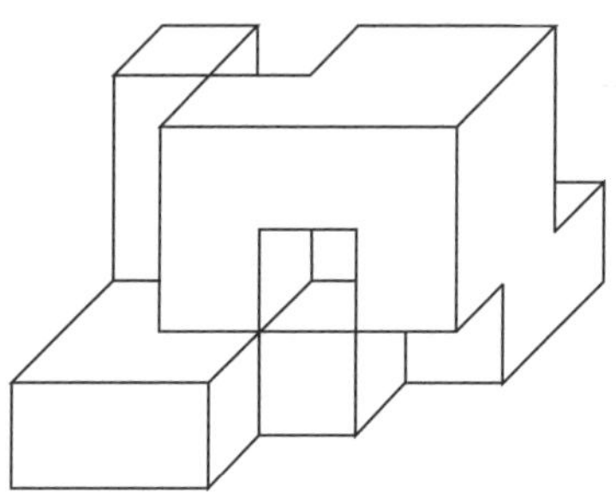

1　6個
2　7個
3　8個
4　9個
5　10個

解説

条件を満たすように18個の立方体を上段，中段，下段に配置してみると，次の図のようになる。この状態でペンキに浸して表面積の$\frac{2}{3}$が塗られるのは，4面が塗られることになるのだから2面が他の立方体と面で接しているはずである。2面が他の立方体と面で接しているのは●印の付いた9個であるので，正答は**4**である。

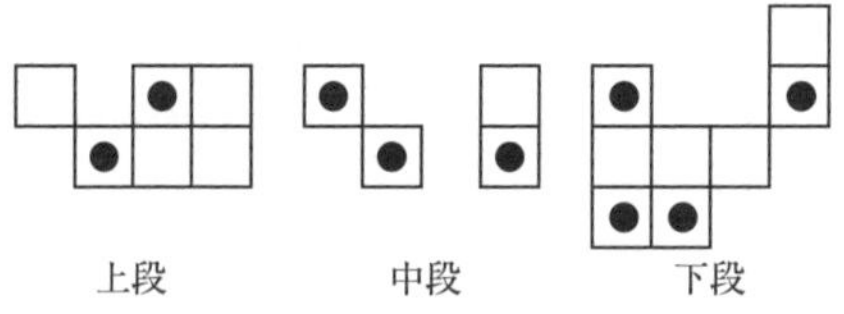

正答　4

No.286 警視庁 判断推理 立体構成 令和5年度

下図は同じ大きさの立方体を積み上げてできた立体を正面から見た図と右側面から見た図である。このとき、積み上げた立方体の個数の範囲として、最も妥当なのはどれか。ただし、立方体どうしは、少なくとも1辺は接しているものとする。

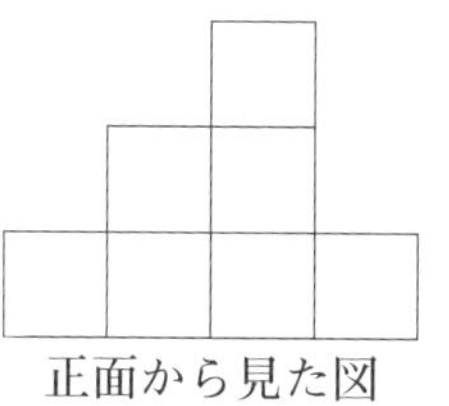
正面から見た図

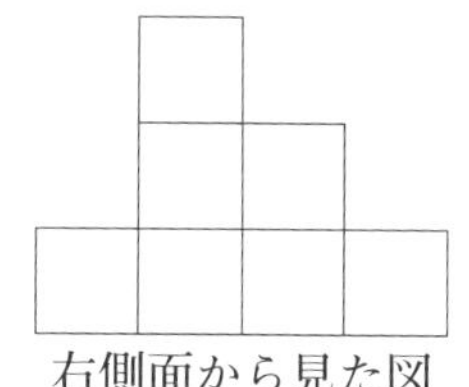
右側面から見た図

1　7～20個
2　7～21個
3　7～22個
4　8～20個
5　8～21個

解説

上から見た図で考える。まず、正面図、右側面図より、立方体を1段しか積めない部分を決める（図Ⅰ）。次に、2段積む位置を決め（図Ⅱ）、最後に3段積む位置を決める（図Ⅲ）。この図Ⅲにおいて、立方体は21個あり、これが最多数である。ここから、少なくとも1辺は接しているという条件を満たしながら（ただし、この条件がなくても最少数は変わらない）、なくてもよい立方体を取り除くと、図Ⅳのように7個となり、これが最少数である。したがって、正答は**2**である。

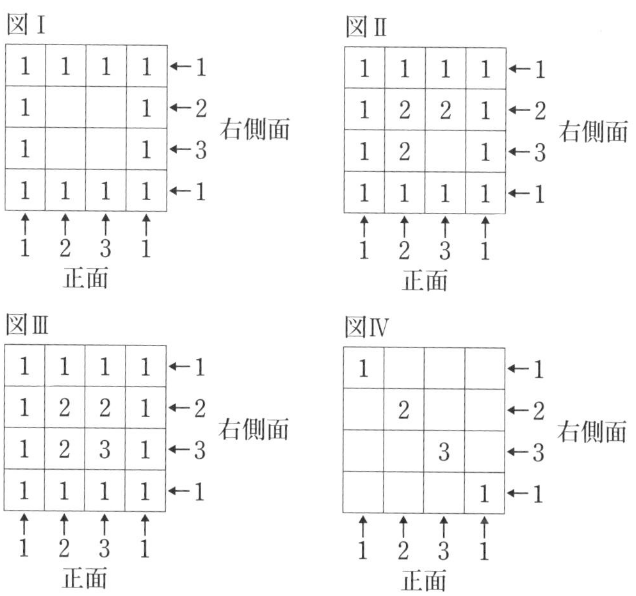

正答　**2**

大卒警察官

No. 287 警視庁 判断推理 投影図 平成22年度

四つの立方体があり，それぞれ2面ずつ白，黒，灰色の3色に塗り分けてある。各立方体ともに，平行する面は必ず同じ色になっている。これらを，互いに接する面が同じ色にならないように組み合わせて机上に置いたとき，その正面図と，上から見た平面図は次のとおりである。このとき，裏面から見た図に当たるものはどれか。

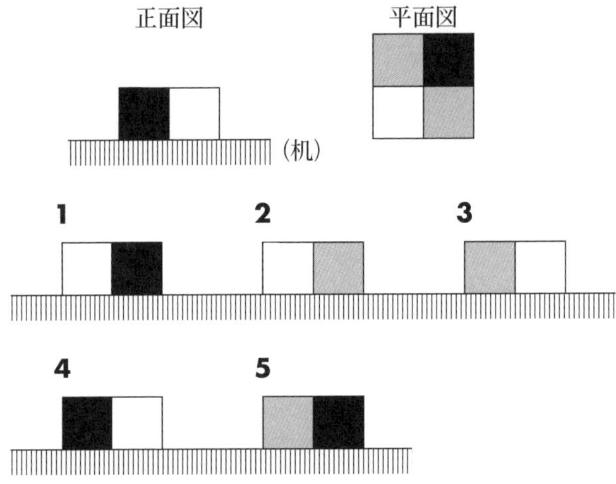

解説

どの立方体も2面ずつ白，黒，灰色に塗り分けられ，平行な面は同じ色で塗られている。そして，互いに接する面が同じ色にならないように4個が組み合わされている。これらの条件を満たすようにしながら，正面図，平面図を参考にして，真上からの状態を5面図に表すと，次の図のようになる。

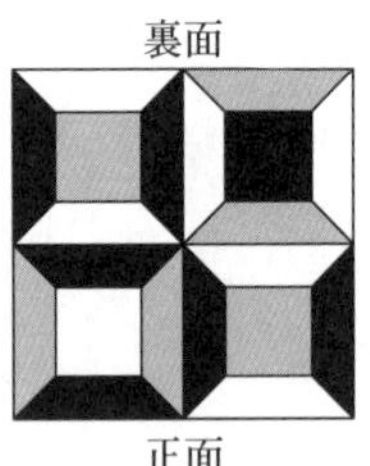

この結果，裏面から見た場合は，左側が灰色，右側が白となり，正答は**3**である。

正答 3

No. 288 5月型 判断推理 投影図 平成21年度

正面図，側面図，平面図が次のようである立体の辺の本数として正しいものは，次のうちどれか。

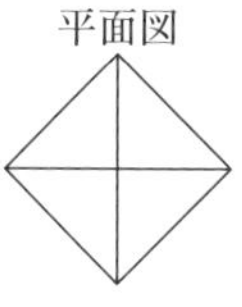

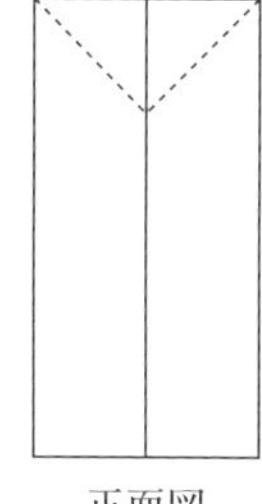

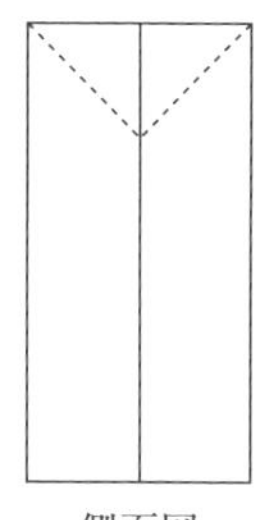

1 12本
2 13本
3 14本
4 15本
5 16本

解説

問題の投影図から得られる立体は，次の図のように，天井面に逆四角すい型のくぼみがある直方体である。直方体の辺の本数は12本で，天井面にある逆四角すい型のくぼみ部分に4本の辺がある。したがって，この立体の辺の本数は16本となり，正答は**5**である。

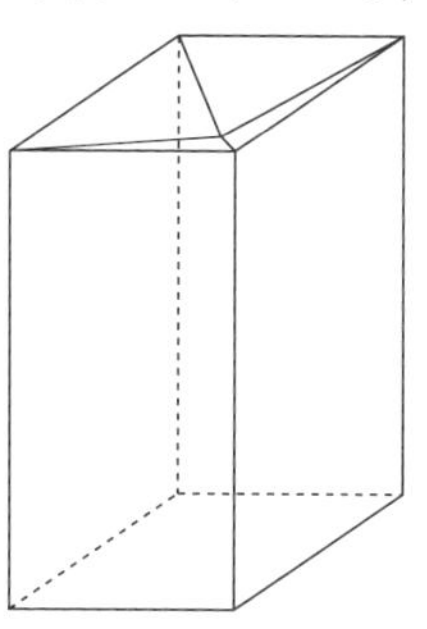

正答 5

大卒警察官

No. 289 警視庁

判断推理　立体の切断　平成29年度

下図のように同じ大きさの立方体を互いの面同士をぴったり合わせて6個積み上げてできた立体がある。この立体を頂点A，B，Cを通る平面で切断した時の断面として，最も妥当なのはどれか。

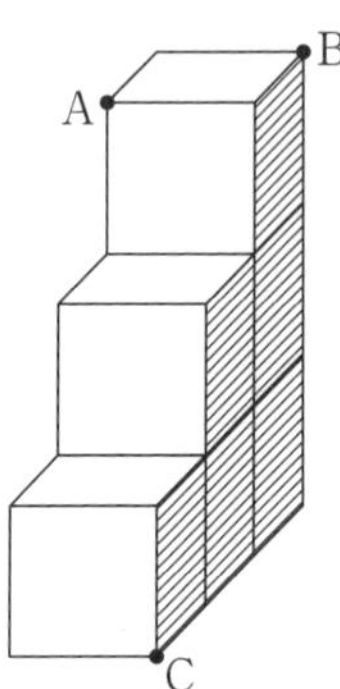

1 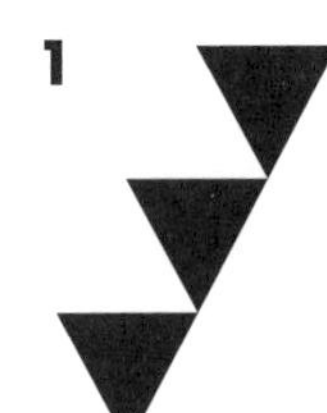

2 

3 

4 

5 

解説

切断面の特徴として以下の2点がある。
①同一面上の2点間は直線で結ばれる。
②平行面は平行に切れる。

これを利用して切断面を考える。まずは①より，図Ⅰのようになる。
次に②より，図Ⅱのように切断線を加えることができる。
最後に①より，図Ⅲのようになる。

図Ⅰ

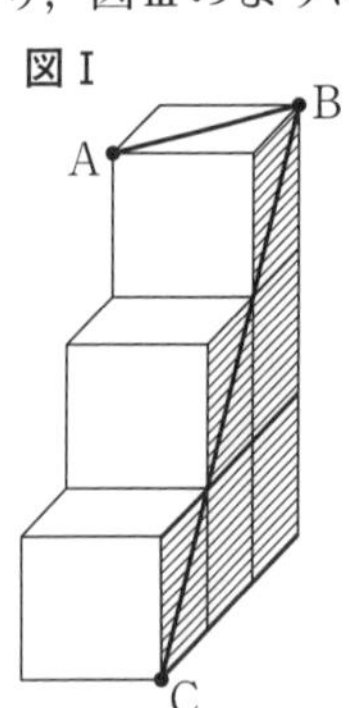

図Ⅱ

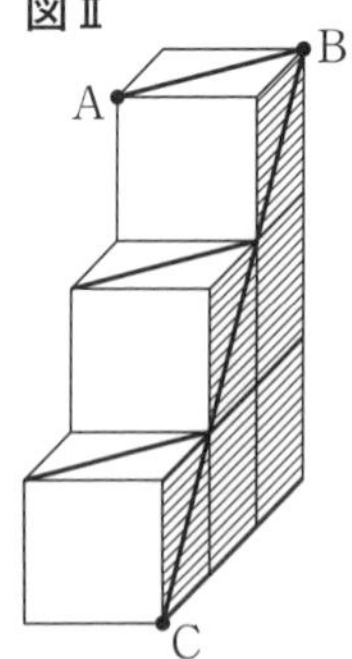

図Ⅲ

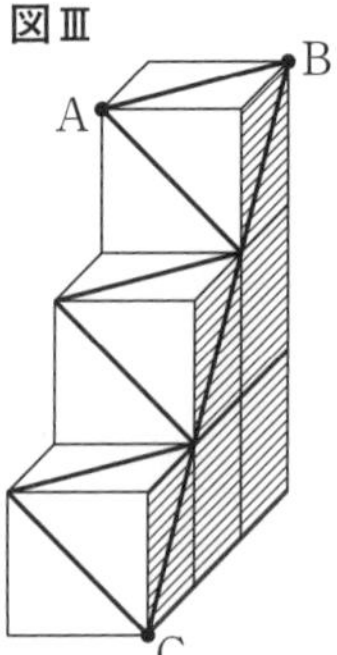

よって，正答は**1**である。

正答　**1**

大卒警察官

No. 290　5月型

判断推理　立体の切断　平成28年度

図のように，立方体の頂点を，その頂点から伸びる３本の辺の中点を通る平面で切り落とす。立方体のすべての頂点をこのように切り落としたとき，できあがる立体における辺の本数として，正しいのはどれか。

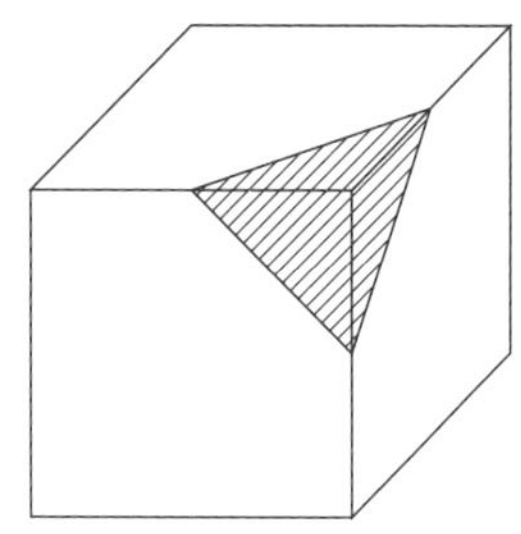

1　12
2　18
3　24
4　30
5　36

解説

立方体には８個の頂点があり，図のように，８個の頂点についてその頂点から伸びる３本の辺の中点を通る平面で切り落とすと，もとの立方体の辺はすべて消失する。そして，もとの立方体の各頂点に対応して正三角形が８個現れ，この正三角形は頂点で結びついていて，辺を共有することはないので，できあがる立体における辺の本数は24(＝3×8)本である。

この場合，もとの立方体の各面に，辺の中点を結んでできる正方形が残り，これらが頂点で結ばれるので，辺の本数は24(＝4×6)本と考えてもよい。

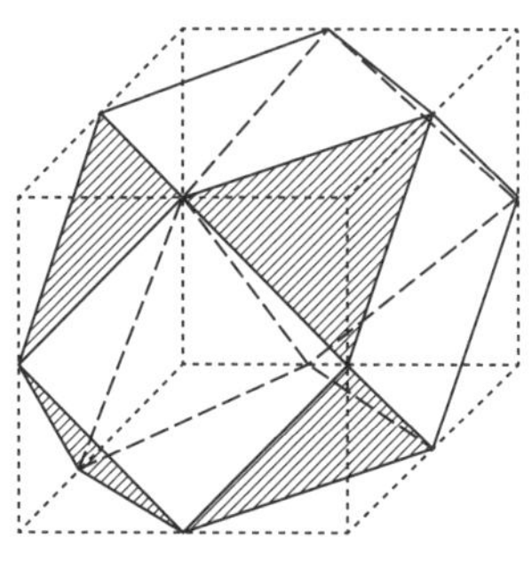

よって，正答は**3**である。

正答　**3**

大卒警察官

No. 291　警視庁

判断推理　回転体　平成29年度

下図のような AB＝BC，∠B＝90°の直角二等辺三角形がある。この直角二等辺三角形をまず辺 BC を軸に一回転させた後に，辺 AB を軸に一回転させてできる立体として，最も妥当なのはどれか。

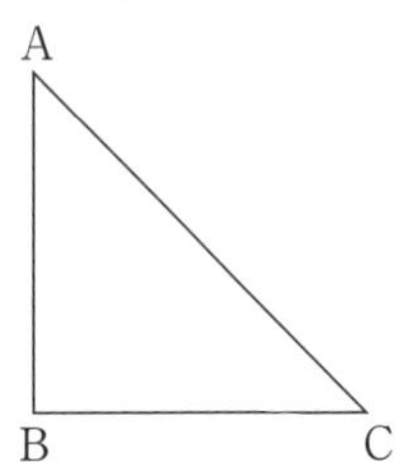

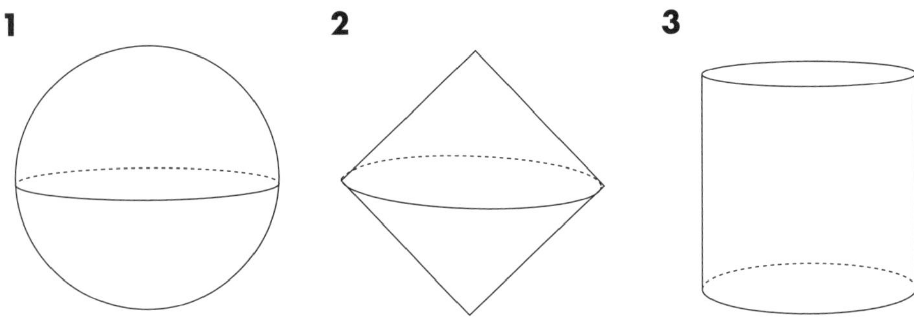

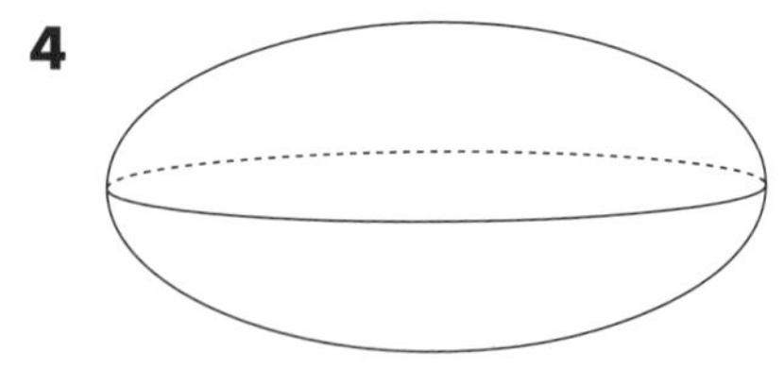

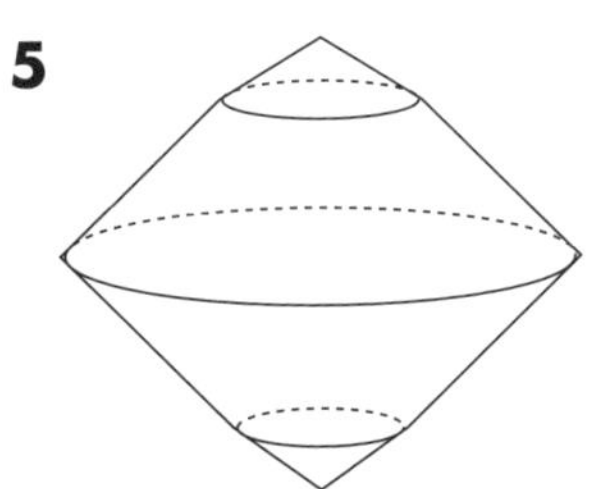

解説

AB＝BC＝a と置く。BC を軸として一回転させると，図のように底面の半径が a で高さが a の円錐ができる。

この円錐を次は AB を軸として一回転させると，半径が a の底面の円が 1 回転するので，半径が a の球になる。

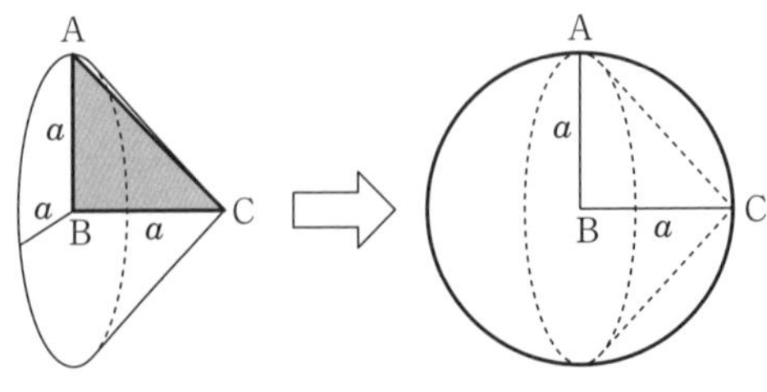

よって，正答は **1** である。

正答　1

No. 292　5月型　判断推理　回転体　平成23年度

次の図のように，長方形をその対角線となる直線lを軸として1回転させたときにできる立体として，正しいのはどれか。

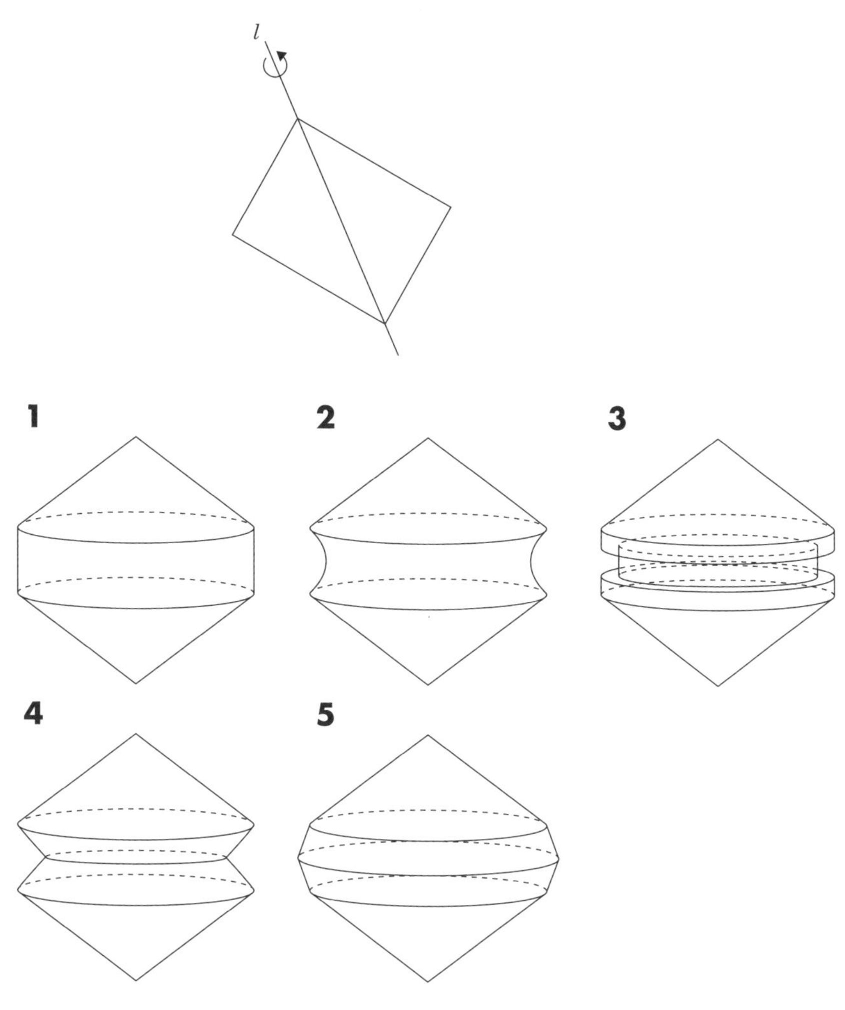

解説

回転体を考える場合は，まず，回転する平面図形について，回転軸で180°回転させた状態を考えてみる（図Ⅰ）。ここから，回転前の図形と180°回転させた図形の対応する部分を結べばよい（図Ⅱ）。出来上がる立体は図Ⅲのようになる。

よって，正答は**4**である。

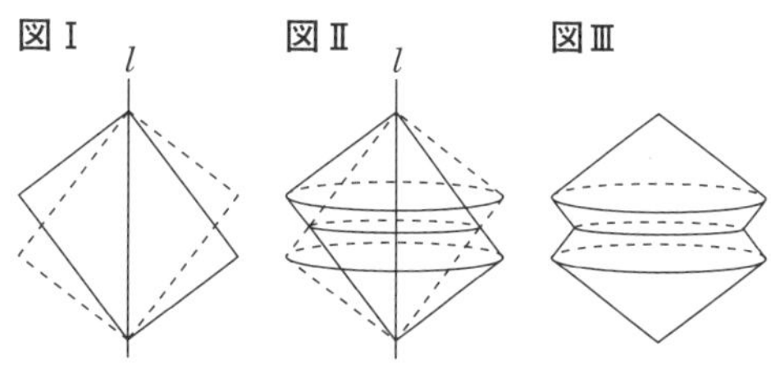

正答　4

No. 293 5月型 数的推理 **方程式の応用** 平成26年度

ある商品を1個800円で仕入れ，1個当たりの利益が600円となるように定価をつけて販売した。ところが7個売れ残ったので，この7個を仕入れ値の250円引きで販売したところ，全部が売り切れて，利益総額は40,850円であった。仕入れた商品の個数として正しいのはどれか。

1 32個
2 44個
3 56個
4 78個
5 90個

解説

仕入れた商品の個数をx個とすると，$(x-7)$個については1個につき600円の利益が出る。一方，7個については，1個売るごとに250円の損失である。したがって，

$$600(x-7)-250\times7=40850$$
$$600x-4200-1750=40850$$
$$600x=46800$$
$$x=78$$

となり，仕入れた商品の個数は78個である。

よって，正答は**4**である。

正答 **4**

No. 294 数的推理　仕入れた品物の数

5月型　令和元年度

原価が1個180円の品物をいくつか仕入れたところ，不良品が12個あることがわかり，これを原価の60円引きで売った。また，残りの品物は原価に160円の利益をつけて販売したところ全部売り切れた。利益が3,120円となるとき，仕入れた品物の個数はいくつか。

1　35個
2　36個
3　37個
4　38個
5　39個

仕入れた品物の個数を x 個とする。不良品の12個は1個につき利益が60円のマイナスになり，残り $x-12$ 個は1個につき利益が160円のプラスになる。この和が3,120円となるので，以下のように式を作ることができる。

$$-60\times12+160(x-12)=3120$$

$$x=36$$

よって，仕入れた品物の個数は36個なので，正答は**2**である。

正答　2

大卒警察官

5月型

No. 295 数的推理 バスの売上と乗車人数 令和元年度

A地点からB地点，C地点を経由してD地点まで行くバスがある。このバスの運賃は乗車したバス停の次のバス停までは140円で，それ以上は一律200円である。最初，A地点で10人乗せて出発したバスはB地点で5人が降り，7人が乗った。次にC地点で何人かが降り，5人が乗った。終点のD地点で全員が降りた。このバスの売上は3,560円であった。このとき，B地点で乗って，C地点で降りた人は何人か。

1　3人
2　4人
3　5人
4　6人
5　7人

解説

A地点で乗った10人のうち5人がB地点で降りているので，140円が5人，200円が5人である。

B地点で乗った7人のうちC地点で降りた人をx人とすると，D地点で降りたのは$7-x$人である。よって，140円がx人，200円が$7-x$人とわかる。

C地点で乗った5人はD地点で降りているので全員140円である。

ここまでを表にまとめると，次のようになる。

	140円	200円
A地点で乗った人	5人	5人
B地点で乗った人	x人	$7-x$人
C地点で乗った人	5人	——
合計	$10+x$人	$12-x$人

合計金額より式を作ると以下のようになる。

$$140(10+x)+200(12-x)=3560$$

$$x=4$$

よって，B地点で乗って，C地点で降りた人は4人となるので，正答は**2**である。

正答　2

No. 296 警視庁

数的推理 不等式 平成27年度

ワインの箱が3種類あり，箱Aは1本用，箱Bは2本セット用，箱Cは3本セット用である。3種類の箱の合計数は100個であり，箱Bの個数は，箱Aのそれの3倍以上4倍未満であった。すべての箱B及び箱Cにワインを詰めたところ，その本数が合計250本だったとき，箱Aの個数として，正しいのはどれか。

1 6個
2 8個
3 10個
4 12個
5 14個

解説

箱Aの個数をx，箱Bの個数をy，箱Cの個数をzとしてみる。そうすると，箱の合計数は100個なので，

$x+y+z=100$ ……①

また，箱Bおよび箱Cに詰めたワインの本数は250本だから，

$2y+3z=250$ ……②

ここで，①×3－②とすると，

$$3(x+y+z)-(2y+3z)$$
$$=3x+y$$
$$=100\times3-250$$
$$=50$$

となる。また，$3x<y<4x$なので，$3x+3x<3x+y<3x+4x$であり，ここから，$6x<50<7x$となるので，$\frac{50}{7}<x<\frac{50}{6}$で，$x$は整数だから，$x=8$である。

よって，正答は**2**である。

正答 **2**

大卒警察官

No. 297 5月型

数的推理 約数・倍数 平成28年度

Aは，１秒間で階段を１段おきに２段上り，Bは，１秒間で階段を２段おきに３段上る。Aが階段を上り始めてから12秒後にBが階段を上り始めたところ，２人は同時に最上段に到着した。このとき，この階段のうちでA，Bのどちらも踏まなかった段数として，正しいのはどれか。

1　24段
2　36段
3　48段
4　60段
5　72段

解説

Aは，12秒間に階段を24段上るので，Bが上り始めるとき，Aは24段上にいる。１秒間に上る段数はBの方が１段多いので，24段の差がなくなるまで24秒かかる。つまり，Aが上り始めてから36秒後，Bが上り始めてから24秒後に両者の差がなくなり，このとき，最上段に到着することになる。つまり，Aに関していえば，2×36＝72，Bに関しては，3×24＝72となって，階段は72段ある。Aは１段おきだから，72÷２＝36，Bは２段おきだから，72÷3＝24より，Aが踏む段は36段，Bが踏む段は24段である。そして，２と３の最小公倍数である６段ごとに，AとBが２人とも踏む段があるので，72÷6＝12より，12段はAとBが２人とも踏む。したがって，AまたはBが踏むのは，36＋24－12＝48より，48段である。ここから，A，Bのどちらも踏まなかった段数は，72－48＝24より，24段となる。

よって，正答は**1**である。

正答　1

5月型

No. 298 数的推理 約数と倍数 平成26年度

1～50の数字が1つずつ書かれた50枚のカードがある。この50枚のカードを数字順に並べ，2と書かれたカードから始めて5枚目ごとに赤い印を付けていく。次に，3と書かれたカードから始めて3枚目ごとに青い印を付ける。このようにしたとき，赤と青両方の印を付けたカードは何枚あることになるか。

1　3枚
2　4枚
3　5枚
4　6枚
5　7枚

解説

2と書かれたカードから始めて5枚目ごとに赤い印を付けると，赤い印が付くカードは，2，7，12，17，……，となる。一方，3と書かれたカードから始めて3枚目ごとに青い印を付けると，青い印が付くカードは，3，6，9，12，……，である。最初に赤と青両方の印が付けられるカードは12であり，その後は3と5の最小公倍数である15枚目ごとに両方の印が付けられることになる。つまり，赤と青両方の印が付けられるカードは，12，27，42，の3枚となる。

よって，正答は**1**である。

正答　**1**

大卒警察官

No. 299 5月型

数的推理　整　数　平成26年度

次のような９枚のカードを並べて，１ケタの計算式を作るとき，計算結果の最大値として，正しいのはどれか。

1	2	3	4	(	)	+	×	×

1　18
2　20
3　24
4　32
5　36

解説

ある数に１を掛けても計算結果に変化はないので，計算結果をできるだけ大きくするためには，１は掛けるのではなく，他の数に加えたほうがよい。また，２と５，３と４のように，２数の和が一定ならば，２数の差が小さいほど，その２数の積は大きくなる（$2\times(1+4)<(1+2)\times4$）。したがって，計算結果の最大値を求めるならば，$(1+2)\times3\times4=36$とすればよい。

よって，正答は**5**である。

正答　**5**

数学
物理
化学
生物
地学
文章理解
判断推理
数的推理
資料解釈

5月型

No. 300 数的推理 整　数 平成23年度

2つの整数A，Bがあり，AとBの積は5,292，AとBの最小公倍数は126である。このとき，2つの整数AとBの差として，正しいのはどれか。

1　72
2　78
3　84
4　90
5　96

解説

AとBの積は5,292，AとBの最小公倍数は126だから，5292÷126＝42 より，AとBの最大公約数は42である。42＝2×3×7より，2つの整数A，Bはいずれも2，3，7という素因数を少なくとも1個ずつ持っている。一方，$126=2\times3^2\times7$ だから，A，Bのうち一方は素因数3を2個持っていることになる。つまり，2つの整数A，Bのうち，一方は2×3×7＝42，他方は $2\times3^2\times7=126$ である。したがって，その差は，126－42＝84 である。

よって，正答は**3**である。

〔参考〕2つの整数A，Bの最大公約数を G とし，A＝aG，B＝bG とすると，A，Bの最小公倍数を L とすれば，$L=abG$ と表せる。

$A\times B=aG\times bG=G\times abG=G\times L$

であり，2つの整数A，Bの積は，その最大公約数 G と最小公倍数 L の積に一致する。

正答　3

数的推理　整　数　令和3年度

6で割ると4余り，7で割ると3余り，11で割ると9余る正の整数のうち，最も小さい数の各位の和として，最も妥当なのはどれか。

1　9
2　10
3　11
4　12
5　13

解説

求める正の整数は6で割ると4余り，11割ると9余る数である。まずはこの条件を満たす数を考える。求める正の整数に2を加えると6でも11でも割り切ることができるので，求める正の整数をNとすると，$N+2$は6と11の公倍数となる。

$N+2=6$と11の公倍数

ここで，6と11の最小公倍数は66であるから，

$N+2=66n$

$N=66n-2$　（nは自然数）

Nを具体的に書き並べると次のようになる。

n	1	2	3	4	5	…
N	64	130	196	262	328	…

これらのNのうち，7で割ると3余る数を求める。余りである3を引いたとき，7の倍数になるものを求めればよい。Nから3を引くと次のようになる。

n	1	2	3	4	5	…
N	64	130	196	262	328	…
$N-3$	61	127	193	259	325	…

表より，$N-3$のうち最も小さい7の倍数は259なので，求める正の整数Nは262となる。これより，各位の和は$2+6+2=10$となるので，正答は**2**である。

正答　2

No. 302 5月型 数的推理 整 数 平成23年度

100円硬貨と50円硬貨が合計32枚ある。自動販売機で１個80円のガムを買うことにし，まず100円硬貨だけを全部使った。100円硬貨を使い切ってから，50円硬貨とお釣りで出てきた10円硬貨を使ったところ，さらに12個のガムが買えて，最後に70円残った。最初に持っていた50円硬貨の枚数として，正しいのはどれか。

1　10枚
2　11枚
3　12枚
4　13枚
5　14枚

解説

最初に持っていた金額は，最も少なくて1,600円（50円硬貨が32枚），最も多くて3,200円（100円硬貨が32枚）で，その間は50円刻みである。また，最終的に70円残っているので，これに10円を加えればガムをもう１個買えるので，最初に持っていた金額に10円を加えると80の倍数となる。最初に持っていた金額の下２ケタは50または00のいずれかであるが，80の倍数で下２ケタが10となることはないので，最初に持っていた金額の下２ケタは50（50円硬貨の枚数は奇数）となる。1,600円以上で下２ケタが60となる80の倍数は，最小で1,760円。ここから80と100の最小公倍数400ずつ増えるから，1,760，2,160，2,560，2,960となり，最初に持っていた金額は，1,750円，2,150円，2,550円，2,950円のいずれかである。このときの100円硬貨と50円硬貨の枚数の組合せは，

1,750円：100円硬貨３枚，50円硬貨29枚
2,150円：100円硬貨11枚，50円硬貨21枚
2,550円：100円硬貨19枚，50円硬貨13枚
2,950円：100円硬貨27枚，50円硬貨５枚

である（この段階で選択肢は**4**しかない）。

ところが，50円硬貨が21枚（＝1,050円）あると，これに100円硬貨11枚を使って得たお釣りの10円硬貨22枚（220円）を加えれば，15個のガムを買うことが可能である。

また，50円硬貨が５枚（＝250円）しかない場合，これに100円硬貨27枚を使って得たお釣りの10円硬貨54枚（540円）を加えても，９個のガムしか買うことができない。

50円硬貨が13枚（＝650円）のとき，これに100円硬貨19枚を使って得たお釣りの10円硬貨38枚（380円）を加えれば，12個のガムを買って70円残ることになる。

以上から，最初に持っていた50円硬貨の枚数は13枚である。

よって，正答は**4**である。

注：この問題では，選択肢の数値を順に当てはめて検討してもよい。

正答　4

大卒警察官

No.303 警視庁

数的推理　数の性質　平成29年度

100から500までの自然数の中で，連続する２数を足したとき，29で割り切れるものの組合せの数として，最も妥当なのはどれか。

1　13組
2　14組
3　26組
4　27組
5　28組

解説

100から500までの連続する２数の和なので，和が200から1000まででで考える。この間の数で29の倍数なので，まずは200以上の29の倍数をいくつか書き並べる。

203，232，261，290　…

これらの数の中でたとえば203は101＋102と連続する２数で表すことができる。連続する２数は奇数になるので，200から1000までの間で29の倍数でかつ奇数の個数を求めればよい。29の倍数は，

29×７＝203
⋮
29×34＝986

と28個ある。奇数である203から始まって，偶数である986までの数なので，この間に奇数は半分の28÷2＝14〔個〕ある。

よって，連続する２数の組は14組となるので，正答は**2**である。

正答　**2**

No.304 警視庁 数的推理 数の計算 平成28年度

4で割ると1余り，かつ，10で割ると7余るような1000以下の自然数の個数として，正しいのはどれか。

1 48個
2 49個
3 50個
4 51個
5 52個

解説

4で割ると1余り，10で割ると7余る数に3を加えると，4でも10でも割り切れる。つまり，4で割ると1余り，10で割ると7余る数は，「4と10の公倍数−3」である。公倍数は最小公倍数の倍数で，4と10の最小公倍数は20だから，問題の自然数は，「$20n-3$（nは自然数）」と表せる。$1 \leqq 20n-3 \leqq 1000$を満たすnの範囲は，$1 \leqq n \leqq 50$となるので，4で割ると1余り，かつ，10で割ると7余るような1,000以下の自然数の個数は50個である。

よって，正答は**3**である。

正答 3

大卒警察官

No. 305 5月型 数的推理

不定方程式

平成22年度

ある古本屋には，A，B，C３つのコーナーが設けられており，Aコーナーの本は１冊910円，Bコーナーの本は１冊520円，Cコーナーの本は１冊1,081円で販売されている。ある日の午前中，A，B，C各コーナーの本がそれぞれ１冊以上売れ，売上は13,595円であった。また，A，B各コーナーで売れた本の冊数はいずれもCコーナーで売れた冊数より少なくなかった。

このとき，この日の午前中に３つのコーナーで売れた本は合計で何冊か。

1　14冊
2　15冊
3　16冊
4　17冊
5　18冊

解説

売上の合計は13,595円であるが，Aは１冊910円，Bは１冊520円なので，これらが何冊売れても５円という金額にはならない。つまり，13,595円の５円については，Cの本が５冊，15冊，25冊，…，売れたということである。しかし，Cの本が15冊売れると，売上は，$1081\times15=16215$より，16,215円となって，13,595円を超えてしまう。したがって，Cが売れた冊数は５冊であり，その金額は，$1081\times5=5405$より，5,405円である。そうすると，A，Bで売れた金額は，13,595−5,405＝8,190〔円〕となる。ここで，Aがx冊，Bがy冊売れたとすると，$910x+520y=8190$であり，これを簡単にすると，$7x+4y=63$となる。この式を満たす$(x,\ y)$の組合せを考えると，$(x,\ y)=(9,\ 0)$，$(5,\ 7)$，$(1,\ 14)$となるが，A，Bで売れた冊数はいずれもCで売れた冊数以上でなければならないので，条件を満たすのは$(x,\ y)=(5,\ 7)$だけである。

よって，この日の午前中に売れた冊数は，Aが５冊，Bが７冊，Cが５冊であり，合計は17冊となるので，正答は**4**である。

正答　**4**

大卒警察官

No. 306 警視庁

数的推理　比、割合　令和5年度

ある企業は本社と支店があり、社員は合計で180人が在籍している。本社に勤務している社員のうち男性の割合は3割で、支店に勤務している男性の人数は63人である。ある年度の人事異動で、支店の社員が本社に30人異動することになった。その結果、本社に勤務する男性の割合は4割になり、支店に勤務する社員のうち男性の割合は5割となった。このとき、異動した男性の人数として、最も妥当なのはどれか。

1　12人
2　14人
3　16人
4　18人
5　20人

解説

人事異動前の本社在籍数をx、支店在籍者数をyとすると、$x+y=180$である。人事異動による男性の人数変化は、$0.4(x+30)-0.3x=63-0.5(y-30)$と表される。ここから、$0.4x-12-0.3x=63-0.5y+15$、$0.1x+0.5y=66$、$x+5y=660$となる。これと、$x+y=180$から、$(x+5y)-(x+y)=660-180$、$4y=480$、$y=120$、$x=60$である。$0.4(x+30)-0.3x=90\times0.4-60\times0.3=36-18=18$となり、異動した男性の人数は18人で、正答は**4**である。

正答　4

No. 307 警視庁 数的推理 比と割合 令和4年度

赤色と白色のビー玉と赤色と白色のおはじきが入った袋がある。数は合わせて300個未満であり，内訳は赤色：白色＝5：9，ビー玉：おはじき＝9：4であることがわかっている。このとき，赤色のビー玉と白いおはじきの数の差として，最も妥当なのはどれか。

1　8個
2　9個
3　10個
4　11個
5　12個

解説

赤色：白色＝5：9であるから，全体の個数は，5＋9＝14より，14の倍数である。また，ビー玉：おはじき＝9：4なので，9＋4＝13より，全体の個数は13の倍数でもある。つまり，全体の個数は13と14の公倍数であり，13は素数なので，その最小公倍数は，13×14＝182，個数は300個未満なので，182個である。赤色のビー玉の個数をx，白色のビー玉の個数をy，白いおはじきの個数をzとすると，$x+y=182\times\frac{9}{13}=126$，$y+z=182\times\frac{9}{14}=117$である。ここから，$(x+y)-(y+z)=x-z=126-117=9$となり，赤色のビー玉と白いおはじきの数の差は9個である。

よって，正答は**2**である。

正答　2

5月型

No. 308 数的推理 採用試験の受験者数 平成24年度

ある企業における今年の採用試験の受験者は，昨年より15％減少して1,020人であった。これを男女別で見ると，男性の受験者は42％減少したが，女性の受験者は12％増加していた。今年の男性の受験者数として，正しいのはどれか。

1 324人
2 336人
3 348人
4 360人
5 372人

解説

昨年の男性受験者を x 人，女性受験者を y 人とすると，

$$0.85(x+y)=0.58x+1.12y$$
$$0.85x+0.85y=0.58x+1.12y$$
$$0.27x=0.27y$$

より，$x=y$ となり，昨年は男女の受験者が同数であったことがわかる。$1020\div0.85=1200$ より，昨年の受験者数は男女合わせて1,200人だから，男性の受験者は600人である。今年の男性受験者は600人から42％減少したので，

$$600\times0.58=348 \text{〔人〕}$$

よって，正答は**3**である。

正答 **3**

大卒警察官

警視庁

No. 309 数的推理 濃　度 令和4年度

濃度のわからない食塩水Aと濃度4％の食塩水Bがいずれも100gずつある。食塩水Aの半分を食塩水Bに混ぜ合わせる。次に，混ぜ合わせた後の食塩水Bの半分を食塩水Aに混ぜ合わせる。このときできた食塩水の濃度が6％であるとき，食塩水Aと食塩水Bを混合する前の食塩水Aの濃度に近いものとして，最も妥当なのはどれか。

1　6.7％
2　6.9％
3　7.1％
4　7.3％
5　7.5％

解説

食塩水Aの半分を食塩水Bに混ぜ合わせると，A：B＝1：2で混ぜ合わせた食塩水が150gできる。このうちの半分である75gを食塩水Aと混ぜ合わせると，この75gの中もA：B＝1：2であるから，食塩水Aが25g，食塩水Bが50g含まれている。これを食塩水Aと混ぜるのだから，結局，食塩水A75gと食塩水B50gを混ぜると濃度6％になるということである。食塩水A75gに濃度4％の食塩水50gを混ぜ合わせると濃度6％となったのだから，図のように食塩水Aの濃度は，$\frac{22}{3}$＝7.3333…より，約7.3％である。

よって，正答は**4**である。

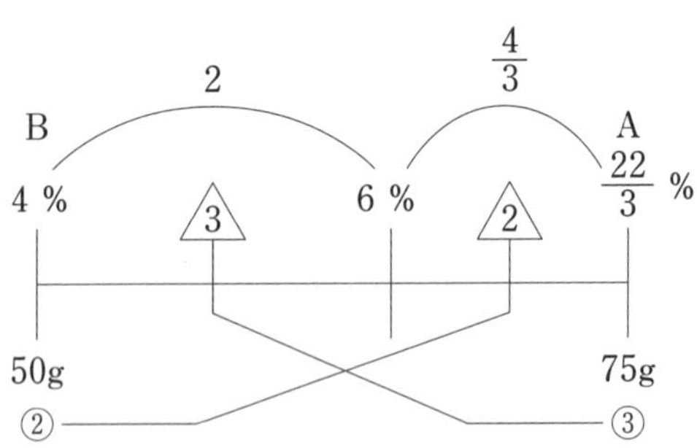

正答　4

No. 310 警視庁 数的推理 増加数と増加率 平成29年度

A県の人口は現在330万人である。20年前に対する人口の増加数及び増加率を，0～19歳，20～39歳，40～59歳，60歳以上の4つの年代別に見ると，増加数はいずれの年代も同じであったが，増加率は若い年代から順に25%，40%，20%，100%であった。20年前のA県の人口として，最も妥当なのはどれか。

1　210万人
2　220万人
3　230万人
4　240万人
5　250万人

解説

20年前の0～19歳の人口を a 万人，20～39歳の人口を b 万人，40～59歳の人口を c 万人，60歳以上の人口を d 万人と置き，条件を表にまとめると以下のようになる。

	20年前	増加数	現在
0～19歳	a	$0.25a$	$1.25a$
20～39歳	b	$0.4b$	$1.4b$
40～59歳	c	$0.2c$	$1.2c$
60歳以上	d	d	$2d$
合計	$a+b+c+d$		330

増加数が同じなので，

$0.25a=0.4b=0.2c=d$

$5a=8b=4c=20d$

となる。各文字を，d を使って表すと，

$a=4d$

$b=\frac{5}{2}d$

$c=5d$

となり，これを現在の合計に代入すると以下のようになる。

$1.25\times4d+1.4\times\frac{5}{2}d\times+1.2\times5d+2d=330$

$5d+3.5d+6d+2d=330$

$16.5d=330$

$d=20$

したがって，20年前の人口は，

$a=4\times20=80$

$b=\frac{5}{2}\times20=50$

$c=5\times20=100$

より，80+50+100+20=250〔万人〕となる。

よって，正答は**5**である。

正答　5

大卒警察官

No. 311 5月型 数的推理　仕事算　平成22年度

同じ製品を作ることのできるA，B２種類の機械がある。Aは始動の準備に４分かかり，その後は２分間に１個の割合で製品を作っていく。Bは始動の準備に30分かかるが，その後は１分間に４個の割合で製品を作ることができる。

　このとき，作る製品の個数が何個までなら，機械Bを使うよりも機械Aを使うほうが短い時間で済むか。ただし，A，Bとも，同時に２個以上を作ることはなく，製品は１個ずつ作るものとする。

1　12個
2　13個
3　14個
4　15個
5　16個

解説

まず，Bが始動の準備に必要な30分の間に，Aでは何個作れるかを考えてみる。Aは始動に４分かかり，その後は２分間に１個の割合で作っていくので，$(30-4)\div2=13$より，13個作ることが可能である。この後は，32分で14個，34分で15個となっていく。一方のBでは，30分経過後，31分で４個，32分で８個，33分で12個となり，34分で16個作ることが可能である。

　つまり，14個ならAは32分，Bは33分以降だからAのほうが短い時間で済むが，15個になると，Aでは34分かかるのに対し，Bでは34分未満（34分だと16個できるので）だから，Bのほうが短い時間で済むことになる。

　したがって，Aで作るほうが短い時間で済むのは14個までで，正答は**3**である。

正答　3

No.312 5月型 数的推理 植木算 平成25年度

図のように，幅３ｍの堀に囲まれた正方形の土地があり，堀の外側も正方形である。この堀の内側に沿って２ｍ間隔で，堀の外側に沿って３ｍ間隔で木を植えたところ，148本必要であった。このとき，堀の内側に植えた木の本数と，堀の外側に植えた木の本数との差として，正しいものはどれか。

1　18本
2　20本
3　22本
4　24本
5　26本

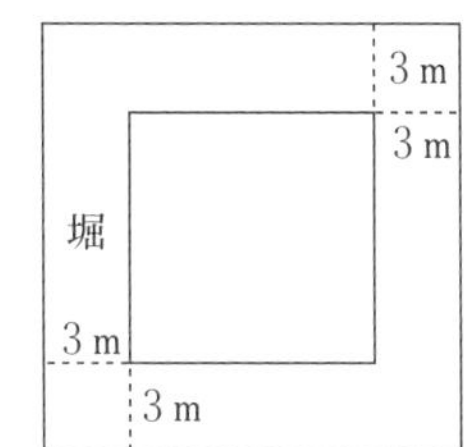

解説

堀の内側の正方形の１辺をxmとすると，$\frac{4x}{2}=2x$より，$2x$本の木が必要である。また，堀の外側には，$4(x+6)$mに3m間隔で木を植えることになり，$\frac{4(x+6)}{3}=\frac{4}{3}x+8$より，$\left(\frac{4}{3}x+8\right)$本の木が必要である。ここから，$2x+\frac{4}{3}x+8=148$，$\frac{10}{3}x=140$，$x=42$より，堀の内側の１辺は42m，外側の１辺は48mとなる。堀の内側に植える木の本数は，$42\times2=84$より，84本，堀の外側に植える木の本数は64本である（$=148-84$）。したがって，堀の内側に植えた木の本数と堀の外側に植えた木の本数との差は20本である。

よって，正答は**2**である。

正答　2

No. 313 警視庁 数的推理 年齢算 令和4年度

ある2人の現在の年齢の積と，1年後の2人の年齢の積を比較するとその差は90である。また数年前の2人の年齢の積は1100であった。2人のうち1人の年齢の10の位が3年後に1増加するとき，3年後の2人の年齢の積として，最も妥当なのはどれか。

1 1890
2 1920
3 1950
4 1980
5 2010

解説

現在の2人の年齢をそれぞれx，yとすると，$(x+1)(y+1)-xy=xy+x+y+1-xy=90$，$x+y+1=90$，$x+y=89$であり，2人の年齢の和は89である。2人の年齢の和が奇数なので，2人の年齢のうち一方が偶数，他方が奇数である（1年ごとに偶奇が入れ替わる）。また，1,100を素因数分解すると，$1100=2^2\times5^2\times11$であるから，その年の2人の年齢としては，和が89未満であるから，20歳と55歳，25歳と44歳のいずれかである。25歳と44歳の場合，$89-(25+44)=20$より，10年前ということになる（10年間で2人の年齢の和は$10\times2=20$増える）。これだと，現在の2人の年齢は35歳と54歳で，「2人のうち1人の年齢の10の位が3年後に1増加する」という条件を満たさない。20歳と55歳の場合は，$89-(20+55)=14$より，7年前ということになり，現在の年齢は27歳と62歳で，27歳だと3年後に10の位が1増加する。したがって，3年後の2人の年齢の積は，$(27+3)\times(62+3)=30\times65=1950$であり，正答は**3**である。

正答 3

警視庁

No.314 数的推理　速さ・距離・時間　令和５年度

ＡとＢの２人が、目的地Ｚへ向かう。Ｚは路線バスのバス停Ｘとバス停Ｙの間にある。ＡとＢはともに、歩く速度が一定で、時速４kmである。また、バスは時速40kmで走る。ＡとＢが、同じバスに乗り、ＡはＺの手前のバス停Ｘで降りてＺに向けて歩き、ＢはＺを通り過ぎたバス停Ｙで降りてＺに向かって歩いたところ、２人はＺに同時に着いた。このとき、ＸからＺまでの距離と、ＹからＺまでの距離の比を表したものとして、最も妥当なのはどれか。

1　２：３
2　５：６
3　８：５
4　11：９
5　12：５

解説

Ａ、Ｂはともに時速４kmで歩き、バスは時速40kmで走る。そうすると、バスがＸからＹまで走る間に、Ａが歩いた距離はXY間の$\frac{1}{10}$である。この時点からＢも時速４kmで歩き始め、２人は同時にＺに到着しているので、この間に２人が歩いた距離は等しく、$\frac{9}{10}\times\frac{1}{2}=\frac{9}{20}$より、XY間の$\frac{9}{20}$である。つまり、Ａが歩いた距離は$\frac{1}{10}+\frac{9}{20}=\frac{11}{20}$、Ｂが歩いた距離は$\frac{9}{20}$で、その比がそのまま、XZ：YZという距離の比となる。したがって、XZ：YZ$=\frac{11}{20}:\frac{9}{20}=11:9$であり、正答は**4**である。

正答　4

大卒警察官

No. 315 警視庁

数的推理　速さ・時間・距離　平成28年度

列車Aがあるトンネルを通過すると，先頭がトンネルに入り始めてから最後尾がトンネルに入り終わるまで2秒かかり，その12秒後に最後尾がトンネルから出たところであった。列車Bが同じトンネルを通過すると，先頭がトンネルに入り始めてから最後尾がトンネルに入り終わるまで6秒かかり，その12秒後に先頭がトンネルの出口にちょうどさしかかったところだった。列車Bの速さ・長さに対する列車Aの速さ・長さの値として，最も妥当なのはどれか。ただし，列車A・Bの速度は一定とする。

	速さ	長さ
1	$\frac{3}{2}$倍	$\frac{1}{2}$倍
2	$\frac{3}{2}$倍	$\frac{2}{3}$倍
3	2倍	$\frac{1}{2}$倍
4	2倍	$\frac{2}{3}$倍
5	2倍	$\frac{1}{3}$倍

解説

列車Aおよび列車Bの動きを図のように表してみると，トンネルの長さと等しい距離を進むのに，列車Aは12秒，列車Bは18秒かかっていることがわかる。列車Aについては，最後尾がトンネルに入り終わってから出終わるまで，列車Bについては，先頭が入口にかかってから出口にかかるまでの時間を考えればよい。列車Aと列車Bの速さの比は，等距離を進むのにかかる時間の比と逆比（＝逆数の比）の関係となるから，時間の比が，A：B＝12：18＝2：3であれば，速さの比はその逆比で，列車Aの速さをa，列車Bの速さをbとすれば，$a:b=\frac{1}{2}:\frac{1}{3}=\frac{3}{6}:\frac{2}{6}=3:2$である。$a:b=3:2$より，$2a=3b$，$a=\frac{3}{2}b$となり，列車Bの速さに対する列車Aの速さは，$\frac{3}{2}$倍である。列車Bはその長さと等しい距離を進むのに6秒かかっているが，列車Aは$\frac{3}{2}$倍の速さなので，等しい距離を進むのにかかる時間は4秒$\left(=6\div\frac{3}{2}\right)$である。列車Aはその長さと等しい距離を進むのに2秒かかり，列車Bの長さと等しい距離を進むのに4秒かかるのだから，列車Aの長さは列車Bの長さの$\frac{1}{2}$倍である。

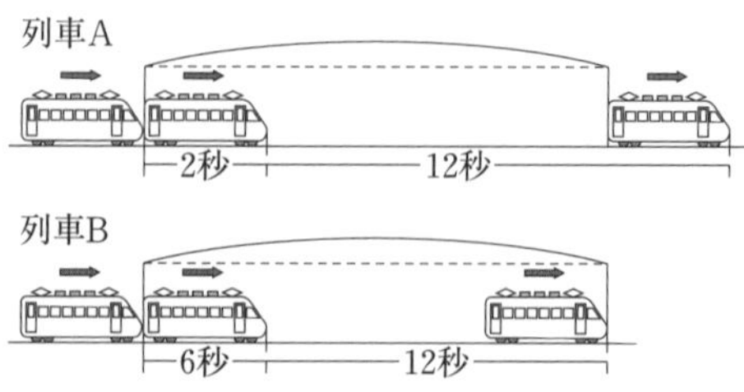

よって，正答は**1**である。

正答　1

大卒警察官

No. 316 5月型

数的推理　本を読み終わるまでの日数　平成24年度

402ページある本を，毎日，前日より１ページずつ多く読んでいくと，12日目でちょうど読み終わった。12日目に読んだページ数として正しいのはどれか。

1　36ページ
2　37ページ
3　38ページ
4　39ページ
5　40ページ

解説

初日に読んだページ数を x とすると，２日目は $(x+1)$，３日目は $(x+2)$，４日目は $(x+3)$，となり，12日目に読んだページ数は $(x+11)$ である。

$x+(x+1)+(x+2)+(x+3)+\cdots\cdots+(x+11)=12x+(1+2+3+\cdots\cdots+11)=402$ だから，$12x+66=402$，$12x=336$，$x=28$ より，初日に読んだのは28ページである。したがって，12日目に読んだのは，$28+11=39$ より，39ページとなり，正答は**4**である。

注：$1\sim n$ までの自然数和は，$\frac{n(n+1)}{2}$ である。$1\sim 11$の和は，$\frac{11\times(11+1)}{2}=66$。

正答　4

数学　物理　化学　生物　地学　文章理解　判断推理　数的推理　資料解釈

大卒警察官

No. 317 5月型

数的推理　平面図形　平成27年度

図の四角形 ABCD は平行四辺形である。辺 CD の中点をE，辺 AD の中点をFとする。このとき，△ABP と△CEQ との面積の比として，正しいのはどれか。

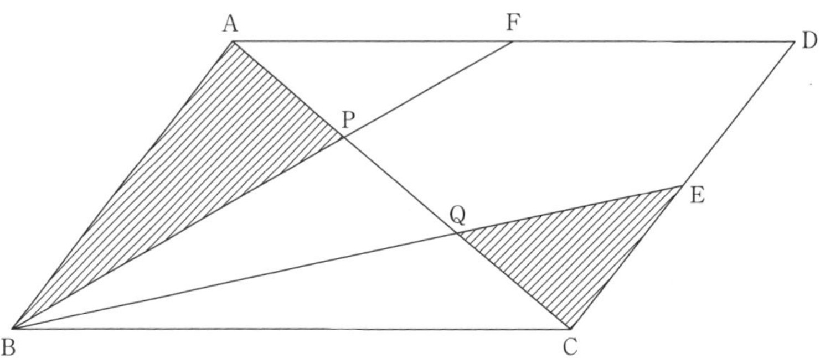

1　2：1
2　3：1
3　5：2
4　8：3
5　9：4

解説

△AFP ∽△CBP（∵2角相等）で，AF：CB＝1：2より，AP：CP＝1：2である。また，△ABQ ∽△CEQ（∵2角相等）で，AB：CE＝2：1より，AQ：CQ＝2：1である。したがって，AP＝PQ＝QC となる。△ABQ と△CEQ の相似比は2：1だから，その面積比は，△ABQ：△CEQ＝2^2：1^2＝4：1であり，AP＝PQ から，△ABP＝△QBP なので，△ABQ：△ABP＝2：1（＝4：2）である。したがって，△ABP：△CEQ＝2：1である。

よって，正答は**1**である。

正答　**1**

次の図のように，１辺の長さ８の正方形ABCD内に，BCを直径とする半円がある。点Aからこの半円に接する線を引き，これが辺CDと接する点をEとしたとき，三角形ADEの面積として，正しいのはどれか。

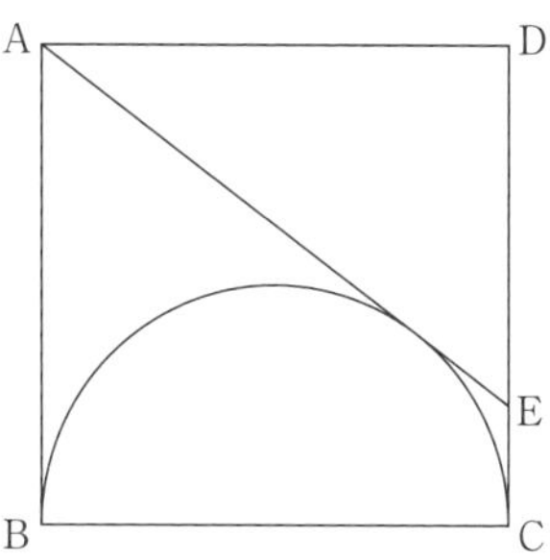

1　20
2　22
3　24
4　26
5　28

図のように，線分AEと半円との接点をFとすると，AF＝AB＝８である（∵　円外の１点から２本の接線を引くと，その点から接点までの距離は等しい）。同様にEC＝EFなので，これをxとすると，AE＝$(8+x)$，DE＝$(8-x)$　となる。

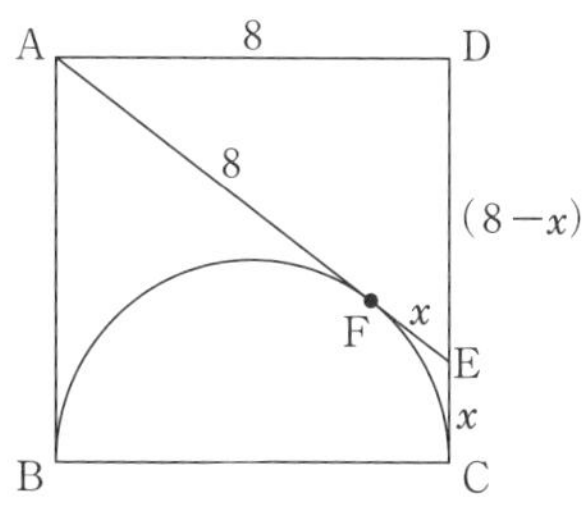

△ADEは∠ADE＝90°の直角三角形だから，$AD^2+DE^2=AE^2$が成り立つ（三平方の定理）。すなわち，

$8^2+(8-x)^2=(8+x)^2$

$64+64-16x+x^2=64+16x+x^2$

$32x=64$

$x=2$

したがって，DE＝６となる。ここから，△ADEの面積は，$6\times8\times\frac{1}{2}=24$となり，正答は**3**である。

正答　**3**

大卒警察官
No. 319 5月型
数的推理　平面図形の面積　平成25年度

図の長方形ABCDで，辺ADの中点をE，辺BCの中点をFとし，辺CD上にCG：GD＝1：2となる点Gをとる。線分AGと線分EFの交点をHとし，△AEHの面積が8であるとき，長方形ABCDの面積として正しいものは次のうちどれか。

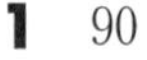

1　90
2　92
3　94
4　96
5　98

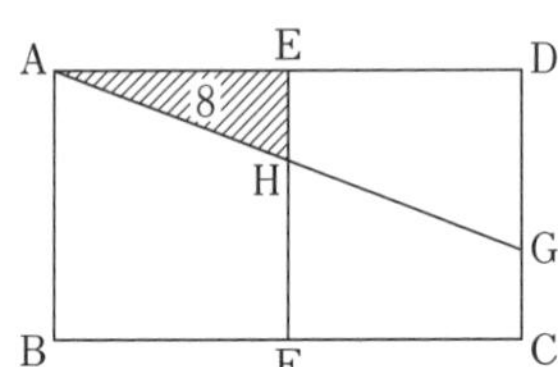

解説

図のように長方形ABCDの内部を分割すると，△AEHと合同な直角三角形が12個できるから，

　8×12＝96

となる。

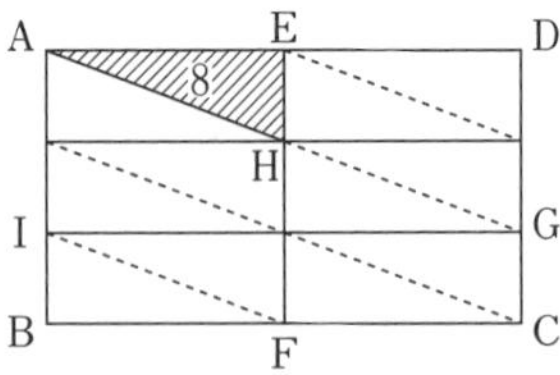

　よって，正答は**4**である。

正答　4

数的推理　平面図形の面積　平成23年度

図のように，１辺の長さがそれぞれ１cm，３cm，６cmの正方形が辺で接している。１辺の長さ３cmの正方形の頂点Ａと１辺の長さ６cmの正方形の頂点Ｂを結び，この線分ABと正方形の辺との交点をＰとする。１辺の長さ１cmの正方形の頂点Ｃから点Ｐを通り，１辺の長さ６cmの正方形における点Ｐと反対側にある点Ｄとを結ぶ線分ＣＤを引く。このとき，斜線部分△ＰＢＤの面積として，正しいのはどれか。

1　12cm²
2　13.5cm²
3　15cm²
4　16.5cm²
5　18cm²

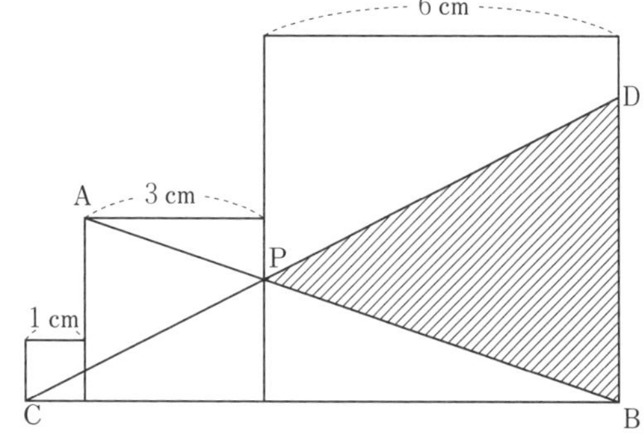

解説

次の図のように，３点Q，R，Sを取ると，

△CQR∽△CPS∽△CDB（∵２角相等）

である。したがって，

QR：PS：DB
＝CR：CS：CB
＝１：(1＋3)：(1＋3＋6)
＝１：４：10

となる。また，△APQ∽△BPD（∵２角相等）で，AQ：BD＝３：６＝１：２だから，これとQR：DB＝１：10より，

QR：AQ：BD＝１：５：10

となり，

$$AQ = 3 \times \frac{5}{1+5} = 3 \times \frac{5}{6} = \frac{5}{2}$$

BD＝５

となる。ここから，

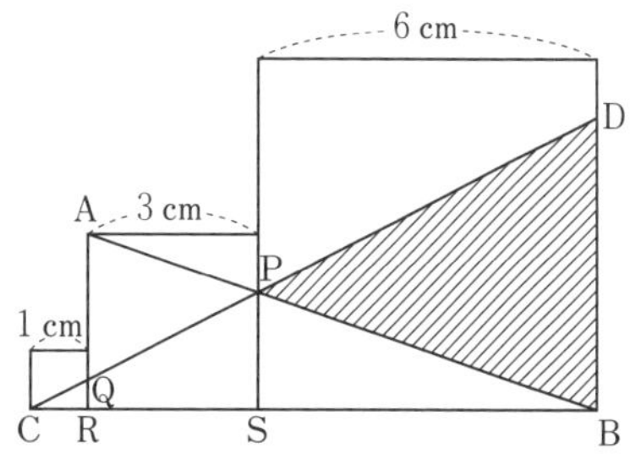

$$\triangle PBD = 5 \times 6 \times \frac{1}{2} = 15$$

より，15cm²である。

よって，正答は**3**である。

正答　3

大卒警察官 警視庁

No. 321 数的推理 平面図形 平成23年度

下の図の正八角形の3つの頂点を結んで△ＡＢＣを作った。△ＡＢＣの面積を1とするとき，正八角形の面積として，正しいのはどれか。

1 $8-4\sqrt{2}$
2 $\sqrt{2}+1$
3 $2\sqrt{2}$
4 $\frac{3\sqrt{2}}{2}-1$
5 $3\sqrt{2}-2$

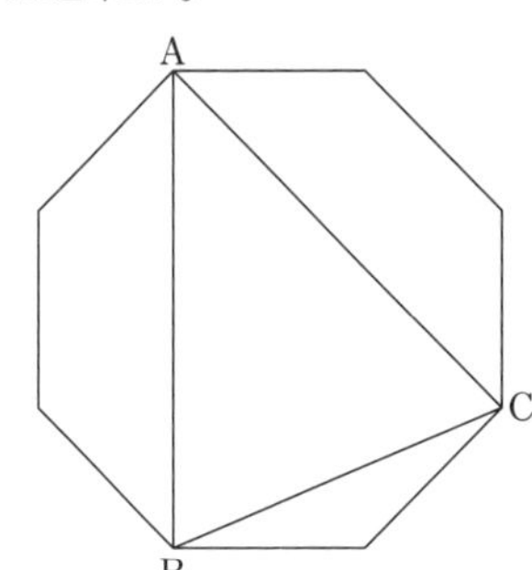

解説

正八角形を考える場合には，次の図のように，正方形の四隅から直角二等辺三角形4個を切り取ったと考えるとよい。

この正八角形の1辺の長さを2とすると，正方形から切り取る直角二等辺三角形の斜辺の長さが2なので，直角を挟む2辺の長さはそれぞれ$\sqrt{2}$である。

正方形の1辺の長さは（$2+2\sqrt{2}$）だから，その面積は，

$$(2+2\sqrt{2})^2=4+8\sqrt{2}+8=12+8\sqrt{2}$$

である。切り取る4個の直角二等辺三角形の面積の和は，

$$(\sqrt{2})^2\times\frac{1}{2}\times4=4$$

なので，正八角形の面積は，

$$12+8\sqrt{2}-4=8+8\sqrt{2}$$

一方，△ABCの面積は，底辺をAB（$=2+2\sqrt{2}$）とすれば，高さはCH（$=2+\sqrt{2}$）だから，

$$(2+2\sqrt{2})(2+\sqrt{2})\times\frac{1}{2}=(4+6\sqrt{2}+4)\times\frac{1}{2}=4+3\sqrt{2}$$

である。ここから，

$$(8+8\sqrt{2}):(4+3\sqrt{2})$$
$$=\frac{8+8\sqrt{2}}{4+3\sqrt{2}}:1$$
$$=\left(\frac{(8+8\sqrt{2})(4-3\sqrt{2})}{(4+3\sqrt{2})(4-3\sqrt{2})}\right):1$$
$$=\frac{16-8\sqrt{2}}{2}:1$$
$$=(8-4\sqrt{2}):1$$

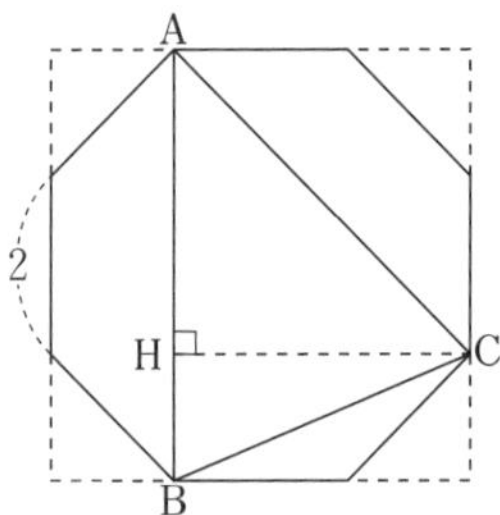

となり，△ABCの面積を1とするとき，正八角形の面積は$8-4\sqrt{2}$となる。

よって，正答は**1**である。

正答 1

数的推理　三角形　令和5年度

直径10cmの円Oの円周上に点A、点Bをとる。点Aから、OBに垂線を引き接した点をHとする。AB＝6cmの場合、三角形ABHの面積として最も妥当なのはどれか。

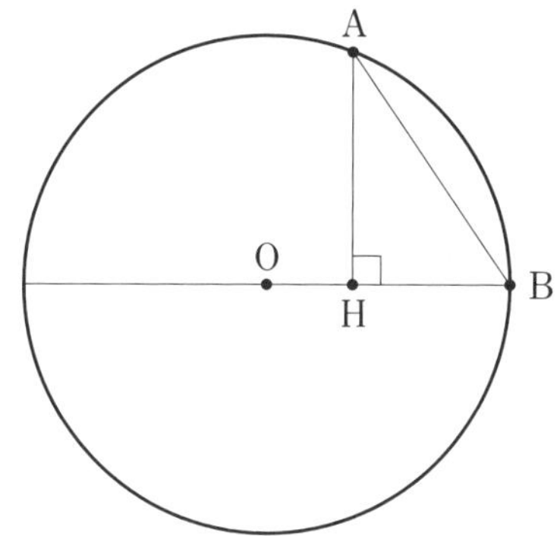

1　3.36cm²
2　6.25cm²
3　8.64cm²
4　10.8cm²
5　14.4cm²

解説

△OABは、OA＝OB＝5の二等辺三角形である。頂点Oから底辺ABに垂線OKを引くと、AK＝BK＝3であるから、△OAK、△OBKは「3：4：5」の直角三角形である。ここで、∠OBK＝∠ABHであるから、△OBK∽△ABHであり、△ABHも「3：4：5」の直角三角形である。AB＝6より、HB：HA：AB＝3：4：5＝3.6：4.8：6となる。これにより、

△ABHの面積は、$3.6\times4.8\times\frac{1}{2}=8.64$より8.64〔cm²〕であり、正答は**3**である。

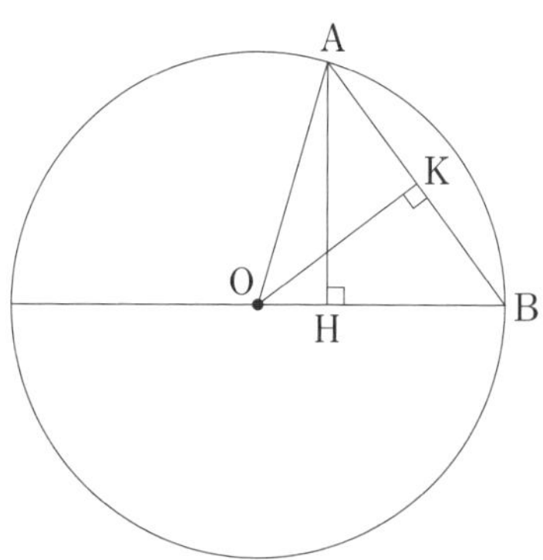

正答　3

大卒警察官

No. 323 5月型

数的推理 平面図形 平成29年度

次の図のように小さな正三角形を透き間なく並べて大きな正三角形を作る。小さな正三角形を256個使用したとき，大きな正三角形の1辺には小さな正三角形がいくつ並んでいるか。

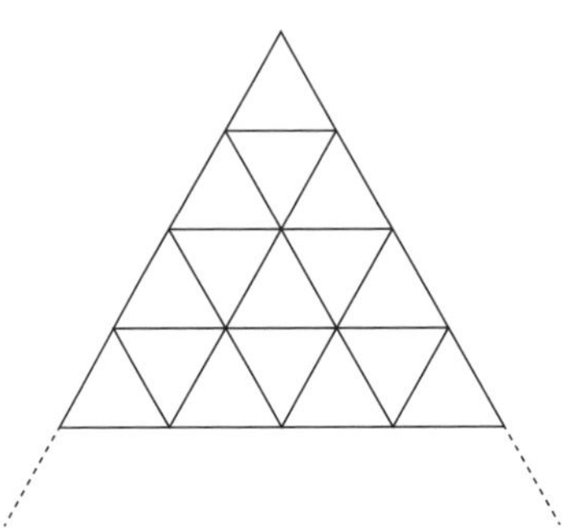

1 12個
2 13個
3 14個
4 15個
5 16個

解説

1辺の三角形の個数と使用している三角形の個数は以下のように増えている。

1辺の個数	1	2	3	4……n
三角形の個数	1	4	9	16……n^2

したがって，三角形の個数が256個のときは，

$n^2=256=16^2$

$n=16$

となる。

よって，1辺には小さな正三角形が16個並んでいるので，正答は**5**である。

正答 **5**

大卒警察官

No. 324 5月型

数的推理　長方形の面積　平成18年度

A，B 2枚の長方形を，互いに一部分が重なるようにして次の図のような図形を作ったところ，その面積が255cm^2 となった。重なっている部分が長方形Aの$\frac{1}{7}$，長方形Bの$\frac{1}{9}$であるとき，長方形Aの面積として正しいものはどれか。

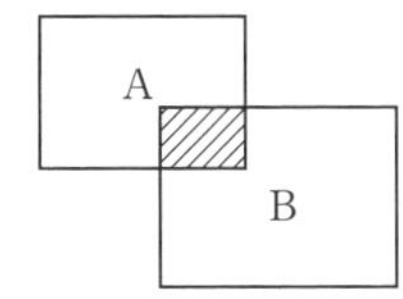

1　108cm^2
2　112cm^2
3　116cm^2
4　119cm^2
5　122cm^2

解説

A，B 2枚の長方形の重なっている部分が，長方形Aの$\frac{1}{7}$，長方形Bの$\frac{1}{9}$だから，長方形Aの重なっていない部分，長方形Bの重なっていない部分，長方形A，Bの重なっている部分の面積の比は，6：8：1である。つまり，全体の面積255cm^2 の $\frac{6+1}{6+8+1}=\frac{7}{15}$ が長方形Aの面積となる。よって，$255\times\frac{7}{15}=119$〔cm^2〕となるので，正答は**4**である。

正答　4

数学 物理 化学 生物 地学 文章理解 判断推理 数的推理 資料解釈

大卒警察官

No. 325 警視庁

数的推理　平面図形　令和2年度

次の図のように，円A，円B，円Cは縦8cm，横12cmの長方形の辺に接し，円Aと円C及び円Bと円Cはそれぞれ接している。円A，円Bの半径がともに2cmであるとき，円Cの半径として，最も妥当なのはどれか。

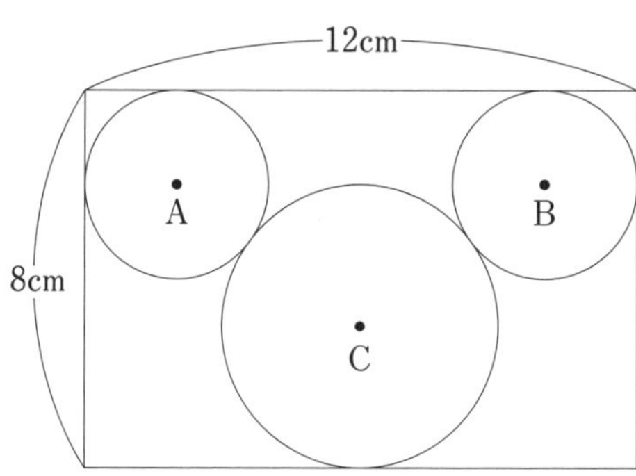

1　2.6cm
2　2.8cm
3　3.0cm
4　3.2cm
5　3.4cm

円Cの半径を$x$cmとし，円Aと円Cの中心から接線および円の中心に補助線を引くと以下のようになる。

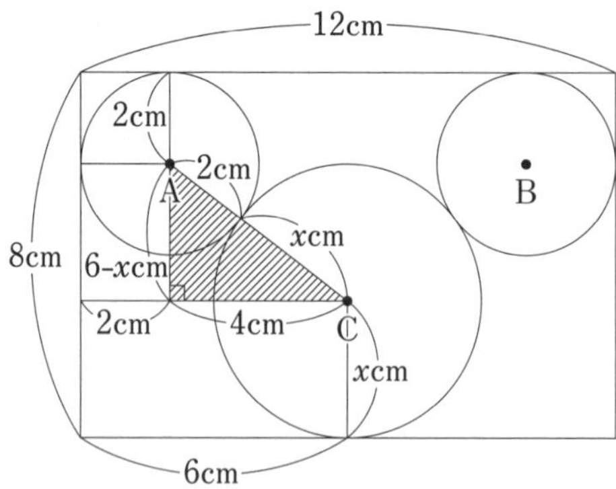

斜線部の三角形は直角三角形なので，三平方の定理より以下のような式を作ることができる。

$$(6-x)^2+4^2=(2+x)^2$$

$$x=3$$

よって，正答は**3**である。

正答　3

１辺が２の立方体から１辺が１の立方体を取り除くと下図のような投影図になった。この立体の表面積はどれか。

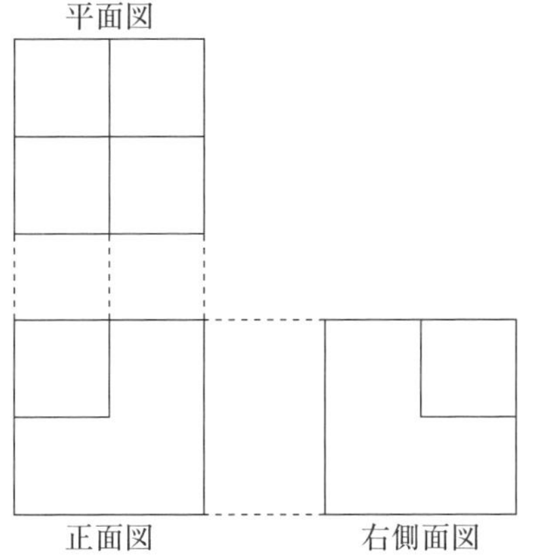

1　21
2　22
3　23
4　24
5　25

解説

正面から見たときに左上に立方体が取り除かれた段差があり，右側面図で見ても同様に右上に立方体が取り除かれた段差がある。点線の段差はないので，この２か所以外に取り除かれたところはないことがわかる。図Ⅰのような図形になる。

この図の表面積を求める際，取り除かれた箇所は図Ⅱのように，１辺が２の立方体の一部がスライドしたと考えることができる。

図Ⅰ

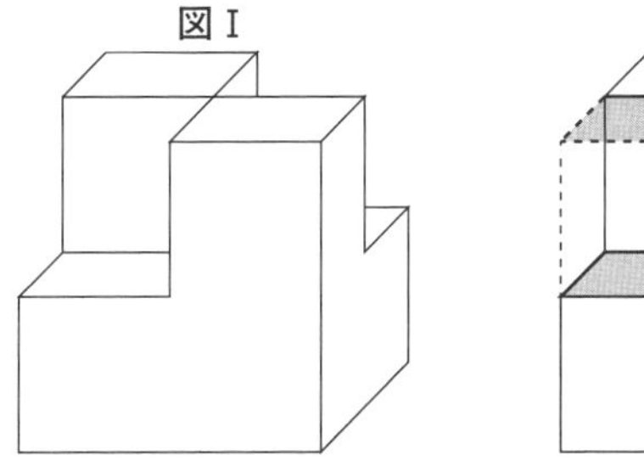

図Ⅱ

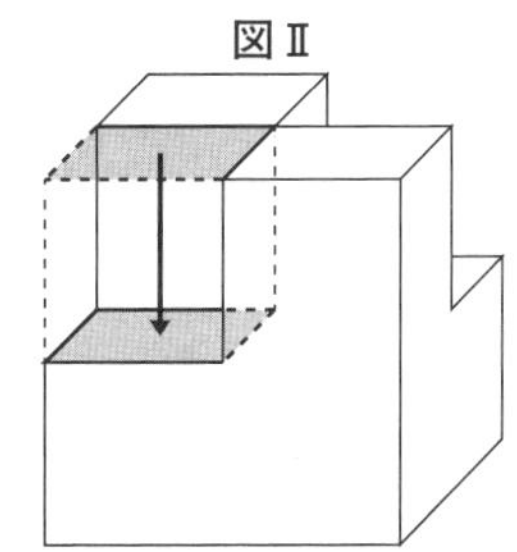

したがって，この立体の表面積は１辺が２の立方体の表面積と等しいので，

$2\times2\times6=24$

となる。

よって，正答は**4**である。

正答　4

立体図形

令和 2年度

次の図のような直円錐がある。この直円錐を底面から$\frac{1}{4}$の高さで，底面に平行な平面で切ったときにできる円錐と円錐台の体積の比として，最も妥当なのはどれか。

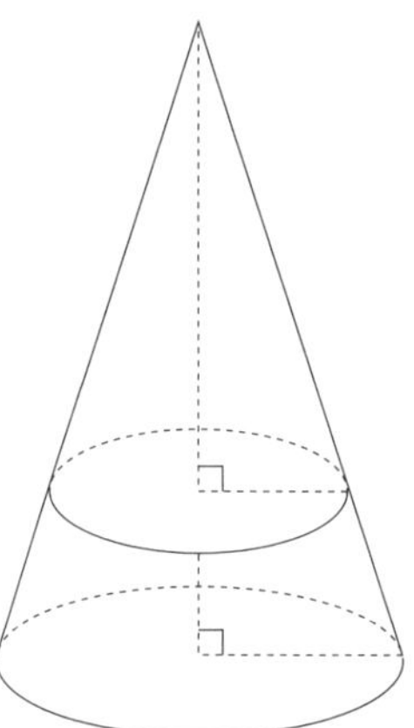

1　27：37
2　27：64
3　64：27
4　9：7
5　7：9

解説

切り取った直円錐の高さと元の直円錐の高さの比は3：4である。この2つの円錐は相似なので，体積の比は長さの比の3乗倍になる。よって体積の比は

　切り取った直円錐：元の直円錐＝3^3：4^3

　　　　　　　　　　　　＝27：64

となる。これより，切り取ったときにできる円錐台の体積は64－27＝37となる。よって，切り取ったときにできる円錐と円錐台の体積の比は

　切り取った直円錐：円錐台＝27：37

となる。

よって，正答は**1**である。

正答　1

No. 328 5月型 数的推理 場合の数 平成25年度

図のようなゲーム機がある。このゲーム機は，スタートスイッチを押すと，A～Dに0～9のいずれかの数字が表れる。このとき，AとBに表れた数字の和がCとDに表れた数字の和より大きくなると，その差と同じ枚数のコインが出てくる。また，A～Dに表れた数字がすべて一致したとき，その和の4倍に当たる枚数のコインが出てくることになっている。このゲーム機で，1回に16枚のコインが出てくるのは何通りあるか。

1 5通り
2 7通り
3 9通り
4 11通り
5 13通り

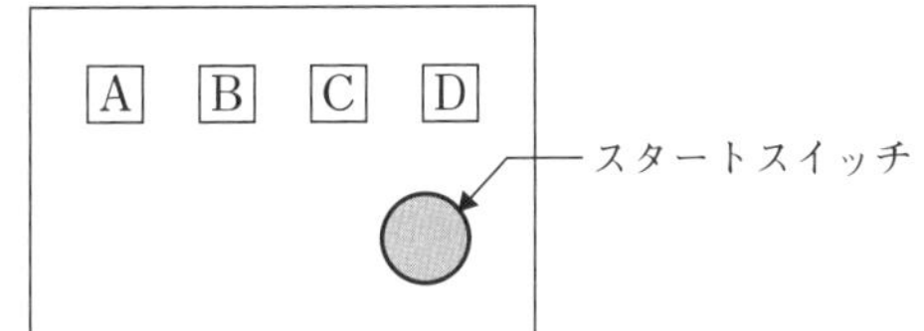

解説

表に示すように，(A＋B)－(C＋D)＝16となるのが，①～⑩の10通り，A～Dに表れる数字が同じで，その和の4倍が16となるのは⑪の場合（1×4×4＝16）の1通りである。したがって，全部で11通りある。

	A	B	C	D		A	B	C	D
①	7	9	0	0	⑥	8	9	1	0
②	8	8	0	0	⑦	9	8	1	0
③	9	7	0	0	⑧	9	9	0	2
④	8	9	0	1	⑨	9	9	1	1
⑤	9	8	0	1	⑩	9	9	2	0
					⑪	1	1	1	1

よって，正答は**4**である。

正答 4

大卒警察官

No. 329 警視庁

数的推理　場合の数　平成23年度

ある青果店の店頭に，りんご，なし，かき，みかんの4種類の果物が並べられている。この中からそれぞれ2個以上買い，合計で15個の果物を買うときの果物の組合せ数として，正しいのはどれか。

1　40通り　　**2**　80通り　　**3**　120通り
4　160通り　　**5**　200通り

解説

りんご，なし，かき，みかんの4種類の果物の中からそれぞれ2個以上買い，合計で15個の果物を買うということから，まず，この4種類の果物を2個ずつ（合計8個）買ったとして，残りの7個（＝15個－8個）を何種類の果物で買い，それぞれを何個買うかを考えていく。

(1) 残りの7個を1種類の果物で買う場合

これは，4種類の果物から1種類を選ぶ組合せの数なので，$_4C_1=4$〔通り〕

(2) 残りの7個を2種類の果物で買う場合

4種類の果物から2種類を選ぶ組合せの数を求め，その2種類について，それぞれいくつずつ買うかを考える。

4種類の果物から2種類を選ぶ組合せの数は，$_4C_2=\dfrac{4\times3}{2}=6$〔通り〕

その2種類をそれぞれいくつずつ買うかは，次図のように果物を1つずつ入れるための横並びの7つのスペース（＝「○」）を想定し，これらを2つに分ける場合の数を考える。

○｜○｜○｜○｜○｜○｜○

この場合，7つのスペースの間にある6つの仕切り（＝「｜」）のうち1つを選べば，2種類の果物をそれぞれいくつずつ買うかが，この仕切りによって左右に分けられた数で決定する。

この仕切りの選び方は，$_6C_1=6$〔通り〕

したがって，残りの7個を2種類の果物で買う場合の数は，$_4C_2\times{}_6C_1=6\times6=36$〔通り〕

(3) 残りの7個を3種類の果物で買う場合

これも（2）の場合と同様に考える。

4種類の果物から3種類を選ぶ組合せの数は，$_4C_3=\dfrac{4\times3\times2}{3\times2}=4$〔通り〕

また，（2）で示した図の6つの仕切りのうち2つを選べば，7つのスペースが3つに分けられ，3種類の果物をそれぞれいくつずつ買うかが仕切りによって分けられた数で決定する。

この仕切りの選び方は，$_6C_2=\dfrac{6\times5}{2}=15$〔通り〕

したがって，残りの7個を3種類の果物で買う場合の数は，$_4C_3\times{}_6C_2=4\times15=60$〔通り〕

(4) 残りの7個を4種類の果物で買う場合

これも（2）の場合と同様である。

4種類の果物から4種類を選ぶ組合せの数は，$_4C_4=1$〔通り〕

また，（2）で示した図の6つの仕切りのうち3つを選べば，7つのスペースが4つに分けられ，4種類の果物をそれぞれいくつずつ買うかが仕切りによって分けられた数で決定する。

この仕切りの選び方は，$_6C_3=\dfrac{6\times5\times4}{3\times2}=20$〔通り〕

したがって，残りの7個を4種類の果物で買う場合の数は，$_4C_4\times{}_6C_3=1\times20=20$〔通り〕

(1)～(4) より，求める組合せ数は，

$4+36+60+20=120$〔通り〕

よって，正答は**3**である。

正答　3

No. 330 警視庁 数的推理 確　率 令和2年度

袋の中に赤玉と白玉が2個ずつ入っている。袋から1個の玉を無作為に取り出し，それが白玉であれば袋に戻し，赤玉であれば戻さずに別に用意した白玉1個を袋に入れる。袋からの玉の取り出しが3回以下で袋の中が白玉4個となる確率として，最も妥当なのはどれか。

1 $\frac{1}{16}$　**2** $\frac{3}{32}$　**3** $\frac{1}{8}$

4 $\frac{7}{32}$　**5** $\frac{9}{32}$

解説

白玉が4個となるには，赤玉を2個取り出さなければいけない。3回以下で赤玉を2個取り出すには以下の3通りが考えられる。

（1）「赤赤」と取り出す場合

最初に赤を取り出す確率は$\frac{1}{2}$で，袋の中には白玉を入れる。このとき袋の中は赤玉1個，白玉3個となっているので次に赤を取り出す確率は$\frac{1}{4}$となる。よって，このときの確率は

$$\frac{1}{2}\times\frac{1}{4}=\frac{1}{8}$$

である。

（2）「赤白赤」と取り出す場合

最初に赤玉を取り出す確率は$\frac{1}{2}$で，袋の中には白玉を入れる。このとき袋の中は赤玉1個，白玉3個となっているので次に白玉を取り出す確率は$\frac{3}{4}$となり，次に赤玉を取り出す確率は$\frac{1}{4}$となる。よって，このときの確率は

$$\frac{1}{2}\times\frac{3}{4}\times\frac{1}{4}=\frac{3}{32}$$

である。

（3）「白赤赤」と取り出す場合

最初に白玉を取り出す確率は$\frac{1}{2}$で，次に赤を取り出す確率は$\frac{1}{2}$となり，袋の中には白玉を入れる。このとき袋の中は赤玉1個，白玉3個となっているので次に赤玉を取り出す確率は$\frac{1}{4}$となる。よって，このときの確率は

$$\frac{1}{2}\times\frac{1}{2}\times\frac{1}{4}=\frac{1}{16}$$

である。

以上より，3回以下で袋の中が白玉4個となる確率は，

$$\frac{1}{8}+\frac{3}{32}+\frac{1}{16}=\frac{9}{32}$$

となるので，正答は**5**である。

正答　5

大卒警察官

No. 331 5月型 数的推理 確　率 令和2年度

1～9の異なる数字の書かれたカードがある。ここから順に2枚のカードを引いて，その2枚の数の和が奇数になる確率を求めよ。ただし，引いたカードは戻さないものとする。

1 $\frac{2}{9}$

2 $\frac{4}{9}$

3 $\frac{1}{2}$

4 $\frac{5}{9}$

5 $\frac{7}{9}$

解説

2枚の和が偶数になる場合（余事象）の確率を求めて，全体の1から引いて求める。

まず，全部で何通りあるかを考える。1枚目の引き方は9通りあり，そのおのおのに対して残り8通りの引き方があるので，9×8=72〔通り〕となる。その中で和が偶数になるのは「奇数+奇数」と「偶数+偶数」の2通りである。

「奇数+奇数」はまず初めに奇数を引くので，1，3，5，7，9の5通りあり，そのおのおのに対して残り4通りの引き方があるので，5×4=20〔通り〕となる。

「偶数+偶数」はまず初めに偶数を引くので，2，4，6，8の4通りあり，そのおのおのに対して残り3通りの引き方があるので，4×3=12〔通り〕となる。

以上より，偶数になる引き方は全部で20+12=32〔通り〕あるので，和が偶数になる確率は$\frac{32}{72}=\frac{4}{9}$となる。よって，求める確率は$1-\frac{4}{9}=\frac{5}{9}$となるので，正答は**4**である。

正答　4

No. 332 数的推理 確　率

警視庁　平成29年度

袋の中に赤い玉，白い玉が合わせて８個入っている。この袋の中から玉を２個同時に取り出すとき，赤い玉と白い玉が１個ずつ出る確率が $\frac{3}{7}$ であるという。このとき，赤い玉の個数として，最も妥当なのはどれか。

1　２個
2　３個
3　６個
4　２個または３個
5　２個または６個

解説

８個の中から２個の取り出し方は全部で ${}_8C_2=28$〔通り〕ある。求める確率は $\frac{3}{7}$ より，分母を28にそろえると $\frac{3}{7}=\frac{12}{28}$ となり，赤い玉と白い玉が１個ずつ出る場合の数が12通りであったことがわかる。赤い玉の個数を x 個，白い玉の個数を y 個とすると，$xy=12$ と表すことができる。また，全部で８個入っていたので，$x+y=8$ となる。この２式を連立させると，

$$\begin{cases} xy=12 \\ x+y=8 \end{cases}$$

$$x^2-8x+12=0$$

$$(x-2)(x-6)=0$$

$$x=2,\ 6$$

となる。

これより赤い玉の個数は２個または６個となるので，正答は**5**である。

正答　5

No. 333 警視庁 数的推理 期待値 平成28年度

袋の中に1～5の異なる整数が書かれたカードが1枚ずつ，合計5枚入っている。この袋からカードを1枚ずつ，取ったカードは戻さずに合計3枚引いたとき，その3枚のカードに書かれている数字の和の期待値として，最も妥当なのはどれか。

1 7.5
2 8
3 8.5
4 9
5 9.5

解説

5枚のカードから3枚を引く組合せは，${}_5C_3=\frac{5\times4\times3}{3\times2\times1}=10$より，10通りある。ここで求める「3枚のカードに書かれている数字の和の期待値」とは，単純に言ってしまえば，「10通りにおける3枚のカードに書かれている数字の和の平均値」ということである。10通りにおける3枚のカードに書かれている数字の和は表のようになるので，その期待値は，(6+7+8+8+9+10+9+10+11+12)÷10＝90÷10＝9となる

	3枚のカード			和
①	1	2	3	6
②	1	2	4	7
③	1	2	5	8
④	1	3	4	8
⑤	1	3	5	9
⑥	1	4	5	10
⑦	2	3	4	9
⑧	2	3	5	10
⑨	2	4	5	11
⑩	3	4	5	12
計				90

よって，正答は**4**である。

正答 4

大卒警察官

No. 334 警視庁

資料解釈 地域別の農業産出額の割合 令和5年度

次の表は、我が国の地域別の農業産出額の割合を表している。この表からいえることとして、最も妥当なのはどれか。

	米	野菜	耕種その他	乳用牛	肉用牛	畜産その他	産出額(億円)
北海道	9.5%	16.9%	15.7%	39.3%	7.6%	11.0%	12,667
東北	31.8%	18.3%	19.3%	4.8%	6.5%	19.3%	14,426
北陸	60.4%	13.4%	9.4%	2.5%	1.6%	12.7%	4,142
関東東山	15.3%	35.8%	21.0%	7.3%	3.7%	16.9%	19,845
東海	13.3%	30.0%	26.1%	6.4%	5.3%	18.9%	6,916
近畿	26.0%	24.2%	29.3%	5.2%	5.8%	9.5%	4,549
中国	21.9%	20.6%	18.2%	8.9%	7.6%	22.8%	4,577
四国	12.4%	36.6%	28.7%	3.8%	3.7%	14.8%	4,103
九州	9.2%	24.9%	19.1%	4.6%	16.3%	25.9%	17,422
沖縄	0.5%	14.0%	41.9%	4.0%	21.8%	17.8%	910

※東山は山梨県と長野県とする。

1 各地域の産出額に対する「米」、「野菜」、「耕種その他」の割合の合計は、どの地域も、「乳用牛」、「肉用牛」、「畜産その他」の割合の合計より10%以上高い。

2 北陸の「米」の産出額は約2,501億円であるが、全国の「米」の産出額に占める割合は20%以上である。

3 近畿の「畜産その他」の産出額は約432億円であり、全国の「畜産その他」の産出額の中で最も少ない。

4 地域別の農産物のうち産出額が5,000億円を超えているのは、関東東山の「野菜」と北海道の「乳用牛」である。

5 地域別の「米」の産出額が最も高いのは東北で、その額は北海道の「米」の産出額の3倍以上である。

解説

1. 北海道の場合、「米」、「野菜」、「耕種その他」の割合の合計は、9.5＋16.9＋15.7＝42.1であり、「乳用牛」、「肉用牛」、「畜産その他」の割合の合計より小さい。

2. 北陸の「米」の産出額が全国の20%以上ならば、北陸以外の地域における「米」の産出額は全国の80%以下（北陸の4倍以下）でなければならない。概算で、北海道が約1,200、東北が約4,600、関東東山が約3,000、九州が約1,600で、計10,400となり、北陸の4倍を超えている。

3. 沖縄の場合、910×0.178≒162であり、近畿より少ない。

4. 北海道の「乳用牛」の場合、12,667×0.393≒4,980であり、5,000億円未満である。

5. 妥当である。地域別の「米」の産出額が最も高いのは東北である。東北の農業産出額は北海道より大きく、「米」の割合は東北が北海道の3倍を超えている。したがって、東北の「米」の産出額は北海道の3倍を超えている。

正答 5

大卒警察官 No. 335 警視庁

資料解釈　工業統計表　令和4年度

次の表は，2019年の関東地方における工業統計表（製造業）である。この表からいえるア～ウの記述の正誤の組合せとして，最も妥当なのはどれか。

	事業所数	従業者数（人）	現金給与総額（百万円）	原材料使用額等（百万円）	製造品出荷額等（百万円）
茨城県	4,927	272,191	1,325,925	7,647,968	12,581,236
栃木県	4,039	203,444	948,677	5,027,819	8,966,422
群馬県	4,480	210,730	948,744	5,548,067	8,981,948
埼玉県	10,490	389,487	1,681,855	8,387,481	13,758,165
千葉県	4,753	208,486	992,951	8,390,915	12,518,316
東京都	9,887	245,851	1,190,968	4,030,463	7,160,755
神奈川県	7,267	356,780	1,862,938	11,453,015	17,746,139

ア　表中の7都県の事業所数の合計に対する事業所数上位3都県の合計の割合は，50％以上である。

イ　従業員1人あたりの現金給与額が最も多いのは神奈川県である。

ウ　製造品出荷額等に対する原材料使用額の割合が最も少ないのは千葉県である。

	ア	イ	ウ
1	誤	正	正
2	正	誤	誤
3	正	正	正
4	正	正	誤
5	誤	誤	誤

解説

ア：正しい。事業所数上位3都県は埼玉県，東京都，神奈川県で，この3都県の事業所数の合計は20,000を超えている。残り4県はいずれも5,000未満なので，その合計は20,000未満である。したがって，表中の7都県の事業所数の合計に対する事業所数上位3都県の割合は，50％以上である。

イ：正しい。現金給与総額の数値が従業者数の数値の5倍を超えているのは神奈川県だけである。つまり，神奈川県だけが従業者1人当たりの現金給与額が500万円を超えており，最も多い。

ウ：東京都と比較するとわかりやすい。千葉県の原材料使用額は東京都の2倍を超えている。したがって，製造品出荷額等に対する原材料使用額の割合が東京都より小さくなるためには，製造品出荷額等が少なくとも東京都の2倍を超えていなければならないが，2倍を超えてはいない。

以上より，正答は**4**である。

正答 4

数学 物理 化学 生物 地学 文章理解 判断推理 数的推理 資料解釈

No. 336 警視庁

資料解釈　研究主体別活動状況　令和4年度

次の表は，研究主体別に活動の状況を示したものである。この表からいえることとして，最も妥当なのはどれか。

	研究関係従業者数（人）	研究関係従業者数に対する研究者の割合（%）	総支出に対する内部使用研究費比率（%）	研究者一人当たり内部使用研究費（100万円）
大学等	410,735	72.3	40.0	12.52
国立	195,881	68.9	46.7	10.80
公立	30,273	70.3	34.2	11.01
私立	184,581	76.3	36.9	14.40

1　私立の総支出は，大学等の総支出の50％を超えていない。
2　内部使用研究費について，私立は公立の10倍を超えている。
3　内部使用研究費は，国立よりも私立の方が多い。
4　大学等の研究者数は，公立の研究者数の15倍を上回っている。
5　国立の総支出は，公立の総支出の6倍を超えている。

解説

研究者数＝研究関係従業者数×研究関係従業者数に対する研究者の割合，
内部使用研究費＝研究者１人当たり内部使用研究費×研究者数，
総支出＝内部研究費÷総支出に対する内部使用研究費比率，
でそれぞれ求められる。選択肢で問われている部分だけ求めればよく，概数で十分であるが，一覧にすると次のようになる。

	研究者数	内部使用研究費	総支出
大学等	296,961	3,717,957	9,294,892
国立	134,962	1,457,590	3,121,177
公立	21,282	234,314	685,128
私立	140,835	2,028,028	5,496,012

1．私立の総支出は5,496,012百万円，大学等の総支出は9,294,892百万円であり，50％を超えている。

2．公立の内部使用研究費は234,314百万円，私立は2,028,028百万円であり，10倍未満である。

3．妥当である。国立の内部使用研究費は1,457,590百万円，私立の内部使用研究費は2,028,028百万円であり，私立のほうが多い。

4．大学等の研究者数は296,691人，公立の研究者数は21,282人である。15倍を上回るのであれば，大学等の研究者数が300,000人を超えていなければならない。

5．国立の総支出は3,121,177百万円，公立の総支出は685,128百万円である。国立の総支出が公立の６倍を超えるためには，4,000,000百万円を超えている必要がある。

正答　3

数学 物理 化学 生物 地学 文章理解 判断推理 数的推理 資料解釈

大卒警察官

警視庁

No. 337 資料解釈 損害保険の種目別保険料の推移 令和5年度

次の表は、我が国の損害保険の種目別保険料の推移を表している。この表からいえることとして、最も妥当なのはどれか。

(単位：億円)

会計年度	1990	2000	2010	2019	2020
任意保険					
火災	9,735	10,537	10,073	12,807	14,693
自動車	24,781	36,501	34,564	41,089	41,881
傷害	6,670	6,766	6,477	6,750	6,205
新種　1）	6,014	6,923	8,189	13,035	13,331
海上・運送	2,941	2,315	2,324	2,622	2,426
強制保険					
自動車賠償責任保険	6,147	5,698	8,083	9,791	8,390
損害保険料の合計	56,288	68,740	69,710	86,094	86,926

1）賠償責任保険、動産総合保険、労働者災害補償責任保険、航空保険、盗難保険、建設工事保険、ペット保険など

1　任意保険の保険料の合計が損害保険料の合計に占める割合は、各年度90％以下になっている。

2　新種保険の保険料が任意保険の保険料の合計に占める割合は、各年度10％以上であり、2020年度は15％以上である。

3　傷害保険の保険料が任意保険の保険料の合計に占める割合は、1990年度から2019年度までは10％以上であるが、2020年度は５％以下である。

4　2010年度と2020年度では、海上・運送保険の保険料が任意保険の保険料の合計に占める割合は、いずれも増加している。

5　自動車賠償責任保険の保険料が最も高いのは2019年度であるが、自動車賠償責任保険の保険料が損害保険料の合計に占める割合は2020年度が最も高い。

解説

1．2000年度の場合、自動車賠償責任保険の保険料が損害保険料の合計の10％未満なので、任意保険の保険料の合計が損害保険料の合計に占める割合は90％を超えている。

2．妥当である。いずれの年度も、新種保険の保険料が損害保険料の合計に占める割合が10％を超えているので、任意保険の保険料の合計に占める割合は10％を超えている。2020年度は、任意保険の保険料の合計が、86,926－8,390≒79,000より、約79,000であり、79,000×0.15＝11,850＜13,331となるので、15％を超えている。

3．2020年度の場合、79,000×0.05＝3,950＜6,205であり、５％を超えている。

4．どの時期と増減を比較するのかが不明確であるが、2020年度を2019年度と比較すると、海上・運送保険の保険料は減少しているが、任意保険の保険料の合計は増加しているので、その割合は減少している。

5．自動車賠償責任保険の保険料が損害保険料の合計に占める割合は、2019年度は10％を超えているが、2020年度は10％未満である。

正答　2

警視庁

No. 338 資料解釈 階数別共同住宅数の割合の推移 平成26年度

次の表は，東京都の階数別共同住宅数の割合の推移をまとめたものである。この表から言えることとして，最も妥当なのはどれか。

階数別共同住宅数の割合の推移

	年次	割合（%）			実数（千戸）
		1－2階	3－5階	6階以上	住宅総数
東京都	昭和63年	42.6	36.0	21.4	2,647
	平成５年	36.8	40.6	22.7	3,044
	平成10年	31.7	42.5	25.8	3,289
	平成15年	26.2	40.7	33.1	3,698
	平成20年	23.0	39.2	37.8	4,135
全　国	平成20年	27.6	39.8	32.6	20,684

（注）端数処理のため，合計が100％にならない場合がある。

1　東京都の平成15年の「1－2階」の共同住宅数は，平成５年の「6階以上」の共同住宅数の1.5倍以上である。

2　昭和63年に対する平成５年の東京都の共同住宅数の増加率を見ると，最大なのは「6階以上」である。

3　平成20年において，全国の「6階以上」の共同住宅数に占める東京都のそれの割合は30％を超えている。

4　平成10年の東京都の「1－2階」の共同住宅数は，平成５年のそれよりも多い。

5　昭和63年を除く表中の年の東京都の共同住宅数を３つの階級区分別に見たとき，５年前と比べて500千戸以上増加したものはない。

解説

1．平成15年の「1－2階」の共同住宅数の割合は26.2％，平成５年の「6階以上」の共同住宅数の割合は22.7％だから，この数値を比較すると，26.2÷22.7≒1.15より，約1.15倍である。一方，住宅総数は，3,698÷3,044≒1.21より，約1.21倍である。1.21×1.15＜1.4だから，1.5倍未満である。

2．ここでは各階数の割合だけを見ればよい。「6階以上」は，22.7÷21.4≒1.06，これに対し，「3－5階」では，40.6÷36.0＞1.1，であり，「3－5階」のほうが増加率は大きい。

3．平成20年における東京都の住宅総数は全国の20％未満である。したがって，全国の「6階以上」の共同住宅数に占める東京都のそれの割合が30％を超えるためには，東京都の「6階以上」の共同住宅数の割合が，全国の「6階以上」の共同住宅数の割合である32.6％の1.5倍（＝48.9％）を超えている必要がある。

4．平成10年の東京都の「1－2階」の共同住宅数の割合の数値は，平成５年の数値の0.9倍未満（31.7÷36.8）である。したがって，平成10年の東京都の「1－2階」の共同住宅数が平成５年より多くなるためには，平成10年の住宅総数が平成５年の1.1倍を超えている必要がある。しかし，3289÷3044＜1.1だから，平成10年のほうが少ない。

5．正しい。平成５～20年まで，住宅総数が５年前より500千戸増加した年がないので，階数区分別で500千戸増加することはない。

正答　5

No. 339 資料解釈 一番茶の府県別摘採面積 平成30年度

警視庁

次の表は平成29年度の一番茶の府県別摘採面積，生葉収穫量，荒茶生産量および対前年産比を示したものである。この表からいえることとして，最も妥当なのはどれか。

府県	摘採面積 (ha)	生葉収穫量 (t)	荒茶生産量 (t)	対前年産比（%）		
				摘採面積	生葉収穫量	荒茶生産量
埼玉県	615	2,180	457	90	89	88
静岡県	15,600	53,500	11,000	98	90	91
三重県	2,720	12,900	2,560	98	89	89
京都府	1,410	7,120	1,460	99	95	94
奈良県	642	4,300	1,010	101	102	102
鹿児島県	7,930	41,100	7,880	101	105	106

1　平成28年度における埼玉県の摘採面積は700ha を超えている。
2　平成29年度における１府５県の荒茶生産量の平均は，3,000t に満たない。
3　平成29年度の生葉収穫量についてみると，鹿児島県の生葉収穫量は１府５県のそれの合計の30％に満たない。
4　平成28年度における静岡県の摘採面積当たりの生葉収穫量は，平成29年度におけるそれを上回っている。
5　平成28年度における京都府の荒茶生産量は1,400t を下回っている。

解説

1．仮に平成28年度の埼玉県の摘採面積が700ha だったとすると，29年度は対前年産比90％なので，700×0.9＝630〔ha〕となる。しかし実際には615ha なので，28年度の摘採面積は700ha より少なかったと判断できる。

2．平均が3,000t だとすると，１府５県の合計はおよそ18,000t となる。しかし，静岡県と鹿児島県だけでも18,880 t となるので，平均は明らかに3,000t を超えている。

3．千の位以上を概算で計算すると，１府５県の合計は2＋53＋12＋7＋4＋41＝119となり約120,000t である。これの30％は36,000t なので，鹿児島県の41,000t は合計の30％を明らかに上回っている。

4．正しい。28年度における静岡県の摘採面積を a，生葉収穫量を b と置くと，摘採面積当たりの生葉収穫量は $\frac{b}{a}$ となる。29年度は28年度比で摘採面積が98％，生葉収穫量が90％なので，摘採面積当たりの生葉収穫量は $\frac{0.9b}{0.98a}$ となる。$\frac{b}{a} > \frac{0.9b}{0.98a}$ なので，28年度のほうが上回っている。

5．29年度の京都府の荒茶生産量は，対前年比94％で1,460t なので，28年度は明らかに1,400t を上回っている。

正答　4

大卒警察官

No. 340 警視庁

資料解釈　再商品化製品販売実績の推移　平成29年度

次の表は，平成28年度上半期における再商品化製品販売実績全国集計を示したものである。この表から言えることとして，最も妥当なのはどれか。

区分	4月		5月		6月		7月		8月		9月	
	販売量(t)	前年度同月比(%)	販売量(t)	前年度同月比(%)	販売量(t)	前年度同月比(%)	販売量(t)	前年度同月比(%)	販売量(t)	前年度同月比(%)	販売量(t)	前年度同月比(%)
ガラスびん	28,545	99.9	26,929	109.2	30,282	97.4	28,797	87.3	28,849	98.4	28,555	90.7
PET ボトル	11,061	83.3	12,431	92.3	13,060	95.6	12,813	93.2	13,583	105.2	14,033	100.8
紙製容器包装	1,861	92.4	1,820	93.1	1,774	97.2	1,591	94.8	1,702	96.1	1,719	106.6
プラスチック製容器包装	38,467	101.7	38,696	107.5	35,253	92.6	38,534	99.3	38,792	106.3	35,422	98.2

1　平成28年度の4月における4つの区分の販売量の合計は，前年度のそれを上回っている。
2　前年度の4月から9月においてガラスびんの販売量が最も多かった月は6月である。
3　平成28年度の6月の販売量について，プラスチック製容器包装は4つの区分の販売量の合計の4割に満たない。
4　紙製容器包装の販売量が前年度と比べて最も減少した月における減少量は100t以上である。
5　PET ボトルの前年度の販売量を4月と9月で比べると，4月の販売量の方が100t以上多い。

解説

1．前年同月と比べほぼ同じのガラスびんを除いて考える。減少数の多い PET ボトルとプラスチック製容器包装で比較する。PET ボトルは16.7%減少して11,061t になっているので1,600t 以上は減少している。それに対しプラスチック製包装は1.7%増加して38,467t なので1,000t 以上は増加していない。よって，4月は前年度の販売量より下回っている。

2．6月の販売量と7月の販売量を比較すると6月のほうが約1,500t 多く6月の販売量の5%ぐらいの差なのに対して，前年同月比は10%程度の差があるので，前年の7月の販売量のほうが多い。実際に計算してみると以下のようになる。

平成27年度6月：30,282÷0.974≒31,090〔t〕

平成27年度7月：28,797÷0.873≒32,986〔t〕

3．千の位以上だけで検討しても全体は30+13+1+35=79となる。これを80として計算するとその4割は32なので，35,253t のプラスチック製容器包装は4割を超えている。

4．正しい。紙製容器包装の販売量が多くて前年度同月比も低い4月が最も減少したと考えられる。前年同月は1,861÷0.924≒2,000なので，1,861t の4月は100t 以上は減少している。

5．9月の前年同月比は100.8〔%〕なので，前年同月はほぼ同じ14,000t 程度と考えることができる。それに対して4月は16.7%減少して11,061t なので，前年同月は明らかに14,000t より少ない。よって，4月の販売量のほうが9月の販売量よりも少ない。

正答　4

大卒警察官

No. 341 警視庁

資料解釈　年齢3区分別人口の推移　平成28年度

次の表は，20年ごとの我が国の０～14歳，15歳～64歳，65歳以上の年齢３区分別人口の推移を，1930年の総人口を100とする指数で表したものである。2010年の15～64歳の人口が8,100万人であるとき，この表から言えることとして，最も妥当なのはどれか。

	総人口	０～14歳	15～64歳	65歳以上	内75歳以上	不詳
1930年	100.0	36.6	58.7	4.8	1.4	0.0
1950年	130.5	46.2	77.8	6.4	1.7	0.0
1970年	162.4	39.0	111.9	11.5	3.5	0.0
1990年	191.8	34.9	133.3	23.1	9.3	0.5
2010年	198.7	26.1	125.7	45.4	21.8	1.5

（注）　端数処理のため，各指数の合計が総人口の指数にならない場合がある。

1　1930年の75歳以上の人口は，100万人を超えている。
2　1950年の０～14歳の人口は，2010年のそれより1,500万人以上多い。
3　1970年の総人口は，１億人を超えている。
4　1990年の65歳以上の人口は，2,000万人を超えている。
5　2010年の65歳以上の人口は，1930年のそれより3,000万人以上多い。

解説

資料は1930年における総人口を100とする指数で示されている。そこで，2010年における15～64歳の人口が8,100万人なので，ここから1930年における総人口を求めておくと，全体の作業が簡略化される。$8100\times\frac{100.0}{125.7}\fallingdotseq 6443.91$より，1930年における総人口は約6,444万人である。

1．6444×0.014≒90.22より，約90万人であり，100万人未満である。
2．6444×(0.462－0.261)≒1295.24より，その差は約1,295万人で，1,500万人に達しない。
3．正しい。6444×1.624≒10465.06より，約１億465万人である。
4．6444×0.231≒1,488.56より，1,500万人未満である。
5．6444×(0.454－0.048)≒2616.26より，その差は約2,616万人で，3,000万人に達しない。

正答　3

警視庁

No. 342 資料解釈　所得階級別の世帯分布　平成25年度

次の図は，所得再分配による所得階級別の世帯分布をまとめたものである。この図から言えることとして，最も妥当なのはどれか。

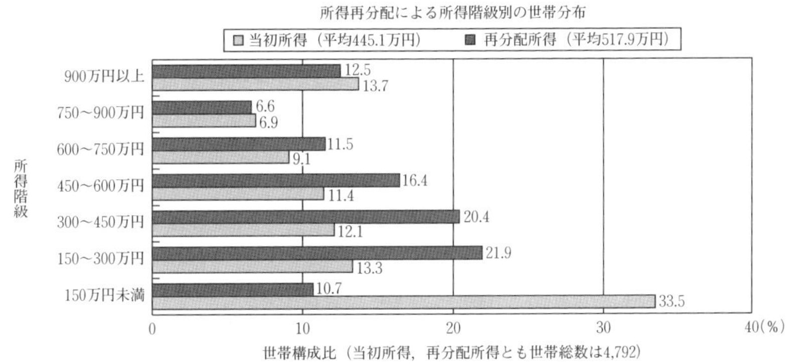

1　当初所得「150～300万円」の世帯数は500世帯未満である。

2　当初所得「150万円未満」の世帯数は，再分配所得「750～900万円」の世帯数の10倍以上である。

3　当初所得「600～750万円」の全世帯の当初所得の合計額より，当初所得「150万円未満」の全世帯の当初所得の合計額の方が少ない。

4　再分配所得「750～900万円」の全世帯の再分配所得の合計より，再分配所得「150～300万円」の全世帯の再分配所得の合計額の方が少ない。

5　もし当初所得「150万円未満」の世帯がすべて当初所得「150～300万円」になり，かつ，それ以外の世帯の当初所得が変化しなければ，全体の当初所得の平均額は500万円を超える。

解説

1．当初所得「150～300万円」の世帯は，4,792世帯の13.3％だから，4,792×0.133≒637 より，500世帯を超えている。

2．当初所得「150万円未満」の世帯数は4,792世帯の33.5％，再分配所得「750～900万円」の世帯数は4,792世帯の6.6％だから，10倍未満（約５倍）である。

3．妥当である。当初所得「600～750万円」の世帯すべてが当初所得600万円，当初所得「150万円未満」の世帯すべてが当初所得150万円だとしても，１世帯当たりの所得で４倍となる。世帯構成比は9.1％と33.5％で3.7倍未満（33.5÷9.1≒3.68）だから，当初所得「600～750万円」の全世帯の当初所得の合計額より当初所得「150万円未満」の全世帯の当初所得の合計額のほうが少ないことになる。

4．**3**と同様に考えれば，750万円と300万円では2.5倍である。再分配所得「750～900万円」の世帯は6.6％，再分配所得「150～300万円」の世帯は21.9％で，約3.3倍（＝21.9÷6.6）あるから，再分配所得「750～900万円」の全世帯の再分配所得の合計額より，再分配所得「150～300万円」の全世帯の再分配所得の合計額のほうが多い可能性がある。

5．当初所得の平均額は445.1万円なので，平均額が500万円を超えるためには，約55万円増加する必要がある。当初所得「150万円未満」の世帯は全体の33.5％（約$\frac{1}{3}$）だから，当初所得「150万円未満」の世帯だけの所得増加で全体の平均額が55万円増加するためには，当初所得「150万円未満」の１世帯当たりで55万円の３倍である165万円増加しなければならず，これだと当初所得がマイナスとなってしまう。

正答　3

大卒警察官
No. 343 警視庁

資料解釈 家庭用ゲーム会社の出荷状況 平成27年度

次の図は，我が国の家庭用ゲーム会社のハードウェア及びソフトウェア製品の出荷状況を示したものである。棒グラフは，ハードウェア及びソフトウェアそれぞれの出荷額で，単位は億円である。製品は国内向け及び海外向けに分類され，折れ線グラフのハード海外向け及びソフト海外向けは，ハードウェア及びソフトウェアそれぞれの出荷額に占める海外向けの割合で，単位は％である。この図から言えることとして最も妥当なのはどれか。

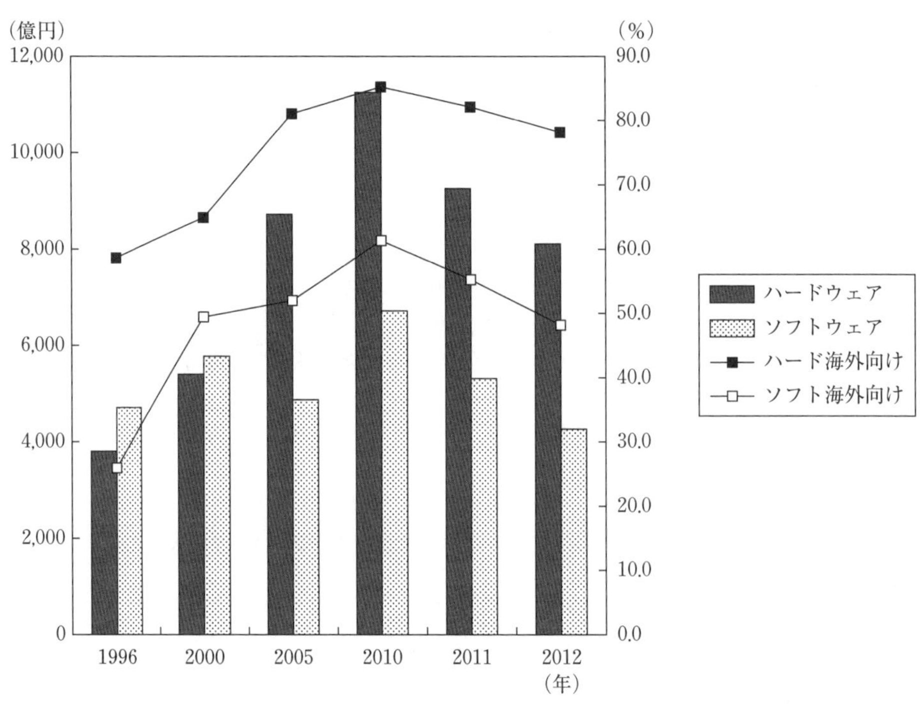

1 家庭用ゲーム製品の2010年における海外向けハードウェア出荷額は，1996年のそれの２倍以上３倍未満である。

2 家庭用ゲーム製品の2010年における国内向け出荷額は，ハードウェアのそれがソフトウェアよりも多い。

3 家庭用ゲーム製品の2010年における海外向けソフトウェア出荷額は，2005年のそれの1.5倍弱である。

4 家庭用ゲーム製品の2012年における国内向けハードウェア出荷額は，前年に比べて300億円以上減少している。

5 家庭用ゲーム製品の2012年における海外向け総出荷額中に占めるソフトウェアの比率は，30％に満たない。

解説

1．1996年における海外向けハードウェア出荷額は，4,000億円の60％としても2,400億円である。2010年の場合は，約11,000億円の85％として9,350億円であり，3倍を超えている。

2．図から判断する限り，おおむね11000億×0.15＜7000億×0.4であり，ソフトウェア出荷額のほうが多い。

3．これも図から判断する限り，2010年のソフトウェア出荷額は，6500÷4500≒1.44より，2005年の約1.44倍である。海外向けの割合は，54％程度から62％程度に上昇しており，62÷54≒1.15より，1.15倍となっている。したがって，1.44×1.15≒1.66より，1.5倍を超えている。

4．2011年と2012年を比較すると，9000億×0.18＜8000億×0.21となり，2012年は増加している。

5．正しい。2012年の場合，ハードウェアの海外向け出荷額は，8000億×0.79＝6320億より，約6,320億円である。ソフトウェアの海外向け出荷額は，4000億×0.48＝1920億より，約1,920億円である。ハードウェアの出荷額がソフトウェアの出荷額の3倍を超えているので，ソフトウェアの出荷額は全体の$\frac{1}{4}$(＝25％）未満である。

正答　5

大卒警察官

警視庁

No. 344 資料解釈　年間平均気温と降水量の推移　平成22年度

次の図は，平成５年から平成17年までの東京都の年間平均気温と降水量の推移を示したもので，横軸は平均気温で単位は℃，縦軸は降水量で単位はmmである。この図から正しくいえるものはどれか。

1　平均気温と降水量の対前年増減率が共に10％を超えた年は，平成６年から17年までの間に３回あった。

2　前年に比べて平均気温か降水量のいずれか一方のみが減少した年は，平成６年から17年までの間に７回あった。

3　平成６年から17年の間で，平均気温の対前年増加幅が最大だったのは平成16年，最小は平成15年であった。

4　平成６年から17年の間で，降水量の対前年増加率が最大だったのは平成15年で，50％を超えている。

5　平成10年から17年のすべての年の降水量を平均した値は，平成５年と６年の降水量の平均よりも少なかった。

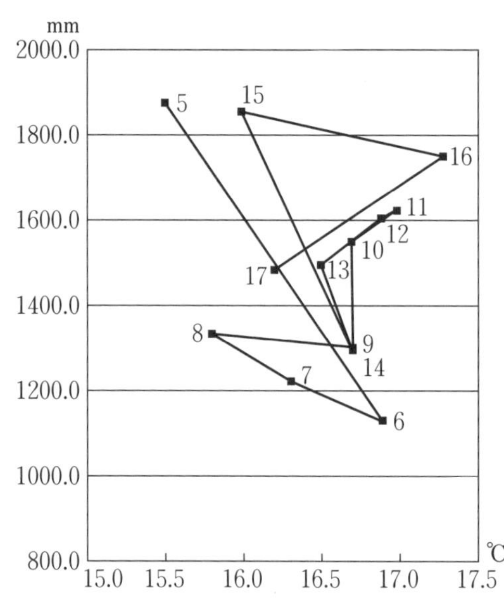

解説

1．平均気温に関しては，15.5℃から10％上昇しても17.05℃とならなければいけないが，図から判断する限り，平成６年でも前年より10％上昇しているとはいえず，他の年は前年との増減率で10％を超える年はない。

2．正しい。平均気温か降水量のいずれか一方のみが減少すると，直線は左上⇔右下方向となる。このようになっているのは，平成６年，７年，８年，９年，14年，15年，16年の計７回である。

3．平成15年の平均気温は前年より下がっているので，増加しているというのは誤りである。

4．平成14年の降水量は約1,300mmなので，増加率が50％ならば，平成15年の降水量は約1,950mmなければならない。

5．平成５年と６年の降水量の平均は約1,500mmである。平成10～17年で見ると，14年が約1,300mm，13年，17年は両年ともおおむね1,500mmで，それ以外の年は明らかに1,500mmを超えている。平成15年は1,800mmを超えているので，平成14年と18年の平均では1,500mmを超えることになる。したがって，平成10～17年の平均降水量は1,500mmを超えており，平成５年，６年の平均よりも多い。

正答　2

数学　物理　化学　生物　地学　文章理解　判断推理　数的推理　資料解釈

No. 345 警視庁 資料解釈 電気通信の機種と通信時間 平成21年度

次のグラフ1は，我が国の電気通信に関し，その発信端末の種類別に，平成14年度の1契約当たりの通信時間の割合を示したものであり，グラフ2は平成14年度を100とする指数によって，1契約当たりの1日の通信時間の推移を示したものである。この2つのグラフから正しくいえるものはどれか。

グラフ1

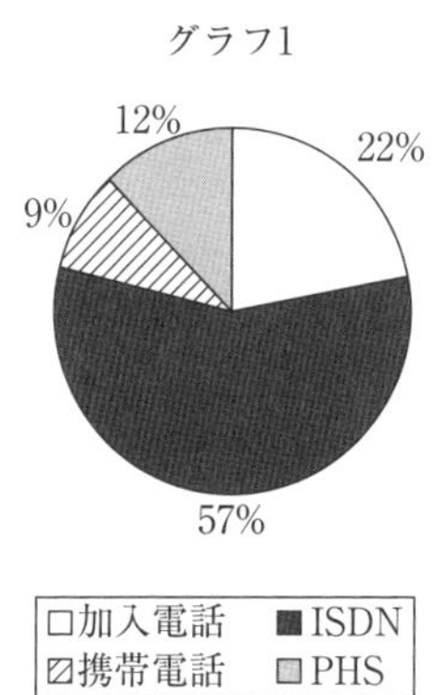

グラフ2

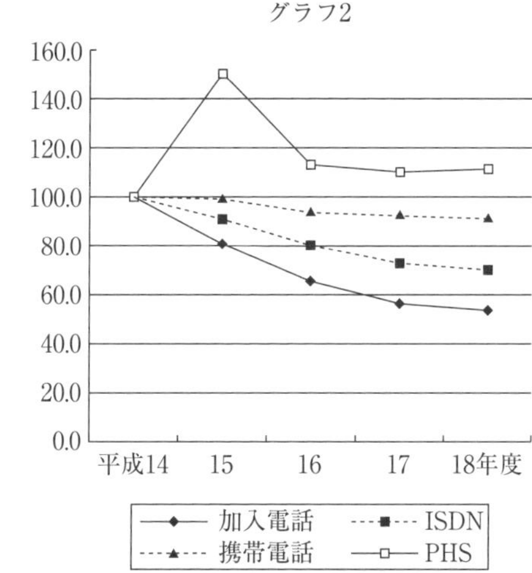

1　平成15年度の1契約当たりの1日の通信時間を見ると，PHS は携帯電話のほぼ2倍に当たる。

2　平成16年度の1契約当たりの1日の通信時間を見ると，加入電話は ISDN の2分の1より多い。

3　平成17年度の1契約当たりの1日の通信時間を見ると，ISDN は PHS のほぼ1.5倍に当たる。

4　平成18年度の1契約当たりの1日の通信時間を見ると，加入電話の対前年度減少時間数は ISDN のそれとほぼ等しい。

5　グラフに示されたすべての年度で，携帯電話の1契約当たりの1日の通信時間は，加入電話のそれの半分以下である。

解説

各年度における発信端末の種類別通信時間の比較は，グラフ1の構成比を実時間とみなし，グラフ2から読み取った指数に基づいた計算によって行えばよい。なお，計算は有効数字2ケタ程度で行う。

1．正しい。PHS が $12\times\frac{150}{100}=18$，携帯電話が $9\times\frac{100}{100}=9$ であるから，前者は後者の2倍といえる。

2．加入電話が $22\times\frac{65}{100}\fallingdotseq 14$，ISDN が $57\times\frac{80}{100}\fallingdotseq 46$ であるから，明らかに前者は後者の2分の1より少ない。

3．ISDN が $57\times\frac{72}{100}\fallingdotseq 41$，PHS が $12\times\frac{110}{100}\fallingdotseq 13$ であるから，前者は後者の3倍以上となっている。

4．加入電話が $22\times\frac{56-54}{100}=22\times\frac{2}{100}$，ISDN が $57\times\frac{72-70}{100}=57\times\frac{2}{100}$ であるから，明らかに後者は前者の2倍以上となっている。

5．携帯電話が $9\times\frac{90}{100}=8.1$，加入電話が $22\times\frac{54}{100}\fallingdotseq 12$ となっているので，明らかに前者は後者の半分より多い。

正答　1

大卒警察官

警視庁

No. 346 資料解釈 年少人口と生産年齢人口の割合 令和元年度

次のグラフは，我が国の全人口に占める年少人口の割合と全人口に占める生産年齢人口の割合を５年ごとの推移で示したものである。このグラフからいえることとして，最も妥当なのはどれか。ただし，年少人口と生産年齢人口と老年人口をすべて合計した値が全人口であるものとする。

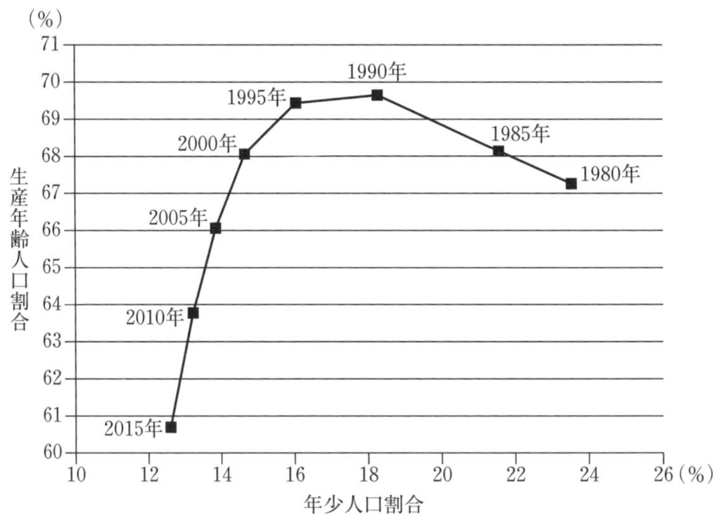

1 調査の年ごとに，年少人口数は減少している。

2 生産年齢人口数が最も多いのは，1990年である。

3 1985年以降において，全人口に占める老年人口の割合は，調査の年ごとに増加している。

4 年少人口に対する生産年齢人口の比率が最も高いのは，1980年である。

5 生産年齢人口に対する老年人口の比率が最も低いのは，1995年である。

問題文より老年人口＝全人口－(年少人口＋生産年齢人口)となるので，老年人口の割合は100％から年少人口と生産年齢人口の割合を引いた割合になる。

1．割合を示すグラフから実数を読み取ることはできない。

2．**1**と同様に実数を読み取ることはできない。

3．妥当である。1985年から1990年にかけて生産年齢人口は約68.2％から約69.8％へと1.6％程度増加しているが，年少人口が約21.5％から約18.5％へと３％程度減少しているので，年少人口と生産年齢人口の割合の和は減少している。よって，老年人口の割合は増加している。1995年以降はどの年も５年前に比べて年少人口の割合も生産年齢人口の割合も減少しているので，老年人口の割合は増加している。よって，1985年以降は調査の年ごとに老年人口の割合は増加している。

4．年少人口に対する生産年齢人口の比率は，$\frac{\text{生産年齢人口}}{\text{年少人口}}$となる。1980年に比べ分母の割合は調査年ごとに下がっているが，分子の割合は1985年，1990年，1995年，2000年は1980年に比べ上がっている。よって，少なくとも1985年，1990年，1995年，2000年の$\frac{\text{生産年齢人口}}{\text{年少人口}}$の値は1980年に比べ上がっているので，最も高いのは1980年ではない。

5．生産年齢人口に対する老年人口の比率は$\frac{\text{老年人口}}{\text{生産年齢人口}}$となる。1990年と1995年を比較すると分母の比率は1990年と1995年はほぼ同じであるが，1995年のほうが年少人口割合が低いので，分子である老年人口割合は1990年に比べ1995年のほうが高い。つまり，1990年と1995年を比較すると，生産年齢人口に対する老年人口の比率は1990年のほうが1995年より低くなる。

正答　3

No. 347 警視庁 資料解釈 訪日外国人１人当たり旅行支出 令和２年度

次の表は，2018年の訪日外国人１人当たり旅行支出を示したものである。また，次のグラフは2018年の訪日外国人１人当たり旅行支出の費目別構成比を示したものである。この表とグラフからいえることとして，最も妥当なのはどれか。

2018年の訪日外国人１人当たり旅行支出　（単位：円）

	韓国	中国	タイ	インド	米国
１人当たり旅行支出	78,084	224,870	124,421	161,423	191,539

2018年の訪日外国人１人当たり旅行支出の費目別構成比

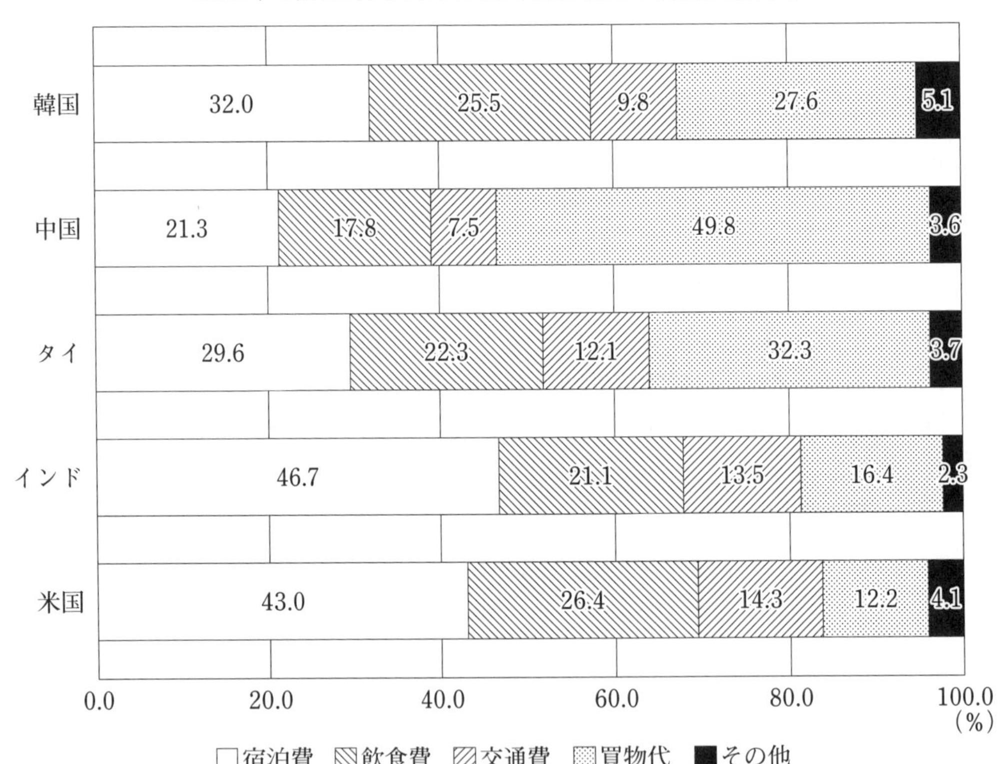

1　米国の１人当たりの「交通費」は，韓国の１人当たりの「買物代」を下回っている。

2　１人当たりの「飲食費」と１人当たりの「その他」の差額を国籍別に比べると，タイの方が中国よりも大きい。

3　インドの１人当たりの「買物代」は，韓国の１人当たりの「宿泊費」を上回っている。

4　米国の１人当たりの「宿泊費」と１人当たりの「交通費」の合計額は，中国のそれの２倍を上回っている。

5　タイの１人当たりの「飲食費」は，インドの１人当たりの「その他」の10倍を上回っている。

訪日外国人１人当たり旅行支出は，表より国ごとに異なるので，費目の実数は各国の訪日外国人１人当たり旅行支出に構成比を掛けて求めることができる。

1．米国の１人当たりの「交通費」は191,539×14.3％で，韓国の１人当たりの「買物代」は78,084×27.6％で求めることができる。１人当たり旅行支出は韓国に比べて米国のほうが２倍以上あるのに，構成比は韓国のほうが２倍以上ないので，米国のほうが多い。

2．タイの１人当たりの「飲食費」と「その他」の構成比の差は22.3−3.7＝18.6〔％〕で，差額は124,421×18.6〔％〕となる。中国の１人当たりの「飲食費」と「その他」の構成比の差は17.8−3.6＝14.2〔％〕で，差額は224,870×14.2〔％〕となる。構成比の差は4.4％程度しか変わらないのに対して，１人当たり旅行支出は1.8倍ほど中国のほうが多いので，タイと比べると中国のほうが差額は大きい。

3．妥当である。インドの「買物代」の構成比と韓国の「宿泊費」の構成比では韓国のほうが２倍程度多い。一方で１人当たりの旅行支出はインドのほうが２倍以上多いので，インドの１人当たりの「買物代」のほうが韓国の１人当たりの「宿泊費」を上回っている。

4．米国の１人当たりの「宿泊費」と１人当たりの「交通費」の構成比の和は43.0＋14.3＝57.3〔％〕，中国のそれは21.3＋7.5＝28.8〔％〕で，米国のほうが約２倍になっている。一方で１人当たりの旅行支出は中国のほうが多いので，額は２倍を下回っている。

5．タイの１人当たりの「飲食費」の構成比は22.3％で，インドの１人当たりの「その他」は2.3％なので，タイのほうが約10倍になっている。一方で１人当たりの旅行支出はインドのほうが多いので，額は10倍を下回っている。

正答　3

警視庁

No. 348 資料解釈 山岳遭難の発生状況 平成18年度

下のグラフは山岳遭難の発生状況をみたものであるが，このグラフから確実にいえることとして，妥当なものはどれか。

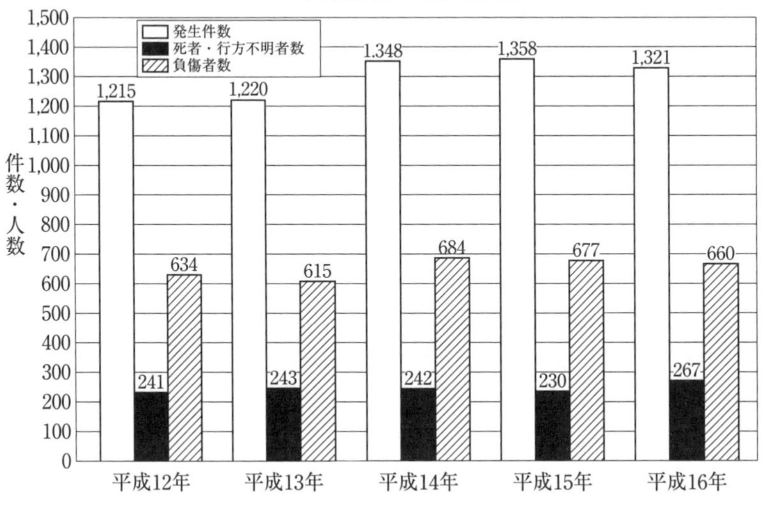

1　平成12～16年の５年間のすべての年で，死者・行方不明者数は負傷者数の40％を下回っている。

2　山岳遭難発生件数１件あたりの死者・行方不明者数は，平成12年よりも平成16年の方が高くなっている。

3　平成15年における，死者・行方不明者数の対前年減少率は約4.2％だった。

4　山岳遭難発生件数１件あたりの負傷者数は，平成13年以降年々増加し続けている。

5　山岳遭難発生件数は，平成12年を100とした指数でみると，平成14年のそれは109である。

解説

1． 平成16年においては，負傷者数の40％は 660×0.40＝264＜267〔人〕となっているので，死者・行方不明者数は負傷者数の40％を上回っている。

2． 正しい。山岳遭難発生件数１件当たりの死者・行方不明者数は，平成12年が 241÷1215≒0.198〔人／件〕，平成16年が 267÷1321≒0.202〔人／件〕となっている。

3． 平成15年における死者・行方不明者数の対前年減少数は，242－230＝12〔人〕，242×0.042≒10＜12〔人〕であるから，対前年減少率は4.2％より大きい。

4． 平成14～15年には，発生件数は1,348→1,358〔件〕と増加し，負傷者数は684→677〔人〕と減少しているので，山岳遭難発生件数１件当たりの負傷者数がこの間に減少していることは明らかである。

5． この指数が平成14年において109だと仮定すると，1215×109÷100≒1320＜1348 となるので，実際の指数は109を上回っている。

正答　2

大卒警察官

No. 349　警視庁

資料解釈　国籍別外国人人口の推移　平成28年度

次の図は，我が国の国籍別外国人人口について，平成７年から平成22年まで５年ごとの推移をまとめたものである。外国人人口総数は，平成７年が114万人，平成12年が131万１千人，平成17年が155万６千人，平成22年が164万８千人である。この図から言えることとして，最も妥当なのはどれか。

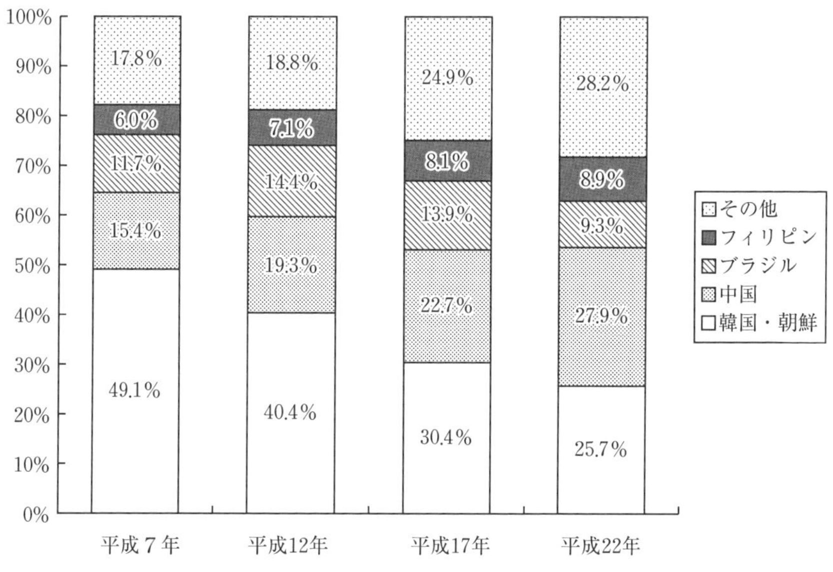

1　平成12年，平成17年，平成22年の「韓国・朝鮮」国籍の外国人人口の推移を見ると，５年前と比較して増加した年がある。

2　平成12年，平成17年，平成22年の「ブラジル」国籍の外国人人口の推移を見ると，５年前と比較して増加し続けている。

3　平成17年の「中国」国籍の外国人人口は，平成７年のそれの３倍以上である。

4　平成22年の「その他」を除いた国籍の外国人人口総数は，平成７年のそれの1.5倍以下である。

5　平成12年，平成17年，平成22年の外国人人口総数について，５年前と比較して最も増加率が高い年のそれは，５年前の外国人人口総数の1.3倍以上である。

解説

1．概算で求めてみると，平成７年：114×0.491≒112×0.5＝56，平成12年：131.1×0.404≒132×0.4＝52.8，平成17年：155.6×0.304≒156×0.3≒46.8，平成22年：164.8×0.257≒170×0.25＝42.5のようになり，５年前より増加している年はない。

2．平成17年は，155.6×0.139≒155×0.14＝21.7，平成22年は，164.8×0.093≒170×0.09＝15.3であり，平成22年は平成17年より減少している。

3．平成17年を平成７年と比較すると，外国人人口総数は，155.6÷114≒1.364より，約1.36倍，「中国」国籍の割合は，22.7÷15.4≒1.474より，約1.47倍となっている。1.36×1.47＜２より，２倍に達しない。

4．正しい。平成７年は，114×0.822≒93.70，平成22年は，164.8×0.718≒118.33であり，93.7×1.5＞140＞118.33となるので，1.5倍以下であるというのは正しい。

5．外国人人口が最も少ない平成７年でも114万人いるので，1.3倍以上となるためには34万人以上増加しなければならない。平成12年，平成17年，平成22年のいずれも，５年前より30万人増加した年はないので，その増加率は1.3倍未満である。

正答　4

No. 350 警視庁 資料解釈 産業別人口構成比 平成29年度

次の三角グラフは，A国～H国の８か国の産業別人口構成比を示したものである。この三角グラフから言えることとして，最も妥当なのはどれか。

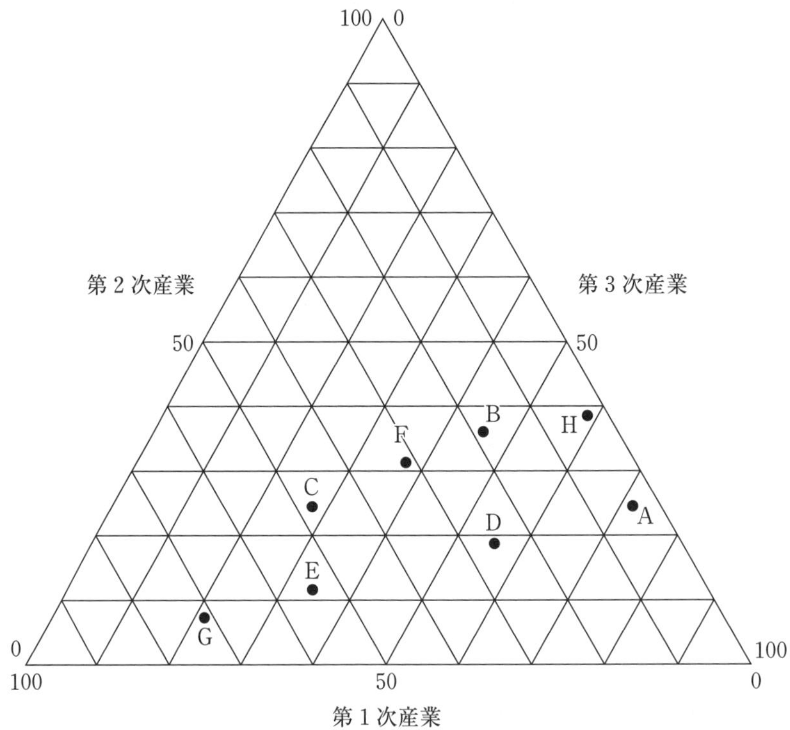

1　第１次産業の人口構成比が最も低い国はG国である。

2　第１次産業の人口構成比が第３次産業のそれよりも高い国は３か国ある。

3　E国の第２次産業の人口とF国のそれを比べると，F国の方が多い。

4　第３次産業の人口構成比がB国より高い国はH国のみである。

5　第３次産業の人口構成比が第２次産業のそれよりも低い国は８か国ある。

解説

三角グラフは構成比のグラフの一つであり，グラフの読み方に特徴がある。底面に対して右上がりに読むか，左上がりに読むかについて注意を払わなければいけない。そのグラフに応じて右上がり左上がりがりの両方が考えられるが，読み方は０％から平行に読むと考えるとよい。

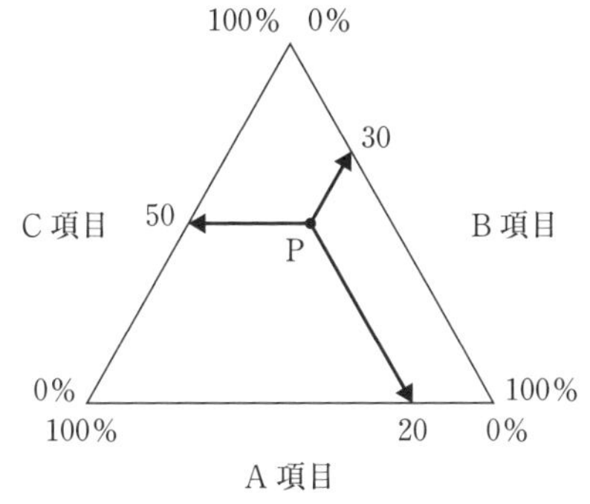

たとえば，上の図で読むと点Ｐは，

Ａ項目では20％

Ｂ項目では30％

Ｃ項目では50％

を示していることになる。

1．Ｇ国の第１次産業の人口構成比は約72％になる。それに対してＡ国やＨ国は第１次産業の人口構成比が０％に近いので，最も低いのはＧ国ではない。

2．正しい。Ｃ国，Ｅ国，Ｇ国の３国は第１産業の人口構成比のほうが第３次産業の人口構成比より高い。

3．このグラフは構成比のグラフなので人口は読み取ることができない。

4．Ｂ国の第３次産業の人口構成比は約45％で，Ａ国，Ｄ国，Ｈ国はＢ国よりも高い。

5．第２次産業の人口構成比はすべて40％以下なので，第３次産業の人口構成比が40％以下のＣ国，Ｅ国，Ｆ国，Ｇ国をチェックすればよい。しかし，第３次産業の人口構成比が第２次産業の人口構成比より低い国は１か国もない。

正答　2

●本書の内容に関するお問合せについて

本書の内容に誤りと思われるところがありましたら、まずは小社ブックスサイト(books.jitsumu.co.jp)中の本書ページ内にある正誤表・訂正表をご確認ください。正誤表・訂正表がない場合や訂正表に該当箇所が掲載されていない場合は、書名、発行年月日、お客様の名前・連絡先、該当箇所のページ番号と具体的な誤りの内容・理由等をご記入のうえ、郵便、FAX、メールにてお問合せください。

〒163-8671 東京都新宿区新宿 1-1-12　実務教育出版 受験ジャーナル編集部

FAX：03-5369-2237　　E-mail：juken-j@jitsumu.co.jp

【ご注意】

※**電話でのお問合せは、一切受け付けておりません。**

※**内容の正誤以外のお問合せ(詳しい解説・受験指導のご要望等)には対応できません。**

公務員試験　合格の500シリーズ

大卒警察官〈教養試験〉過去問350［2026年度版］

2024年11月15日　初版第１刷発行　　〈検印省略〉

編　者　資格試験研究会

発行者　淺井亨

発行所　株式会社 実務教育出版

〒163-8671　東京都新宿区新宿1-1-12

☎編集　03-3355-1813　販売　03-3355-1951

振替　00160-0-78270

印　刷　精興社

製　本　ブックアート

ISBN 978-4-7889-3097-1 C0030　Printed in Japan

大卒・短大卒程度公務員一次試験情報をお寄せください

弊社では，次の要領で大卒・短大卒程度公務員試験の一次試験情報を募集しています。受験後ご記憶の範囲でけっこうですので，事務系・技術系問わず，ぜひとも情報提供にご協力ください。

☆**募集内容**　地方上・中級，市役所上・中級，大卒・短大卒警察官，その他各種公務員試験，国立大学法人等職員採用試験の実際問題・科目別出題内訳等

※問題の持ち帰りができる試験については，情報をお寄せいただく必要はありません。ただし，地方公務員試験のうち，東京都，特別区，警視庁，東京消防庁以外の試験問題が持ち帰れた場合には，現物またはコピーをお送りください。

☆**送り先**　〒 163-8671　新宿区新宿 1-1-12　(株) 実務教育出版「試験情報係」

☆**謝礼**　情報内容の程度により，謝礼を進呈いたします。

※ E-mail でも受け付けています。juken-j@jitsumu.co.jp まで。右の二次元コードもご利用ください。
件名は必ず「試験情報」としてください。内容は下記の項目を参考にしてください（書式は自由です）。
図やグラフは，手書きしたものをスキャンするか写真に撮って，問題文と一緒に E-mail でお送りください。

〒＿＿＿＿＿＿＿＿　住所＿＿＿＿＿＿＿＿＿＿＿＿＿＿＿＿＿＿＿＿

氏名＿＿＿＿＿＿＿＿＿＿＿＿　TEL または E-mail アドレス＿＿＿＿＿＿＿＿＿＿＿＿

●受験した試験名・試験区分（県・市および上・中級の別も記入してください。例：○○県上級・行政）

＿＿＿＿＿＿＿＿＿＿＿＿＿＿＿＿＿＿＿＿

●第一次試験日　＿＿＿年＿＿＿月＿＿＿日

●試験構成・試験時間・出題数

・教養＿＿＿分＿＿＿問（うち必須＿＿＿問，選択＿＿＿問のうち＿＿＿問解答）

・専門（択一式）＿＿＿分＿＿＿問（うち必須＿＿＿問，選択＿＿＿問のうち＿＿＿問解答）

・適性試験（事務適性）＿＿＿分＿＿＿形式＿＿＿題

内容（各形式についてご自由にお書きください）

・適性検査（性格検査）（クレペリン・Y-G 式・そのほか〔　　　　　　〕）＿＿＿分＿＿＿題

・論文＿＿＿分＿＿＿題（うち＿＿＿題解答）＿＿＿字→＿＿＿次試験で実施

課題

・その他（SPI3，SCOA など）

内容（試験の名称と試験内容について，わかる範囲でお書きください。例：○○分，○○問。テストセンター方式等）

ご提供いただきました個人情報につきましては，謝礼の進呈にのみ使用いたします。
弊社個人情報の取扱い方針は実務教育出版ホームページをご覧ください（https://www.jitsumu.co.jp）。

●**受験した試験名・試験区分**（県・市および上・中級の別も記入してください。例：○○県上級・行政）

一次情報　2

問題文（教養・専門，科目名　　　　　　　　　　）

選択肢 1

2

3

4

5

問題文（教養・専門，科目名　　　　　　　　　　）

選択肢 1

2

3

4

5

●受験した試験名・試験区分（県・市および上・中級の別も記入してください。例：○○県上級・行政）

問題文（教養・専門，科目名　　　　　　　　　　　　）

選択肢 1

2

3

4

5

問題文（教養・専門，科目名　　　　　　　　　　　　）

選択肢 1

2

3

4

5

●**受験した試験名・試験区分**（県・市および上・中級の別も記入してください。例：○○県上級・行政）

問題文（教養・専門，科目名　　　　　　　　　　　　）

選択肢 1

2

3

4

5

問題文（教養・専門，科目名　　　　　　　　　　　　）

選択肢 1

2

3

4

5

●**受験した試験名・試験区分**（県・市および上・中級の別も記入してください。例：○○県上級・行政）

＿＿＿＿＿＿＿＿＿＿＿＿＿＿＿＿＿＿＿＿＿＿＿＿

●**教養試験の試験時間・出題数**

＿＿＿分＿＿＿問（うち必須：No.＿＿＿～No.＿＿＿，選択：No.＿＿＿～No.＿＿＿のうち＿＿＿問解答）

●**教養試験科目別出題数** ※表中にない科目名は空欄に書き入れてください。

科目名	出題数	科目名	出題数	科目名	出題数	科目名	出題数
政　治	問	世界史	問	物　理	問	判断推理	問
法　律	問	日本史	問	化　学	問	数的推理	問
経　済	問	文学・芸術	問	生　物	問	資料解釈	問
社　会	問	思　想	問	地　学	問		問
地　理	問	数　学	問	文章理解	問		問

●**教養試験出題内訳**

No.	科目	出題内容	No.	科目	出題内容
1			31		
2			32		
3			33		
4			34		
5			35		
6			36		
7			37		
8			38		
9			39		
10			40		
11			41		
12			42		
13			43		
14			44		
15			45		
16			46		
17			47		
18			48		
19			49		
20			50		
21			51		
22			52		
23			53		
24			54		
25			55		
26			56		
27			57		
28			58		
29			59		
30			60		

●受験した試験名・試験区分（県・市および上・中級の別も記入してください。例：○○県上級・行政）

____

●専門（択一式）試験の試験時間・出題数

_______分_______問（うち必須：No._______～No._______，選択：No._______～No._______のうち_______問解答）

●専門試験科目別出題数 ※表中にない科目名は空欄に書き入れてください。

科目名	出題数	科目名	出題数	科目名	出題数	科目名	出題数	科目名	出題数
政治学	問	憲法	問	労働法	問	経済事情	問		問
行政学	問	行政法	問	経済原論	問	経営学	問		問
社会政策	問	民法	問	財政学	問		問		問
国際関係	問	商法	問	経済政策	問		問		問
社会学	問	刑法	問	経済史	問		問		問

●専門試験出題内訳

No.	科目	出題内容	No.	科目	出題内容
1			31		
2			32		
3			33		
4			34		
5			35		
6			36		
7			37		
8			38		
9			39		
10			40		
11			41		
12			42		
13			43		
14			44		
15			45		
16			46		
17			47		
18			48		
19			49		
20			50		
21			51		
22			52		
23			53		
24			54		
25			55		
26			56		
27			57		
28			58		
29			59		
30			60		

大卒・短大卒程度公務員二次試験情報をお寄せください

弊社では，次の要領で大卒・短大卒程度公務員試験の二次以降の試験情報を募集しています。受験後ご記憶の範囲でけっこうですので，事務系・技術系問わず，ぜひとも情報提供にご協力ください。

☆**募集内容**　国家総合職・一般職・専門職，地方上・中級，市役所上・中級，大卒・短大卒警察官，その他各種公務員試験，国立大学法人等採用試験の論文試験・記述式試験・面接等

（※問題が公開されている試験の場合は，面接試験〈官庁訪問含む〉の情報のみお書きください）

☆**送り先**　〒163-8671　新宿区新宿1-1-12　(株)実務教育出版「試験情報係」

☆**謝礼**　情報内容の程度により，謝礼を進呈いたします。

E-mailでも受け付けています。juken-j@jitsumu.co.jp まで。件名は必ず「試験情報」としてください。

二次元コードをお使いの方はこちら↑からアクセス！

〒＿＿＿＿＿＿　**住所**＿＿＿＿＿＿＿＿＿＿＿＿＿＿＿＿

氏名＿＿＿＿＿＿＿＿　**TELまたはE-mailアドレス**＿＿＿＿＿＿＿＿

●**受験した試験名・試験区分**（県・市および上・中級の別も記入してください。例：○○県上級・行政）

＿＿＿＿＿＿＿＿＿＿＿＿＿＿　**結果：**合格・不合格・未定

●**第二次試験日**　＿＿年＿＿月＿＿日

●**試験内容**（課された試験には✓印を）

□専門（記述式）＿＿分＿＿題＿＿字　出題科目＿＿＿＿＿＿＿＿

□論文＿＿分＿＿題＿＿字　課題＿＿＿＿＿＿＿＿

□適性試験（事務適性）＿＿分＿＿形式＿＿題

□適性検査（性格検査）（クレペリン・Y-G式・そのほか〔　　　　〕）＿＿分＿＿題

□人物試験　□個別面接（試験官＿＿人，時間＿＿分）

□集団面接（受験者＿＿人，試験官＿＿人，時間＿＿分）

□集団討論（受験者＿＿人，試験官＿＿人，時間＿＿分，面接会場＿＿＿＿＿＿＿＿）

□体力検査　検査項目＿＿＿＿＿＿＿＿

□身体検査＿＿＿＿＿＿＿＿

□その他＿＿＿＿＿＿＿＿

●**人物試験の内容**（個別面接・集団面接・集団討論・グループワーク・プレゼンテーション）

●**その他の試験**（性格検査・記述式試験など）**の内容または二次試験の感想**

（採用面接・官庁訪問等の内容・感想は裏にお書きください。足りない場合は用紙を足してください）

ご提供いただきました個人情報につきましては，謝礼の進呈にのみ使用いたします。

弊社個人情報の取扱い方針は実務教育出版ホームページをご覧ください（https://www.jitsumu.co.jp）。

●**採用内定官庁**（国家総合職・一般職のみ記入）

＿＿＿＿＿＿＿＿＿＿＿＿＿＿＿＿＿＿＿＿ 採用内定の出た日＿＿＿＿月＿＿＿＿日

●**採用面接（官庁訪問）回数**

＿＿＿＿回

●**第１回採用面接（官庁訪問）**

面接（訪問）日＿＿＿＿月＿＿＿＿日，面接会場＿＿＿＿，面接形態：個別・集団＿＿＿＿人

面接官＿＿＿＿＿＿＿＿＿＿人（例：大学 OB・１人），面接時間＿＿＿＿分

●**第２回採用面接（官庁訪問）**

面接（訪問）日＿＿＿＿月＿＿＿＿日，面接会場＿＿＿＿，面接形態：個別・集団＿＿＿＿人

面接官＿＿＿＿＿＿＿＿＿＿人（例：人事担当・２人），面接時間＿＿＿＿分　※第３回以降がある場合は同様に

●**採用面接（官庁訪問）の内容**（第１回面接〔訪問〕～，第２回面接〔訪問〕～，……）

●**一次合格から採用内定までの過程**（日付・感想なども含めて，できるかぎり詳しく。例をご参照ください）

〔一次合格から採用内定までの過程記入例〕

○月×日　一次合格発表
○月×日　○○省 OB 訪問（１回目）――○月×日に再度訪問するように言われる
○月×日　○○省訪問（２回目）――採用担当者による面接。内々定の感触を得る
○月×日　○○省より呼び出しの電話が入る
○月×日　○○省訪問――丸１日拘束される
○月×日　内定通知到着

※問題が公開されている試験の場合は，面接試験〈官庁訪問含む〉の情報のみお書きください。

「公務員合格講座」の特徴

68年の伝統と実績

実務教育出版は、68年間におよび公務員試験の問題集・参考書・情報誌の発行や模擬試験の実施、全国の大学・専門学校などと連携した教室運営などの指導を行っています。その積み重ねをもとに作られた、確かな教材と個人学習を支える指導システムが「公務員合格講座」です。公務員として活躍する数多くの先輩たちも活用した伝統ある「公務員合格講座」です。

時間を有効活用

「公務員合格講座」なら、時間と場所に制約がある通学制のスクールとは違い、生活スタイルに合わせて、限られた時間を有効に活用できます。通勤時間や通学時間、授業の空き時間、会社の休憩時間など、今まで利用していなかったスキマ時間を有効に活用できる学習ツールです。

取り組みやすい教材

「公務員合格講座」の教材は、まずテキストで、テーマ別に整理された頻出事項を理解し、次にワークで、テキストと連動した問題を解くことで､解法のテクニックを確実に身につけていきます。初めて学ぶ科目も、基礎知識から詳しく丁寧に解説しているので、スムーズに理解することができます。

実戦力がつく学習システム

「公務員合格講座」では、習得した知識が実戦で役立つ「合格力」になるよう、数多くの演習問題で重要事項を何度も繰り返し学習できるシステムになっています。特に、eラーニング［Jトレプラス］は、実戦力養成のカギになる豊富な演習問題の中から学習進度に合わせ、テーマや難易度をチョイスしながら学習できるので、効率的に「解ける力」が身につきます。

eラーニング

豊富な試験情報

公務員試験を攻略するには、まず公務員試験のことをよく知ることが必要不可欠です。受講生専用の［Jトレプラス］では、各試験の概要一覧や出題内訳など、試験の全体像を把握でき、ベストな学習プランが立てられます。
また、実務教育出版の情報収集力を結集し、最新試験情報や学習対策コンテンツなどを随時アップ！　さらに直前期には、最新の時事を詳しく解説した「直前対策ブック」もお届けします。

※KCMのみ

親切丁寧なサポート体制

受験に関する疑問や、学習の進め方や学科内容についての質問には、専門の指導スタッフが一人ひとりに親身になって丁寧にお答えします。模擬試験や添削課題では、客観的な視点からアドバイスをします。そして、受講生専用サイトやメルマガでの受講生限定の情報提供など、あらゆるサポートシステムであなたの学習を強力にバックアップしていきます。

受講生専用サイト

サイトでは、公務員試験ガイドや最新の務員合格に必要な情報を利用しやすので、ぜひご活用ください。また、ォームからは、質問や書籍の割引購きができるので、各種サービスを安心いただけます。

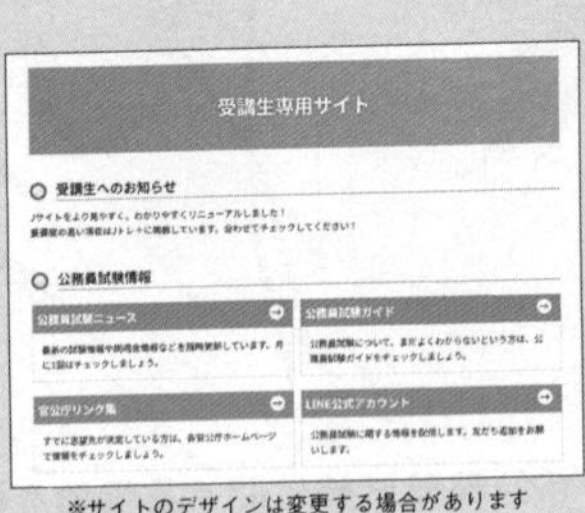

※サイトのデザインは変更する場合があります

志望職種別　講座対応表

各コースの教材構成をご確認ください。下の表で志望する試験区分に対応したコースを確認しましょう。

	教材構成			
	教養試験対策	専門試験対策	論文対策	面接対策
K 大卒程度 公務員総合コース［教養+専門行政系］	●	●行政系	●	●
C 大卒程度 公務員総合コース［教養のみ］	●		●	●
L 大卒程度 公務員択一攻略セット［教養＋専門行政系］	●	●行政系		
D 大卒程度 公務員択一攻略セット［教養のみ］	●			
M 経験者採用試験コース	●		●	●
N 経験者採用試験［論文・面接試験対策］コース			●	●
R 市役所教養トレーニングセット［大卒程度］	●		●	●

	試験名［試験区分］		対応コース
国家公務員試験	国家一般職［大卒程度］	行政	教養＊3＋専門対策 → K L
		技術系区分	教養＊3対策 → C D
	国家専門職［大卒程度］	国税専門A（法文系）／財務専門官	教養＊3＋専門対策 → K L ＊4
		皇宮護衛官［大卒］／法務省専門職員（人間科学）／国税専門B（理工・デジタル系）／食品衛生監視員／労働基準監督官／航空管制官／海上保安官／外務省専門職員	教養＊3対策 → C D
	国家特別職［大卒程度］	防衛省 専門職員／裁判所 総合職・一般職［大卒］／国会図書館 総合職・一般職［大卒］／衆議院 総合職［大卒］・一般職［大卒］／参議院 総合職	教養＊3対策 → C D
国立大学法人等職員			教養対策 → C D
地方公務員試験	都道府県 特別区（東京23区） 政令指定都市＊2 市役所 ［大卒程度］	事務（教養＋専門）	教養＋専門対策 → K L
		事務（教養のみ）	教養対策 → C D R
		技術系区分、獣医師 薬剤師 保健師など資格免許職	教養対策 → C D R
		経験者	教養＋論文＋面接対策 → M　論文＋面接対策 → N
	都道府県 政令指定都市＊2 市役所 ［短大卒程度］	事務（教養＋専門）	教養＋専門対策 → K L
		事務（教養のみ）	教養対策 → C D
	警察官	大卒程度	教養＋論文対策 → ＊5
	消防官（士）	大卒程度	教養＋論文対策 → ＊5

＊1 地方公務員試験の場合、自治体によっては試験の内容が対応表と異なる場合があります。
＊2 政令指定都市…札幌市、仙台市、さいたま市、千葉市、横浜市、川崎市、相模原市、新潟市、静岡市、浜松市、名古屋市、京都市、大阪市、堺市、神戸市、岡山市、広島市、北
福岡市、熊本市。
＊3 国家公務員試験では、教養試験のことを基礎能力試験としている場合があります。
＊4 国税専門A（法文系）、財務専門官は K「大卒程度 公務員総合コース［教養＋専門行政系］」、L「大卒程度 公務員択一攻略セット［教養＋専門行政系］」に『新スーパ
ミ 会計学』（有料）をプラスすると試験対策ができます（ただし、商法は対応しません）。
＊5 警察官・消防官の教養＋論文対策は、「警察官 スーパー過去問セット［大卒程度］」「消防官 スーパー過去問セット［大卒程度］」をご利用ください（巻末広告参照）。

大卒程度 公務員総合コース

[教養＋専門行政系]

膨大な出題範囲の合格ポイントを的確にマスター！

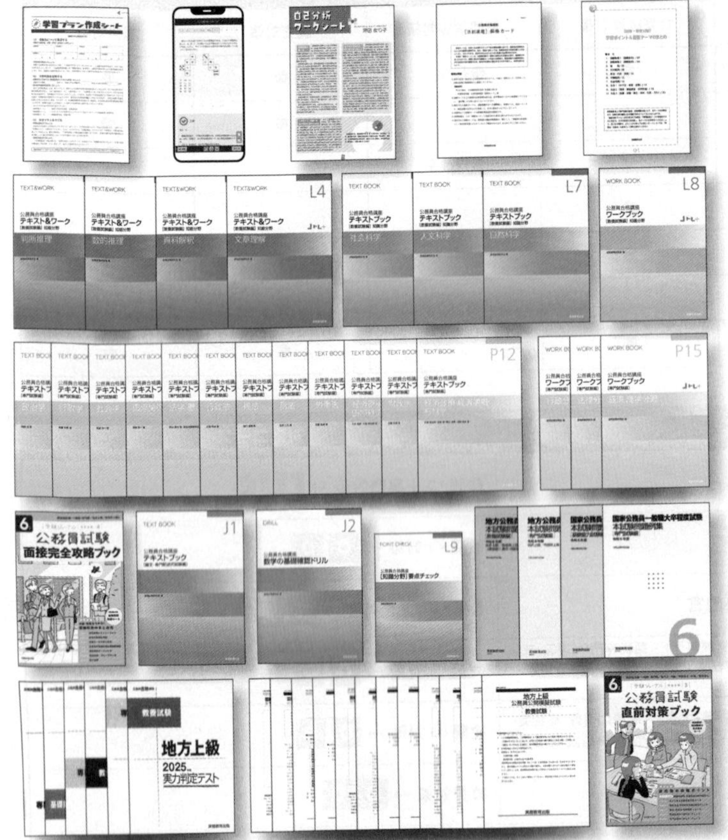

※表紙デザインは変更する場合があります

教材一覧

- ●受講ガイド（PDF）
- ●学習プラン作成シート
- ●テキスト＆ワーク［教養試験編］知能分野（4冊）
  判断推理、数的推理、資料解釈、文章理解
- ●テキストブック［教養試験編］知識分野（3冊）
  社会科学［政治、法律、経済、社会］
  人文科学［日本史、世界史、地理、文学・芸術、思想］
  自然科学［数学、物理、化学、生物、地学］
- ●ワークブック［教養試験編］知識分野
- ●数学の基礎確認ドリル
- ●［知識分野］要点チェック
- ●テキストブック［専門試験編］（12冊）
  政治学、行政学、社会学、国際関係、法学・憲法、行政法、民法、刑法、労働法、経済原論（経済学）・国際経済学、財政学、経済政策・経済学史・経営学
- ●ワークブック［専門試験編］（3冊）
  行政分野、法律分野、経済・商学分野
- ●テキストブック［論文・専門記述式試験編］
- ●6年度　面接完全攻略ブック
- ●実力判定テスト★（試験別 各1回）
  地方上級［教養試験、専門試験、論文・専門記述式試験（添削2回）］
  国家一般職大卒［基礎能力試験、専門試験、論文試験（添削2回）］
  市役所上級［教養試験、専門試験、論・作文試験（添削2回）］
  ＊教養、専門は自己採点　＊論文・専門記述式・作文は計6回添削
- ●［添削課題］面接カード（2回）
- ●自己分析ワークシート
- ●［時事・事情対策］学習ポイント＆重要テーマのまとめ（PDF）
- ●公開模擬試験★（試験別 各1回）＊マークシート提出
  地方上級［教養試験、専門試験］
  国家一般職大卒［基礎能力試験、専門試験］
  市役所上級［教養試験、専門試験］
- ●本試験問題例集（試験別過去問1年分 全4冊）
  令和6年度 地方上級［教養試験編］★
  令和6年度 地方上級［専門試験編］★
  令和6年度 国家一般職大卒［基礎能力試験編］★
  令和6年度 国家一般職大卒［専門試験編］★
  ※平成27年度〜令和6年度分は、［Jトレプラス］に収録
- ●7年度　直前対策ブック★
- ●eラーニング［Jトレプラス］

★印の教材は、発行時期に合わせて送付（詳細は受講後にお知らせします）。

教養・専門・論文・面接まで対応

行政系の大卒程度公務員試験に出題されるすべての教養科目と専門科目、さらに、論文・面接対策教材までを揃え、最終合格[illegible]めに必要な知識とノウハウをモレなく身につけることが[illegible]また、汎用性の高い教材構成ですから、複数試験の[illegible]ーズに行うことができます。

出題傾向に沿った効率学習が可能

出題範囲をすべて学ぼうとすると、どれだけ時間があっても足りません。本コースでは過去数十年にわたる過去問研究の成果から、公務員試験で狙われるポイントだけをピックアップ。要点解説と問題演習をバランスよく構成した学習プログラムにより初学者でも着実に合格力を身につけることができます。

[illegible]卒程度 一般行政系・事務系の教養試験（基[illegible]試験）および専門試験対策 [illegible]特別区（東京23区）、政令指定都市、[illegible]国家一般職大卒など］	申込受付期間	2024年3月15日～2025年3月31日
	学習期間のめやす	6か月　学習期間のめやすです。個人のスケジュールに合わせて、長くも短くも調整することが可能です。試験本番までの期間を考慮し、ご自分に合った学習計画を立ててください。
[illegible],500円 [illegible]85,000円＋税　教材費・指導費等を含む総額） [illegible]受講料は2024年4月1日現在のものです。	受講生有効期間	2026年10月31日まで

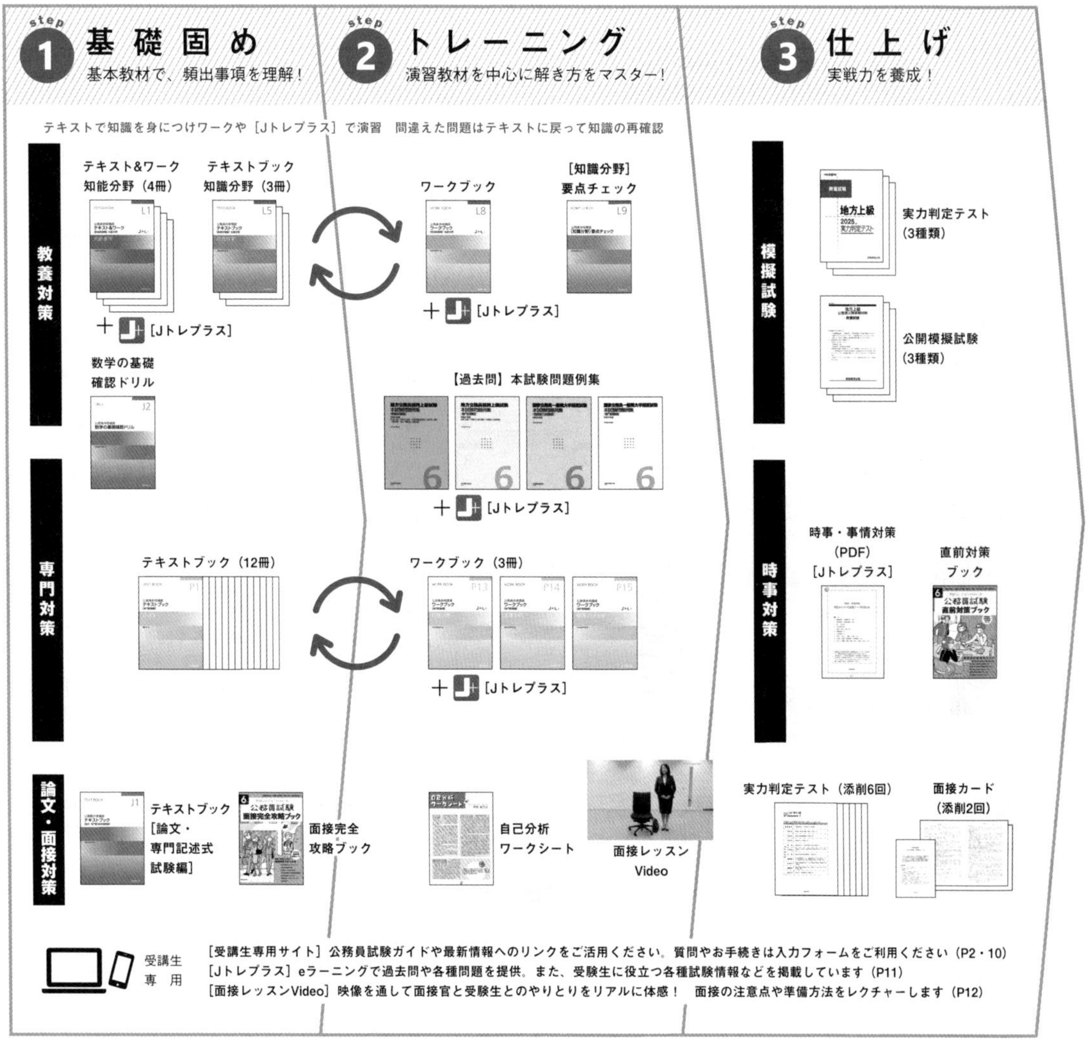

step 1 基礎固め
基本教材で、頻出事項を理解！

step 2 トレーニング
演習教材を中心に解き方をマスター！

step 3 仕上げ
実戦力を養成！

テキストで知識を身につけワークや［Jトレプラス］で演習　間違えた問題はテキストに戻って知識の再確認

教養対策

- テキスト&ワーク 知能分野（4冊）
- テキストブック 知識分野（3冊）
- ＋［Jトレプラス］
- 数学の基礎確認ドリル
- ワークブック
- ［知識分野］要点チェック
- ＋［Jトレプラス］
- 【過去問】本試験問題例集
- ＋［Jトレプラス］

専門対策

- テキストブック（12冊）
- ワークブック（3冊）
- ＋［Jトレプラス］

論文・面接対策

- テキストブック［論文・専門記述式試験編］
- 面接完全攻略ブック
- 自己分析ワークシート
- 面接レッスンVideo

模擬試験

- 実力判定テスト（3種類）
- 公開模擬試験（3種類）

時事対策

- 時事・事情対策（PDF）［Jトレプラス］
- 直前対策ブック

- 実力判定テスト（添削6回）
- 面接カード（添削2回）

公務員合格！

受講生専用

［受講生専用サイト］公務員試験ガイドや最新情報へのリンクをご活用ください。質問やお手続きは入力フォームをご利用ください（P2・10）

［Jトレプラス］eラーニングで過去問や各種問題を提供。また、受験生に役立つ各種試験情報などを掲載しています（P11）

［面接レッスンVideo］映像を通して面接官と受験生とのやりとりをリアルに体感！　面接の注意点や準備方法をレクチャーします（P12）

success voice!!

通信講座を使い時間を有効的に活用すれば念願の合格も夢ではありません

奥村 雄司 さん
龍谷大学卒業

京都市 上級Ⅰ 一般事務職 合格

私は医療関係の仕事をしており平日にまとまった時間を確保することが難しかったため、いつでも自分のペースで勉強を進められる通信講座を勉強法としました。その中でも「Jトレプラス」など場所を選ばず勉強ができる点に惹かれ、実務教育出版の通信講座を選びました。

勉強は試験前年の12月から始め、判断推理・数的推理・憲法などの出題数の多い科目から取り組みました。特に数的推理は私自身が文系であり数字に苦手意識があるため、問題演習に苦戦しましたが、「Jトレプラス」を活用し外出先でも問題と正解を見比べ、問題を見たあとに正解を結びつけられるイメージを繰り返し、解ける問題を増やしていきました。

ある程度基礎知識が身についたあとは、過去問集や本試験問題例集を活用し、実際に試験で解答する問題を常にイメージしながら問題演習を繰り返しました。回答でミスした問題も放置せず基本問題であればあるほど復習を忘れずに日々解けない問題を減らしていくことを積み重ねていきました。

私のように一度就職活動中の公務員試験に失敗したとしても、通信講座を使い時間を有効的に活用すれば念願の合格も夢ではありません。試験直後まであきらめず、落ちてしまったことがあってもその経験を糧にぜひ頑張ってください。社会人で公務員へチャレンジされる全ての方を応援し

C 大卒程度 公務員総合コース

［教養のみ］

「教養」が得意になる、得点源にするための攻略コース！

受講対象	大卒程度 教養試験（基礎能力試験）対策 ［一般行政系（事務系）、技術系、資格免許職を問わず、都道府県、特別区（東京23区）、政令指定都市、市役所、国家一般職大卒など］	申込受付期間	2024年3月15日～2025年3月31日
		学習期間のめやす	6か月　学習期間のめやすです。個人のスケジュールに合わせて、長くも短くも調整することが可能です。試験本番までの期間を考慮し、ご自分に合った学習計画を立ててください。
受講料	**68,200円** （本体62,000円＋税　教材費・指導費等を含む総額） ※受講料は、2024年4月1日現在のものです。	受講生有効期間	2026年10月31日まで

※表紙デザインは変更する場合があります

教材一覧

- ●受講ガイド（PDF）
- ●学習プラン作成シート
- ●テキスト＆ワーク［教養試験編］知能分野（4冊）
  判断推理、数的推理、資料解釈、文章理解
- ●テキストブック［教養試験編］知識分野（3冊）
  社会科学［政治、法律、経済、社会］
  人文科学［日本史、世界史、地理、文学・芸術、思想］
  自然科学［数学、物理、化学、生物、地学］
- ●ワークブック［教養試験編］知識分野
- ●数学の基礎確認ドリル
- ●［知識分野］要点チェック
- ●テキストブック［論文・専門記述式試験編］
- ●6年度　面接完全攻略ブック
- ●実力判定テスト ★（試験別 各1回）
  地方上級［教養試験、論文試験（添削2回）］
  国家一般職大卒［基礎能力試験、論文試験（添削2回）］
  市役所上級［教養試験、論・作文試験（添削2回）］
  ＊教養は自己採点　＊論文・作文は計6回添削
- ●［添削課題］面接カード（2回）
- ●自己分析ワークシート
- ●［時事・事情対策］学習ポイント&重要テーマのまとめ（PDF）
- ●公開模擬試験 ★（試験別 各1回）＊マークシート提出
  地方上級［教養試験］
  国家一般職大卒［基礎能力試験］
  市役所上級［教養試験］
- ●本試験問題例集（試験別過去問1年分 全2冊）
  令和6年度 地方上級［教養試験編］★
  令和6年度 国家一般職大卒［基礎能力試験編］★
  ※平成27年度～令和6年度分は、［Jトレプラス］に収録
- ●7年度　直前対策ブック★
- ●eラーニング［Jトレプラス］

★印の教材は、発行時期に合わせて送付します（詳細は受講後にお知らせします）

success voice!!

「Jトレプラス」では「面接レッスンVideo」と、直前期に「動画で学ぶ時事対策」を利用しました

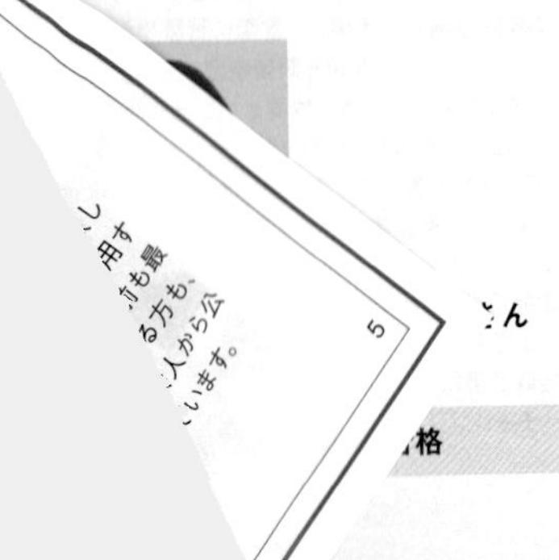

私が試験勉強を始めたのは大学院の修士1年の5月からでした。研究で忙しい中でも自分のペースで勉強ができることと、受講料が安価のため通信講座を選びました。

まずは判断推理と数的推理から始め、テキスト&ワークで解法を確認しました。知識分野は得点になりそうな分野を選んでワークを繰り返し解き、頻出項目を覚えるようにしました。秋頃から市販の過去問を解き始め、実際の問題に慣れるようにしました。また直前期には「動画で学ぶ時事対策」を追加して利用しました。食事の時間などに、繰り返し視聴していました。

2次試験対策は、「Jトレプラス」の「面接レッスンVideo」と、大学のキャリアセンターの模擬面接を利用し受け答えを改良していきました。

また、受講生専用サイトから質問ができることも大変助けになりました。私の周りには公務員試験を受けている人がほとんどいなかったため、試験の形式など気になったことを聞くことができてとてもよかったです。

公務員試験は対策に時間がかかるため、継続的に進めることが大切です。何にどれくらいの時間をかけるのか計画を立てながら、必要なことをコツコツと行っていくのが必要だと感じました。そして1次試験だけでなく、2次試験対策も早い段階から少しずつ始めていくのがよいと思います。またずっと勉強をしていると気が滅入ってくるので、定期的に気分転換することがおすすめです。

大卒程度 公務員択一攻略セット

[教養＋専門行政系]

教養＋専門が効率よく攻略できる

受講対象	**大卒程度 一般行政系・事務系の教養試験（基礎能力試験）および専門試験対策** [都道府県、特別区（東京23区）、政令指定都市、市役所、国家一般職大卒など]
受講料	**62,700円** （本体57,000円＋税 教材費・指導費等を含む総額）※受講料は2024年4月1日現在のものです。
申込受付期間	**2024年3月15日～2025年3月31日**
学習期間のめやす	6か月 学習期間のめやすです。個人のスケジュールに合わせて、長くも短くも調整することが可能です。試験本番までの期間を考慮し、ご自分に合った学習計画を立ててください。
受講生有効期間	2026年10月31日まで

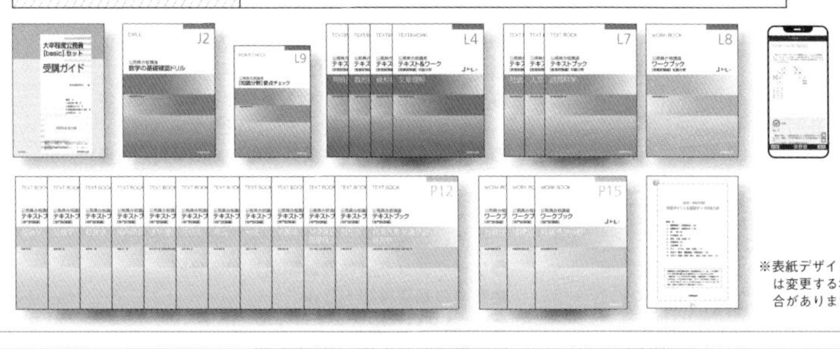

※表紙デザインは変更する場合があります

教材一覧

- ●受講ガイド（PDF）
- ●テキスト＆ワーク［教養試験編］知能分野（4冊）
  判断推理、数的推理、資料解釈、文章理解
- ●テキストブック［教養試験編］知識分野（3冊）
  社会科学［政治、法律、経済、社会］
  人文科学［日本史、世界史、地理、文学・芸術、思想］
  自然科学［数学、物理、化学、生物、地学］
- ●ワークブック［教養試験編］知識分野
- ●数学の基礎確認ドリル
- ●［知識分野］要点チェック
- ●テキストブック［専門試験編］（12冊）
  政治学、行政学、社会学、国際関係、法学・憲法、行政法、民法、刑法、労働法、経済原論（経済学）・国際経済学、財政学、経済政策・経済学史・経営学
- ●ワークブック［専門試験編］（3冊）
  行政分野、法律分野、経済・商学分野
- ●［時事・事情対策］学習ポイント＆重要テーマのまとめ（PDF）
- ●過去問 ※平成27年度～令和6年度 ［Jトレプラス］に収録
- ●eラーニング［Jトレプラス］

教材は K コースと同じもので、面接・論文対策、模試がついていません。

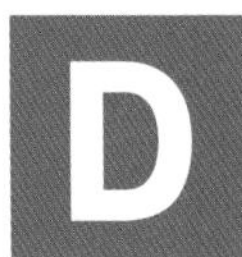

大卒程度 公務員択一攻略セット

[教養のみ]

教養のみ効率よく攻略できる

受講対象	**大卒程度 教養試験（基礎能力試験）対策** [一般行政系（事務系）、技術系、資格免許職を問わず、都道府県、政令指定都市、特別区（東京23区）、市役所など]
受講料	**46,200円** （本体42,000円＋税 教材費・指導費等を含む総額）※受講料は2024年4月1日現在のものです。
申込受付期間	**2024年3月15日～2025年3月31日**
学習期間のめやす	6か月 学習期間のめやすです。個人のスケジュールに合わせて、長くも短くも調整することが可能です。試験本番までの期間を考慮し、ご自分に合った学習計画を立ててください。
受講生有効期間	2026年10月31日まで

※表紙デザインは変更する場合があります

教材一覧

- ●受講ガイド（PDF）
- ●テキスト＆ワーク［教養試験編］知能分野（4冊）
  判断推理、数的推理、資料解釈、文章理解
- ●テキストブック［教養試験編］知識分野（3冊）
  社会科学［政治、法律、経済、社会］
  人文科学［日本史、世界史、地理、文学・芸術、思想］
  自然科学［数学、物理、化学、生物、地学］
- ●ワークブック［教養試験編］知識分野
- ●数学の基礎確認ドリル
- ●［知識分野］要点チェック
- ●［時事・事情対策］学習ポイント＆重要テーマのまとめ（PDF）
- ●過去問 ※平成27年度～令和6年度 ［Jトレプラス］に収録
- ●eラーニング［Jトレプラス］

教材は C コースと同じもので、面接・論文対策、模試がついていませ

M 経験者採用試験コース

職務経験を活かして公務員転職を狙う教養・論文・面接対策コース！

POINT

広範囲の教養試験を頻出事項に絞って効率的な対策が可能！

8回の添削で論文力をレベルアップ
面接は、本番を想定した準備が可能！
面接レッスン Video も活用しよう！

受講対象	民間企業等職務経験者・社会人採用試験対策
受講料	79,200円（本体72,000円＋税　教材費・指導費等を含む総額）※受講料は、2024年4月1日現在のものです。
申込受付期間	2024年3月15日～2025年3月31日
学習期間のめやす	6か月　学習期間のめやすです。個人のスケジュールに合わせて、長くも短くも調整することが可能です。試験本番までの期間を考慮し、ご自分に合った学習計画を立ててください。
受講生有効期間	2026年10月31日まで

※表紙デザインは変更する場合があります

教材一覧

- ●受講ガイド（PDF）
- ●学習プラン作成シート
- ●論文試験・集団討論試験等 実際出題例
- ●テキスト＆ワーク［論文試験編］
- ●テキスト＆ワーク［教養試験編］知能分野（4冊）
  判断推理、数的推理、資料解釈、文章理解
- ●テキストブック［教養試験編］知識分野（3冊）
  社会科学［政治、法律、経済、社会］
  人文科学［日本史、世界史、地理、文学・芸術、思想］
  自然科学［数学、物理、化学、生物、地学］
- ●ワークブック［教養試験編］知識分野
- ●数学の基礎確認ドリル
- ●［知識分野］要点チェック
- ●面接試験対策ブック
- ●提出課題1（全4回）
  ［添削課題］論文スキルアップ No.1（職務経験論文）
  ［添削課題］論文スキルアップ No.2、No.3、No.4（一般課題論文）
- ●提出課題2（以下は初回答案提出後発送　全4回）
  再トライ用［添削課題］論文スキルアップ No.1（職務経験論文）
  再トライ用［添削課題］論文スキルアップ No.2、No.3、No.4（一般課題論文）
- ●実力判定テスト［教養試験］★（1回）＊自己採点
- ●［添削課題］面接カード（2回）
- ●［時事・事情対策］学習ポイント＆重要テーマのまとめ（PDF）
- ●本試験問題例集（試験別過去問1年分 全1冊）
  令和6年度 地方上級［教養試験編］★
  ※平成27年度～令和6年度分は、［Jトレプラス］に収録
- ●7年度　直前対策ブック★
- ●eラーニング［Jトレプラス］

★印の教材は、発行時期に合わせて送付します（詳細は受講後にお知らせします）。

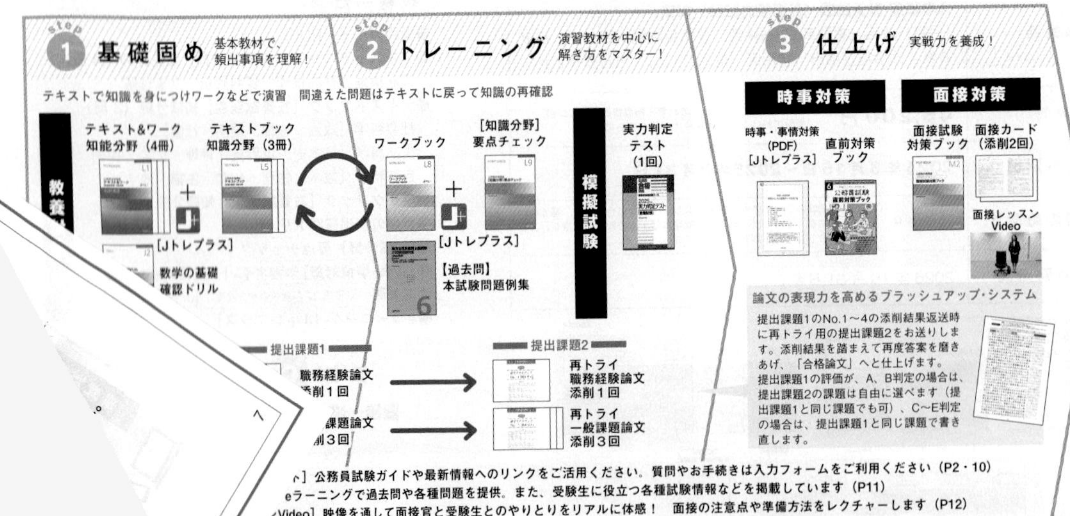

】公務員試験ガイドや最新情報へのリンクをご活用ください。質問やお手続きは入力フォームをご利用ください（P2・10）
eラーニングで過去問や各種問題を提供。また、受験生に役立つ各種試験情報などを掲載しています（P11）
Video］映像を通して面接官と受験生とのやりとりをリアルに体感！　面接の注意点や準備方法をレクチャーします（P12）

経験者採用試験［論文・面接試験対策］コース

経験者採用試験の論文・面接対策に絞って攻略！

POINT

8回の添削指導で論文力をレベルアップ！

面接試験は、回答例を参考に本番を想定した準備が可能！面接レッスンVideoも活用しよう！

受講対象	民間企業等職務経験者・社会人採用試験対策
受講料	39,600円（本体36,000円＋税　教材費・指導費等を含む総額）※受講料は、2024年4月1日現在のものです。
申込受付期間	2024年3月15日～2025年3月31日
学習期間のめやす	4か月　学習期間のめやすです。個人のスケジュールに合わせて、長くも短くも調整することが可能です。試験本番までの期間を考慮し、ご自分に合った学習計画を立ててください。
受講生有効期間	2026年10月31日まで

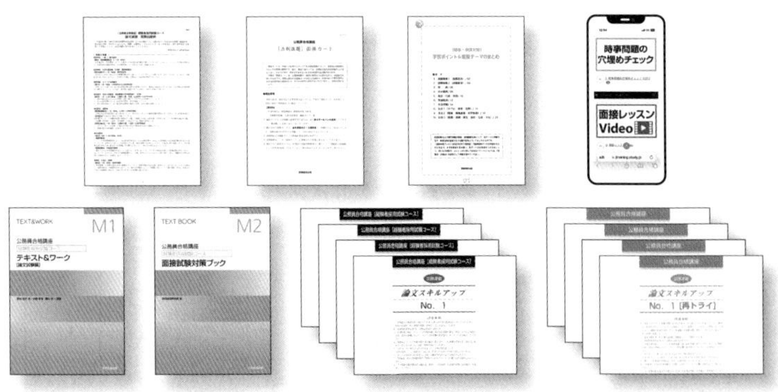

教材一覧

- ●受講のてびき
- ●論文試験・集団討論試験等 実際出題例
- ●テキスト＆ワーク［論文試験編］
- ●面接試験対策ブック
- ●提出課題1（全4回）
  - ［添削課題］論文スキルアップ No.1（職務経験論文）
  - ［添削課題］論文スキルアップ No.2、No.3、No.4（一般課題論文）
- ●提出課題2（以下は初回答案提出後発送　全4回）
  - 再トライ用［添削課題］論文スキルアップ No.1（職務経験論文）
  - 再トライ用［添削課題］論文スキルアップ No.2、No.3、No.4（一般課題論文）
- ●［添削課題］面接カード（2回）
- ●［時事・事情対策］学習ポイント＆重要テーマのまとめ（PDF）
- ●eラーニング［Jトレプラス］

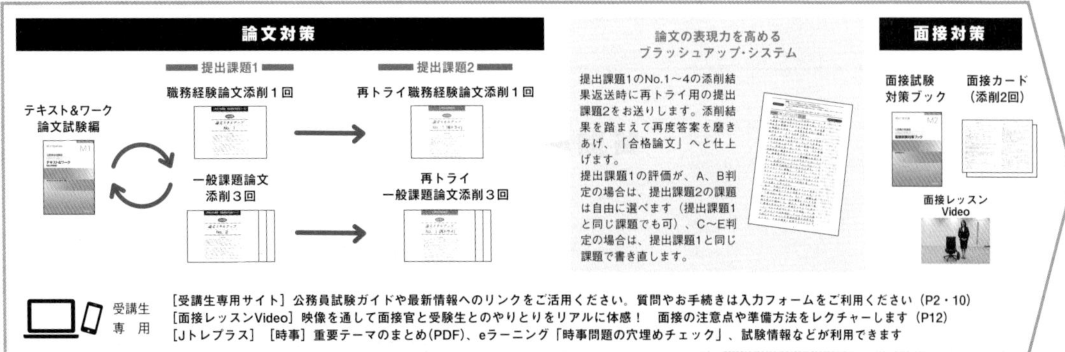
論文対策
提出課題1
提出課題2
テキスト＆ワーク
論文試験編
職務経験論文添削1回
再トライ職務経験論文添削1回
一般課題論文
添削3回
再トライ
一般課題論文添削3回
論文の表現力を高める
ブラッシュアップ・システム
提出課題1のNo.1～4の添削結果返送時に再トライ用の提出課題2をお送りします。添削結果を踏まえて再度答案を磨きあげ、「合格論文」へと仕上げます。
提出課題1の評価が、A、B判定の場合は、提出課題2の課題は自由に選べます（提出課題1と同じ課題でも可）、C～E判定の場合は、提出課題1と同じ課題で書き直します。
面接対策
面接試験
対策ブック
面接カード
（添削2回）
面接レッスン
Video
受講生
専用
［受講生専用サイト］公務員試験ガイドや最新情報へのリンクをご活用ください。質問やお手続きは入力フォームをご利用ください（P2・10）
［面接レッスンVideo］映像を通して面接官と受験生とのやりとりをリアルに体感！　面接の注意点や準備方法をレクチャーします（P12）
［Jトレプラス］［時事］重要テーマのまとめ(PDF)、eラーニング「時事問題の穴埋めチェック」、試験情報などが利用できます

公務員合格！

※『経験者採用試験コース』と『経験者採用試験［論文・面接試験対策］コース』の論文・面接対策教材は同じものです。両方のコースを申し込む必要はありません。どちらか一方をご受講ください。

success voice!!

通信講座のテキスト、添削のおかげで効率よく公務員試験に必要な情報を身につけることができました

小川 慎司 さん
南山大学卒業

国家公務員中途採用者選考試験（就職氷河期世代）合格

私が大学生の頃はいわゆる就職氷河期で、初めから公務員試験の合格は困難と思い、公務員試験に挑戦しませんでした。そのことが大学卒業後20年気にかかっていましたが、現在の年齢でも公務員試験を受験できる機会を知り、挑戦しようと思いました。

通信講座を勉強方法として選んだ理由は、論文試験が苦手だったため、どこが悪いのかどのように書けばよいのかを、客観的にみてもらいたいと思ったからです。

添削は、案の定厳しい指摘をいただき、論文の基本的なことがわかっていないことを痛感しましたが、返却答案のコメントやテキストをみていくうちに、順を追って筋道立てて述べること、明確に根拠を示すことなど論文を書くポイントがわかってきました。すると筆記試験に合格するようになりました。

面接は、面接試験対策ブックが役に立ちました。よくある質問の趣旨、意図が書いてあり、面接官の問いたいことはなにかという視点で考えて、対応することができるようになりました。

正職員として仕事をしながらの受験だったので、勉強時間をあまりとることができませんでしたが、講座のテキスト、添削のおかげで効率よく公務員に必要な情報を身につけることができました。

ちょうどクリスマスイブに合格通知書がた。そのときとても幸せな気持ちになりまし代後半での受験で合格は無理ではないかじけそうになりましたが、あきらめず挑戦です。

2025 年度試験対応

市役所教養トレーニングセット

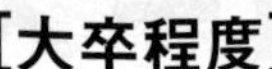

［大卒程度］

大卒程度の市役所試験を徹底攻略！

受講対象	**大卒程度 市役所 教養試験対策** 一般行政系（事務系）、技術系、資格免許職を問わず、大卒程度市役所
受講料	**31,900円** （本体 29,000 円＋税　教材費・指導費等を含む総額）※受講料は 2024 年 8 月 1 日現在のものです。
申込受付期間	**2024 年 8 月 1 日～ 2025 年 7 月 31 日**
学習期間のめやす	3 か月　学習期間のめやすです。個人のスケジュールに合わせて、長くも短くも調整することが可能です。試験本番までの期間を考慮し、ご自分に合った学習計画を立ててください。
受講生有効期間	2026 年 10 月 31 日まで

教材一覧

- ●受講ガイド（PDF）
- ●学習のモデルプラン
- ●**テキスト＆ワーク［教養試験編］知能分野（4 冊）**
  判断推理、数的推理、資料解釈、文章理解
- ●**テキストブック［教養試験編］知識分野（3 冊）**
  社会科学［政治、法律、経済、社会］
  人文科学［日本史、世界史、地理、文学・芸術、思想］
  自然科学［数学、物理、化学、生物、地学］
- ●**ワークブック［教養試験編］知識分野**
- ●**数学の基礎確認ドリル**
- ●**［知識分野］要点チェック**
- ●**面接試験対策ブック**
- ●**実力判定テスト★**　＊教養は自己採点
  市役所上級［教養試験、論・作文試験（添削２回）］
- ●**過去問（5 年分）**
  ［J トレプラス］に収録　※令和２年度～６年度
- ●**e ラーニング［J トレプラス］**

★印の教材は、発行時期に合わせて送付（詳細は受講後にお知らせします）。

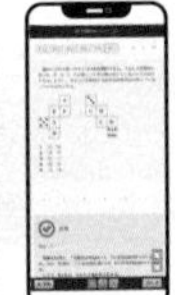

※表紙デザインは変更する場合があります

質問回答

学習上の疑問は、指導スタッフが解決！

マイペースで学習が進められる自宅学習ですが、疑問の解決に不安を感じる方も多いはず。でも「公務員合格講座」なら、学習途上で生じた疑問に、指導スタッフがわかりやすく丁寧に回答します。
手軽で便利な質問回答システムが、通信学習を強力にバックアップします！

質問の種類	**学科質問** 通信講座教材の内容についてわからないこと	**一般質問** 志望先や学習計画に関することなど
回数制限	**10 回まで無料** 11 回目以降は有料となります。詳細は下記参照	**回数制限なし** 何度でも質問できます。
質問方法	受講生専用サイト　郵便　FAX 受講生専用サイト、郵便、FAX で受け付けます。	受講生専用サイト　電話　郵便　FAX 受講生専用サイト、電話、郵便、FAX で受け付けます。

講生

受講後、実務教育出版の書籍を当社に直接ご注文いただくとすべて 10%割引になります！！

公務員合格講座受講生の方は、当社へ直接ご注文いただく場合に限り、実務教育出版発行の本すべてを 10% OFF でご購入いただけます。
書籍の注文方法は、受講生専用サイトでお知らせします。

いつでもどこでも学べる学習環境を提供！

eラーニング

［Jトレプラス］

K C L D M R

時間や場所を選ばず学べます！

スマホで「いつでも・どこでも」学習できるツールを提供しています。本番形式の「五肢択一式」のほか、手軽な短答式で重要ポイントの確認・習得が効率的にできる「穴埋めチェック」や短時間でトライできる「ミニテスト」など、さまざまなシチュエーションで活用できるコンテンツをご用意しています。外出先などでも気軽に問題に触れることができ、習熟度がUPします。

ホーム

五肢択一式

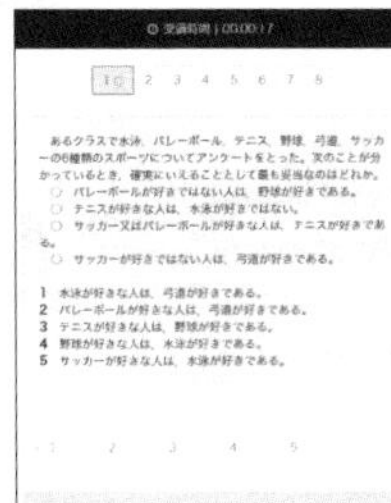

穴埋めチェック

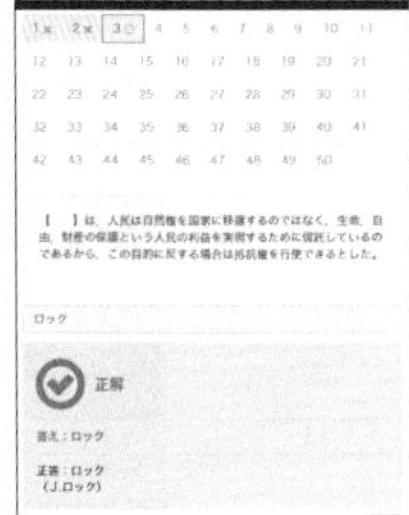

ミニテスト

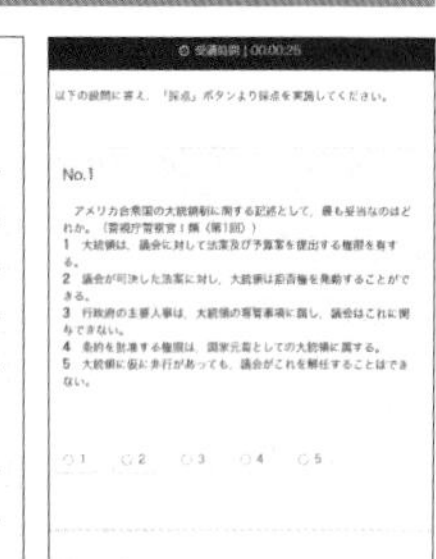

スキマ時間で、問題を解く！　テキストで確認！

＼ 利用者の声 ／

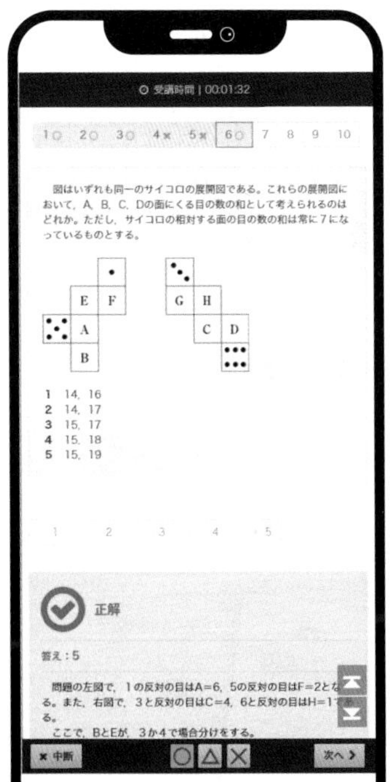

［Jトレプラス］をスマートフォンで利用し、ゲーム感覚で問題を解くことができたので、飽きることなく進められて良かったと思います。

ちょっとした合間に手軽に取り組める［Jトレプラス］でより多くの問題に触れるようにしていました。

通学時間に利用した［Jトレプラス］は時間が取りにくい理系学生にも強い味方となりました。

テキスト自体が初心者でもわかりやすい内容になっていたのでモチベーションを落とさず勉強が続けられました。

テキスト全冊をひととおり読み終えるのに苦労しましたが、一度読んでしまえば、再読するのにも時間はかからず、読み返すほどに理解が深まり、やりがいを感じました。勉強は苦痛ではなかったです。

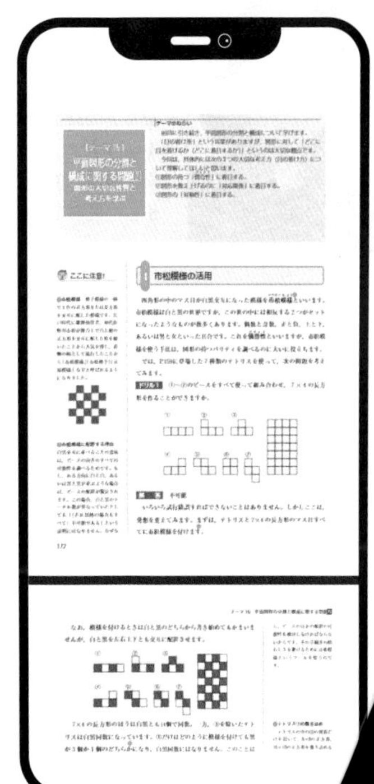

対応コースを記号で明記しています。

K …大卒程度公務員総合コース［教養+専門行政系］　C …大卒程度公務員総合コース［教養のみ］　L …大卒程度公務員択一攻略セット［教養+専門行政
D …大卒程度公務員択一攻略セット［教養のみ］　M …経験者採用試験コース　N …経験者採用試験［論文・面接試験対策］コース　R …市役

面接のポイントが動画や添削でわかる！

面接レッスン Video

K C M N R

面接試験をリアルに体感！

実際の面接試験がどのように行われるのか、自分のアピール点や志望動機をどう伝えたらよいのか？
面接レッスン Video では、映像を通して面接試験の緊張感や面接官とのやりとりを実感することができます。面接試験で大きなポイントとなる「第一印象」対策も、ベテラン指導者が実地で指南。対策が立てにくい集団討論やグループワークなども含め、準備方法や注意点をレクチャーしていきます。
また、動画内の面接官からの質問に対し声に出して回答し、その内容をさらにブラッシュアップする「実践編」では、「質問の意図」「回答の適切な長さ」などを理解し、本番をイメージしながらじっくり練習することができます。
［J トレプラス］内で動画を配信していますので、何度も見て、自分なりの面接対策を進めましょう。

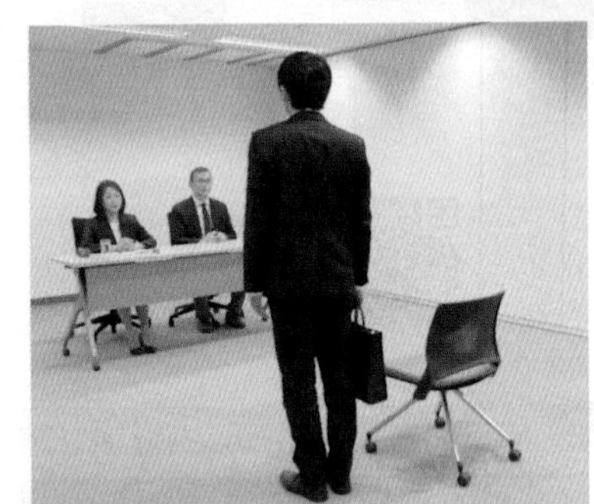

面接レッスン Video の紹介動画公開中！

面接レッスン Video の紹介動画を公開しています。
実務教育出版 web サイト各コースページからもご覧いただけます。

指導者 Profile

坪田まり子先生

有限会社コーディアル代表取締役、東京学芸大学特命教授、プロフェッショナル・キャリア・カウンセラー®。
自己分析、面接対策などの著書を多数執筆し、就職シーズンの講演実績多数。

森下一成先生

東京未来大学モチベーション行動科学部コミュニティ・デザイン研究室 教授。
特別区をはじめとする自治体と協働し、まちづくりの実践に学生を参画させながら、公務員や教員など、公共を担うキャリア開発に携わっている。

面接試験対策テキスト / 面接カード添削

K C M N

テキストと添削で自己アピール力を磨く！

面接試験対策テキストでは、面接試験の形式や評価のポイント……説しています。テキストの「質問例＆回答のポイント」では、……質問に対する回答のポイントをおさえ、事前に自分の……回答をまとめることができます。面接の基本を学……カード」による添削指導で、問題点を確認し、……ます。２回分の提出用紙を、「１回目の添……提出」もしくは「２回目は１回目と……ニーズに応じて利用できます。

▲面接試験対策テキスト

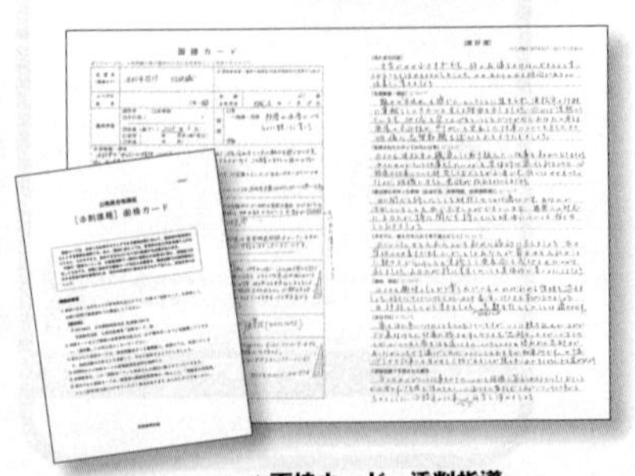
▲面接カード・添削指導

……卒程度公務員総合コース［教養+専門行政系］ C …大卒程度公務員総合コース［教養のみ］ L …大卒程度公務員択一攻略セット［教養+専門行政系］
…大卒程度公務員択一攻略セット［教養のみ］ M …経験者採用試験コース N …経験者採用試験［論文・面接試験対策］コース R …市役所教養トレーニングセット

お申し込み方法・受講料一覧

インターネット

実務教育出版ウェブサイトの「公務員合格講座 受講申込」ページへ進んでください。

●受講申込についての説明をよくお読みになり【申込フォーム】に必要事項を入力の上［送信］してください。
●【申込フォーム】送信後、当社から［確認メール］を自動送信しますので、必ずメールアドレスを入力してください。

■お支払方法

コンビニ・郵便局で支払う
教材と同送の「払込取扱票」でお支払いください。お支払い回数は「１回払い」のみです。

クレジットカードで支払う
インターネット上で決済できます。ご利用いただけるクレジットカードは、VISA、Master、JCB、AMEXです。お支払い回数は「１回払い」のみです。

※クレジット決済の詳細は、各カード会社にお問い合わせください。

■複数コース受講特典

コンビニ・郵便局で支払いの場合
以前、公務員合格講座の受講生だった方（現在受講中含む）、または今回複数コースを同時に申し込まれる場合は、受講料から3,000円を差し引いた金額を印字した「払込取扱票」をお送りします。
以前、受講生だった方は、以前の受講生番号を【申込フォーム】の該当欄に入力してください（ご本人様限定）。

クレジットカードで支払いの場合
以前、公務員合格講座の受講生だった方（現在受講中含む）、または今回複数コースを同時に申し込まれる場合は、後日当社より直接ご本人様宛に QUOカード3,000円分を進呈いたします。
以前、受講生だった方は、以前の受講生番号を【申込フォーム】の該当欄に入力してください（ご本人様限定）。

詳しくは、実務教育出版ウェブサイトをご覧ください。
「公務員合格講座 受講申込」
https://form.jitsumu.co.jp/contact/kouza_app/default.aspx?fcd=1203999

教材のお届け
あなたからのお申し込みデータにもとづき受講生登録が完了したら、教材の発送手配をいたします。
＊教材一式、受講生証などを発送します。　＊通常は当社受付日の翌日に発送します。
＊お申し込み内容に虚偽があった際は、教材の送付を中止させていただく場合があります。

受講料一覧［インターネットの場合］

コース記号	コース名	受講料	申込受付期間
K	大卒程度 公務員総合コース［教養＋専門行政系］	**93,500円**（本体85,000円＋税）	2024年3月15日〜2025年3月31日
C	大卒程度 公務員総合コース［教養のみ］	**68,200円**（本体62,000円＋税）	
L	大卒程度 公務員択一攻略セット［教養＋専門行政系］	**62,700円**（本体57,000円＋税）	
D	大卒程度 公務員択一攻略セット［教養のみ］	**46,200円**（本体42,000円＋税）	
M	経験者採用試験コース	**79,200円**（本体72,000円＋税）	
N	経験者採用試験［論文・面接試験対策］コース	**39,600円**（本体36,000円＋税）	
R	市役所教養トレーニングセット［大卒程度］	**31,900円**（本体29,000円＋税）	2024年8月1日〜2025年7月31日

＊受講料には、教材費・指導費などが含まれております。　＊お支払い方法は、一括払いのみです。　＊受講料は、2024年8月1日現在の税込価格です。

【返品・解約について】

◇教材到着後、未使用の場合のみ２週間以内であれば、返品・解約ができます。
◇返品・解約される場合は、必ず事前に当社へ電話でご連絡ください（電話以外は不可）。
TEL：03-3355-1822（土日祝日を除く９：00〜17：00）
◇返品・解約の際、お受け取りになった教材一式は、必ず実務教育出版あてにご返送ください。教材の返送料は、お客様のご負担となります。
◇２週間を過ぎてからの返品・解約はできません。また、２週間以内でも、お客様による折り目や書き込み、破損、汚れ、紛失等がある場合は、返品・解約ができませんのでご了承ください。
◇全国の取扱い店（大学生協・書店）にてお申し込みになった場合の返品・解約のご相談は、直接、生協窓口・書店へお願いいたします。

個人情報取扱原則　実務教育出版では、個人情報保護法など関連法規に基づいて個人情報を取り扱います。

1　利用目的　実務教育出版の商品（通信講座など）をご契約、ならびにお問い合わせいただいたお客様に対して、教材発送、案内資料の送付、お問い合わせやご相談の返答、その他関連サービスの提供やご案内、また、社内での調査・研究（アンケート等）などに利用させていただきます。
2　個人情報の管理　(1) 関係する法令等を順守いたします。(2) 利用目的の範囲を超えて個人情報を利用することはありません。(3) 業務上、外部の協力会社等にデータ処理を委託する場合は、適切な指導・監督を行うとともに、委託業務に関して契約を取り交わし、機密保持に努めます。
3　個人情報の第三者への供与制限　お客様の個人情報は、以下のいずれかに該当する場合を除き、第三者に提供することはありません。(1) お客様への契約の履行、商品提供や各種サービスを実施するため、社外の協力会社へデータ処理を委託する場合。(2) お客様の同意がある場合。(3) 法令に基づき司法機関、行政機関から法的義務を伴う要請を受けた場合
4　個人情報の訂正・利用停止の手続き　お客様ご本人より、個人情報の誤りについての訂正や利用停止のご連絡をいただいた場合は、お手続きの間に合う時点から速やかに処理を行
5　お問い合わせ窓口　個人情報についての苦情・お問い合わせは、下記にて受け付けいたします。
公務員指導部　TEL.03-3355-1822（土日祝日を除く９：00〜17：00）

公務員受験生を応援するwebサイト

※サイトのデザインは変更する場合があります

実務教育出版は、68年の伝統を誇る公務員受験指導のパイオニアとして、常に新しい合格メソッドと学習スタイルを提供しています。最新の公務員試験情報や詳しい公務員試験ガイド、国の機関から地方自治体までを網羅した官公庁リンク集、さらに、受験生のバイブル・実務教育出版の公務員受験ブックスや通信講座など役立つ学習ツールを紹介したオリジナルコンテンツも見逃せません。お気軽にご利用ください。

公務員試験ガイド

【公務員試験ガイド】は、試験別に解説しています。試験区分・受験資格・試験日程・試験内容・各種データ、対応コースや関連書籍など、盛りだくさん！

あなたに合ったお仕事は？ 公務員クイック検索！

【公務員クイック検索！】は、選択条件を設定するとあなたに合った公務員試験を検索することができます。

公務員合格講座に関するお問い合わせ

実務教育出版 公務員指導部

「どのコースを選べばよいか」、「公務員合格講座のシステムのここがわからない」など、公務員合格講座についてご不明な点は、電話かwebのお問い合わせフォームよりお気軽にご質問ください。公務員指導部スタッフがわかりやすくご説明いたします。

電話 **03-3355-1822** （土日祝日を除く 9：00～17：00）

web **https://www.jitsumu.co.jp/contact/inquiry/** （お問い合わせフォーム）

www.jitsumu.co.jp
〒163-8671 東京都新宿区新宿1-1-12 / TEL：03-3355-1822（土日祝日を除く 9：00～17：00）

 5A11-601

警察官・消防官［大卒程度］一次試験対策セット！

大卒程度の警察官・消防官の一次試験合格に必要な書籍、教材、模試をセット販売します。問題集をフル活用することで合格力を身につけることができます。模試は自己採点でいつでも実施することができ、論文試験は対策に欠かせない添削指導を受けることができます。

警察官 スーパー過去問セット［大卒程度］

教材一覧

- 大卒程度 警察官・消防官 スーパー過去問ゼミ［改訂第3版］
社会科学、人文科学、自然科学、判断推理、数的推理、文章理解・資料解釈
- 数学の基礎確認ドリル
- ［知識分野］要点チェック
- 2026年度版 大卒警察官 教養試験 過去問350
- 警察官・消防官［大卒程度］ 公開模擬試験
＊問題、正答と解説（自己採点）、論文（添削付き）

セット価格	18,150円（税込）
申込受付期間	2024年10月25日～

消防官 スーパー過去問セット［大卒程度］

教材一覧

- 大卒程度 警察官・消防官 スーパー過去問ゼミ［改訂第3版］
社会科学、人文科学、自然科学、判断推理、数的推理、文章理解・資料解釈
- 数学の基礎確認ドリル
- ［知識分野］要点チェック
- 2025年度版 大卒・高卒消防官 教養試験 過去問3
- 警察官・消防官［大卒程度］ 公開模擬
＊問題、正答と解説（自己採点）、論文（添削付き）

セット価格	18,150円（税込
申込受付期間	2024年1月1

動画で学ぶ【公務員合格】シリーズ

公務員試験対策のプロから学べる動画講義
お得な価格で受験生を応援します！

Check Point

動画で学ぶ【公務員合格】シリーズは
厳選されたポイントを
何度も見直すことができ
「独学」合格のための
確かなスタートダッシュが可能です

教養＋専門パック
SPI(非言語)+教養+時事+専門

これだけ揃って格安価格！

9,680円（税込）

◆動画時間：各90分

◆講義数：

SPI（非言語） 2コマ
数的推理 4コマ
判断推理 4コマ
時事対策 3コマ［2024年度］
憲法 10コマ
民法 15コマ
行政法 12コマ
ミクロ経済学 6コマ
マクロ経済学 6コマ
速攻ミクロ経済学 6コマ
速攻マクロ経済学 6コマ

◆視聴可能期間：1年間

教養パック
SPI(非言語)+教養+時事

頻出テーマ攻略で得点確保！

5,940円（税込）

◆動画時間：各90分

◆講義数：

SPI（非言語） 2コマ
数的推理 4コマ
判断推理 4コマ
時事対策 3コマ［2024年度］

◆視聴可能期間：1年間

動画で学ぶ【公務員合格】時事対策 2024

2024年度試験 時事対策を徹底解説！

4,950円（税込）

◆動画時間：各90分
◆講義数：時事対策［2024年度］ 3コマ
◆視聴可能期間：1年間

■模擬試験の特徴

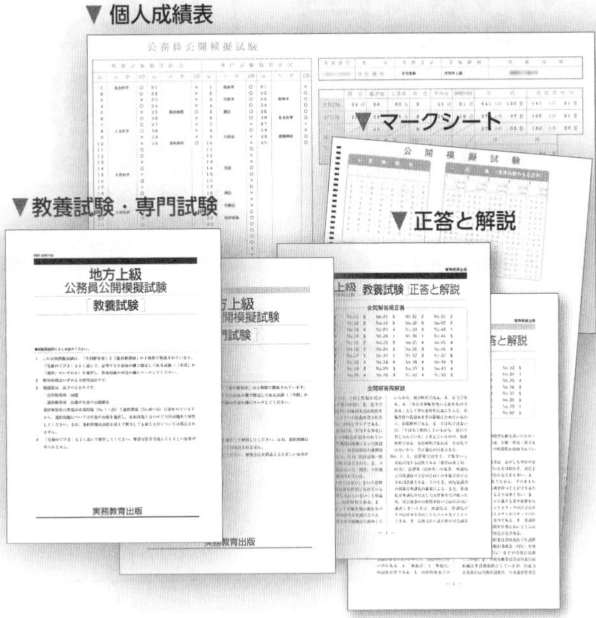

●2025年度（令和7年度）試験対応の予想問題を用いた、実戦形式の試験です！

試験構成、出題数、試験時間など実際の試験と同形式です。マークシートの解答方法はもちろん時間配分に慣れることができ、本試験直前期に的確な最終チェックが可能です。

●自宅で本番さながらの実戦練習ができます！

全国規模の実施ですので、実力を客観的に把握できます。「正答と解説」には、詳しい説明が記述されていますので、周辺知識までが身につき、一層の実力アップがはかれます。

●全国レベルの実力がわかる、客観的な判定資料をお届けします！

マークシートご提出後に、個人成績表をお送りいたします。精度の高い合格可能度判定をはじめ、得点、偏差値、正答率などの成績データにより、学習の成果を確認できます。

■申込方法

公開模擬試験は、実務教育出版webサイトの公開模擬試験申込フォームからお申し込みください。

1. 受験料のお支払いは、クレジット決済、コンビニ決済の2つの方法から選べます。
2. コンビニ決済の場合、ご利用のコンビニを選択すると、お申込情報（金額や払込票番号など）とお支払い方法が表示されます。その指示に従い指定期日（ネット上でのお申込み手続き完了日から6日目の23時59分59秒）までにコンビニのカウンターにて受験料をお支払いください。この期限を過ぎますと、お申込み自体が無効となりますので、十分ご注意ください。

スマホから
簡単アクセス

【ご注意】決済後の受験内容の変更・キャンセル等、受験料の返金を伴うご要望には一切応じることができませんのでご了承ください。
氏名は、必ず受験者ご本人様のお名前で、入力をお願いいたします。

◆公開模擬試験についてのお問い合わせ先

問題発送日より1週間経っても問題が届かない場合、下記「公開模擬試験」係までお問い合わせください。
実務教育出版　「公開模擬試験」係　TEL：03-3355-1822（土日祝日を除く9：00～17：00）

当社 2025 年度 通信講座受講生 は下記の該当試験を無料で受験できます。

申込手続きは不要です。問題発送日になりましたら、自動的に問題、正答と解説をご自宅に発送します。
＊無料受験対象以外の試験をご希望の方は、当サイトの公開模擬試験申込フォームからお申し込みください。

▼各コースの無料受験できる公開模擬試験は下記のとおりです。

あなたが受講している通信講座のコース名	無料受験できる公開模擬試験
程度公務員総合コース 専門行政系］	地方上級（教養＋専門）　国家一般職大卒（基礎能力＋専門） 市役所上級（教養＋専門）
務員総合コース	地方上級（教養のみ）　国家一般職大卒（基礎能力のみ） 市役所上級（教養のみ）

実力判定テスト】もあります！

詳細は、実務教育出版webサイトをご覧ください。